FORTUNE DE FRANCE

Paru dans Le Livre de Poche :

FORTUNE DE FRANCE

1. Fortune de France
2. En nos vertes années
3. Paris, ma bonne ville
4. Le Prince que voilà
5. La Violente Amour
6. La Pique du jour
7. La Volte des vertugadins
8. L'Enfant-Roi
9. Les Roses de la vie
10. Le Lys et la Pourpre
11. La Gloire et les Périls
12. Complots et cabales
13. Le Glaive et les Amours

L'IDOLE

LE JOUR NE SE LÈVE PAS POUR NOUS

ROBERT MERLE

Fortune de France I

Fortune de France

ÉDITIONS DE FALLOIS

ISBN : 978-2-253-13535-7 – 1re publication LGF

PRÉFACE

J'ai écrit la première ligne de *Fortune de France* le 24 mars 1976 et j'ai tracé le dernier mot du sixième et dernier volume le 4 mars 1985, quelques minutes avant que mon plus jeune fils m'appelât par téléphone à « la repue de midi ».

Je pus alors me retourner pour embrasser du regard l'œuvre accomplie : neuf années d'un labeur de bénédictin, de longues journées passées à la Bibliothèque nationale, cinq heures d'écriture quotidienne, et surtout, acquise dès le premier volume, conservée jusqu'au dernier, et à ce jour multipliée, la faveur du public.

Au bonheur d'avoir terminé ma tâche s'ajouta pour moi l'inouï plaisir de l'arrêter sur un de ces rares moments de l'Histoire de l'homme où la justice et l'humanité triomphent de l'intolérance : l'année 1599, la dernière année du XVIe siècle, mais aussi celle qui vit l'enregistrement de l'Édit de Nantes par le Parlement de Paris.

Voici ce qu'en dit alors La Surie, le fidèle compagnon du marquis de Siorac, dans le dernier volume de la série :

« — Ha mon Pierre ! Que je me sens heureux d'être vif, sain et gaillard en cette année-ci, la dernière du siècle ! Assurément, il n'est pas donné à tout un chacun de voir finir un siècle ! Et de le voir finir si bien, et par la mort du despote qui entendait écraser l'Europe sous la tyrannie de l'Inquisition[1], et par un Édit

1. Philippe II d'Espagne.

qui accorde la liberté de conscience et de culte aux huguenots. Ventre Saint-Antoine, mon Pierre ! Il faut boire à cette nouveauté sans précédent dans l'histoire du monde : l'obligation faite par un grand roi[1] à deux religions de vivre côte à côte dans un même pays sans se déchirer. »

J'ai connu un temps où l'Histoire était devenue en France à l'école primaire une matière facultative, abandonnée à la bonne volonté de l'instituteur, qui l'enseignait ou ne l'enseignait point, selon ses compétences. J'ai connu un autre temps où la *Nouvelle Histoire* — l'étude des faits de société aux différentes époques — ayant supplanté l'*Histoire chronologique*, les écoliers, gorgés de faits intéressants, ne savaient plus à quelles dates les accrocher ni sous quels règnes les situer.

Cette querelle-là, à laquelle je ne fus pas mêlé, m'apparut très caractéristique, comme bien d'autres, de l'esprit de système des Français et de leur penchant à se diviser en sectes. Quant à moi, dans *Fortune de France*, j'ai mélangé tout à fait innocemment la *Nouvelle Histoire* et l'*Histoire chronologique*, le roman historique ne se pouvant passer, de toute évidence, ni des dates ni des faits de société.

La tradition du roman historique à laquelle je me rattache est celle de Flaubert dans *Salammbô*, et aussi, mais je dirai plus loin pourquoi et dans quelle mesure, celle de Thackeray dans *Henry Esmond*, et non à celle de Dumas, de Hugo[2] et de Vigny — grands auteurs, certes, auxquels je dois aussi ajouter Michelet, lequel dans son *Histoire de France*, a écrit plus d'une brillante page qu'aucun document connu ne vient corroborer.

Vigny, dans la préface de son *Cinq-Mars*, n'a pas craint de faire la théorie de ce dangereux survol du

1. Henri IV de France.
2. Peu fidèle aux faits dans ses drames historiques, Hugo a été mieux inspiré par l'Histoire de son époque. Dans *les Misérables* sa description des barricades est saisissante, et aucun historien ne saurait négliger le portrait qu'il trace de Louis-Philippe.

passé : il oppose la *vérité de l'Art* au *vrai du fait*, et préfère hautement la première au second. « L'Art », écrit-il avec un flegme parfait, « ne doit jamais être considéré que dans ses rapports avec la beauté idéale. Il faut le dire : *ce qu'il y a de vrai n'est que secondaire.* »

À suivre cette méthode, on peut aller très loin. Et par exemple, prendre comme héros une pauvre tête folle comme Cinq-Mars, traître à son roi et à son pays, vouer en revanche aux gémonies le plus grand homme d'État du temps et puisqu'on est en si bon chemin, faire vivre le père Joseph quatre ans après sa mort.

La critique que l'on peut faire de la *Salammbô* de Flaubert (et que Flaubert s'est adressée tout le premier) est que le piédestal est trop grand pour la statue, l'auteur s'intéressant davantage à ses mercenaires qu'à l'héroïne du titre. En revanche, l'érudition historique sur laquelle le roman repose, et que Sainte-Beuve attaqua avec une fielleuse incompétence, s'est avérée tout à fait sans failles[1]. Et c'est sur ces solides fondations que Flaubert a construit son superbe livre. Preuve, s'il en était besoin, que la *vérité de l'Art* peut non seulement se concilier avec la *vérité du fait*, mais qu'elles ont ensemble une évidente affinité.

Le tour de force de Thackeray, écrivant au XIXe siècle la vie de *Henry Esmond* dans l'anglais qu'on parlait un siècle avant lui à la cour de la reine Anne, est souvent cité comme une inégalable réussite. Elle m'a profondément fasciné quand j'ai lu ce beau livre, et sans son exemple je n'aurais jamais tenté d'écrire *Fortune de France* dans la langue du XVIe siècle.

Un langage n'est pas neutre. À chaque époque, il charrie un accent, une couleur, une émotion, une attitude envers la vie. Il ne sert à rien, en parlant d'un courtisan d'Henri III ou d'Henri IV, de décrire son « pourpoint » ou son « haut-de-chausses », si vous

1. Dans l'état des recherches à l'époque.

mettez dans sa bouche des paroles qui sont toutes de notre siècle. Une méchante fée aussitôt changera en terne veston son pourpoint emperlé et en rugueux pantalon son haut-de-chausses de satin. Tout sera gâté et gâché par cette infortunée dissonance, y compris cette vertu si importante pour qui se mêle de conter une histoire : la crédibilité.

Ce fut une entreprise longue, difficile et passionnante que de créer une langue archaïque qui parût être celle du temps, de lui donner, au surplus, un timbre personnel et de soutenir cette gageure au long de trois mille pages. Je n'attendis pas sans affres la sortie du premier volume, craignant que le lecteur ne fût rebuté par ce langage nouveau. Ce fut, comme on sait, le contraire qui se passa. Ceux qui me lurent se prirent d'affection pour ces vieux mots savoureux, ces tournures courtoises, ce franc et vert parler, et quand ils me firent l'amitié de m'écrire, ils le firent assez souvent dans la langue que j'avais pris tant de plaisir à composer.

Le demi-siècle d'Histoire de France qui apparaît dans les six volumes de cette série, et qui va de la mort de François Ier à l'Édit de Nantes, pose, comme on l'a vu, un seul grand problème, mais le pose de façon tragique : dans la haine, le sang et les massacres.

Une majorité de catholiques voulait à toute force chasser ou tuer une minorité de protestants. On ne voulait absolument plus de l'*autre* : c'était l'hérétique, l'impur, le méchant. On ne disait pas « exclure » en cette époque sans vergogne : on disait « éradiquer » et le couteau paraissait le moyen le plus sûr.

« On ne résout pas le problème par le couteau », protestait déjà Henri III. Et quelques années plus tard, Henri IV fut assez fort pour dire à son Parlement : « Cet Édit est pour le bien de la paix. Je l'ai faite au-dehors : je la veux au-dedans. »

Comme il l'avait voulu, on s'aima alors entre Français, qu'on fût catholique ou huguenot. Mais moins d'un siècle plus tard, le petit-fils du bon roi Henri défit d'un trait de plume cette paix qui avait coûté tant de sang.

En France du moins, cette intolérance-là n'est plus. Mais c'est un monstre plein de vitalité. Pour une tête qu'on lui coupe, il lui en repousse deux. C'est à cela, à mon sentiment, que sert l'histoire : elle nous apprend que les mêmes problèmes se posent à nous qu'à nos ancêtres, quoique en des formes différentes.

Robert Merle
1992

FORTUNE DE FRANCE

Ne verra-t-on la Fortune de France relevée ? Ou demeurera méprisée et pour jamais couchée en terre ?

MICHEL DE L'HOSPITAL

AVANT-PROPOS

Fortune de France est une chronique qui se situe dans la deuxième moitié du XVIe siècle, puisqu'elle débute deux ans avant la mort de François Ier (1547) et finit un an après l'entrevue de Bayonne (1565).

Il s'agit d'un récit concentrique dont le premier cercle est une famille, le second une province, et le troisième un royaume, mais sans que les Princes reçoivent ici plus d'attention qu'il n'est nécessaire pour comprendre l'heur ou le malheur de ceux qui, en leur lointaine Sénéchaussée, dépendaient de leurs décisions.

La famille que je me suis rêvée (mais nourrissant ce rêve de données très précises) était protestante et vivait dans le Périgord méridional à la croisée de deux villages qui s'orthographiaient au XVIe siècle Marcuays et Taniès — ce dernier surplombant une petite rivière qui alimentait des moulins. Parallèle à la rivière sinue une route qui menait — qui mène toujours, en fait — aux Ayzies, maintenant les Eyzies. Mespech, le nom de la châtellenie acquise par les Siorac, vient de *mes*, maisons en oc, et *pech*, colline.

Je ne suis pas moi-même protestant et ce n'est pas par austérité huguenote que j'ai assuré, seul, ma documentation. C'est plutôt par volupté : pour être certain que je n'allais manquer aucun des détails charmants, colorés, horribles ou savoureux dont foisonnent les Mémoires de ce temps.

Fortune de France, en tant que récit, forme un tout et se suffit à lui-même. Je n'exclus pourtant pas de lui donner une suite, mais sans m'y engager par avance, désirant préserver ma liberté jusqu'au dernier moment, c'est-à-dire jusqu'à la première page de mon prochain livre.

Le lecteur trouvera en appendice un petit glossaire des quelques mots que j'emploie qui ne sont plus dans notre usage : mots français du XVIe siècle, mais aussi mots de langue d'oc quelque peu francisés, les gens instruits de ces régions — et Montaigne le premier — ne se faisant pas scrupule de mêler des expressions périgordines à la langue du Nord.

1977

CHAPITRE PREMIER

La noblesse de ma famille ne compte pas ses huit quartiers. Elle ne commence qu'avec mon père. Je le dis sans vergogne aucune. On pense bien que si je voulais déguiser, je ne commencerais pas ce récit. J'ai dessein de l'écrire tout droit, sans dévier, comme on trace un sillon.

M. de Fontenac, parmi les vilenies qu'il répandait sur notre compte, osait prétendre que mon arrière-grand-père, comme M. de Sauve, avait été laquais : mensonge que je lui ai fait rentrer dans la gorge.

Comme chacun sait, M. de Sauve a dû sa place de ministre autant à sa merveilleuse habileté qu'à la carrière que fit sa femme au service de la reine Catherine dans les couchettes des princes du sang. Notre famille n'est pas montée si haut, ni par de tels moyens. Elle n'est pas non plus venue de si bas, encore qu'il n'y ait pas de honte, je trouve, à être laquais, si c'est là que la peur de mourir de faim peut vous conduire un pauvre drole.

Mais enfin, la vérité, c'est que mon arrière grand-père, François Siorac, n'a pas servi chez les autres. Il possédait en propre et ménageait de ses mains une bonne terre près de Taniès, dans le Sarladais. Je ne puis dire l'étendue de son bien, mais il n'était ni petit ni médiocre, à en juger par la taille qu'il payait au Roi, la plus élevée de sa paroisse. Il n'était pas non plus avare, puisqu'il baillait dix sols par mois à son curé pour que Charles, son cadet, apprît le latin, avec l'espoir, peut-être, de le voir curé à son tour.

Mon grand-père Charles, bel homme dont la barbe et les cheveux tiraient sur le roux, comme mon demi-frère Samson, apprit bien le latin, mais aux oraisons il préféra l'aventure : à dix-huit ans, il laissa son village, et partit vers le nord pour faire sa fortune.

Il la fit bien, puisqu'il épousa à Rouen la fille d'un apothicaire dont il était devenu le commis. Je ne sais comment, étant commis, il réussit à étudier pour passer ses grades d'apothicaire, ni même s'il les passa vraiment, mais à la mort de son beau-père, il reprit sa pratique et mena fort bien ses affaires. En 1514, l'année où mon père naquit, il était assez prospère pour acheter, à deux lieues de Rouen, un moulin entouré de beaux prés, qui s'appelait la Volpie. C'est à cette époque qu'entre Charles et Siorac un *de* surgit, dont mon père se gaussait, mais qu'il conserva. Cependant, je n'ai vu sur aucun des papiers conservés par mon père la mention « *noble homme* » devant la signature de Charles de Siorac, seigneur de la Volpie. Preuve que mon grand-père ne voulait pas tromper son monde, comme tant de bourgeois qui achètent une terre pour se parer d'un titre que le Roi ne leur a pas donné. Les faux nobles abondent comme bien on sait. Et à dire vrai, quand leur fortune est assez rondelette pour mériter une alliance, les vrais nobles n'y regardent pas de si près.

Mon père, Jean de Siorac, puisque c'est ainsi qu'il s'appela, était fils cadet, comme l'était Charles son père, et comme je le suis moi-même. Et Charles, se souvenant de ce que le vieux François Siorac avait fait pour lui, avec ses leçons de latin si coûteuses, envoya Jean faire sa médecine à Montpellier. C'était un long voyage, un long séjour, et un grand sacrifice d'argent, même pour un apothicaire, mais le rêve de Charles, qui prenait de l'âge, était de voir son fils aîné Henri reprendre son officine, son cadet, Jean, médecin en la ville, et à eux deux, cernant le patient en amont et en aval, prospérer grandement, si Dieu voulait. Quant à ses trois filles, qui comptaient peu pour lui, néanmoins il les dota assez pour ne pas avoir à rougir de leur établissement.

Mon père fut bien reçu à Montpellier bachelier et licencié en médecine, mais il ne put soutenir sa thèse : Il dut fuir la ville deux jours avant la soutenance, de peur de jeter par un nœud coulant son dernier regard vers le ciel et d'être ensuite mis en quartiers, les quartiers étant accrochés, selon la coutume des lieux, aux oliviers à l'entrée des faubourgs : ce qui me fit un bien étrange effet quand je pénétrai moi-même dans cette belle ville, trente ans plus tard, par une matinée ensoleillée de juin, et aperçus des morceaux pourrissants de femmes pendus, pour l'exemple, aux branches de ces arbres qui, malgré cela, n'avaient pas honte de porter leurs fruits.

Quand je vois mon père aujourd'hui, j'ai peine à l'imaginer trente ans plus tôt, aussi vif que je le suis moi-même, aussi turbulent et non moins porté sur le cotillon. Car c'est bel et bien à propos d'une garce qui peut-être n'en valait même pas la chandelle, que mon père, en duel loyal, passa son épée à travers le corps d'un petit nobliau qui l'avait provoqué.

Une heure plus tard, Jean de Siorac aperçut par une lucarne de son logis les archers qui frappaient à sa porte. Il sauta par une fenêtre de derrière, bondit sur son cheval heureusement encore tout sellé et galopa à brides avalées hors la ville. En pourpoint comme il était, tête nue, sans manteau, sans épée, il tira vers les monts des Cévennes. Il y trouva d'abord refuge chez un étudiant qui faisait dans un bourg perché ses six mois de pratique de la médecine avant de revenir soutenir sa thèse à Montpellier. Puis il traversa l'Auvergne et gagna le Périgord, où le vieux François Siorac l'arma et l'habilla à ses frais avant de le renvoyer chez son fils Charles, à Rouen.

Mais plainte avait été déposée devant le Parlement d'Aix par les parents du nobliau qui, en outre, remuaient beaucoup, et il n'eût pas été sage que Jean de Siorac se montrât au grand jour, même à Rouen, malgré les protections que mon grand-père l'apothicaire y avait acquises.

Ceci se passait l'année où notre grand Roi François Ier décida par ordonnance la levée d'une légion dans chaque province du royaume, sage mesure qui, si elle avait été continuée, nous eût dispensé, pour nos guerres, de faire appel à ces Suisses qui, certes, se battaient fort bien quand ils étaient payés, mais qui, dès qu'ils ne l'étaient pas, pillaient le malheureux laboureur de France tout aussi bien que l'ennemi.

La légion de Normandie, forte de six mille hommes, fut la première en France à être formée, et Jean de Siorac s'y engagea avec la promesse d'avoir la grâce du Roi pour l'homme qu'il avait tué. Et en effet, François Ier, venant en mai 1535 inspecter la légion normande, en fut si content qu'il accorda tout, dans le principal et le particulier, y compris la grâce de mon père, à condition qu'il servît cinq ans. « Et voilà comment, dit Jean de Siorac, ayant appris le métier de guérir les hommes, je dus choisir celui de les tuer. »

Mon grand-père Charles fut bien marri de voir son cadet ravalé au rang de soldat de légion après avoir dépensé tant d'écus pour qu'il devînt médecin en la ville ; d'autant que son aîné, Henri, le futur apothicaire, tournait mal, délaissait les études, buvait, jouait, et vidait sa bourse avec ribauds et loudières, jusqu'au soir où il se noya, avec un peu d'aide et les poches vides, dans la rivière Seine.

Mon grand-père Charles se trouva enfin bien soulagé que celle de ses filles qu'il avait traitée toute sa vie de « sotte caillette », et qui ne manquait pourtant pas de bon sens, lui fournît un bon gendre pour l'aider à prendre sa suite. Chose étrange, cette apothicairerie, pour la deuxième fois, se transmettait non de père en fils, mais de beau-père en gendre.

Quant à mon père, Jean de Siorac, il était d'un autre métal que son aîné. Il eut grandement à cœur dans la légion, d'avancer sa fortune. Il était brave, endurant, et bien qu'il ne soufflât mot de sa licence en médecine (de peur d'être cantonné dans le rôle de chirurgien des armées, qui ne lui aurait pas plu), il soignait et pansait les blessures de ses compagnons, ce qui le fit aimer des chefs comme des soldats.

Il servit, non pas cinq ans, mais neuf ans, dans la légion, de 1536 à 1545, et, à chaque campagne, gagna une blessure et un grade. De centenier, il devint enseigne. D'enseigne, il passa lieutenant. Et de lieutenant, en 1544, tailladé et arquebusé en toutes les parties du corps hors les vitales, il passa capitaine.

Ce grade dans la légion était un sommet pour qui s'était engagé soldat, mais ce n'était pas un petit sommet, puisqu'il vous donnait le commandement de mille légionnaires, une solde de 100 livres par mois de campagne et une plus grande part à la picorée lors du pillage des villes. Privilège plus cher encore à mon père, il entraînait l'anoblissement avec le titre d'écuyer, bellement et noblement gagné puisqu'il l'avait été par la valeur et le sang, et non par les écus ou la complaisance d'une épouse.

Le jour où on nomma mon père capitaine, on promut en même temps que lui son ami et compagnon de tous les jours, bons et mauvais, Jean de Sauveterre. Entre les deux s'étaient tissés, dans les hasards des batailles et jusque dans les dents de la mort d'où ils s'étaient l'un l'autre plusieurs fois retirés, des liens d'une affection extraordinaire, que ni le temps, ni les traverses, ni le mariage de mon père ne purent jamais entamer. Jean de Sauveterre avait quelque cinq ans de plus que Jean de Siorac, et aussi brun de peau que Jean de Siorac était blond, l'œil noir, le visage couturé, le parler bref.

Mon père ne resta pas longtemps écuyer. En 1545 il se battit si vaillamment à Cérisoles qu'il fut fait chevalier sur le champ de bataille par le Duc d'Enghien qui commanda ce jour fameux. Mais la joie de mon père fut gâchée par la grave blessure que Jean de Sauveterre reçut alors à la jambe gauche et dont il resta boiteux. La paix revenue, le mieux que pouvait attendre Jean de Sauveterre était quelque service de citadelle, ce qui l'eût séparé de l'autre Jean : pensée insupportable, pour l'un comme pour l'autre.

Ils en étaient à rouler sur l'avenir ces tristes pensées, quand mon grand-père Charles mourut. Il avait eu à peine le temps de se réjouir de l'éclat que la fortune de son cadet versait sur sa famille. Il attendait et annonçait partout, parmi les bourgeois de Rouen, la proche visite de son fils, le « Chevalier de Siorac », quand il fut pris d'un grand renversement de boyaux — un *miserere*, d'après ce qui fut dit [1]. Et il expira, dans la sueur et la douleur, sans avoir revu son cadet, le seul fils qui lui restait, et le seul de ses enfants qu'il aimât vraiment, car ainsi que je l'ai dit, il tenait ses filles pour rien.

Le Chevalier de Siorac recueillit sa part d'héritage, qui se montait à 7 537 livres, et de retour au camp, il s'enferma dans la tente qu'il partageait avec Jean de Sauveterre, et fit avec lui ses comptes. Regardant tous deux à la dépense, et n'aimant ni le jeu ni le vin — les deux fondrières du soldat — ils avaient économisé l'argent de leur solde et peu touché à leur part de picorée. Ayant confié en outre, au cours des ans, de gros pécules à un honnête juif de Rouen, qui les avait fait prospérer par l'usure, ils se trouvèrent riches à eux deux de 35 000 livres, somme qui leur parut suffisante pour s'établir dans le ménage des champs, sans d'ailleurs vouloir mesurer ce qui revenait à l'un ou à l'autre, puisqu'ils voulaient désormais tout partager, les profits comme les pertes.

Avec la permission du lieutenant-général, et avec ses regrets, les deux Jean quittèrent alors la légion de Normandie, avec leurs chevaux, leurs armes, leurs trésors et trois bons soldats attachés à leur service. L'un conduisait un char, qui emportait tous leurs biens périssables, et aussi un assortiment de pistolets, d'arquebuses et de poitrinaires, pris à l'ennemi, et tous chargés. De la Normandie au Périgord, les routes étaient longues et peu sûres, et la petite troupe chevaucha avec prudence, évitant les bandes nombreuses, mais taillant en pièces les petits caïmans qui avaient l'effronterie d'exiger d'eux un péage au passage des ponts. Après avoir occis ces gueux, on les

1. Une appendicite.

dépouillait de leurs armes et de leurs écus et, les trois soldats ayant reçu chacun sa part de la picorée, le reste allait enrichir les coffres des deux Jean.

Après Bordeaux, cette mâle troupe rattrapa, sur la route de Bergerac, une gracieuse chevauchée de jeunes nonnes portées par des haquenées et conduites par une fière abbesse dans un carrosse. À la vue de ces cinq soldats, tannés, couturés et barbus fondant sur elles par-derrière dans la poussière des chemins, les religieuses poussèrent des cris, pensant qu'elles touchaient là, peut-être, au terme de leurs vœux. Mais Jean de Siorac, arrêtant son cheval à la fenêtre du carrosse, salua très civilement l'abbesse, dit son nom et la rassura. Elle était jeune, fille de bonne maison, point farouche et, battant du cil d'un certain air doux et prometteur, demanda à mon père de lui faire escorte jusqu'à Sarlat. Mon père, qui était alors, à ce qu'on dit, une proie facile pour toutes les diablesses de la terre, fussent-elles vêtues comme l'abbesse, allait céder quand Jean de Sauveterre intervint. Poli, mais rude, et fixant sur la demoiselle son œil noir, il fit valoir à l'abbesse qu'au train où allaient les haquenées des saintes filles, une escorte retarderait beaucoup sa troupe et l'exposerait, par conséquent, davantage aux dangers de la route. Bref, il s'agissait là d'un service ne pouvant pas être rétribué à moins de cinquante livres. L'abbesse rengainant ses mines, disputa âprement, mais Jean de Sauveterre fut inflexible et l'abbesse versa la somme dite jusqu'au dernier sol et par avance.

Dans mon enfance, j'ai entendu raconter cette histoire plus de cent fois par Cabusse, un de nos trois soldats, le second s'appelant Marsal et l'autre Coulondre. Et malgré qu'elle me plût beaucoup, elle me paraissait aussi assez peu compréhensible parce que Cabusse, sur le dernier mot, riait à se fendre la gueule comme grenouille et criait : « Il y a eu un Jean qui a touché les écus, et l'autre Jean a touché le reste, Dieu le bénisse ! »

À Taniès, mon arrière-grand-père, le vieux François Siorac, était mort, mais Raymond, le frère aîné de Charles l'apothicaire, avait repris la terre. Il accueillit bien son neveu, bien qu'en son for intérieur il fût assez effrayé de voir s'abattre sur sa maison ces cinq soldats bottés, barbus et bardés d'armes. Mais Jean le défraya, et du pot et du feu, et comme c'était le temps des moissons, les trois soldats retroussèrent leurs manches et donnèrent la main. D'ailleurs, c'étaient d'honnêtes gaillards et bien qu'ayant servi en légion normande pour ce qu'alors ils vivaient en cette province, deux d'entre eux étaient originaires du Quercy et le troisième — Cabusse — était gascon.

Avant de décider où et comment s'établir, les deux Jean, sur leurs meilleurs chevaux et eux-mêmes dans le meilleur appareil, mais qui sentait encore le soldat, allèrent se présenter de château en château à la noblesse du Sarladais. Jean de Siorac avait alors vingt-neuf ans, et l'œil bleu, le cheveu blond, la taille droite, il paraissait dans la fleur de son âge, n'eût été une petite balafre sur la joue gauche, qui le mûrissait sans l'enlaidir, ses autres cicatrices étant cachées par sa vêture. Jean de Sauveterre, à trente-quatre ans, paraissait presque son père, tant parce que son poil rude grisonnait déjà qu'en raison de son visage couturé et de la gravité de ses yeux noirs, profondément enfoncés dans leurs orbites. Il boitait, mais avec agilité, et ses épaules larges annonçaient beaucoup de force.

Ni le Chevalier de Siorac ni Jean de Sauveterre, Écuyer, n'eurent garde de cacher leurs origines, ne pensant pas avoir à rougir de la nouveauté de leur noblesse. Cette franchise montrait bien qu'ils sentaient leur valeur. En outre, les deux Jean s'exprimaient avec éloquence, sans rien de haut ni de tranchant, mais en même temps avec un air de ne pas être hommes à se laisser morguer.

Le Périgordin a la réputation d'être aimable, et les capitaines furent partout bien accueillis, mais par nul mieux que par François de Caumont, seigneur de Castelnau et des Milandes, et par ses frères.

Le splendide château de Castelnau qu'avait bâti son grand-père, François de Caumont, n'avait pas cinquante ans d'âge et sa pierre avait cet éclat ocre, si gai sous le soleil, de la pierre du Périgord. Puissamment construit sur un roc qui domine les lacis de la Dordogne, flanqué d'une grosse tour ronde, il parut à nos deux capitaines inexpugnable, sauf peut-être par une artillerie nombreuse, mais qui aurait eu néanmoins le désavantage de tirer de bas en haut. Ils notèrent, d'ailleurs, après avoir passé le pont-levis, deux ouvertures garnies de couleuvrines qui, en croisant leurs feux, pouvaient contrebattre les assaillants et leur faire beaucoup de mal.

Les deux visiteurs firent de grands compliments aux Caumont de ce château si neuf, si magnifique, si bien pourvu en défenses, et d'où le regard portait si loin sur la plaine de la Dordogne. Après ce début, que mon père n'était pas homme à abréger, il y eut un grand échange de compliments, car François de Caumont, qui s'était informé sur ses hôtes, les loua de la valeur extraordinaire qu'ils avaient montrée au service du Roi. Ceci dut être dit dans le style ampoulé qu'affectionnaient nos pères, et que certains d'entre nous retiennent encore, mais que je trouve, pour moi, fort lassant, lui préférant le parler simple et clair du paysan.

François de Caumont (son frère Geoffroy traversa avec moi des événements sanglants dont c'est miracle si nous sortîmes) était petit mais râblé, la voix profonde, l'œil luisant et attentif. À vingt-cinq ans, il avait la sagesse de l'âge mûr, pesant tout, ne s'avançant qu'à pas comptés, et un pied déjà sur le recul.

Quand les compliments furent finis, François de Caumont, qui avait flairé dans ses deux visiteurs des gens proches, comme lui, de la «*nouvelle opinion*»[1], leur posa des questions adroites, et bien qu'ils répondissent d'une façon très prudente, il vit bien qu'il ne se trompait pas. Il comprit alors tout le poids que

1. Le protestantisme (voir appendice n° 12).

pourraient apporter à son parti des hommes de cette trempe, et combien il était souhaitable d'aider à leur établissement.

— Messieurs, dit-il, vous ne sauriez mieux tomber. Dans huit jours, on vendra à Sarlat, à chandelle éteinte, la châtellenie de Mespech, qui, encore qu'elle soit quelque peu tombée en friche depuis la mort de son seigneur, compte de belles et bonnes terres à labour, des prés très sains, et de beaux bois de châtaigniers. Le Baron de Fontenac, dont le domaine jouxte Mespech, aimerait s'arrondir à peu de frais en l'achetant, et il a tout fait pour en retarder la vente, dans l'espérance que la châtellenie prenne si mauvaise mine qu'elle ne tenterait plus personne. Mais enfin à Sarlat, on a voulu passer outre, dans l'intérêt des héritiers, aux remuements de Fontenac et la vente à la criée se fera sans rémission le lundi qui vient, à midi.

— Monsieur de Caumont, dit Jean de Sauveterre, le Baron de Fontenac est-il de vos amis ?

— Point, dit Caumont en baissant les yeux. Personne ici n'est l'ami de Fontenac et il n'est l'ami de personne.

Au silence qui suivit, Sauveterre comprit qu'il y avait là-dessus trop à conter et que Caumont préférait ne dire mot. Et Siorac s'en serait lui aussi avisé, si n'était entrée dans la grande salle du château une gracieuse demoiselle qui était vêtue d'une robe de matin très décolletée et dont les cheveux blonds retombaient sur les épaules. Depuis qu'il avait commencé ses visites aux seigneurs du Sarladais, Siorac avait vu tant de dames dont le col était emprisonné dans des fraises sur lesquelles leur tête paraissait reposer comme sur un plat, qu'il se réjouit fort de voir ce cou d'une blancheur succulente qui se pliait de droite et de gauche avec la grâce d'un cygne, tandis que la demoiselle le regardait de ses grands yeux bleus. Il y eut échange de saluts, et Sauveterre, se rapprochant en boitant, aperçut sur cette gorge qui plaisait tant à Siorac une médaille qui le fit sourciller.

— Isabelle, dit Caumont de sa voix profonde, est la fille de mon oncle, le Chevalier de Caumont. Ma femme doit chambre garder, en raison d'un refroidissement du cerveau, sans cela elle serait descendue pour honorer ses hôtes. Mais Isabelle va la remplacer. Bien qu'elle ne soit pas sans biens, ma cousine Isabelle vit avec nous pour notre très grand agrément, car elle est la perfection même, reprit-il en jetant un coup d'œil à Siorac.

Puis il ajouta, d'un air de badinage, mais cette fois en regardant Sauveterre :

— Il n'est rien qu'on puisse lui reprocher, sauf, peut-être, son goût pour les médailles.

L'œil bleu d'Isabelle pétilla et elle dit avec beaucoup de pétulance et d'un vif mouvement du cou et des épaules :

— En quoi, mon cousin, je ressemble au Roi Louis XI...

— Qui fut un très grand Roi, malgré son idolâtrie, dit Caumont d'un ton grave, mais avec un sourire des yeux.

Quand les deux Jean, le lendemain, se présentèrent à cheval devant le château de Mespech, ils trouvèrent le pont-levis haut dressé, et à leurs cris au bout d'un assez long moment, une tête hirsute apparut sur le rempart, qui montra une trogne rougie et des yeux hébétés.

— Passez ! Passez ! dit l'homme d'une voix éraillée. J'ai le commandement de n'ouvrir à personne !

— Qu'est-ce que ce commandement ? dit Jean de Siorac. Et qui a bien pu te le donner ? Je suis le Chevalier de Siorac, neveu de Raymond Siorac de Taniès, et je suis acheteur de la châtellenie, ainsi que Jean de Sauveterre, mon compagnon. Comment pourrai-je l'acheter, si je ne peux la visiter ?

— Ah, Moussu ! Moussu ! dit l'homme. Je vous prie humblement de me pardonner, mais je serais en grand danger de ma vie et de la vie des miens si j'ouvrais !

— Qui es-tu, et comment te nommes-tu ?

— Maligou.

— Et bien a goût à la piquette, je pense, dit Sauveterre à mi-voix.

— Maligou, dit Siorac, es-tu domestique de cette maison ?

— Non point, dit Maligou avec un mouvement de fierté. J'ai une terre, une maison et une vigne.

— Une grande vigne ? dit Sauveterre.

— Grande assez, Moussu, pour ma soif.

— Et comment te trouves-tu ici ?

— Ma petite moisson faite, j'ai accepté, pour mon malheur, d'être commis à la garde de Mespech par les héritiers, moyennant deux sols le jour.

— Et tu les gagnes mal, en n'ouvrant pas aux acheteurs !

— Moussu, je ne peux, dit le Maligou d'un air plaintif. J'ai mon commandement. Et péril de ma vie, si je désobéis.

— Un commandement de qui ?

— Vous savez bien de qui, dit le Maligou en baissant la tête.

— Maligou, reprit Sauveterre en fronçant le sourcil, si tu ne baisses pas le pont, je galope à Sarlat quérir le lieutenant du Roi et ses archers ! Et ils te pendront pour faire obstruction aux acheteurs !

— J'ouvrirai assurément à Monsieur de La Boétie, dit Maligou avec un énorme soupir d'aise, mais je ne crois pas qu'il me pende. Allez quérir le lieutenant, Moussu, avant que je sois occis par d'autres ! Je vous en supplie au nom du Seigneur Dieu et de tous les saints !

— Au diable les saints, dit Sauveterre à voix basse. Le drole porte-t-il *aussi* une médaille de la Vierge ?

— Mais point en si belle et bonne place, dit Siorac à mi-voix.

Il reprit :

— Allons, Sauveterre ! Piquons ! À Sarlat ! Nous

avons derechef quelques lieues à nous caler dans les fesses par la faute de ce drole !

— Ou de celui qui le terrorise, dit Sauveterre en faisant volter son cheval d'un air soucieux. Mon frère, il faudrait y penser, nous n'aurons pas bon voisin, s'il est vrai que les terres de ce Fontenac jouxtent celles de Mespech.

— Mais le château est beau, dit Siorac en se dressant sur ses étriers. Il est beau et il est neuf ! Il y aura grande joie pour nous à habiter une maison aussi neuve. Foin de ces étroits fenestrous des vieilles bâtisses et de leurs murs noircis et moussus. Plus me plaisent la pierre qui brille et les fenêtres à meneaux qui laissent entrer la lumière !

— Mais qui donnent une entrée facile à l'assaillant...

— En cas de besoin, nous les renforcerons de l'intérieur d'épais volets de chêne.

— Vous achetez chat en poche, mon frère, dit Sauveterre d'un air de grogne. Nous n'avons même pas vu les terres.

— Maintenant, la maison. Demain et après-demain, les terres, dit Siorac.

Anthoine de La Boétie, lieutenant-criminel par autorité royale de la Sénéchaussée de Sarlat et du bailliage de Domme, habitait à Sarlat, en face de l'église, une maison fort belle et fort neuve, percée de ces fenêtres à meneaux qu'aimait mon père, lequel était féru en tout de nouveauté, que ce fût en religion, en agriculture, en art militaire ou en médecine. Car en cette science, il continuait encore diligemment de s'instruire. J'ai trouvé, il y a peu de temps, en sa considérable librairie, le traité d'Ambroise Paré sur la *Méthode de traiter les plaies faites par les arquebuses et autres bâtons à feu*, acheté, je le lis dans une note manuscrite de la main de mon père sur la page de garde, chez un bouquinier de Sarlat le 13 juillet

1545, l'année même de ce grand remuement autour de Mespech.

M. de La Boétie était fort richement vêtu d'un pourpoint de soie et portait moustache et barbe en pointe bien taillées et peignées. À côté de lui était assis sur une petite chaise basse un jeune homme assez laid d'une quinzaine d'années. Mais c'était là une laideur superficielle, rachetée par des yeux ardents et brillants.

— Mon fils Étienne, dit M. de La Boétie, non sans fierté. Messieurs, poursuivit-il, je n'ignore rien des complots de Fontenac. Il veut Mespech, et par tous les moyens, fussent-ils vils et bourbeux. Je sais, sans pouvoir, hélas, le prouver, qu'il a, le mois dernier, dépêché des gens pour escalader la nuit les murs du château et déplacer les *lauzes* du toit, créant ainsi des gouttières qui gâtent les planchers et déprécient la bâtisse. Car Fontenac ne dispose pas de plus de quinze mille livres tournois, personne ici ne lui prêtera un sol, et il sait que s'il n'est pas le seul acheteur à se présenter à la criée, il n'aura pas Mespech à si bas prix. Pour éviter qu'il continue les déprédations, les héritiers ont commis le Maligou à la garde du château, mais Fontenac, apprenant vos visées...

— Il les connaît donc ! dit Siorac.

— Mais comme tout le Sarladais, dit La Boétie avec un sourire, en se lissant la pointe de la barbe. Dans les châteaux comme dans les masures, on ne parle que de vous. Et nul n'ignore, par exemple, que Fontenac a menacé le pauvre Maligou de le rôtir tout vif dans sa maison avec sa femme et ses enfants s'il vous ouvrait Mespech.

— Et Fontenac ferait une chose pareille ? dit Sauveterre.

— Il a fait bien pis, dit La Boétie avec un geste de la main. Mais il est plus rusé que mille serpents et il n'a jamais laissé derrière lui assez de preuves pour qu'on lui fasse un procès.

— Nous avons quelque habitude de la guerre, et nous disposons de trois bons soldats, dit Sauveterre.

Monsieur le lieutenant, que peut faire contre nous ce Baron-brigand ?

— Poster ses gens masqués en embuscade sur votre chemin dans quelque bois du Périgord et mettre votre meurtre sur le compte de ces bandes qui nous infestent.

— Et de combien d'hommes dispose ce Fontenac ?

— Une dizaine d'hommes de sac et de corde qu'il appelle ses soldats.

— Dix ? dit Siorac d'un air fier. C'est bien peu.

Il y eut un silence et Anthoine de La Boétie reprit :

— Mais Fontenac a déjà entrepris de vous nuire par des moyens plus insinuants. Car le monstre dispose aussi d'une certaine venimeuse douceur pour sucrer ses complots. Il a averti l'Évêché de Sarlat que vous étiez prétendument, l'un et l'autre, de la religion réformée.

— Nous ne professons pas la religion réformée, dit Siorac après un moment de silence, et nous allons à messe comme tout un chacun.

Sauveterre n'opina ni ne nia. Il se tut. Cette différence n'échappa pas à Anthoine de La Boétie. Quant à son fils Étienne, il se leva, marcha d'un pas vif vers la fenêtre, et se retournant, il dit avec beaucoup d'indignation et d'éloquence :

— N'est-ce pas une honte de se demander si ces gentilshommes que voici vont ou ne vont pas à messe, alors qu'ils ont versé leur sang pendant dix ans au service du royaume ? Et qui pose cette question ? Ce boutefeu, ce bourreau, cette bête sauvage, cette sale peste du monde qui veut se mettre la religion devant soi comme garde du corps pour commettre ses vilenies ! Dieu nous garde de la tyrannie et de la pire de toutes : celle qui ne respecte pas les consciences...

— Mon fils, dit Anthoine avec un mélange d'affection et d'admiration, je n'ignore pas les sentiments qui animent votre généreux cœur contre la servitude.

— En outre, vous exprimez admirablement vos raisons, monsieur, dit Siorac à Étienne.

Il avait remarqué qu'Étienne avait dit « au service du royaume », et non « au service du Roi ».

Étienne vint se rasseoir sur le tabouret à côté du fauteuil de M. de La Boétie, et lui prenant la main, il la serra en rougissant, avec un amour des plus touchants, tandis que ses yeux ardents fixés sur lui disaient sa reconnaissance pour l'approbation qu'il avait reçue. Il est heureux, pensa Siorac avec émotion, que la nature ait fait d'eux le père et le fils, puisqu'ils ne pourraient être plus proches par le cœur, ni leurs volontés plus évidemment perdues l'une dans l'autre.

— Ah, mon père ! reprit Étienne, les larmes jaillissant de ses yeux. Pourquoi les peuples acceptent-ils si facilement la tyrannie ? J'y pense tous les jours que Dieu fait. Je ne parviens pas à oublier cette expédition infernale en avril dernier contre les pauvres Vaudois du Luberon : le massacre de huit cents laboureurs, les villages brûlés, les femmes et les filles forcées dans l'église de Mérindol et rejetées ensuite dans le brasier, les vieilles, à qui, faute de les vouloir forcer, on introduisit de la poudre dans les parties intimes pour les faire éclater, les prisonniers qu'on éventrait tout vifs pour enrouler leurs tripes sur un bâton ! Et le légat du Pape, présent à ces horreurs à Cabrière, et les applaudissant ! Et tout cela pourquoi ? Parce que ces pauvres gens, pacifiques et laborieux, ne voulaient, pas plus que les réformés dont ils sont si proches, ouïr la messe, honorer les saints, accepter la confession... Vous me savez, mon père, aussi bon catholique qu'on peut l'être, sans pour autant approuver les corruptions de l'Église romaine, mais je rougis de honte que l'Église de saint Pierre ait pu pousser le Roi de France à de pareilles abominations...

— Mon fils, dit Anthoine de La Boétie d'un air assez embarrassé en jetant un coup d'œil à ses visiteurs, vous savez que notre Roi François Ier est un homme d'une grande bonté. Il a signé sans les lire les lettres donnant mission au baron d'Oppède d'exécuter l'arrêt du Parlement d'Aix contre les Vaudois. Il en a conçu ensuite de grands remords et il vient d'ordonner une enquête contre les responsables de ces massacres.

— Hélas, il est trop tard ! dit Étienne. Mais sentant la gêne de son père, il poussa un soupir, baissa les yeux et se tut.

Il y eut un silence et Sauveterre reprit :

— Pour en revenir à Fontenac, la parole de ce coquin contre nous a-t-elle du poids à l'Évêché ?

— Je ne sais, dit La Boétie, qui avait l'air de le savoir fort bien. Ce scélérat se prétend bon catholique, bien qu'il soit exécrable chrétien. Il paye des messes, il fait des dons...

— Et qui sont acceptés par l'Évêque ?

— Mais c'est que nous n'avons pas d'Évêque, dit La Boétie avec un sourire en se lissant du dos de la main sa barbe en pointe. Notre Évêque, Nicolas de Gadis, que Madame la Dauphine[1] a fait nommer, est florentin comme elle, et vit à Rome où il attend son chapeau de cardinal.

— À Rome ! dit Siorac. Les dîmes suées par les laboureurs du Sarladais doivent faire un long chemin pour parvenir jusqu'à lui !

À cette saillie, Étienne rit aux éclats, et cette gaieté soudaine rajeunit son visage mélancolique.

— Nous avons cependant un coadjuteur, dit La Boétie, moitié sérieux, moitié lui aussi se gaussant, un nommé Jean Fabri.

— Mais il loge à Belvès, dit Étienne, le climat de Sarlat lui donnant des étouffements, surtout en été...

— De Sarlat à Belvès, dit Siorac en entrant dans le ton d'Étienne, le chemin est moins long pour les dîmes...

— Mais il faut bien qu'il reste un peu desdites dîmes à Sarlat, dit Étienne, car nous avons ici un *tertium quid*, le Vicaire général, Noailles, qui gouverne à sa guise.

Cet échange avait tissé entre les quatre hommes

1. Catherine de Médicis, épouse du futur Henri II.

une complicité chaleureuse, voilée à demi par la légèreté apparente du propos. La Boétie se leva, et Étienne se levant aussi, son père lui passa le bras par-dessus l'épaule et, toujours souriant, regarda ses visiteurs, debout eux aussi — Sauveterre avec un temps de retard en raison de sa boiterie.

— Messieurs, si vous voulez Mespech, poursuivit-il sur le ton de la plaisanterie périgordine où perce presque toujours une intention satirique ou sérieuse, il faudra faire quelques concessions. Ce serait peut-être trop vous demander de remettre entre les mains d'Anthoine de Noailles un don en l'honneur de la Sainte Vierge, pour qui vous nourrissez depuis longtemps une particulière dévotion...

Siorac sourit sans répondre et Sauveterre resta impassible.

— Mais peut-être pourriez-vous vous contenter d'apparaître à la grand-messe ce dimanche à Sarlat. Monsieur le Vicaire général y officie et ne manquera pas de vous remarquer.

— Eh bien, dit Siorac d'un air joyeux, si Mespech nous plaît, nous ne manquerons pas d'être là !

Le lieutenant du Roi et ses archers, suivis des deux Jean, n'eurent qu'à paraître : le pont-levis de Mespech descendit devant eux. Le Maligou, tancé, mais infiniment soulagé, fut renvoyé dans sa maison, et quatre des hommes de La Boétie commis, jusqu'à la vente, à la garde du château. La Boétie craignait une tentative désespérée de Fontenac pour le brûler, ce qui eût privé la châtellenie de sa demeure, Mespech n'étant plus alors qu'une vaste terre que personne, sinon son puissant voisin, n'eût eu intérêt à acheter.

Après que La Boétie eut pris congé, Siorac et Sauveterre visitèrent Mespech de fond en comble. Ceci se passait le jeudi. Le vendredi, ils parcoururent en tous sens le domaine. Le samedi, ils retournèrent à Sarlat, et là, devant le notaire Ricou, ils s'adoptèrent mutuellement et se donnèrent l'un à l'autre tous leurs biens présents et à venir. À partir de cet instant, les deux Jean devinrent frères, non seulement par l'affection qu'ils s'étaient jurée, mais aussi par la loi, héritiers l'un de l'autre — et Mespech, s'ils s'en rendaient acquéreurs, devenait leur propriété indivise.

J'ai lu cet acte émouvant. Il est rédigé d'un bout à l'autre en langue d'oc, alors qu'à cette date tous les actes officiels étaient déjà écrits en français, mais les notaires furent les derniers à consentir à se plier à cette règle, leurs clients le plus souvent n'entendant rien à la langue du Nord.

Le bruit s'étant répandu à Sarlat de l'affrèrement des capitaines, on commença à dire que les deux braves allaient acheter Mespech à la barbe de Fontenac. Hypothèse qui reçut une confirmation quand on les vit à la grand-messe le lendemain. Le bruit courut aussi qu'après la messe ils avaient remis au Vicaire général, Anthoine de Noailles, un don de cinq cents livres tournois « pour d'aucuns anciens soldats du Roi qui se trouveraient vivre en le diocèse de Sarlat, vieux et estropiés ».

L'arrivée des capitaines à Sarlat, ce dimanche-là, ne fut pas une arrivée de freluquets. Ils passèrent la porte de la Lendrevie, escortés de leurs trois soldats, tous les cinq, sauf Coulondre, le pistolet au poing et l'épée nue pendant par la dragonne au poignet de la main qui tenait les rênes. Ils défilèrent ainsi dans les rues, Siorac et Sauveterre l'œil sur les fenêtres, et leurs hommes sur les passants, et ils ne rengainèrent que lorsqu'ils eurent démonté devant l'hôtel de La Boétie. Le lieutenant, alerté par les sabots des chevaux sur les pavés, sortit aussitôt de sa demeure et vint au-devant d'eux, le sourire aux lèvres et les mains tendues, afin de montrer aux notables réunis sur la place (comme l'usage était de cette assemblée, par beau temps, avant la messe) le grand cas que l'officier royal faisait des nouveaux venus.

Il y eut de grands remous quand la frérèche se fut retirée dans l'hôtel de La Boétie, les bourgeois consultant entre eux avec des hochements de tête, et le populaire se pressant autour des cinq chevaux, vifs et pleins de sang que tenaient les soldats, admirant les croupes luisant de sueur et les selles de guerre, dont les fontes ouvragées laissaient voir les crosses de fortes pistoles.

Fontenac était en grande détestation parmi les bourgeois de Sarlat, et aussi parmi les nobles des châteaux, en raison de ses meurtres et excès infinis, mais le populaire en tenait pour lui, car du fruit de ses rapines il faisait parfois à ses frais des processions qui étaient censées glorifier un saint, mais qui finissaient, le vin payé par Fontenac coulant à flots, en ribauderies que La Boétie devait réprimer. Malgré ces désordres, qui ne sont que trop fréquents, d'aucuns opinent que le peuple des villes, qui travaille de l'aube à la nuit pour quelques misérables sols, est fondé à aimer les processions d'église puisqu'elles lui donnent du repos, les innumérables saints que le culte catholique célèbre lui apportant, bon an mal an, plus de cinquante jours fériés, sans compter les dimanches : raison pour laquelle il a toujours été facile d'ameuter le peuple contre ceux de la religion réformée qu'il suspecte de vouloir leur ôter les fêtes en supprimant les saints qui en sont l'occasion.

Bien que le parler du Quercy et de la Gascogne fût assez différent du leur, les badauds découvrirent vite que nos soldats entre eux parlaient d'oc et caressant leurs chevaux, admirant leurs selles et aussi le crochet de fer que Coulondre portait en place de la main gauche, ils firent des questions sans nombre auxquelles Cabusse seul répondit, le Gascon ayant l'esprit vif et la langue agile.

— Vos maîtres vont-ils acheter Mespech ?

— Nous n'avons point de maîtres. Ces Messieurs sont nos capitaines.

— Vos capitaines vont-ils acheter la châtellenie ?

— Il se peut.

— Ont-ils de l'argent assez pour cela ?

— Je n'ai point ouvert leurs coffres.

— On dit que le baron de Fontenac a quinze mille livres tournois.

— Dieu les lui garde.

— Vos capitaines ont-ils davantage ?

— Il faudra le leur demander.

— Si vos capitaines achètent Mespech, on dit que M. de Fontenac ne digérera pas cet affront.

— Dieu garde sa digestion.

— Vous jurez par Dieu. Jurez-vous aussi par les saints ?

— Oui-da, par le saint des badauds !

— De quelle religion êtes-vous ?

— De la même que la vôtre.

— On dit que vos capitaines tiennent pour la peste de l'hérésie.

— C'est un sot peuple qui dit cela.

Là-dessus, Cabusse se redressa et cria à tue-tête :

— Bonnes gens, tirez-vous des pattes de nos chevaux, et ôtez vos mains de nos selles !

Et telle est l'autorité d'une taille haute et d'une forte voix sur une foule qu'il fut aussitôt obéi.

Dès qu'il eut clos la porte sur ses visiteurs dans l'hôtel de La Boétie, le lieutenant-criminel entra dans le vif.

— Messieurs, dit-il, j'ai appris par un espion que Fontenac compte vous surprendre cette nuit à Taniès. Si vous le désirez, je vous hébergerai dans ma maison des champs cette nuit, vous et vos hommes, et jusqu'à la vente.

— Je vous sais un gré infini de votre offre, monsieur de La Boétie, dit Siorac, mais je ne puis l'accepter. Si Fontenac ne nous trouvait pas à Taniès, Dieu sait quelle scélérate vengeance il voudrait tirer de mon oncle, de mes deux cousins et des pauvres villageois !

— Siorac a raison, dit Sauveterre, sans se piquer de ce que Siorac ait pu parler sans le consulter.

Il ajouta :

— Grâce à vous, monsieur le lieutenant du Roi, ce n'est pas nous qui allons être surpris cette nuit, c'est Fontenac.

— Il n'apparaîtra pas dans l'affaire, dit La Boétie. Il est trop rusé pour cela.

— Mais si nous lui tuons sa bande, dit Siorac, c'est comme si nous lui limions les crocs !

Taniès, qui comptait alors une dizaine de familles autour d'un clocher trapu, est construit sur une colline qui descend par un chemin très abrupt dans les Beunes. On donne ce nom pluriel à la rivière en raison des biefs qui paraissent la doubler. On le donne aussi à la petite vallée qu'elle arrose jusqu'au village des Ayzies. Une route assez bien empierrée court le long de la rivière : seule voie d'accès pour qui vient du château de Fontenac.

Les capitaines, la nuit venue, postèrent Cabusse et les deux fils de l'oncle Siorac au bas de la colline, car ils supposaient que les assaillants laisseraient là leurs chevaux pour monter à pied, à pas de loup, la côte très raide et très pierreuse qui mène au village. Cabusse et ses auxiliaires n'avaient point pour consigne d'engager les assaillants, mais de les laisser passer, et au premier coup de feu d'assommer l'homme commis à la garde des montures et de retirer celles-ci dans une grange que mon oncle possédait dans les Beunes. Ayant fait, ils devaient revenir attendre ce qui resterait de la troupe pour l'arquebuser quand ce reste, en refluant, atteindrait le bas de la côte.

Cabusse, qui me conta l'histoire, car la frérèche n'aimait pas se rincer la bouche de ses propres exploits, me dit en riant que le plus dur de l'affaire ne fut pas de livrer bataille, mais de convaincre les villageois d'y participer, tant ils vivaient dans la terreur de Fontenac. Cependant, quand ils furent décidés, rien n'arrêta plus leur fureur. Après le combat, ils achevèrent sans merci les blessés et commencèrent aussitôt à les dépouiller de leurs bottes et de leurs vêtements, réclamant à hauts cris une part de la picorée, non seulement en armes, mais en chevaux, alors que seuls les deux fils de Raymond Siorac avaient participé à leur capture.

À l'un et l'autre, les capitaines donnèrent un cheval

avec sa selle, et deux encore au village, pour servir à tour de rôle aux labours. Mais les villageois, ayant l'habitude des bœufs, préférèrent les vendre et se partager l'argent. La frérèche garda le reste, soit six beaux et forts chevaux, aptes aux travaux des champs comme à la selle et qui seraient bien utiles quand le temps viendrait de rompre les friches de Mespech.

Sans avoir un seul blessé, on tua cette nuit-là six hommes au Baron-brigand. Et on fit un prisonnier : le gardien des chevaux, que Cabusse avait assommé dans les Beunes. Ramené au village, on eut toutes les peines du monde à empêcher les paysans de le massacrer. Mais il fallait garder en vie au moins un de ces marauds pour témoigner contre Fontenac. À en juger par le nombre des montures, deux des assaillants réussirent à s'enfuir à pied à la faveur de la nuit, bien que celle-ci fût assez claire. Mais il est vrai que, passé les Beunes, la forêt de châtaigniers commence, feuillue et profonde, sans un seul espace découvert à traverser sur les cinq bonnes lieues qui séparent Taniès de Fontenac.

Le lendemain lundi, jour de la vente de Mespech, les capitaines firent entasser les corps sanglants dans une charrette et les livrèrent à La Boétie en même temps que le prisonnier. Celui-ci fut retiré en la geôle de la ville, mais La Boétie exposa les morts au gibet de Sarlat qui se dressait en ces temps en face de la porte de la Rigaudie. Le peuple s'y pressa aussitôt. Parmi les badauds, on notait nombre de demoiselles, bien que les six scélérats fussent aussi nus que des vers.

La Boétie resta là un bon moment avec les capitaines, non point tant pour jouir du spectacle que pour ouïr le populaire, et noter ceux qui reconnaîtraient dans les pendus des hommes de Fontenac avec lesquels ils avaient ribaudé peut-être dans les tavernes. Et en effet, le vent tournant quelque peu contre le Baron-brigand, les langues se déliaient déjà.

Quant au prisonnier, le bourreau lui appliqua la question une heure après son arrivée à Sarlat, et il dit tout et bien au-delà. Car il révéla des vilenies à peine croyables commises par Fontenac deux ans plus tôt et qui, semble-t-il, pesaient fort sur la conscience de ce rustre, plus tendre que celle de son maître.

En 1543, un bourgeois étoffé de Montignac, du nom de Lagarrigue, disparut. Et un mois plus tard, sa femme quitta le bourg seule, à cheval, pour ne jamais plus reparaître. La confession du prisonnier éclaira sinistrement ces disparitions. Fontenac avait enlevé Lagarrigue sur la route de Montignac à Sarlat, à la tombée de la nuit, tuant les deux serviteurs qui l'accompagnaient et retirant l'otage en son château. Puis, dans le plus grand secret, il prévint la femme de Lagarrigue que son mari était dans ses mains. Et à condition qu'elle ne soufflât mot à âme qui vive, pas même à son confesseur, du lieu où il se trouvait, il le lui remettrait sain et sauf contre une rançon de huit mille livres. Encore devait-elle amener elle-même, et seule, la rançon en grand secret, et sans être vue de quiconque.

La malheureuse, qui nourrissait pour son mari une amour extraordinaire et tremblait de le perdre, eut la folie de croire que le Baron-brigand était homme à foi garder. Elle lui obéit en tout point. Les portes du château refermées sur elle, et la rançon comptée et enfermée dans ses coffres, Fontenac, qui était un très beau gentilhomme, très instruit et très courtois, dit à la demoiselle, de sa voix la plus douce, d'avoir un peu de patience, qu'elle n'allait pas tarder à être réunie à son mari. Mais pas plus tôt Lagarrigue fut-il traîné en sa présence, sanglant et enchaîné, que Fontenac, changeant de visage et de langage, jeta la demoiselle à ses soldats, leur disant de s'en repaître s'ils avaient cet appétit. Ainsi fut fait — sous les regards de Lagarrigue qui se débattait dans ses liens comme un dément. Pour que rien ne manquât à la torture de la pauvre fille, Fontenac commanda ensuite d'étrangler son mari sous ses yeux et la menaça d'un sort semblable. Cependant, il la garda encore deux ou trois jours pour l'amusement de ses soldats. Mais quelques-uns parmi ceux-ci commençant à la plaindre, car elle gardait douceur et dignité chrétiennes sous les plus abominables traitements, Fontenac, comme pour leur donner une leçon de cruauté, lui plongea sa dague dans la poitrine et faisant aller la lame dans sa blessure, il lui demanda avec d'affreux blasphèmes s'il la faisait jouir. Les deux corps furent ensuite brûlés dans les fossés du château afin qu'aucune trace ne subsistât de cet horrible forfait. Et Fontenac, regardant du haut des remparts monter vers lui l'âcre fumée, dit en se gaussant que Lagarrigue et sa femme devaient se sentir contents puisqu'ils étaient enfin réunis.

Fontenac eut vent de ce témoignage et ne parut pas à Sarlat le lundi à midi. Mespech fut vendu à chandelle éteinte 25 000 livres tournois au Chevalier Jean de Siorac et à Jean de Sauveterre, Écuyer, prix modeste pour ce riche et grand domaine, mais non point aussi bas qu'il l'eût été si Fontenac avait réussi à faire seul les enchères.

On aurait pu croire que la loi allait enfin s'abattre sur Fontenac et demander sa vie. Mais le prisonnier qui l'avait accusé mourut empoisonné deux jours plus tard dans sa geôle et sa mort rendait plus fragile encore l'unique témoignage recueilli contre le Baron-brigand. Le Parlement de Bordeaux cita néanmoins Fontenac à sa barre, mais celui-ci se garda de quitter son repaire crénelé. Il écrivit au Président du Parlement une lettre des plus courtoises et des mieux composées où les citations latines ne manquaient pas.

Il s'excusait avec beaucoup de compliments de ne pouvoir obtempérer au commandement, étant malade, à toute extrémité, priant pour son salut et presque porté en la terre. D'ailleurs, il était, en toute cette affaire, victime d'un horrible complot, où il voyait d'un bout à l'autre la main des hérétiques. Il était bien vrai que les six hommes pendus à Sarlat avaient été à son service, mais ces vilains, alléchés par de honteuses promesses, l'avaient quitté la veille, lui volant arquebuses et chevaux, pour se mettre au service des religionnaires qui, tout en cachant leurs véritables croyances, voulaient s'installer en la province pour la contaminer. Or, à peine ces serviteurs infidèles étaient-ils arrivés au rendez-vous fixé par les secrets et sanguinaires huguenots, que ceux-ci les avaient traîtreusement assassinés, tant pour faire croire à une attaque de Fontenac contre leur personne que pour s'emparer des armes et des montures lui appartenant. Quant au prisonnier, si tant est qu'on pouvait recevoir son témoignage, puisqu'il était unique (*testis unus, testis nullus*[1]), sa langue avait été achetée de toute évidence par les huguenots pour salir l'honneur centenaire des Fontenac. Si Fontenac avait pu être affronté à ce misérable, celui-ci aurait à coup sûr dédit les menteries qu'il avait dites. Mais une mort bien suspecte (*fecit qui prodest*[2]) était venue à point le réduire au silence pour le plus grand bénéfice des accusateurs.

Pour finir, Fontenac demandait au Président du Parlement de Bordeaux de faire injonction aux Sieurs de Siorac et de Sauveterre d'avoir à lui rendre sans délai ses armes et ses chevaux.

Telle était la force de l'esprit de parti dans les dernières années du règne de François Ier, et si grande, dans les Parlements, la suspicion où étaient tenus ceux qui, sans se déclarer ouvertement, paraissaient pencher pour l'hérésie, que cette lettre de Fontenac, si évidemment effrontée et captieuse, ébranla pourtant le Président et ses conseillers, alors même que l'exécrable réputation de Fontenac leur était connue, comme de toute la Guyenne. Il fallut que vinssent tout exprès à Bordeaux les deux capitaines, La Boétie, les deux consuls de Sarlat, et François de Caumont en tant que délégué de la noblesse, pour rétablir les faits dans leur vérité. Et encore le Parlement n'eut de cesse que les capitaines, reçus partout avec honneur, n'acceptassent de répondre sur leurs opinions. À

1. Témoin unique, témoin nul.
2. A commis le crime celui à qui il profite.

quoi ils consentirent, à condition que ce ne fût pas en public, mais tête à tête avec le conseiller commis à cet interrogatoire.

Ce conseiller était un homme grisonnant, réfléchi, extrêmement poli, qui fit de grandes excuses aux deux frères avant de les sonder.

— Monsieur le Conseiller, dit Siorac, comment prendre au sérieux une accusation émanée d'un si grand scélérat ?

— Mais c'est qu'il est bon catholique, si grand pécheur qu'il soit ! Il va à la messe, il se confesse, il communie, il fait des retraites dans un couvent...

— C'est grande pitié, alors, que les œuvres ne suivent pas les paroles...

— Je suis content, dit le Conseiller, de vous entendre parler des œuvres. À votre sens, n'est-ce pas grâce aux œuvres qu'un chrétien peut espérer faire son salut ?

Sauveterre se rembrunit, mais Siorac dit sans hésitation :

— Certes, je ne l'entends pas autrement.

— Vous me rassurez, monsieur le Chevalier, dit le Conseiller avec un sourire. Mais au demeurant, je ne suis pas grand clerc et ne vous poserai que questions simples et populaires, auxquelles il vous sera facile de répondre. Vous-même, oyez-vous régulièrement la sainte messe ?

— Oui, monsieur le Conseiller.

— Quittons la cérémonie, je vous prie. Vous plairait-il de répondre seulement oui ou non ?

— À votre guise.

— Je poursuis donc : honorez-vous la Sainte Vierge et les saints ?

— Oui.

— Usez-vous en vos prières de l'intercession de la Vierge et des saints ?

— Oui.

— Respectez-vous les médailles, peintures, vitraux et statues qu'on fait d'eux ?

— Oui.

— Admettez-vous la confession auriculaire ?
— Oui.
— Croyez-vous à la présence réelle de Dieu dans l'Eucharistie ?
— Oui.
— Croyez-vous au purgatoire ?
— Oui.
— Croyez-vous que le Pape soit le saint pontife de l'Église catholique, apostolique et romaine, et que tout chrétien lui doive obéissance ?
— Oui.
— Croyez-vous que le Pape puisse dispenser des indulgences ?
— Oui.
— Adorez-vous les reliques des saints et martyrs ?
— Oui.
— Suivrez-vous à Sarlat la procession d'août en l'honneur de la Vierge, dévotement, nu-tête, et le cierge à la main ?
— Oui.

Le Conseiller voulut alors se tourner vers Sauveterre pour poursuivre son inquisition, mais celui-ci se leva et s'avançant vers lui en claudiquant, il lui dit d'une voix forte en le fixant de ses yeux noirs :

— Monsieur le Conseiller, mon frère a excellemment répondu à toutes vos questions. Prenez ses réponses comme étant aussi les miennes. Et concluez, je vous prie, que notre religion est la même en tout point que celle du Roi de France, que nous avons l'un et l'autre si fidèlement servi dans la légion de Normandie.

Cette rude réponse était habile et le Conseiller du Parlement sentit qu'il ne pouvait pas aller plus avant. Mais il n'était point satisfait. Car il avait l'habitude du genre d'hommes qui était attiré par la religion réformée comme la limaille par l'aimant et, de ce point de vue, les vertus mêmes des capitaines, leur sérieux, leur savoir, leur tranquille courage ne parlaient pas en leur faveur.

— Ce sont très honnêtes gens, dit le Conseiller au

Président du Parlement à l'issue de l'interrogatoire. Ils sont sans légèreté, sans faiblesse ni faille d'aucune sorte. Mais ils professent du bout des lèvres la religion du Roi. Et je flaire en eux l'odeur du huguenot.

— Bien que vous ayez l'odorat fin, dit le Président, une odeur ne suffit pas. Tant qu'ils ne professent pas la réforme pestiférée, ils ne sont pas rebelles au Roi. Laissons donc le zèle aux gens d'Église.

Quelle odeur le Parlement trouva-t-il, en revanche, au Baron de Fontenac, et de quels appuis le bandit disposait-il, c'est ce que le bon peuple ne sut pas. Mais l'arrêt qui le condamna, « faute de preuves matérielles et de témoignages irréfutables », à vingt ans de bannissement hors de la Sénéchaussée de Sarlat et du bailliage de Domme fut jugé clément à l'excès dans toute la Guyenne.

Sur le chemin du retour, afin de préparer le gîte pour la petite troupe à Libourne, La Boétie, laissant là les Consuls de Sarlat et Caumont, prit quelque peu les devants, suivi de la « frérèche ». C'est sous ce nom, maintenant, que, selon la coutume, on connaissait les capitaines : appellation des plus émouvantes, puisqu'elle réunissait les deux frères sous un même vocable, comme si désormais ils n'avaient fait qu'un.

— Il est dommage que nous soyons en grande hâte, dit La Boétie. Nous serions passés par Montaigne, et je vous y aurais montré un petit drole de douze ans qui a été élevé par son père en latin et qui fait l'admiration de tous en lisant dans le texte *les Métamorphoses* d'Ovide.

— Ce seigneur, dit Siorac, a mille fois raison de se donner peine à instruire son fils. Nous avons grand besoin d'hommes doctes pour nous sortir de notre barbarie.

— Hélas, science et conscience ne sont pas toujours sœurs, dit La Boétie. Fontenac est lui-même fort instruit.

— Et le scélérat s'en tire à bon compte ! s'écria Sauveterre. Vingt ans de bannissement pour tant d'assassinats ! Le sang me bout à pareille iniquité !

— Et encore, ce Fontenac n'a-t-il occis qu'une dizaine de personnes, dit La Boétie. Mais que penser du Baron d'Oppède qui a massacré par centaines les paysans vaudois du Luberon, confisqué au nom du Roi leurs terres, et les a rachetées ensuite en sous-main ? Celui-là a fait l'objet d'un procès, mais vous pouvez être assuré qu'il en sortira blanc comme neige !

— Ainsi va notre triste monde, dit Sauveterre, roulant sans cesse dans le sang et la boue, et les superstitions mensongères qui ont corrompu la pure parole de Dieu.

Il y eut ici un silence. Personne, pas même Siorac, ne se souciant de courir le lièvre que Sauveterre avait levé. Et M. de La Boétie moins qu'un autre.

— Et à qui va, pendant ces vingt ans qui viennent, la Baronnie de Fontenac ? dit Siorac.

— Au fils unique du Baron, Bertrand de Fontenac, qui est maintenant majeur, puisqu'il vient d'avoir quinze ans.

La Boétie ajouta au bout d'un moment :

— Vous voilà désormais débarrassés du vieux loup, messieurs, mais il reste un louveteau. Je n'en entends guère dire du bien, et malgré qu'il soit jeune encore, les crocs pourront lui pousser.

CHAPITRE II

Je suis né le 28 mars 1551, soit six ans après l'acquisition de Mespech par la frérèche, à une époque où son apparence avait déjà changé. À vrai dire, les capitaines touchèrent peu à la bâtisse, grande maison rectangulaire haute de deux étages autour d'une cour intérieure et flanquée aux angles de tours à mâchicoulis, celles-ci étant reliées par un chemin de ronde crénelé.

Mais cette bâtisse n'était, au moment de l'achat, entourée que d'un embryon de douve, large d'une toise à peine et si peu profonde qu'un homme petit, si on l'y avait jeté, aurait partout repris pied. C'était là, à vue de nez, une défense dérisoire. Elle rendait presque inutile le pont-levis qui donnait accès à la maison sous un châtelet d'entrée, face au sud. N'importe qui eût pu, en effet, entrer dans l'eau sans aucun risque de se noyer et appliquer une échelle contre l'un des remparts en lui donnant dans la vase un pied suffisant.

La science et l'invention que les capitaines mirent à modifier ces douves n'auraient pu s'employer sans une circonstance heureuse : le puits construit dans un coin de la cour intérieure de Mespech était inépuisable. La frérèche s'en aperçut quand, peu après l'acquisition, elle voulut le vider pour le curer. En plein août, par grande sécheresse, on dut travailler d'abord à deux avec des seaux, mais le niveau ne baissant point, et la circonférence du puits étant assez vaste pour le permettre, on s'y mit à trois, puis à quatre, puis à cinq... À huit hommes, enfin, le niveau céda quelque peu et on poursuivit avec acharnement et l'eau recula encore, mais ce fut pour laisser voir une faille dans la terre d'où un jet, qui avait la grosseur d'un poignet d'homme, jaillissait avec force. Les capitaines ordonnèrent alors de cesser le travail, et l'eau, en peu de temps, revint à son niveau habituel jusqu'au conduit qui déversait le trop-plein dans les douves.

Il fallut détourner ce trop-plein avant de se mettre au travail dans les fossés, ce qui ne put se faire qu'après la vendange, étant donné le grand nombre d'hommes qu'on dut employer pour effectuer les creusements selon les plans des capitaines. En plus des soldats, des domestiques et des voisins, on loua des hommes à la journée et on les nourrit, la frérèche n'épargnant pas la dépense pour la réalisation de son grand projet. Car il ne s'agissait pas moins que de creuser un véritable étang d'une bonne toise de profondeur et de sept toises de largeur autour de Mespech.

C'est ainsi que Mespech devint une île, et une île

reliée au continent par une combinaison si ingénieuse, si défensive et si belle que je n'ai jamais vu de visiteur qui n'en fût, au premier abord, frappé d'admiration.

En effet, le pont-levis du châtelet d'entrée ne donne pas accès à la terre ferme, mais à une petite tour ronde que le châtelet domine de très haut. Cette petite tour est entourée d'eau et dispose elle-même d'un pont-levis qui s'abaisse sur une île carrée de cinq toises sur cinq. Cette île, entourée d'un haut mur, percé de meurtrières, comporte des bâtiments où on loge les chars, les araires, les herses et autres outils encombrants, ainsi qu'un lavoir, qui fait face à Mespech. Une autre tour, à l'extrémité de l'île, en un point où les douves se rétrécissent, comporte un troisième pont-levis qui permet accès à la « grande terre », comme on dit chez nous.

L'étroitesse des trois passages gardés interdit le croisement et ralentit quelque peu le mouvement des charrois quand il s'agit de rentrer les moissons, les foins, ou les animaux dans la cour de Mespech. Car la nuit, tout y est retiré, sauf le cheptel mort, qu'il serait trop incommode de ramener chaque fois à l'intérieur de nos murs, et qui, pour cette raison, reste dans l'île. Mais la grande étendue et la grande profondeur des eaux qui nous entourent, ainsi que l'entrée par les trois successifs ponts-levis, donnent un immense sentiment de sécurité qui, je ne sais comment, contribue aussi à la beauté du site.

J'ai longtemps cru que cette disposition, si utile à la défense et si plaisante à l'œil, était unique en France, mais en mes plus mûres années, poursuivi par une troupe nombreuse de caïmans qui me voulaient occire, et piquant des deux par monts et vaux pour leur échapper, du coin de l'œil j'aperçus, en courant un galop effréné sur mon genet noir allongeant sa tête fine, et son ventre frôlant presque les herbes, un château qui ressemblait à Mespech par la disposition de son étang et des petites tours commandant son île. Je n'eus pas le loisir de m'y arrêter, talonné que j'étais par cette vingtaine de droles qui me couraient sus, l'épée à la main, et poussaient des cris sauvages, tant il leur tardait de prendre ma bourse, mon cheval et ma vie.

Mon vaillant genet noir me tira de cette rencontre et jamais depuis je ne retrouvai cette aimable demeure dont la ressemblance avec Mespech me fit battre le cœur — qui battait déjà bien assez, dans le péril où j'étais. Tout ce que je puis dire, c'est qu'elle se trouve dans le Bordelais et à quelques lieues de la grande cité.

De l'autre côté de notre étang, on a disposé le potager, à portée de main et facile à arroser, et aussi nos arbres fruitiers, et en contrebas, pour qu'ils ne gênent pas les vues, nos noyers, dont nous avons une grande quantité, car nous en tirons l'huile pour notre éclairage, notre consommation, et aussi pour la vente. Le tout — verger et potager — est enclos d'une palissade faite de pieux de châtaignier épointés et durcis au feu. En quinconce, en deçà de cette palissade, sont disposées des chausse-trapes creusées par nos soldats pour piéger les maraudeurs qui viendraient la nuit, à la belle saison, nous voler nos légumes et nos fruits. Hélas, si grande est la misère dans notre pauvre Périgord et si innumérable la gueuserie qui déferle sur notre province d'est en ouest, chassée de ses montagnes d'Auvergne par la faim, qu'il ne se passe pas d'été sans que nous trouvions un jour quelque estropié plaintif dans notre enclos, le pied nu percé et sanglant, rampant encore, la bouche ouverte et les mains crispées, vers notre potager, alors même qu'il n'ignore pas que la justice seigneuriale va le pendre dès qu'il sera découvert.

Ma mère pleurait sur ces pendaisons, mais la frérèche lui remontra que, dans l'état de faiblesse et d'extrême maigreur où se trouvaient ces pauvres gens, la blessure qu'ils avaient reçue des chausse-trapes n'était pas guérissable, et que les laisser repartir, tout saignant et rampant, les condamnerait aux horreurs d'une mort prolongée. Ma mère obtint du moins que, pour abréger leurs souffrances, ils fussent assommés avant d'être pendus et qu'on ne laissât pas pourrir leur corps sur le gibet, comme c'était la coutume.

Nous avons donc à Mespech, depuis ce temps, enterré décemment, dans un bout de champ pierreux où pas un pissenlit à ce jour n'avait réussi à pousser, tout un cimetière de ces gueux sans nom. Ma mère y vient prier le premier dimanche du mois, suivie de Barberine, la nourrice, me portant dans ses bras, de la petite Hélix, sa fille, trottinant dans sa jupe, et de Cabusse en armes, car ni épouse ni enfants n'ont le droit de sortir de Mespech sans escorte. Plus tard, quand ces consignes se furent relâchées, j'ai joué avec la petite Hélix dans le champ des maraudeurs. Ces pauvres gueux, qui avaient eu si faim de leur vivant, ont bien engraissé la terre après leur mort. Car maintenant, l'herbe y pousse dru, et aussi, au printemps, une merveilleuse floraison de jonquilles d'un jaune éclatant, mais que personne n'ose cueillir. On dit, dans le pays, que la fleur, quand elle est coupée, pousse un gémissement, et quiconque, homme ou garce, entend ce cri est condamné à manquer de pain pour le reste de sa vie.

Un an après l'achat de Mespech, mon père épousa Isabelle de Caumont, dont les yeux bleus, les cheveux blonds et la médaille avaient fait sur lui une si vive impression, quand il visita Castelnau, pour la première fois, avec Sauveterre. Isabelle était alors dans ses années les plus vertes, atteignant tout juste quinze ans, « la taille faite au tour, la charnure ferme et succulente, la jambe haute, le pied petit ». Cette description est de mon père et je la lis à la première page de son *Livre de raison* qu'il commença le jour de son mariage, le 16 septembre 1546. Il note encore qu'il a trente-deux ans, et que son épouse a quinze ans, qu'elle est douce, saine de corps, de fort plaisante compagnie, d'humeur gaie et constante, bien que parfois un peu opiniâtre, et bonne chrétienne malgré son penchant à l'idolâtrie. « Les noces, les habillements, les dons au clergé, les libéralités aux pauvres et les deux repas coûtèrent — je le lis à la suite — 500 livres tournois, somme modeste, remarque mon père, selon l'us de la noblesse d'alors ». À quoi Sauveterre, de sa petite écriture en pattes de mouche, remarque en marge : « C'est encore trop. Cinq cents livres, c'est le prix d'une belle pièce de labour. »

Non point que la frérèche, en cette occasion, se divisât. Se trouvant trop avancé en âge pour convoler, Jean de Sauveterre trouvait bon que Jean de Siorac fît souche, afin que sur cette branche-là, du moins, la frérèche bourgeonnât et fleurît en enfants à qui Mespech serait légué. Mais la médaille d'Isabelle le dérangeait quelque peu, et aussi l'intrusion, d'un seul coup, de tant de femmes à Mespech, puisque avec Isabelle vint sa femme de chambre Cathau et, un an plus tard, la nourrice Barberine, et avec Barberine, sa fille, la petite Hélix, qu'elle nourrit en même temps que le premier de ma mère, mon aîné, François de Siorac.

Mais Sauveterre, qui était si ménager des biens de la frérèche et si désireux de les accroître, ne pouvait du moins se plaindre qu'Isabelle de Caumont fût entrée nue à Mespech. Car outre ses alliances avec la noblesse du Périgord, elle y apportait deux mille écus, un beau bois de châtaigniers, un pré d'une taille à nourrir deux ou trois vaches au bord de la route qui menait aux Ayzies, et au-dessous, une fort belle carrière en pierre ocre du pays, d'exploitation facile et à trois lieues à peine de Mespech.

La frérèche, qui faisait flèche de tout bois, car elle vendait à bon prix et à bon moment ce qu'elle avait en plus : grain, foin, laine, miel, huile de noix, chair de porc ou hongre de deux ans, voulut tirer profit de cette carrière en un temps où les bourgeois, comme les seigneurs, bâtissaient beaucoup aux champs, tant pour la montre que pour l'agrément.

Le dimanche qui suivit les noces, les capitaines firent savoir à Sarlat à son de tambour et de trompe, que s'il se trouvait un bon carrier en la ville ou aux alentours, qu'il eût à se présenter aux capitaines le dimanche suivant, sur la place de l'église. Mais dès le lendemain, apparut au pied du premier pont-levis, sous la petite tour ronde de l'île, un gaillard barbu, de haute taille et de forte carrure. Sa chemise de grosse toile de lin serrée à la ceinture laissait voir une toison épaisse et noire et ses chausses étaient liées aux chevilles et aux genoux par des lanières de cuir. Il était fort encombré, portant en bandoulière un grand arc anglais, et, attachés à sa ceinture, une large écuelle, un grand coutelas et un carquois de flèches. En outre, appuyée sur son épaule droite, une forte courroie soutenait sur son dos une grande boîte en bois. Ses larges pieds poussiéreux étaient nus, mais sa tête, en revanche, était couverte d'un chapeau de feutre pointu qu'il ôta dès que les deux capitaines apparurent au fenestrou de la tour, au-dessus du pont-levis.

— Messieurs les Capitaines, dit l'homme, je suis le carrier demandé. On me nomme Jonas.

— C'est dimanche prochain sur la place de l'église à Sarlat que tu devais te présenter, dit Sauveterre. Ne pouvais-tu attendre ?

— Moi, si, messieurs les Capitaines, dit Jonas. Mais mon grand corps a besoin de pain.

— Que fais-tu avec cet arc anglais ?

— Je chasse, quand j'ai permission des communes ou des seigneurs.

— Ne serais-tu pas quelque peu braconnier ?

— Pour sûr que non ! s'écria Jonas. C'est crime capital ! Point ne ferais cela. Je n'ai qu'un seul cou pour le boire, pour le manger et pour respirer l'air de Dieu.

La frérèche se mit à rire et Siorac poursuivit :

— Et qu'est-ce que cette grande caisse que tu portes sur le dos ?

Jonas, d'un coup d'épaule, la fit glisser à terre et l'ouvrit.

— Mes outils de carrier.

Il se redressa et noir de peau, noir de barbe, ses larges mains ouvertes tremblant légèrement au bout de ses bras musclés, il attendit, l'œil fixé avec anxiété sur les Capitaines.

— D'où viens-tu, Jonas? dit Sauveterre, et parce qu'il l'avait appelé par son nom, Jonas regarda Sauveterre avec gratitude.

— Des monts d'Auvergne. D'un village qui s'appelle Marcolès. La carrière où je faisais le carrier est épuisée.

— Jonas, dit Siorac, es-tu bon tireur avec cet arc?

— Pour vous servir, messieurs les Capitaines.

— Pourrais-tu toucher ce corbeau qui vient faire l'insolent sur la cime de notre noyer?

Tournant son cou à la ronde, Jonas huma l'air et dit:

— C'est chose faite, si le vent ne se met pas contre moi!

Il saisit son arc par le milieu, encocha une flèche, se campa, banda l'arc jusqu'à ce que la corde vînt toucher le bout de son nez et la pointe de son menton, et sans avoir l'air de viser, lâcha les doigts. La flèche siffla et le corbeau tomba, transpercé, dans un grand bruit d'ailes et de feuilles, jusqu'au sol.

— C'est bien tiré, dit Siorac.

— Les Anglais, dit Sauveterre, ont conservé à ce jour leurs compagnies d'archers. Peut-être ont-ils eu raison. Toi et moi, Jean, avons vu plus d'un combat perdu parce que la pluie avait mouillé les mèches des arquebuses. Jonas, poursuivit-il, es-tu aussi bon carrier que tu es bon archer?

— Ah, certes! dit Jonas avec un accent de fierté. Je connais à fond mon métier, et j'y prends plaisir. Je ne sais pas seulement extraire la pierre, je sais la tailler en lauzes pour les toitures. Je sais apparier les blocs pour les murs. Je sais leur donner du biais pour construire le rond des tours. Je sais préparer au sol les linteaux des portes et des fenêtres, qu'ils soient droits, en plein cintre ou en anse de panier, toutes les pierres avec les biais qu'il faut, et la clef de voûte aussi. Je sais faire au sol des fenêtres à meneaux et à doubles colonnettes avec leur chapiteau. Et s'il faut monter moi-même à l'échelle sur mes épaules une pierre qui pèse même poids que moi, la disposer et la sceller à la chaux comme maçon, je sais le faire.

— Sais-tu lire et écrire ?

— Hélas, non, mais je sais compter, numéroter les pierres, et comprendre un plan s'il n'y a écrit dessus que les chiffres. Je sais employer une règle, un compas, un fil à plomb et une équerre.

Les deux Capitaines échangèrent un coup d'œil :

— Jonas, dit Sauveterre, nous t'engageons à l'essai pendant trois mois. Tu seras logé et nourri. Au bout de trois mois, si nous te retenons, en plus du pot et du logement, tu recevras deux sols le jour.

C'étaient là des conditions honnêtes pour le temps. Mais trente ans plus tard, le coût de la vie ayant crû beaucoup — et le prix de la pierre taillée aussi — Jonas gagnait toujours ses deux sols par jour, sans espoir d'épuiser la carrière avant qu'elle ne l'épuisât, et bien content, disait-il, d'employer ses gros bras pour nourrir son grand corps, alors qu'il y avait dans la province tant d'ouvriers désoccupés.

— Messieurs les Capitaines, reprit Jonas, avant de venir sous Mespech, j'ai fait un détour pour voir votre carrière. Si le bois et le champ qui sont dessus sont à vous, j'aimerais la liberté d'y chasser, vous portant les trois quarts du gibier, gardant un quart pour moi, ce qui vous économisera d'autant la chair salée que vous devriez me donner. Et si en plus, vous voulez me mettre dans ce champ une chèvre lactante, pour la part du lait qu'elle me donnera, je vous élèverai les petits

— C'est à voir, dit Sauveterre.

— Dans la carrière, reprit Jonas, j'ai visité une grotte fort profonde. Si vous voulez me fournir une paillasse de feuilles de châtaignier, j'y coucherai hiver comme été, pour ne point perdre en allées et venues le temps qui serait mieux employé au travail. En outre, qui garderait mes pierres taillées si je ne logeais sur place ?

Tel était Jonas ce jour-là et tel il est ce jour d'hui : plus soucieux des intérêts de ses maîtres que des siens, et entré au service de Mespech comme d'aucuns entrent en religion. Non que le carrier n'eût point goût à la vie, à la bouteille le dimanche à notre table, aux jeux de mains, aux contes de la veillée, ni qu'il se montrât empêché, une diablesse le tentant un jour dans sa grotte — comme je dirai plus loin.

Ma mère portait mon frère aîné depuis cinq mois quand La Boétie revint de la capitale, le 21 avril 1547, avec toutes sortes de récits sur la mort du souverain[1]. Le lieutenant-criminel était monté à Paris avec une forte escorte afin de solliciter le Roi pour une affaire qui devait lui tenir à cœur, mais que mon père a négligé d'exposer dans son *Livre de raison*, bien qu'il y notât tout, rencontres et entretiens, en plus du prix des choses. Je lis ainsi que, le samedi qui précéda le 20 avril, mon père se rendit à Sarlat et qu'il y acheta un cent d'épingles pour ma mère : 5 sols ; des chaussures pour Cabusse : 5 sols 2 deniers ; des fers pour sa jument : 2 sols, et qu'il fit en outre un « fort bon repas » à l'auberge de la Rigaudie, pour 8 sols.

Je cite ce passage parce qu'en le relisant ce qui suit me paraît plus saisissant. La Boétie trouva à la cour un grand remuement, tristes mines et espoirs tout mêlés, celles-là apparentes, ceux-ci secrets, et La Boétie ne sentant nulle part rien de sincère sauf l'affliction du Dauphin et le désespoir de Mme d'Étampes[2], qui faisait déjà ses paquets. Quant au Roi — qu'il ne put voir que d'assez loin — il lui parut fort changé, le visage amaigri, son grand corps courbé, les gestes lents.

— Monsieur de La Boétie, dit Siorac, souffrez que je vous interrompe. Mais mon frère est reclus en sa chambre, sa jambe le taquinant beaucoup. Vous plairait-il de monter jusqu'à sa tour ? Il serait au désespoir de ne pas ouïr vos récits.

1. François Ier.
2. La favorite du Roi.

La tour dont il s'agit ici est la tour est, flanquée d'une tour plus petite où loge un escalier à vis. Au rez-de-chaussée se trouve notre chapelle, et au premier étage, la chambre de Sauveterre. Et attenant, un petit cabinet, où notre coseigneur aime se tenir, sa cheminée tirant bien et la fenêtre donnant sur la cour par où Sauveterre garde un œil sur les allées et venues de nos gens.

— Rien de grave, monsieur le lieutenant du Roi, dit Sauveterre, mais toutefois en grimaçant et sans se lever de son fauteuil, une crampe qui m'immobilise la jambe une ou deux fois le mois, et qui sera partie demain.

— Je vous le souhaite de tout cœur, dit La Boétie en s'asseyant avec un soupir. J'ai moi-même le fessier tout endolori de cette grande chevauchée qui ne m'a apporté que déboires: car je ne suis arrivé à la cour que pour la voir déménager. Malgré son déplorable état, le Roi ne tenait plus en place. On aurait dit qu'il sentait la mort rôder autour de lui, à voir la hâte qu'il mettait à la fuir de château en château, passant de Saint-Germain à la Muette, de la Muette à Villepreux-lès-Clayes, puis de là à Dampierre, à Limours, à Rochefort-en-Yvelines... Et moi, le suivant partout, sans réussir à l'approcher, et mangeant mes sous à loger mon escorte, les aubergistes de ces pays royaux étant les plus fripons de France et demandant jusqu'à deux sols le jour pour le foin d'un cheval. Au surplus, se gaussant du parler de mes gens qui, cependant, vaut bien le leur.

— Ah, certes! Il est plus pur! dit Sauveterre.

— À Rochefort-en-Yvelines, j'eus un moment d'espoir. Le Roi, se sentant mieux, monta à cheval et chassa trois jours consécutifs. Après quoi, il mangea et but excessivement, comme à l'accoutumée.

— Monter à cheval avec un abcès au périnée! dit Siorac. C'était folie!

— Il se peut, dit La Boétie avec quelque naïveté, que le Roi pensât ainsi le crever. Mais après ces trois jours, le Roi se trouva au plus mal, et possédé d'une fièvre continue, il décida alors de se transporter à Rambouillet, où, dit-il — essayant encore de se cacher à lui-même son état — il voulait « prendre son plaisir à la chasse et à la volerie ». Le 21 mars, j'eus enfin accès au château de Rambouillet, mais ce fut pour apprendre qu'on opérait le Roi. Après quoi, il entra dans une lente agonie. Le 30 mars, le Dauphin lui demanda sa bénédiction, et tandis que le Roi la lui donnait, le Dauphin s'évanouit sur son lit et le Roi le tint embrassé comme si son fils était la vie même et qu'il la devait quitter en le lâchant.

On dut enfin emmener le Dauphin Henri dans la chambre de la Dauphine, où il se jeta sur le lit avec ses bottes, à plat ventre et pâmé de douleur. Catherine de Médicis, voyant son mari en cet état, se laissa aller de tout son long sur le plancher, éplorée et dolente. François de Guise la regardait à peine, non plus que son futur Roi, mais le visage superbe, redressant sa haute taille, il marchait de long en large dans la chambre en faisant sonner les talons. Diane de Poitiers[1] était assise, droite sur un fauteuil, triomphante et le sourire aux lèvres. Guise, dans son va-et-vient, s'arrêta enfin devant elle et faisant un geste du côté de la chambre du Roi, dit avec un accent de dérision : « Il s'en va, le galant ! »

— Avez-vous bonne autorité pour ces incroyables paroles, Monsieur de La Boétie ? dit Siorac. Tant d'insolence à l'égard de son maître qui se mourait ! Est-ce possible ?

— Je le tiens de source sûre, dit La Boétie, un peu piqué, et je tiens pour tout autant assuré que le Roi, qui avait tous ses esprits quand il se confessa, déclara tout haut — on me l'a confirmé de toutes parts — qu'il n'avait « pas de remords en sa conscience, n'ayant jamais fait d'injustice à personne au monde ».

Sauveterre sursauta sur son fauteuil.

— Il oubliait donc les massacres des Vaudois du Luberon ! Mérindol et Cabrières sont sortis de sa

1. La favorite du Dauphin.

mémoire, poursuivit-il avec colère. Mais sans doute, compte-t-il sur son purgatoire pour le purger de ce péché véniel !

Sauveterre prononça le mot «*purgatoire*» avec tant d'ironie et de mépris que La Boétie eut l'air embarrassé.

— Monsieur de La Boétie, dit Siorac hâtivement, pensez-vous que Diane ait encore tant de pouvoir sur le nouveau Roi ? Après tout, Henri a vingt-huit ans, elle en a quarante-huit, et de jeunes lionnes de cour lui pourraient ravir sa proie.

— Mais Diane est encore belle, dit La Boétie, heureux de se trouver sur un terrain plus sûr. Je ne garantis pas le visage, qui se craquelle un peu malgré les artifices, mais la charnure est superbe, et le jeune Roi bée devant sa maîtresse comme au jour où elle le déniaisa. Savez-vous qu'après son dîner il la visite, lui rend compte des affaires de l'État, et s'asseyant sur ses genoux, je dis bien sur ses genoux, il lui joue de la guitare, s'interrompant pour dire au Connétable : «Voyez, Montmorency, n'a-t-elle pas belle garde ?», et de lui toucher les tétons. À la vérité, le Roi est un enfant, et il bée, dis-je, il regarde Diane comme s'il était tout surpris de son amitié. Elle fera de lui tout ce qu'elle voudra.

— Et tout ce que voudront Guise, le clergé et Montmorency, dit Sauveterre d'un air sombre. C'en est bien fini de la paix intérieure du royaume. Nous allons voir s'installer dans notre pauvre France une inquisition à l'espagnole, et des bûchers à l'infini.

— Je le crains, dit La Boétie.

Il reprit au bout d'un moment :

— Je ne veux point sonder votre pratique, ce n'est pas ma tâche, ni mon inclination, mais n'êtes-vous pas quelque peu imprudents ? Le Vicaire général se plaint qu'il ne vous voit plus à Sarlat à la messe.

— Et moi, dit Sauveterre, je me plains que les cinq cents livres que nous lui avons remises la veille de l'achat de Mespech n'aient jamais atteint les vieux soldats estropiés pour qui nous les avions données.

— Je vous aime trop, dit La Boétie, je ne me ferai pas l'écho de cette plainte. Elle ne vous serait jamais pardonnée.

— Mais à la vérité, dit Siorac avec un fin sourire et les yeux pétillants, vous pouvez rassurer monsieur le Vicaire général. Nous oyons la messe, ici même, grâce à cet orifice dans le mur, qui débouche dans notre chapelle au-dessous de nous, dans la tour. Nous baillons cinq sols, chaque dimanche, au curé de Marcuays pour nous la venir dire sur le coup de midi. Mme de Siorac, les enfants et tout notre domestique y assistent au rez-de-chaussée, et nous, nous l'écoutons de ce cabinet où mon frère est retenu comme vous savez, par ses incommodités.

Sauveterre ne se trompait qu'à demi. Henri II (ou plutôt, ceux qui le dirigeaient, car il ne fut qu'un toton dans leurs mains) n'arriva pas à introduire dans le royaume une inquisition à l'espagnole, bien que le Pape l'en suppliât : la résistance des grands corps de l'État fut trop forte. Mais il multiplia les édits et créa au Parlement de Paris la sinistre chambre ardente qui emprisonna à la Conciergerie un grand nombre de réformés avant de les traîner sur des claies, de leur prison à la place Maubert. Là, on les attachait à des potences dressées la veille et on allumait un grand feu dedans lequel lesdits prisonniers étaient brûlés tout vifs, leurs corps consumés et convertis en cendres.

Je trouve à cette époque, dans le *Livre de raison* de mon père, un écho des discussions continuelles au sein de la frérèche sur la question de savoir si elle devait ou non se déclarer ouvertement pour la Réforme. Sauveterre pensait que les temps requéraient que la frérèche signât sa foi de son sang. Siorac tenait au contraire qu'en se prononçant au plus fort des persécutions, ils ne feraient qu'ajouter à la liste des martyrs, sans aucun profit pour la cause. Il valait mieux, selon lui, attendre que le parti des huguenots fût plus fort dans la province et dans le royaume, afin qu'il eût alors quelque chance de triompher de ses ennemis.

Si Sauveterre avait été seul, il me semble qu'il aurait pris sa croix sans plus attendre, et couru franchement à la mort, tant la dissimulation lui pesait, et tant il bouillonnait de voir, assuré qu'il était d'avoir raison, s'étaler partout, sans les pouvoir dénoncer, les erreurs des papistes. S'il ne le fit pas, ce n'est point par peur du bûcher, car cet homme qui était si âpre ménager des deniers de Mespech tenait pour rien sa vie terrestre, mais par crainte d'accéder seul, et sans son frère bien-aimé, aux félicités de la vie éternelle. Je lis en marge du livre de mon père une très touchante note de Sauveterre, datée du 12 juin 1552 : « Je me suis levé ce jour d'hui à cinq heures, et j'ai regardé par la fenêtre le ciel pur, le soleil brillant sur les frondaisons, les oiseaux chantant par milliers. Et pourtant, qu'est-ce que tout cela, en comparaison du bonheur et de la gloire que nous aurons auprès de Notre-Seigneur, quand nous aurons laissé céans notre corps ? Ah, Jean, comme tu tardes ! Certes, je sais que quitter Mespech et les tiens te serait une occasion de tristesse selon la chair, mais vois ce que tu laisseras ici, et songe à ce que tu recevrais là-bas. »

À quoi mon père, toujours par écrit, répond le jour suivant : « Nous n'avons pas conquis Mespech sur le loup pour le laisser dévorer par le louveteau, ainsi que mon épouse et mes enfants bien-aimés, François et Pierre. » C'est là le premier passage où je suis mentionné sur le *Livre de raison*, en compagnie de mon aîné.

Poursuivant sur le papier ce dialogue, mon père trouve plus loin à son ajournement une raison qui dut toucher Sauveterre davantage : « Il est dit dans le Livre saint : *Si tu obéis à la Voix du Seigneur, bénies soient les portées de tes vaches, bénies soient ta corbeille et ta huche*. Et certes, de ce côté, nous n'avons pas à nous plaindre à Mespech. N'est-ce pas là preuve que notre maison est reconnue pour celle de Dieu, puisqu'il la fait grandement prospérer en ce monde, comme il est promis en son Écriture ? Nous faut-il donc tout détruire de ce qu'il a construit, et ruiner nous-mêmes notre toit, notre lignée, nos gens et nos troupeaux, en nous livrant au bûcher, et Mespech aux papistes ? Non, mon frère, nous ne devons la vérité de notre cœur qu'à Dieu — et aux ennemis de Dieu, comme nous avons fait jusqu'ici, la ruse et le mensonge : Au Diable, la nourriture du Diable... »

Et chaque dimanche, tandis que le curé de Marcuays officiait au rez-de-chaussée de la tour est devant Isabelle de Siorac et nos gens — au premier étage, où par le conduit dans le mur, la messe, psalmodiée en latin, devait monter jusqu'au cabinet attenant à la chambre de Sauveterre, les deux frères, sourds à ce qui leur venait d'en bas, chantaient à voix basse les psaumes de David.

Au milieu des bénédictions évidentes que le Seigneur faisait pleuvoir sur Mespech, se mêlaient bien quelques afflictions et entre autres la mort en bas âge de trois enfants, que je vois mentionnée sur le *Livre de raison*. Mais je me garderai de penser que ce fut là le châtiment d'En Haut. Car il n'était pas de famille en France qui ne fût, en ce siècle, ainsi endeuillée, et certaines de bien plus de la moitié des enfants qu'elles avaient apportés au monde.

Je lis, quelques mois avant ma naissance, sur le *Livre de raison* de mon père, des notes répétées de Sauveterre : « Je prie pour toi, Jean », qui ne laissèrent pas de m'intriguer d'abord, d'autant que mon père n'y répondait jamais. De quel mal Jean de Siorac était-il atteint pour que son frère priât tant pour lui, éprouvât le besoin de l'écrire si souvent, et de quelle ingratitude mon père était-il tout d'un coup saisi pour ne jamais remercier Sauveterre de ses oraisons ?

Je dois dire ici ce que je devinai à peine, en mes jeunes ans, et compris bien plus tard. Entre mon père et ma mère, presque depuis le premier jour de leur mariage, se livrait une petite guerre de religion qui, tantôt sourde, tantôt ouverte, connaissait peu de répit. Car Isabelle non seulement ne consentit jamais à renier le culte de ses pères, mais forte des engagements imprudents de Jean de Siorac avant de passer devant l'autel, elle entendit élever ses enfants dans les rites catholiques. Quand mon tour fut venu de naître, mon père voulait pour moi un prénom biblique. Isabelle s'y refusa avec opiniâtreté et à peine avais-je poussé mon premier cri dans cette vallée de larmes que, mandant le curé par Barberine, elle me fit incontinent baptiser, et en bravade de son mari, me prénomma malicieusement Pierre, pour ce que, sur cette pierre, on avait bâti son Église.

Peut-être avait-elle d'autres raisons de montrer tant de furieux dépit, car une semaine après moi, naquit d'une fille de Taniès un enfant de sexe mâle, que Jean de Siorac prénomma Samson, disant qu'avec la grâce de Dieu il serait plus grand et plus fort qu'aucun de ses enfants baptisés selon le rite papiste. Ce qui fut vrai quant à mon aîné François, mais non pour moi.

La mère de mon demi-frère Samson était une pastourelle, Jehanne Masure, belle et bonne fille selon la nourrice Barberine, mais dont les parents qui ménageaient une petite terre étaient fort pauvres, si j'en crois tous les prêts en grain, en foin, en chair salée et en argent qui lui furent consentis par Jean de Siorac à partir du moment, précisément, où Jean de Sauveterre commença à prier pour lui dans les marges du *Livre de raison*. En feuilletant le livre, et les prêts se multipliant les années de disette, je trouve, en face de la mention qui en est faite, une question assez pointue de Sauveterre : « Remboursable quand ? » À quoi mon père répond invariablement en dessous : « À ma volonté. » Mais la volonté s'abstint, car les prêts continuent, sur des mois et des années, scrupuleusement notés et jamais repayés.

Quelques pages plus loin, en face de la mention d'un prêt plus élevé, Sauveterre écrit : « N'est-ce pas une honte ? » À quoi, impatienté, Siorac réplique : « Jacob connut Lia, puis il connut Rachel et les servantes de ses épouses, et de là sortit plus belle et plus forte race d'Hébreux qui vécût jamais sur terre pour honorer le Seigneur. Ne serait-ce pas une honte, si je laissais mon fils Samson courir pieds nus, dépenaillé et le ventre creux, comme un loup ? Soyez sûr que le moment venu de l'instruire, Samson vivra à Mespech avec ses frères. »

Mais Samson y vint plus tôt que prévu, car en novembre 1554 — il avait trois ans, comme moi-même — la peste fut signalée à Taniès, ce qu'oyant mon père, faisant seller sur l'heure son cheval, galopa jusqu'à la maison de Jehanne, lui apportant de quoi subsister pour un mois, le village étant sur le point d'être clôturé tout le temps que la maladie ferait rage. Jehanne supplia alors mon père de prendre avec lui le petit Samson, ce qu'il fit, brûlant à l'arrivée à Mespech tous ses vêtements, lavant l'enfant à l'eau chaude après l'avoir frotté de cendres et ayant coupé ses cheveux.

Là-dessus il y eut, fomentée peut-être par la mercuriale de ma mère, une grande émotion parmi nos gens contre l'intrus qui « apportait la contagion ». Mais mon père y coupa court, s'isolant avec lui dans la tour ouest et le nourrissant de ses mains pendant quarante jours, sans sortir lui-même de la tour plus loin que le seuil où vivres et livres lui étaient, sur son ordre, déposés.

Quand Jean de Siorac émergea enfin de sa réclusion, ce fut pour apprendre que Jehanne Masure était morte, ainsi que tous les siens, la peste ayant tué la moitié du village, y compris l'oncle Raymond Siorac, mais épargnant ses deux fils — ceux qui, à la veille de l'achat de Mespech, avaient aidé Cabusse à exterminer les gueux de Fontenac dans les Beunes.

Samson, sortant lui aussi de la tour, apparut alors aux yeux de Mespech, bel et fort enfant, dont les cheveux repoussaient drus et bouclés et tiraient sur le blond roux comme ceux du grand-père Charles.

J'avais son âge, sa taille, et je l'aimai dès que je le vis. La seule chose qui me fâchât, mais non contre lui, c'est que Samson eut d'emblée le privilège d'aller

« ouïr la messe » avec la frérèche dans le cabinet de Sauveterre, alors que je restais au rez-de-chaussée dans la chapelle, avec François, à entendre psalmodier le latin, accroché aux jupes de Barberine et n'ayant d'autres ressources que de faire des grimaces à la petite Hélix qui, malgré ses sept ans, me les rendait bien, en cachette de sa mère, et plusieurs années plus tard, en riait encore avec moi, grande friponne qu'elle était, comme la suite bien le montra.

L'aimable pastourelle n'était plus, mais son fruit brillait dans les murs de Mespech, plus beau et plus rutilant, avec son teint de lait et ses cheveux de cuivre, que fut jamais fils du péché. Chaque jour que Dieu faisait, et que le Diable, pour la punition de mon père, défaisait, Siorac voyait battre ses remparts par le flot des piques conjugales. Il confie à son *Livre de raison*, à cette occasion, une citation mélancolique de la Bible : « Une femme querelleuse et un jour de pluie sont semblables. » Il ajoute un peu plus loin : « Les cheveux d'une femme sont longs, mais plus longue encore est sa langue. » Et deux pages plus loin, le catholicisme d'Isabelle lui remontant aux lèvres : « Ah, l'opiniâtreté de la femme ! Ce maudit apostume de sa volonté que rien n'a jamais pu crever ! Et son funestre attachement aux erreurs ! » À ceci, Sauveterre ajoute en marge, substituant comme souvent le *vous* cérémonieux au *tu* fraternel : « N'aurait-il pas été plus sage d'épouser une femme qui fût de votre opinion ? Bien qu'il ait été dessous et non dessus, *le sein vous a caché la médaille.* » Vieux grief qui resurgit à cette occasion, accablant mon père sur sa gauche, comme il l'était déjà sur sa dextre, et pas très probant non plus, puisqu'on peut douter qu'une épouse huguenote eût été plus traitable en pareille circonstance.

Il faut se donner peine pour boire de l'eau vive, et en dépit des traverses et des grognes, Samson, malgré tout, était là, beau et fort, portant à trois le nombre des fils sur lesquels l'œil de Siorac aimait se poser à table.

Le ruisseau ruisselle dans la rivière, et tout engraisse la prospérité, y compris le malheur des autres. La peste, en emportant la moitié des familles de Taniès, avait laissé vacantes beaucoup de terres, que la frérèche racheta à bon prix. Quel héritier eût voulu, selon les superstitions populaires, vivre dans un village où la maladie pouvait se rallumer un jour ou l'autre de l'infection du sol et des vapeurs mortelles qui s'en dégageaient? Pour moins de trois mille livres, Mespech, par morceaux, s'accrut ainsi de moitié sur le coteau de Taniès, en particulier de bois de châtaigniers, non de petite fûtaie, mais de beaux arbres adultes qui se pouvaient aussitôt couper pour la charpente ou la menuiserie, et rembourser d'un coup le double du prix d'achat. Mais la frérèche, à l'affût de toutes les bénédictions qui pourraient remplir sa « corbeille et sa huche », conçut par chance ou inspiration un projet plus profitable.

Sauveterre, un samedi, faisait son marché à Sarlat, quand il aperçut sur la place de l'église, claudiquant devant lui, un petit homme noiraud portant une boîte sur le dos.

— Adieu l'ami! dit Sauveterre, du ton brusque qui sentait son capitaine, et pourtant cordial. Où as-tu attrapé ta boiterie?

Le petit noiraud se retourna, considéra Sauveterre et après un temps de réflexion, posa sa boîte sur le pavé et tira son bonnet.

— Je ne l'ai pas attrapée, Moussu. C'est elle qui m'a attrapé, et elle courait vite, à Cérisoles, la balle qui me l'a baillée!

— À Cérisoles? Tu étais donc soldat?

— Arquebusier dans la légion de Guyenne.

— Qui commandait à Cérisoles?

Cette question était un piège, mais le soldat y répondit bien.

— Enghien.

— Ton Capitaine t'a-t-il donné décharge de tes bons services?

— Oui-da, Moussu. Elle est dans ma boîte. La voulez-vous lire ?

— Soldat, dit Sauveterre, tu ne devrais pas être si prompt à montrer ta décharge. Elle pourrait t'être volée !

— Moussu, vous n'avez pas l'apparence du premier venu, ni le visage d'un larron.

— Je suis le Capitaine de Sauveterre de la légion de Normandie. Et j'ai attrapé ma boiterie en même lieu et le même jour que toi.

Le soldat béa de stupeur, et tout aussitôt, de joie, tant cette rencontre lui paraissait de merveilleux augure.

— Et que fais-tu ici, soldat ? dit Sauveterre.

— Je cherche à me louer comme tonnelier. On me nomme Faujanet. J'ai vingt-neuf ans.

Et ouvrant sa boîte à outils, il en tira un tonnelet de trois pouces de haut, mais en tout point semblable à un tonneau de vin, avec ses cercles et sa bonde. Il le tendit à Sauveterre.

— Voilà mon œuvre, monsieur le Capitaine. Et ce que j'ai fait ici en petit, je peux le refaire en grand.

Sauveterre, non sans plaisir, tourna et retourna dans sa main le tonnelet.

— Faujanet, dit-il (il prononçait, à notre mode périgordine : Faujanette), voilà du travail finement fait, et qui parle en ta faveur. Mais c'est du châtaignier, et non du chêne.

— On ne fait plus les tonneaux avec du bois de chêne, dit Faujanet. Les vignerons n'en veulent plus. Ils tiennent qu'il donne du goût au vin.

Sauveterre regarda longuement Faujanet, qui retenait son souffle et avalait sa salive, tant le moment lui paraissait grave. Car il était désoccupé depuis deux mois, et à jeun depuis la veille, n'ayant mangé l'avant-veille qu'une écuellée de soupe à huile et une poignée de fèves données par la charité municipale : générosité qui ne serait pas renouvelée, on le lui avait bien dit et son permis de circuler dans les rues de Sarlat expirant le lendemain dimanche, à midi.

Avec prudence, avec lenteur, Sauveterre examinait le tonnelier, sa carrure, ses bras, son visage, son cou robuste, la franchise du regard.

— Voyons ta décharge, dit-il.

Faujanet fouilla dans sa boîte et tendit le papier d'une main tremblante. Sauveterre le déplia et le lut, le sourcil attentif.

— Faujanet, as-tu reçu un secours des Consuls de Sarlat ?

— Oui-da, monsieur le Capitaine, avant-hier, en montrant ma décharge.

— Et de l'Évêché ?

— Pas un croûton.

— Tu connais le proverbe, mon pauvre Faujanet, dit Sauveterre en baissant quelque peu la voix : « Moines et poux ne sont jamais rassasiés. Tout leur est bon, même le croûton. »

— Ah, certes ! dit Faujanet. Vous avez bien raison. De ces gens-là, la gueule en tue plus que l'épée !

Sauveterre rit, rendit la décharge à Faujanet, et Faujanet sentit qu'il avait la partie gagnée. Son cœur bondit de joie et tout d'un coup il sentit sa faim davantage.

— Mes châtaigniers sont encore sur pied, Faujanet, dit Sauveterre ; saurais-tu faire aussi le bûcheron et le scieur de long ?

— Avec de l'aide, oui.

— Trois mois à l'essai, avec le pot et le logement, et par la suite, deux sols le jour. Tope ?

— Tope, monsieur le Capitaine.

— Cabusse ! appela Sauveterre, et Cabusse apparut au pas de course, grand et large, son visage coloré barré d'une moustache terrible.

— Cabusse, voilà Faujanet, ancien soldat de la légion de Guyenne. Il sera notre tonnelier. Amène-le à notre charrette, et attendez-moi.

Cabusse, qui dépassait Faujanet d'une tête, le regarda clopiner à ses côtés en fendant la foule du marché.

— Ça nous fera donc deux boiteux à Mespech, dit-il. Deux boiteux et un bras de fer.

— Un bras de fer ?

— Coulondre. Il a un crochet à la place de la main gauche. C'est Siorac qui le lui a payé.

Il débarrassa Faujanet de sa boîte et le fit monter à côté de lui sur le siège de la charrette. Quand il fut assis, Cabusse prit dans un sac un morceau de pain et un oignon et, le couteau en main, se mit à manger avec lenteur, muet, l'œil fixé sur les oreilles du cheval. Faujanet avala sa salive.

Au bout d'un moment, sentant sur lui le regard de Faujanet, Cabusse se retourna vers lui et le considéra.

— Tu as donc faim ?

— Oui-da.

— Tu as une langue, soldat ! Il fallait le dire !

Cabusse coupa son pain et son oignon, et tendit les deux moitiés à Faujanet. Celui-ci les reçut avec une telle avidité qu'il oublia de dire merci.

— Ne faut point manger si vite sur une panse vide dit Cabusse. Ou alors, tu la gonfles et le foie t'éclate.

— Tu as raison, dit Faujanet, mais il ne réussit pas à faire des bouchées moins grosses ni à les avaler moins vite. Quand il eut fini, Cabusse lui tendit une gourde.

— Tu as enfourné trop vite. Faut maintenant que la piquette te délaye un peu le manger, si tu ne veux pas mourir d'une obstruction des boyaux.

Faujanet but aussi vite qu'il avait mangé, puis il se redressa, carra les épaules, gonfla sa poitrine, et du haut du siège de la charrette, il regarda le marché grouiller au-dessous de lui, comme un nageur qui vient d'émerger d'une mer où il allait se noyer. Écarquillant ses gros yeux, il enveloppa du regard le cheval, sa croupe robuste, Cabusse et sa forte trogne, la bonne, neuve et solide charrette sur laquelle il était assis, et il jetait autour de lui, de haut en bas, des regards fiers. Il appartenait maintenant au monde des gens heureux : celui qui mange.

— Comment est le maître ? dit-il à Cabusse à voix basse.

— Nous n'avons pas de maître, dit Cabusse. Nous avons deux Capitaines. Nous, c'est Coulondre, dit Bras-de-fer, Marsal le Bigle et moi. Nous sommes des anciens de la légion de Normandie.

— Comment sont les Capitaines ? dit Faujanet.

Cabusse jeta un regard à la ronde.

— Ils ne payent pas plus que d'autres, dit-il. Et pour le travail, durs à eux-mêmes et durs aux gens. Mais ce n'est pas une maison où le maître mange un beau pain de froment et les domestiques du pain d'orge, infect et pâteux. Nous mangeons tous à la table des Capitaines, nourris comme eux.

— Voilà qui va bien, dit Faujanet en se passant la langue sur les lèvres.

— Voilà qui va bien pour la panse, dit Cabusse, mais non pour les libertés. Tu ne dis pas ce que tu veux à la table des Capitaines. Et tu ne fais pas non plus ce que tu veux. Les Capitaines ont l'œil à la paillardise.

— Oh, pour ça ! dit Faujanet. La beauté se lèche, mais ne se mange pas.

— Il n'y a pas que la faim du ventre, dit Cabusse. Il y a l'autre. Et c'est trop brider la pauvre bête. Pas un mot galant à la chambrière, pas un pinçon non plus, et si tu trébuches sur la nourrice, tu reçois ton congé ! Tant est pourtant que tu ne te ferais aucun mal en tombant sur elle. Hélas, on a beau dire, souris qui n'a qu'un trou est vite prise, mais c'est point vrai à Mespech ! ajouta-t-il avec un sourire.

— Et comment est l'autre Capitaine ? dit Faujanet en s'abstenant de toute remarque et sans même oser sourire.

— L'un vaut l'autre, dit Cabusse, côté travail. Mais côté que je dis, l'autre serait un peu plus coulant. Il est marié, et il a trois enfants. Non, quatre, corrigea-t-il avec un sourire et en clignant de l'œil.

Cinq ans plus tard, tant elles étaient bellement faites, on trouvait dans tout le Salardais et jusqu'à Périgueux les barriques de Mespech. À ceux de la noblesse qui sourcillaient à ce commerce, la frérèche répondait que mieux valait s'enrichir en vendant tonneaux et pierres taillées que par vol et brigandage comme d'aucuns barons. D'ailleurs, les Capitaines ne hantaient pas les fêtes coûteuses des châteaux, s'excusant chaque fois sur la boiterie de Sauveterre, mais en réalité, regardant à la dépense qu'il y aurait à rendre à tant de gens. Ils invitaient, pourtant, mais en petit nombre, et à dîner, et sans danses, ni chants, ni jeux, ni gaspillage de chandelles, ce qui fâchait ma mère, qui eût voulu plus de gaieté et plus de pompe.

Il est vrai que la frérèche, malgré sa prospérité, n'avait pas tant de raisons de se réjouir. La persécution d'Henri II contre les réformés ne s'était point relâchée, bien au contraire. Sur son ordre, on s'attaquait maintenant à des personnages notables, qu'on avait jusque-là épargnés.

Pour la plupart des Périgordins, le Roi était un personnage lointain que nul, sauf quelques nobles, ne verrait jamais et qui comptait peu dans leur vie quotidienne, sauf au moment où les officiers royaux exigeaient d'eux la taille. Mais pour les réformés qu'il foulait sans merci, Henri II avait tout autant de réalité que les brodequins, l'estrapade, le chevalet, la flamme qui jaillissait des fagots ou la fumée qui répandait sur les villes l'odeur infecte de la chair brûlée.

Je vois dans le *Livre de raison* de mon père que les réformés ou ceux qui se cachaient de l'être s'interrogeaient sur le caractère d'Henri II. Mais en réalité, ceux qui l'avaient approché concluaient qu'il n'y avait rien à comprendre. Affectueux comme un jeune chien, très attaché à Diane et à Montmorency, à ses enfants et même à sa femme, Henri II, à trente-huit ans, était un grand garçon, barbu et prognathe, qui ouvrait à demi sur le monde des yeux vides. Il n'était cruel que par manque d'imagination. Dix ans de règne l'avaient laissé tel qu'il était quand on l'avait arraché en larmes des bras de son père mourant. Il excellait à la paume, à la chasse, et aux joutes, mais son esprit ne s'était jamais éveillé, et il demandait aux autres ses idées, même les plus simples.

Le Roi considérait la Réforme comme « une maladie de peste ». Mais cette métaphore n'était même pas de lui. On la lui avait soufflée. Il disait aussi qu'il voulait « voir son peuple net et exempt d'une telle dangereuse peste et vermine que sont lesdites hérésies ». Mais c'était là le langage des prêtres et des prédicateurs qu'il avait mille fois entendu et que pour cette raison il tenait pour vrai.

De peur que la « maladie » ou la « vermine » ou la « peste » s'étendît à tout le royaume et menaçât un jour le pouvoir royal, il fallait l'extirper par les édits, les chambres ardentes, les emprisonnements, la question et le feu. Les livres qui venaient des frontières pouvaient aussi véhiculer la contagion : on les brûlait. Et on coupait la langue aux martyrs protestants les plus résolus, de peur que leur profession de foi, du haut des bûchers flamboyants, ne contaminât le populaire. Le Roi ne comprenait pas que la « maladie », malgré tous ces remèdes, pût s'étendre et trouver des adeptes chez les officiers royaux, les nobles, les grands seigneurs et jusque dans les Parlements qui étaient censés la combattre.

Dix ans de persécution n'avaient rien appris au Roi sur ceux qu'il persécutait. Sans réflexion et sans dignité, il vivait pesamment dans le sillon de ses habitudes, entre son épouse, Catherine de Médicis, et Diane de Poitiers, âgée maintenant de cinquante-neuf ans. Les deux femmes, redoutant tout l'une de l'autre, avaient pris le parti de s'entendre et de se partager le Roi à l'amiable. Quand Henri oubliait trop Catherine sur les genoux de Diane, ébloui comme au premier jour par ses tétons sexagénaires, Diane, avec fermeté, lui rappelait ses devoirs et le poussait dans le lit de son épouse.

En politique, le Roi, incapable de rien décider seul,

donnait une oreille à Montmorency et l'autre au Duc de Guise. Il aimait mieux le Connétable, peut-être parce que son instinct devinait chez lui une incapacité presque égale à la sienne. Mais Guise lui en imposait. Le Roi suivait l'un ou l'autre selon les saisons, et comme leurs desseins étaient contradictoires, sa politique était confuse.

Mon père note dans son *Livre de raison* qu'Henri II n'avait en réalité aucun intérêt à rompre, en 1557, la trêve de Vaucelles, puisqu'elle lui conservait ses conquêtes sur la maison d'Autriche. Mais Guise, qui s'était illustré en défendant Metz contre Charles Quint, rêvait de donner un nouveau lustre à sa gloire en défaisant Philippe II d'Espagne. Il avait battu le père, il lui fallait battre le fils. Guise, dans sa légèreté, oubliait un élément nouveau : Philippe II était l'époux de la Reine d'Angleterre, Marie Tudor : la France aurait, cette fois-ci, à faire face à deux puissants royaumes et à se battre sur toutes ses frontières.

Or, le Roi inclinait à suivre Guise, parce que, étant grand jouteur, il aimait la guerre que son peu d'imagination réduisait à un superbe tournoi entre deux souverains, dont chacun devait, en rompant sa lance, ébranler l'autre et lui faire vider l'étrier. Mon père remarque à ce propos que, dans sa précédente guerre contre Charles Quint, le Roi ne sut rien faire de son armée de 50 000 hommes, sauf la faire manœuvrer en grande parade, oriflammes et fanfares, devant le camp de l'Empereur à Valenciennes. L'armée de celui-ci n'étant pas sortie de ses lignes, le Roi considéra que Charles Quint n'avait pas relevé le défi, et devait en conséquence se considérer comme vaincu, selon les règles de la chevalerie. Il battit alors lui-même en retraite, sans tirer une arquebusade, mais en ravageant le pays qu'il traversait, qu'il fût ami ou ennemi.

En cette année 1557, la frérèche craignait le pire pour le royaume, et ce pire, en effet, de nouveau arriva quand Henri II, déchirant sans provocation la trêve de Vaucelles, déclara la guerre à l'Espagne, le

31 janvier, et quand Marie Tudor déclara à son tour la guerre à Henri II, le 7 juin de la même année.

Le royaume fut envahi par le nord. Une puissante armée, réunie aux Pays-Bas, vint mettre le siège devant Saint-Quentin, tandis que Guise guerroyait sans succès contre les possessions de Philippe II en Italie. Saint-Quentin était défendu admirablement par Coligny avec une poignée d'hommes, mais Montmorency, lui venant porter secours avec l'armée royale, la fit sottement et désastreusement écraser en voulant traverser la Somme. Le royaume tomba alors en grand péril. La route de Paris était ouverte, et déjà les Parisiens commençaient à plier bagage.

Cependant, Coligny, à mille contre un, résistait toujours dans Saint-Quentin, et sa résistance acharnée donna le temps à Henri II de rappeler Guise d'Italie et de convoquer le ban et l'arrière-ban de la noblesse. En même temps, à la demande des Princes luthériens allemands, dont il recherchait l'alliance, Henri II modéra, sans les suspendre tout à fait, les exécutions des réformés.

Les huguenots ne furent pas dupes de cette demi-clémence. Ils savaient que, la guerre à peine finie, les supplices reprendraient; et que peu importeraient alors les services qu'ils auraient rendus à la patrie. Mais les épreuves avaient mûri leur réflexion, et mieux que la majorité des Français, ils savaient faire la différence entre le Roi et le royaume. On pouvait haïr le Roi, mépriser sa cruauté et souhaiter sa mort, mais le royaume devait être défendu à tout prix contre les tyrannies étrangères.

Le Périgord était à quinze ou vingt jours de cheval de Paris, et d'aucuns, même des plus nobles, répugnaient à quitter leurs splendides châteaux — avec tous les risques que leur absence faisait courir à leurs possessions —, pour aller récolter, si loin dans le Nord, blessures et navrements. D'autres, plus jeunes, mais pauvres comme gueux dans leur manoir délabré, aspiraient au contraire à l'aventure, à la gloire, à la picorée et au joyeux forcement des filles dans le sac des villes.

Par ressentiment contre François Ier qui avait banni son père, Bertrand de Fontenac, alors âgé de vingt-sept ans, fit savoir qu'il était trop débile en sa santé pour répondre à l'appel d'Henri II. Mais peu de nobles huguenots — ou se cachant à peine de l'être — se dérobèrent à la levée. Jean de Siorac, en accord avec son frère bien-aimé, et bien qu'ils fussent tous deux au désespoir de se séparer (ce qu'ils n'avaient pas fait depuis vingt et un ans), décida incontinent de s'armer en guerre et de prendre la route avec Cabusse, Marsal et Coulondre. Sauveterre, que sa boiterie retenait à Mespech, assumerait en son absence le ménage, le commandement et la défense du domaine.

CHAPITRE III

J'avais six ans quand mon père partit de Mespech pour la guerre. La veille de son départ, au soir tombant, dans la cour du château, les trois soldats préparaient la charrette que la petite troupe emportait avec elle, et tant qu'on n'y mit que l'avoine pour nourrir les cinq chevaux, la farine, le sel, la chair salée et les noix pour les cavaliers, les sacs et les tentes pour le bivouac, les enfants purent silence garder. Mais quand on apporta les armes et les cuirasses, l'intérêt aussitôt s'éveilla.

— Qu'est-ce que ce casque à oreillères ? dit François mon aîné.

— Une bourguignotte, dit Cabusse.

— Et ce casque relevé des deux bords ?

— Un morion.

Des trois soldats, comme je l'ai noté, Cabusse était le seul parleur. Mais il y avait deux raisons à cela :

Coulondre Bras-de-fer économisait tout jusqu'à ses paroles, et Marsal le Bigle était bègue.

— Et ça? dis-je.

— Petit sot, dit François en faisant l'aîné, c'est une cotte de mailles.

— Et ça? dit mon demi-frère Samson.

— C'est une cuirasse, dit François.

— Non point, dit Cabusse. C'est un corselet. Ça ne protège que le torse et le dos.

— Cabusse, dis-je, est-ce que le corselet protège d'une arquebusade?

— Hé... hé... hé... las, dit Marsal, en me regardant avec tristesse de ses yeux bigles.

— Messieurs, dit Cabusse, si je vous dis le nom des bâtons à feu, irez-vous au lit?

On se regarda, assez dépité, mais François, toujours du parti le plus sage, dit d'un air important:

— C'est entendu, Cabusse.

— Eh bien, dit Cabusse, ça...

— C'est une arquebuse, dit François.

— À mèche ou à rouet? dit Cabusse en se lissant la moustache.

— À rouet.

— Non, Moussu, dit Cabusse, à mèche. Mais la mèche n'y est point. Et voici une pistole. C'est une petite arquebuse. Elle a un avantage, on ne la tire que d'une main. Et voilà un pistolet: c'est une petite pistole. Et voici un poitrinaire, qu'on tire de la poitrine, non de l'épaule.

— Voilà de fières armes! dis-je. Et qui vont occire beaucoup d'ennemis!

— L'ennemi a les mêmes, dit Coulondre.

Il avait, comme à son ordinaire, l'air lugubre, à la différence de Cabusse, qui sifflotait, fort content, semblait-il, à la pensée de courir du pays et de se débrider.

Barberine nous appela tous dans la maison, soldats compris, et en courant, Samson et moi en tête, les enfants atteignirent la grande salle où mon père et Sauveterre se tenaient debout, tournant le dos à la cheminée, l'air grave, ma mère à l'autre bout de la table, entre Cathau, la chambrière, et Barberine, portant dans ses bras ma petite sœur Catherine, alors âgée de deux ans.

Entre les deux groupes, et de chaque côté de la table, vinrent prendre place, sans s'asseoir davantage, les trois soldats, les deux cousins Siorac de Taniès, le carrier Jonas qui, pendant l'absence de mon père, devaient tous trois loger à Mespech pour fortifier sa défense.

À la droite de mon père s'agitait un petit homme, habillé de noir des pieds à la tête, avec une énorme fraise blanche qui faisait paraître plus petite une tête d'oiseau déplumé, dont le nez mince était recourbé comme un bec, et dont les yeux ronds d'un noir de jais étaient fixés sur mon père.

Celui-ci restait tout à fait silencieux, et comme il ne nous donnait aucun ordre, les enfants se glissaient comme ils pouvaient dans les intervalles laissés libres par les adultes, François à la droite de Sauveterre, Samson à la gauche de Jonas, et moi-même à la droite de mon père.

François et Geoffroy de Caumont arrivèrent enfin et, avec un temps de retard, Faujanet, qui avait dû attacher leurs chevaux, après avoir abaissé devant eux les ponts-levis. Il y eut entre les frères et les nouveaux arrivants quelques embrassades, mais empreintes d'une gravité qui, je ne sais pourquoi, me fit grande impression. Je remarquai que Geoffroy de Caumont se contenta de faire de loin un signe amical à sa cousine Isabelle, mais sans faire le tour de la table pour venir la saluer.

— Monsieur le notaire Ricou, dit Jean de Siorac en s'adressant au petit homme au bec d'oiseau, l'affaire étant pressante et devant se passer en présence de MM. François et Geoffroy de Caumont, de ma femme Isabelle, de mes enfants, de mes cousins Siorac et de tout mon domestique, j'ai pris la liberté de vous mettre dans l'incommodité de venir jusqu'à Mespech, à charge pour moi de vous faire raccompagner à Sarlat par mes soldats.

Il fit une pause pour embrasser l'assistance du regard.

— Monsieur Ricou, reprit-il, va vous lire le codicille que M. de Sauveterre et moi-même avons cru bon d'ajouter à notre acte d'affrèrement. Cette lecture doit être très attentivement écoutée par tous ici, car tous pourraient dans l'avenir être appelés à en témoigner. Monsieur Ricou, je vous prie.

Monsieur Ricou tira de sa poche un rouleau, le déplia et le lut avec lenteur et sans que j'y comprisse goutte sur le moment. Comme je m'en aperçois aujourd'hui en le relisant, la seule chose qui me frappât alors fut que mon père pouvait être tué à la guerre, pensée qui ne m'avait jamais effleuré et qui me bouleversa.

Si tel était le cas, disait le notaire Ricou, M. de Sauveterre, Écuyer, s'engageait à considérer Isabelle de Siorac comme sa propre sœur ; à lui assurer le pot et le feu jusqu'à la fin de ses jours, ainsi qu'à François, Pierre, Samson et Catherine, qu'il traiterait en tout comme ses propres enfants. À sa majorité, François de Siorac deviendrait coseigneur de Mespech, M. de Sauveterre conservant le ménage et le commandement du domaine jusqu'à sa mort. Une somme convenable serait donnée à leur majorité à chacun des fils cadets, Pierre de Siorac et Samson de Siorac, pour qu'ils poursuivent à Montpellier leurs études : Pierre en médecine, et Samson, en droit. Quant à Catherine, elle recevrait le jour de son mariage le champ, le bois et la carrière qu'Isabelle de Caumont avait apportés à Mespech. Si M. de Sauveterre, Écuyer, décédait avant que les quatre enfants atteignissent leur majorité, MM. de Caumont deviendraient avec Isabelle leurs cotuteurs.

Ayant dit, M. Ricou invita les présents à lui poser des questions, et ma mère demanda d'une voix tremblante si le fait d'appeler Samson dans le codicille Samson de Siorac suffisait à le légitimer. Non, dit M. Ricou, pour que Samson soit légitimé, il faudrait introduire une requête auprès du Roi, mais dans le cas présent, l'enfant est seulement reconnu, ce qui, il le soulignait, ne nuisait en rien aux intérêts de l'aîné, François de Siorac, puisqu'il serait seul héritier du domaine. Mon père écouta ces explications sans dire mot ni sourciller ni regarder aucunement ma mère.

M. François de Caumont demanda s'il n'était pas possible de préciser la « somme convenable » qui serait donnée respectivement à Pierre de Siorac et Samson de Siorac pour poursuivre leurs études à leur majorité. Sauveterre proposa 3 000 livres tournois à chacun, mais qui suivraient, de ce jour au jour dit, l'augmentation du prix du blé, proposition qui fut adoptée par mon père et consignée par Ricou.

M. Geoffroy de Caumont voulut savoir pourquoi Pierre de Siorac, à six ans, était voué à la médecine, et Samson de Siorac, qui avait le même âge, au droit. Mon père répondit avec un sourire qu'étant cadets nous aurions à acquérir une instruction très sérieuse afin de gagner notre vie ; et qu'il avait été frappé par l'intérêt que je portais aux malades qu'il lui arrivait de soigner et par toutes les questions que je posais à ce sujet. Quant à Samson, il avait une tournure d'esprit précise et pratique, qui, lui semblait-il, le portait à prendre de l'intérêt au droit. Mon père ajouta qu'il pouvait, certes, se tromper là-dessus, mais que, de toute façon, chacun de ses cadets devait, dans son esprit, recevoir la somme précitée quelles que fussent les études qu'il poursuivrait pour peu que les titres qu'elles lui donneraient lui permettent un établissement honorable. M. François de Caumont demanda que cette dernière remarque de mon père fût consignée dans l'acte, ce qui fut fait.

Le codicille fut alors signé par M. de Sauveterre, Écuyer, M. le Chevalier de Siorac, Isabelle de Siorac, MM. François et Geoffroy de Caumont, les cousins Siorac et aussi Cabusse, qui était le seul de notre domestique à savoir signer son nom, ce qu'il fit, non sans quelques airs qu'il se donna.

Après beaucoup de compliments, le notaire Ricou se retira, Marsal et Coulondre sur ses talons car ils devaient le raccompagner, armés jusqu'aux dents, dans les murs de Sarlat, les chemins étant redevenus peu sûrs et la rumeur courant qu'on avait vu, du côté de Belvès, une forte bande de Roumes[1] qui pillait les mas isolés et s'attaquait même aux châteaux. Quant à MM. François et Geoffroy de Caumont, ils couchaient à Mespech, devant le lendemain partir avec mon père pour Périgueux où se faisait le grand rassemblement des nobles de la province avant la montée sur Paris.

Ricou parti, mon père dit d'une voix sonore et bien timbrée :

— Mes amis, pensant au péril que nous allons encourir dans le Nord pour défendre le royaume et aux dangers auxquels ceux que nous laisserons ici seront peut-être affrontés, je demande que nous nous recommandions, les uns et les autres, à la grâce et clémence de Dieu par une courte prière récitée en commun.

Là-dessus, d'une voix grave mais sans emphase, sans rien de mécanique non plus à la façon de notre curé, et sans marmonner ni trébucher, mais en détachant bien tous les mots, et avec un accent de sincérité comme si chacun de ces mots était neuf pour lui, Jean de Siorac récita le *Notre Père*, que tous se mirent à réciter avec lui, enfants compris. La nuit était alors tout à fait tombée, et nous n'étions éclairés que par deux calels posés au milieu de la table. J'étais étonné de ce *Notre Père*, récité si lentement et avec tant de force et de ferveur. Et pensant que mon propre père allait être tué à la guerre, comme le détestable notaire Ricou l'avait dit et répété en lisant son papier, un frisson me parcourut l'échine et les larmes se mirent à ruisseler sur mes joues. J'aimais, certes, ma mère, et tendrement Barberine qui avait eu charge de ma nourriture en mes maillots et enfances, et mon demi-frère Samson — bien au-dessus de mon aîné — et ma petite sœur Catherine, mais rien à Mespech ne me

1. Gitans.

parut jamais plus admirable, plus fort, plus savant en toute chose, plus sage, plus habile et plus indestructible que Jean de Siorac. J'aimais tout de lui, ses yeux clairs, sa parole élégante et surtout la façon dont il se tenait campé sur ses jambes, la taille droite, le cou libre, le menton levé, et jusqu'à la cicatrice qui zébrait sa joue et ajoutait pour moi à sa majesté.

La prière finie, mes pleurs coulant toujours de mes yeux sans que je fisse un geste pour les essuyer, se produisit un incident très pénible qui rompit pour moi la solennité de la scène et m'ébranla jusqu'au cœur.

Au milieu du recueillement qui suivit le Pater, Isabelle de Siorac prit tout d'un coup la parole avec sa pétulance habituelle et dit :

— Mon cher époux, je voudrais ajouter au Pater une petite prière destinée tout particulièrement à votre protection.

Et elle se mit à réciter le *Je vous salue, Marie*. La foudre tombant au milieu de la grande salle de Mespech n'aurait pas produit un effet plus terrifiant. Sauveterre et Siorac se figèrent et, les poings derrière le dos, silencieux, serrant les dents, ils fixaient des yeux glacés sur Isabelle. Geoffroy de Caumont considérait sa cousine d'un air à peine moins furieux, tandis que son aîné, qui était, lui aussi, pour la Réforme, mais sans y mettre la même passion que son frère, paraissait fort embarrassé. Cathau, Barberine, la petite Hélix et moi, récitions avec Isabelle l'*Ave Maria*. Samson ne disait mot parce que, soustrait dès le premier jour à l'influence de ma mère, il ne l'avait jamais appris. Quant à François, après avoir récité les premières paroles, il s'arrêta net dès qu'il vit le visage de mon père. Je ne lui sus aucun gré de cette petite lâcheté, et je continuai jusqu'au bout la récitation, bien convaincu que ma mère avait eu tort de tant fâcher mon père, mais peu décidé à l'abandonner dans son désarroi car je voyais trembler son menton, bien qu'elle fît bonne contenance sous les regards dont elle était accablée. Quant aux cousins Siorac et aux soldats, immobiles, les yeux fixés à terre, ils se taisaient, avec l'air de souhaiter de tout leur cœur d'être à mille lieues de là.

— Mes amis, dit mon père quand elle eut fini (il était pâle, et les dents serrées, mais il parlait avec assez de calme), retirez-vous dans vos chambres pour la nuit, j'ai à prendre congé de ma femme.

Il embrassa avec chaleur François et Geoffroy de Caumont, et ceux-ci sortirent les premiers, suivis de Sauveterre claudiquant qui voulait leur montrer leurs chambres. Les cousins Siorac et les soldats suivirent, ainsi que mon aîné François qui ne comptait plus pour un enfant, ayant déjà sa chambre à lui.

Cathau et Barberine quittèrent la pièce plus lentement, emmenant les enfants dans leurs jupes et, la porte de la grande salle refermée, je remarquai qu'elles flânaient dans la cuisine, ayant l'air de s'affairer beaucoup et nous imposant le silence.

Leur attente fut récompensée car, après un long silence, mon père dit d'une voix forte :

— Madame, vous eussiez pu éviter de m'affronter devant mes amis et mes enfants, et cela, à la veille de mon départ pour la guerre, alors que vous ne savez point si vous me reverrez jamais.

Il y eut un silence et ma mère dit, la voix tremblante, et très près des larmes, me sembla-t-il :

— Mon cher époux, je n'ai point cru mal faire en récitant une prière de la religion catholique dans laquelle nous nous sommes mariés.

Ici, on entendit des sanglots, et mon père dit :

— Ma femme, il est bien tard pour verser des larmes. Mais il parlait déjà d'une voix très radoucie, et Barberine, en commentant cette scène, le lendemain, confia à Cathau que si ma mère avait persévéré dans les pleurs et le silence, tout aurait pu encore s'arranger.

Mais ma mère ajouta :

— En vérité, je n'ai point agi dans une mauvaise intention. Je désirais appeler sur vous la protection de la Vierge.

— Christ ne vous suffit donc pas ! s'écria mon père

d'une voix irritée. Et qu'avez-vous besoin de l'intercession de vos petits dieux et déesses ? Ignorez-vous ce qu'en vaut l'aune ? Et qu'il n'y a rien là que superstition païenne, puanteur d'idolâtrie, ignorance pestiférée de la parole de Dieu ? Je vous l'ai mille fois expliqué, madame, et vous qui avez le bonheur de savoir lire, pourquoi vous refusez-vous à aller puiser la parole de Dieu là où elle se trouve, dans les Saintes Écritures, au lieu de vous fier, comme une aveugle, aux fables de votre curé ?

Ici, la petite Hélix dans la cuisine me pinça le gras du bras, je lui donnai un coup de coude, et dans ce mouvement, je fis tomber sur les dalles, à grand fracas, un chaudron qui se trouvait sur la table.

La porte de la grande salle s'ouvrit, la tête de mon père apparut, les joues rouges, les yeux étincelants, et il cria d'une voix tonnante :

— Que faites-vous céans ? Au lit ! Au lit ! Ou je vous fouette sur l'heure, tous et toutes, sans respect des sexes, des âges et des conditions !

Barberine poussa un cri, et saisissant son calel, disparut dans l'escalier à vis de la tour, tout le monde s'y engouffrant à sa suite, haletant et épouvanté.

Cathau, l'accorte chambrière qui plaisait tant à Cabusse, couchait dans un cabinet attenant à la chambre de ma mère, et elle prit congé de Barberine à l'étage, en grande hâte, les yeux et la bouche tout pleins des commentaires qu'elle ferait le lendemain en sa compagnie et sur lesquels elle allait dormir. La nourrice, le calel à la main, retira sa petite troupe dans la chambre de la tour ouest, où elle-même reposait, dans un grand lit convenant à ses dimensions, le lit de Catherine touchant le sien, celui de la petite Hélix de l'autre côté, mais poussé contre le mur pour faire un passage, et mon lit, que je partageais avec Samson, du côté de la cheminée, où l'hiver, à la nuit tombante, on allumait un grand feu, vu la froideur des tours, car les trappes qui fermaient les ouvertures des mâchicoulis — par lesquels on pouvait projeter pierres, poix fondue et huile bouillante sur les assaillants — laissaient passer, en saison pluvieuse et venteuse, un courant d'air glacial qui apportait jusque dans nos draps l'humidité des douves.

Barberine posa le calel sur la table de nuit et vint nous border dans nos lits, avec les gentillesses, les caresses et les baisers dont elle accompagnait ce rite, la voix basse et chantante, et trouvant des petits mots doux pour chacun d'entre nous (y compris pour Samson que, pourtant, elle n'avait pas nourri), appelant la petite Hélix : « Ah ! Grande friponne ! Petite diablesse ! Jolie sorcière ! » Catherine : « Mon petit écu d'or ! Ma perle du Bon Dieu ! » Samson : « Mon petit renardeau ! Mon saint Jean tout bouclé ! » et moi : « Mon mignon ! Mon petit cœur ! Mon joli coq ! » Je ne cite ces appellations qu'à titre d'exemple, car Barberine nous trouvait de nouveaux noms tous les soirs, chacun convenant à celui ou à celle à qui elle s'adressait, et sans jamais appeler l'un comme elle avait appelé l'autre la veille ou l'avant-veille, ce qui nous eût fort peinés, je crois.

Catherine et Samson s'endormaient pendant ce rite, mais non la petite Hélix qui, soulevée sur son coude, et derrière le dos considérable de Barberine, me faisait d'ultimes grimaces. Je ne m'assoupissais pas davantage, bien que je fisse semblant, mais tourné sur le côté, l'œil mi-clos et faisant l'ange et l'innocent, je regardais Barberine se déshabiller, tandis que s'agitait, projetée par la lumière du calel sur le mur courbe de la tour, son ombre gigantesque.

Je sais maintenant que Barberine n'était pas aussi colossale qu'elle me paraissait en mes six ans. C'était pourtant une forte femme, avec des cheveux noirs et luxuriants, un visage rond, une grande bouche, un cou rond et robuste, des épaules larges, une poitrine bombée et des tétons blancs, abondants et fermes, où j'avais bu la vie et qui m'éblouissaient, tandis qu'à la lumière du calel elle délaçait, tout en poussant de gros soupirs, le cordon de la cotte rouge qui les emprisonnait. Et eux se gonflaient, semblait-il, dans l'impatience de leur libération, tandis que Barberine défaisait de ses gros doigts les nœuds dont elle avait raccommodé le lacet. Ils apparaissaient enfin, laiteux et globuleux, grossis fabuleusement par l'ombre du mur, comme si la tour elle-même devenait un vaste sein qui allait reposer sur notre joue pendant la nuit. Barberine pliait avec soin sa cotte rouge, son corps de cotte, puis son jupon, son tablier, et enfin son cotillon de velours vert bandé de trois bandes rouges, l'une sous la taille, l'autre sous la croupe, et la troisième au-dessus de l'ourlet. Puis elle enfilait une ample chemise blanche sans manche et très décolletée, où sa poitrine libérée ondulait à l'aise. Elle poussait alors des soupirs de bonheur et de sommeil, tandis que son poids creusait son matelas de laine. C'était l'instant qu'il fallait saisir au vol pour lui poser une question ou lui adresser une supplique, car la seconde d'après, c'était trop tard, elle éteignait le calel et s'éteignait elle-même, sombrant dans un sommeil dont dix arquebusades éclatant en même temps dans la tour ne l'auraient pas réveillée.

Je sautai au bas de mon lit, et je courus dans le sien me blottir et m'ococouler en ses bras.

— Et qu'est-ce que c'est que cette jolie petite souris ? dit Barberine de sa voix basse et chantante en me serrant contre elle. Et que me veut-elle ?

— Barberine, dis-je, pourquoi ma mère a tant fâché mon père ?

— Pour ce qu'elle était elle-même fâchée, dit Barberine, qui ne mentait jamais.

— Fâchée de quoi ?

— De ce que le notaire a appelé Samson, Samson de Siorac.

— Il ne s'appelle donc pas ainsi, Barberine ? dis-je étonné.

— Maintenant, si.

— Et comment s'appelait-il avant ?

— Il n'avait pas de nom.

Je n'en crus pas mes oreilles.

— Mais c'est pourtant bien mon frère !

— Ah, certes ! dit Barberine. Et beau ! Et fort ! Et

franc comme écu non rogné ! C'eût été grand-pitié, celui-là, de ne pas l'appeler Siorac, Dieu le bénisse !

Elle ajouta entre ses dents :

— Et la Vierge Marie, aussi. Va, ma petite souris, reprit-elle en coupant court. Regagne ton trou. J'éteins.

Et avant même que j'eusse eu le temps de passer dans mon lit, elle souffla le calel, si bien que je me retrouvai dans le noir, et me trompant, dans le lit de la petite Hélix qui, l'oreille aux aguets, ne dormait pas, et dont les bras se refermèrent sur moi avec une force stupéfiante.

C'est vrai qu'elle avait dix ans déjà, et je ne sais pas pourquoi on l'appelait encore la petite Hélix, car elle n'était point petite, loin de là, et déjà presque formée.

— Ah, je te tiens ! dit-elle à voix basse. Et maintenant que je te tiens, moi, diablesse, je vais te manger tout cru !

— C'est point vrai, dis-je, je ne te crois pas, tu n'as pas les dents comme un loup !

— Et ça ? dit-elle en me renversant sur le dos et en pesant de tout son long sur moi. Moi, reprit-elle, moitié grondant et riant, et cherchant mon oreille pour la mordiller, moi, je commence toujours par l'oreille, parce que c'est morceau de choix, comme crête de coq ou cul d'artichaut ! Mais après l'oreille, je mange tout, morceau par morceau, et jusqu'à l'os.

— C'est point vrai, dis-je, et tu m'étouffes ! Ôte-toi de moi ! Ou j'appelle Barberine !

— Ma mère dort ! dit-elle en riant sans vergogne. Allons, ma petite souris, tu as trouvé ton chat, reste bien tranquille, ou tu vas tâter de ma griffe.

— Si tu es un chat, dis-je bravement, je prendrai demain l'épée de mon père et te fendrai en deux, de la tête aux talons.

— Fi donc ! dit la petite Hélix. Point de vanteries, souriceau ! Écoute une dernière fois : ou je te dévore à petits morceaux, ou tu restes la nuit avec moi !

Je ne dis ni oui ni non, mais étonné de la trouver à la fois si potelée et si forte, je cessai de lutter et je m'endormis dans ses bras. Au jour, cependant, elle me réveilla avec un fort pinçon, et feignant d'être très courroucée de me trouver là, elle me renvoya avec rudesse dans mon lit.

Le départ de mon père nous privait de Cabusse, et Cabusse, outre ses autres talents, était notre cuisinier, ce qui le portait un peu sur la piquette, et beaucoup à des familiarités avec Cathau et Barberine. Ni l'une ni l'autre, à grande peur d'être chassées, ne les toléraient, la première à son corps défendant et qui se serait fort peu défendu, si l'œil du maître n'avait été là, car elle trouvait de l'agrément à la terrible moustache de Cabusse, à sa haute taille, à ses manières enjôleuses et à son parler gascon. Hélas, quand elle descendrait le matin chercher le lait chaud de Mme de Siorac, Cabusse ne serait plus là pour lui dire de sa voix chaude : « Adieu ! Ma mie ! Va bien, ce jour d'hui ? Et comment ça n'irait pas, fraîche comme je te vois, avec des joues rouges comme des pommes et des lèvres comme des cerises ! Que tu fais briller la cuisine de tes couleurs rien qu'en y entrant ! On dit bien : fille pâle demande le mâle, mais pardié, je ne le crois pas, c'est tout le contraire ! Qui a vu un navet tomber jamais amoureux ? » Mais Cabusse lui-même, si brave soldat fût-il, baissait la voix en disant cela, tant il craignait d'être entendu par les Capitaines.

Pour remplacer Cabusse, on essaya Barberine, mais Barberine, qui avait nourri tant d'enfants par les voies de la nature, se révéla peu capable de nourrir les adultes par les voies de l'art. Et Sauveterre fit appel à la Maligou, la femme de celui-là qui avait si mal gardé Mespech contre les entreprises sournoises de Fontenac.

La Maligou vint et resta. Aussi volumineuse que Barberine, mais sans la fermeté, et pas le plus petit brin de sagesse et de raison dans sa grosse tête ébouriffée, étant tout vanité et bavardage, crédule et superstitieuse à l'infini, se signant vingt fois par jour, croisant les doigts pour conjurer le sort, jetant le sel par-dessus son épaule, et devant son pot, qu'elle cuisait d'ailleurs à la perfection, dessinant derrière elle du doigt un rond sur le dallage pour éviter que le Diable ne lui troussât ses jupes jusqu'à l'encapuchonner tandis qu'elle était baissée sur le feu.

La Maligou vint à Mespech avec sa fille qu'elle nommait Suzon, mais l'habitude se prit plus tard de la nommer la Gavachette, nom qui lui resta. C'était alors une diablesse de trois ans, la peau d'une Sarrazine, mince et gracieuse comme une lame, les yeux fendus et liquides, et malicieuse à vous damner, sinon que le cœur était bon. À six ans, et déjà fort, je la portais sur mes épaules, Catherine boudant sur sa petite chaise basse, les deux nattes blondes retombant sur sa moue, et la petite Hélix toute furie rentrée car, à la Gavachette, elle n'osait toucher, ni de près ni de loin, la Maligou ayant l'œil vif et la main leste.

La Maligou faisait de grands mystères de la naissance de la Gavachette — qu'elle mettait au-dessus de tous ses enfants, mari, père, mère et grands-parents — avec des signes de croix, des pincées de sel dans le feu (le sel qui est si cher! grondait Sauveterre), et des simagrées à l'infini. Mais incapable de langue garder, elle révélait l'affaire au moins une fois le mois, avec des murmures et des mines de confidence, l'air contrit, et la fierté dessous.

La Gavachette n'était point, hélas (cet hélas sentait l'hypocrite), la fille du Maligou, mais par force, d'un Roume, capitaine d'une bande armée qui, quatre ans plus tôt, avait pillé la nuit leur maison, exigeant toute la chair salée pendue aux poutres, sans quoi ils brûleraient le blé en herbe, jetteraient le sort sur les vaches et couperaient la vigne. À ce mot de vigne, la Maligou céda tout. Mais la chair livrée, le capitaine des Roumes, grand et bel homme, qui avait l'air d'un prince, fixa son œil noir et magique sur la Maligou et du pouce dessinant une croix sur sa poitrine et une autre sur son ventre, il dit dans un patois catalan mêlé de provençal: «Je reviendrai ce soir dans ta grange à l'heure où la chouette ulule. Si tu ne viens point, je te ferai brûler le feu de l'enfer à l'intérieur de ton corps, de ton ventre à ton poumon, et cela, jusqu'à la fin des temps. » Et à la minuit, en effet, entendant le cri de la chouette (son mari ayant bu pour oublier la perte de sa chair salée et dormant à ses côtés comme une souche), la Maligou, chaussant en frissonnant ses sabots, s'en était allée contre sa volonté en la grange, où dans le noir d'encre de la nuit, le capitaine des Roumes, la jetant sur une botte de foin, l'avait forcée plus de quinze fois, et sans qu'il y eût péché de ma part, dit la Maligou, puisqu'il y avait eu maléfice et contrainte.

À ce récit dont personne, tant il revenait souvent, ne s'émouvait plus à Mespech, ni dans nos villages (sauf quelques pucelles qu'il faisait rêver), mon père riait toujours à gueule bec, et quelle raison de se gausser tant, c'est ce que je ne sus que plus tard.

Parmi les nouveaux venus à Mespech, on comptait les cousins Siorac, Benoît et Michel, les fils de l'oncle Raymond Siorac, que la dernière peste de Taniès avait emporté. Aubaine, pour les cousins, de loger au château, dans la peur qui les tenaillait que la contagion ne ressortît un jour de la terre de Taniès où dormaient les pestiférés, n'osant les brûler, pour ce que le curé de Marcuays, qui était aussi celui de Sireil et de Taniès, l'avait, sous peine d'enfer, défendu. Benoît et Michel étaient jumeaux, et deux gouttes d'eau pas plus semblables, forts gaillards dans la trentaine, qui parlaient peu, et assez marris en leur intérieur de ne pas savoir lequel des deux était l'aîné, même à une heure près, car mère, père et sage-femme ayant passé, personne à Taniès ne savait plus le dire. Aucun des deux ne pouvait donc prétendre hériter seul du petit domaine, et aucun ne pouvait non plus prendre femme, car le domaine pouvait nourrir un foyer, mais non pas deux.

La Maligou disait, hors de portée de leurs oreilles, que bien sots ils étaient de ne pas en prendre au moins une devant l'autel et le curé, vu que la demoiselle ne saurait jamais faire la différence entre les deux, et qu'il ne peut y avoir péché là où il n'y a point connaissance. Ainsi les jumeaux auraient les agréments d'une épouse, sans faire les frais de deux familles. Mais ces propos eussent paru sacrilèges aux frères Siorac qui étaient pieux et qui se condamnaient en conscience au célibat et aussi à vivre côte à côte, dans le grand besoin que chacun avait de l'autre. Car si l'un se trouvait seul, il regardait en grande peine de tous côtés et demandait anxieusement à tous : « Où est Michel ? » À quoi, on reconnaissait que c'était Benoît qui parlait. Sans cela, nul moyen : même taille, même largeur d'épaules, mêmes cheveux noirs frisés, mêmes traits, même façon de s'asseoir, de humer le vent, de cracher, de couper le pain ou de laper la soupe.

Sauveterre fit coudre un ruban bleu sur le col de chemise de Michel, et sur celui de Benoît un ruban rouge, mais comme ils couchaient ensemble, leurs vêtements jetés pêle-mêle sur le lit, au réveil Michel prenait tout à trac le rouge, et Benoît le bleu, et c'était peine perdue. D'ailleurs tout bons garçons qu'ils fussent, les frères Siorac n'étaient pas non plus très malins, et si l'un de nous, rencontrant l'un des jumeaux dans la cour, lui demandait : « Et qui es-tu, toi ? », l'interpellé répondait invariablement : « Je suis le frère de l'autre. »

Jonas le carrier était bien moins content d'avoir à quitter sa grotte pour donner la main à la défense de Mespech. Le souci de ses belles pierres taillées, laissées la nuit à l'abandon, lui faisait ses ongles ronger. À part cela, pour la compagnie, cela le changeait pour le mieux, surtout côté femmes, qu'à table le pauvre solitaire dévorait des yeux et en particulier Barberine, dont l'abondance et le teint laiteux lui tiraient l'œil. Avec nos trois soldats partis pour la guerre, les deux frères Siorac et Faujanet, Jonas était céans le septième célibataire, sans compter tous ceux des villages alentour qui ne se pouvaient non plus marier, faute de maison pour loger leur famille ou de terre pour la nourrir, et c'était vraiment grand-honte et pitié qu'il y eût tant de gars privés de filles, alors que tant de filles dans nos campagnes entraient au couvent, faute d'un époux terrestre. Je fais ces réflexions à un âge où moi-même, qui suis né pourtant au sein d'une famille riche, mais ne suis qu'un cadet, ne peux épouser une demoiselle dont je suis ensorcelé, faute d'un établissement suffisant. Ainsi, c'est toujours ce maudit argent qui tout commande, y compris la douceur de la vie.

Sauveterre se faisait un sang d'encre au sujet de cette troupe armée de Roumes qui dévastait le pays de Belvès, profitant de l'absence de la noblesse et de ses hommes d'armes pour rançonner les châteaux, car le château le plus fort est faible si ses défenseurs sont en trop petit nombre ou trop peu valeureux, ce qui était bien le cas, la levée du ban et de l'arrière-ban pour sauver le royaume ayant écrémé le meilleur.

Les Roumes n'étaient pas gens qui ne rêvaient que sang et carnage. Victorieux, ils forçaient les filles, mais sans les tuer après. Ils ne touchaient pas non plus aux enfants, dont ils étaient comme amoureux, au point même de les voler, disait-on, quand ils les trouvaient beaux. Avant d'attaquer, ils entraient en négociations avec le château ou la ferme et, pour prix de leur neutralité, réclamaient des armes, de l'argent et des vivres. Mais il leur arrivait aussi, après avoir touché la rançon, de décider de ne pas foi garder, et d'attaquer. On disait qu'ils châtraient les adversaires qu'ils avaient occis, ce qui répugnait beaucoup à nos mœurs, encore que j'aie vu faire pis plus tard par nos soldats — huguenots ou catholiques — dans les grandes guerres civiles du royaume.

Les Roumes étaient armés de bric et de broc, mais redoutables, car ils attaquaient souvent la nuit, et silencieux comme des serpents, lestes comme des chats, ils avaient vite fait d'escalader les murs réputés hors d'échelle et, l'alerte à peine donnée, ils étaient déjà dans la place. Or il n'y avait plus à Mespech qu'un seul capitaine, Sauveterre, et qu'un seul soldat, Faujanet. Jonas, il est vrai, faisait merveille avec son arc anglais, mais il fallut apprendre aux frères Siorac à tirer l'arquebuse, et même instruire les femmes, au moins ma mère, Cathau et Barberine, car la Maligou, à pied d'œuvre, poussa de tels cris et fit tant de simagrées que Sauveterre la renvoya vite à son pot. Ma mère fit aussi quelque résistance, mais d'une autre sorte, prétendant que c'était contre l'honneur d'une noble demoiselle de toucher aux bâtons à feu. À quoi Sauveterre, l'œil sombre et la voix abrupte, répondit : « Madame, si Mespech est pris, que deviendra votre honneur ? » À quoi Isabelle frémit, blêmit et plia.

On instruisit aussi François à l'arquebuse. Je m'en mordis les poings de rage, et Samson aussi, car notre aîné prit incontinent avec nous des airs insupportables. Mais Sauveterre trouva un emploi aux cadets. Il nous fit entasser de grosses pierres tous les cinq mètres sur les chemins de ronde, et coiffés de bourguignottes, beaucoup trop grandes pour nos têtes, nous devions courir çà et là en brandissant des lancegayes[1] pour faire nombre à l'approche de l'ennemi. La petite Hélix reçut aussi une bourguignotte et une lancegaye, mais on la lui enleva bientôt, tant cette arme paraissait dangereuse dans ses mains. Si les échelles étaient appliquées contre nos murs, nous devions poser les piques, et balancer vaillamment les pierres par les créneaux sur les têtes des assaillants.

Les récoltes étaient rentrées, la vendange aussi, et dès que les labours d'automne furent finis, on rentra aussi les bêtes des pâtures, en dépit du beau temps, afin de ne pas les exposer aux pillards, non plus que les bergers. On évita aussi de se rendre à Sarlat et dans les châteaux voisins, ni même dans nos villages tant on se méfiait des chemins et des embuscades où les Roumes étaient passés maîtres. Sauveterre ordonna qu'une brève reconnaissance hors des murs aurait lieu chaque jour à l'aube, et le soir après le coucher du soleil. Il confia ces petites patrouilles aux deux frères Siorac, et avant de les laisser partir, on

1. Pique longue et menue.

enveloppait de chiffons les sabots de leurs chevaux pour que leur approche fût plus silencieuse. Les jumeaux étaient grands chasseurs et on pouvait compter sur eux pour déceler la moindre trace d'homme ou de bête sur les chemins et dans les bois.

Des remparts de Mespech, on apercevait clairement le clocher fortifié de l'église de Marcuays et à droite, sur une colline plus éloignée, l'imposante masse du château de Fontenac. Malgré sa répugnance, Sauveterre écrivit à Bertrand de Fontenac une lettre courtoise où il proposait que les deux châteaux, étant si proches, décident de se prêter main forte au cas où l'un des deux serait attaqué par les Roumes. Ce que le louveteau, découvrant pour la première fois ses crocs, refusa tout à plat : Fontenac n'avait pas besoin d'aide et ne désirait pas non plus la bailler à personne, et encore moins à ceux qui avaient fait bannir son père.

Quant aux châtellenies des alentours, Campagnac, Puymartin, Laussel et Commarques, elles étaient encore plus démunies en hommes que Mespech. De Sarlat, vide de ses archers et de ses troupes royales, il n'y avait pas davantage à attendre : les Consuls avaient organisé en hâte une milice bourgeoise qui suffisait à peine à défendre ses murs, étant peu nombreuse et peu aguerrie.

Sauveterre, qui ne fardait pas la vérité, surtout quand elle était désagréable, nous répétait tous les soirs après la prière qu'il ne fallait pas faire fond sur l'étang qui nous entourait, ni sur nos murs, nos tours, nos remparts et nos mâchicoulis, et que nous avions peu de chance de vaincre si les Roumes nous attaquaient. C'est alors que, pour la première fois en mes courtes années, je commençai à songer à la mort.

Mespech s'était replié sur soi comme au cœur de l'hiver, alors même que le bel octobre était là, avec son soleil clair et ses châtaigniers à peine jaunissants. Et c'était pitié de penser que nous étions tous serrés en Mespech comme dans une prison, les trois ponts-levis levés même le jour, mon père et ses trois soldats en danger d'être tués à la guerre dont la

France était si durement travaillée, et nous-mêmes, si loin des batailles du Nord, dans le plus grand péril.

J'étais trop jeune, en 1554, pour que la peste de Taniès m'ait laissé d'autre souvenir que celui, délicieux, de l'arrivée de Samson à Mespech, avec ses cheveux bouclés, ses yeux clairs, sa force et son exquise gentillesse. Mais depuis que le notaire Ricou avait parlé de la mort de mon père — et Sauveterre, peut-être pour aiguiser le courage de sa petite troupe, évoquait chaque soir la prise de Mespech et le massacre qui s'ensuivrait — je nous croyais tous promis à la mort.

Les deux Siorac, Jonas et Faujanet, se succédaient pour monter la garde sur le chemin de ronde, scrutant anxieusement l'horizon. Et pour y porter à deux nos grosses pierres, dont on avait fait un monceau dans la cour de Mespech, Samson et moi y avions seuls accès : privilège dont nous estimions le prix, car du chemin de ronde se découvrait une vue merveilleuse sur les villages et les collines. C'est là que l'un et l'autre, hors de souffle, les mains et les reins courbatus, et regardant les labours et les bois à cette heure, où, en Périgord, le soleil déclinant, la lumière donne aux choses une douce sérénité, la pensée quasi constante que j'avais depuis peu de la mort se présenta à moi avec une force qu'elle n'avait jamais eue.

— Samson, dis-je, quand on meurt, on va au ciel ?

— Si Dieu le veut, dit Samson.

— Mais sur la terre, tout continue ?

— Oui, certes, dit Samson.

— Taniès, Marcuays, Sireil, continuent ? Et Mespech ? Et le bois de la Feuillade ? Et le champ des Maraudeurs ?

— Oui, dit Samson avec fierté. Tout continue.

— Mais nous, dis-je, ma gorge se nouant, nous ne serons plus là pour le voir.

— Non, dit Samson.

— Mais, Samson, comment cela est-il possible ?

Les larmes coulant sur mes joues, je lui saisis la main et je la serrai avec force.

Le lendemain du jour où j'avais découvert que la terre continuerait à être belle quand je n'y serai plus, un chevaucheur qui revenait du Nord, chargé de lettres pour les châteaux dont les seigneurs guerroyaient avec le Roi, nous apporta une missive du Chevalier de Siorac.

Elle était adressée à Jean de Sauveterre et ma mère affecta de ne pas la vouloir prendre quand, le visage brillant de joie, Sauveterre, l'ayant lue avec attention, voulut la lui remettre. Mais Sauveterre, étant appelé au-dehors à ce moment-là, la posa sur la table de la grande salle et sortit. Ce que voyant ma mère, s'approchant presque à mauvais gré, et tendant une main hésitante, comme si elle était à la fois attirée et repoussée par la lettre, finit cependant par s'en saisir, et se retirant aussitôt dans l'embrasure d'une fenêtre, car Barberine était là avec nous, elle la parcourut d'un œil rapide, jusqu'à la fin, qu'elle lut beaucoup plus lentement, avec des soupirs et des pleurs. Sauveterre revint à ce même moment dans la salle, vit ce qu'il en était et, venant à elle, lui dit à mi-voix avec une douceur bien surprenante :

— Eh bien, ma cousine, vous voyez que votre mari s'inquiète beaucoup de vous, de votre santé, et de vos enfants.

— Mais la lettre ne m'est pas adressée, dit ma mère d'un ton mi-colère mi-plaintif et ses beaux yeux bleus brillant de larmes.

— Comme il se doit, puisqu'il s'agit de guerres et de campagnes. Mais toute la fin montre bien que Jean n'a de pensée que pour vous.

— Et pour vous aussi, monsieur, dit ma mère avec un effort de générosité dont Sauveterre lui sut gré, car il lui saisit les deux mains dans les siennes et les serra.

— Ne suis-je pas son frère ? dit-il d'une voix à la fois vibrante et voilée, et dévoué à sa personne, à son épouse et à ses enfants, jusqu'à la mort ?

Ce « jusqu'à la mort » résonna en moi de la façon la plus pénible, car en ma naïveté, je le pris au pied de la lettre et comme si notre mort était imminente. Je ne savais pas alors que ceux qui emploient cette expression sont en général bien vivants, et considèrent en fait leur propre fin comme une échéance assez lointaine pour pouvoir en parler sans angoisse.

Le soir après dîner et la prière en commun dirigée par Sauveterre (et à laquelle ma mère et peut-être d'aucuns parmi nos gens devaient ajouter un complément dans le secret de leur lit), Sauveterre prenant la parole et s'adressant à tous mais aux enfants en particulier qu'il avait à cœur d'instruire des affaires du royaume, nous résuma les bonnes nouvelles que lui mandait mon père.

François de Guise, ayant réussi à s'extirper des affaires d'Italie où il n'avait connu que déboires, avait atteint Saint-Germain le 6 octobre et aussitôt Henri II l'avait nommé lieutenant général du royaume et placé à la tête d'une armée qui, grossie des mercenaires suisses (payés en grande partie par des bourgeois de Paris) et de la noblesse accourue avec ses hommes d'armes de toutes les provinces de France, comptait 50 000 hommes qui brûlaient de se battre.

Mais on aurait dit que cette ardeur allait se consumer sur place sans trouver son emploi. Car un adversaire tout aussi redoutable était en train de défaire l'armée de Philippe II d'Espagne : le manque d'argent. Il peut paraître étonnant, écrivait Jean de Siorac, qu'un souverain aussi paperassier et méthodique que Philippe II se fût engagé dans une guerre de cette importance sans être certain d'avoir assez d'écus pour la mener à son terme. Et pourtant, c'est bien ce qui se passait. Faute de pouvoir payer ses soldats, l'habile général de Philippe II, Emmanuel-Philibert de Savoie, licenciait son armée. Et Guise, au lieu de trouver devant lui ces redoutables légions qui avaient écrasé Montmorency devant Saint-Quentin, ne rencontrait que le vide.

La cour se souvint alors que nous étions en guerre

aussi avec Marie Tudor et bien qu'il eût agi fort peu pour secourir son époux espagnol en troupes et en subsides, l'Anglais offrait, en tant qu'ennemi, un grand avantage sur l'Espagnol : il se trouvait à portée de la main. Depuis deux cent dix ans, l'Angleterre occupait Calais.

Jean de Siorac ne nommait nulle part Calais dans sa lettre, mais par certaines allusions qui ne pouvaient être comprises que par son frère d'armes, il laissait entendre que c'était là que Guise allait porter ses coups et dénouer le nœud de la guerre.

Parvenu à ce moment de son exposé, M. de Sauveterre ordonna à Faujanet de quérir Jonas qui montait la garde sur les remparts, parce qu'il voulait que tous fussent présents pour l'écouter. Puis, il commanda à la Maligou d'allumer les deux chandeliers d'étain à cinq branches.

— Les deux ? demanda la Maligou d'un air hésitant.

— Les deux, et toutes les chandelles, dit Sauveterre d'un ton tranchant.

Cette réponse surprit, tant on savait Sauveterre regardant à la dépense. Et la Maligou, se haussant au niveau de l'événement (et toujours prête à voir du magique partout, depuis que le Roume l'avait forcée), alluma les chandelles une à une, avec un certain air de pompe et de mystère. Quant à nous, déjà si heureux que notre père fût en vie, le luxe inouï d'une pareille illumination — les deux chandeliers se reflétant dans le noyer poli de la table — nous plongea dans l'admiration, d'autant que Sauveterre nous répartit solennellement de part et d'autre de sa personne, François et Isabelle de Siorac à sa droite, moi-même, Samson et Catherine à sa gauche ; derrière, en un second rang très serré, Cathau, Barberine et la petite Hélix, la Maligou, portant la Gavachette dans ses bras, et enfin, derrière les femmes, les frères Siorac, Jonas qui revenait des remparts son arquebuse à la main, et Faujanet, claudiquant sur ses talons.

Sauveterre alla prendre dans une armoire de la grande salle un long rouleau, le posa sur la table, le déroula et le fit tenir aux quatre extrémités par des balles d'arquebuse qu'il tira de sa poche.

— Ceci, dit Sauveterre, ses yeux noirs brillant sous ses épais sourcils, et avec une émotion contenue dans la voix qui se communiqua à tous, ceci, c'est le royaume de France.

Il y eut un silence, et la Maligou se signa d'un air effrayé.

— Doux Jésus ! dit-elle d'une voix tremblante, c'est une bien étrange magie qu'un royaume qu'on dit si grand tienne dans une feuille de papier qui fait à peine la largeur de notre table !

— Coquefredouille ! dit Jonas. Il n'y tient point ! Ceci est seulement une image, comme les maîtres d'œuvre m'en donnent pour tailler mes pierres. C'est une image en très petit.

— Oui, dit Sauveterre. Et le royaume de France est un très grand royaume. À condition de changer de cheval tous les jours, un chevaucheur prendrait plus de trente jours pour galoper de Marseille (il frappa de son index sur le port) à Calais (il frappa Calais du plat de la main).

— Trente jours ! dit Barberine. Autant dire un mois ! Dieu garde le Roi de France, qui a le souci et la peine de ce vaste royaume !

— Mais où est le diocèse de Sarlat ? demanda Isabelle de Siorac.

— Voilà Sarlat, dit Sauveterre, qui n'aimait pas le mot « diocèse ».

— Et la Dordogne ? dit François pour faire l'aîné.

Sauveterre suivit de l'index une petite ligne sinueuse.

— Dieu me garde de ses diables et de ses sorciers, dit la Maligou. Mais cette Dordogne-là ne coule pas !

— Sotte embéguinée ! dit Jonas. Ne voudrais-tu pas sentir aussi la neige des montagnes ? Les grandes eaux des mers ? Et les vents et les bourrasques qui soufflent à travers le royaume ?

Il dit cela comme indigné des superstitions et de la stupidité de la Maligou, mais en même temps il profitait de la presse pour s'appuyer contre Barberine un peu plus qu'il n'aurait dû, Sauveterre n'ayant point d'yeux derrière le dos.

— Et Taniès? demanda tout d'un coup l'un des Siorac, et sur ma vie, je ne saurais dire lequel.

— Oui-da, où est Taniès? dit «le frère de l'autre».

— Il n'est point marqué, dit Sauveterre avec patience.

— Et pourquoi cela? dit l'un des Siorac d'un air piqué.

— Allons, mes pauvres, dit Faujanet, moi qui ai vu du pays pendant mes dix ans dans la légion de Guyenne, je puis vous dire qu'il y a dans le royaume des milliers et des milliers de villages qui, certes, ne sont pas tous inscrits ici, faute de place.

Sauveterre leva la main.

— Bien dit, Faujanet. Et j'ajouterai que le comté du Périgord n'est qu'une des provinces de la France. Et Sarlat n'est qu'une ville de France, parmi des dizaines d'autres.

Il poursuivit :

— Voici Paris, la capitale du royaume, où le Roi loge dans son Louvre, et voici au nord-ouest un petit bras de mer, large en sa plus petite largeur de deux lieues à peine, qu'on appelle la Manche. De ce côté-là de la Manche, il y a Douvres, qui appartient à l'Angleterre. Et de ce côté-ci de la Manche, il y a Calais, qui appartenait au royaume de France.

Sauveterre tapa du plat de la main sur la carte et dit d'une voix vibrante :

— Les Anglais nous ont pris Calais en 1347, il y a tout juste deux cent dix ans.

— Quels méchants hommes que ces Anglais, dit Faujanet. Mais je croyais que Jeanne les avait boutés dehors.

— Point de partout, dit Sauveterre. Ils se sont accrochés à ce petit bout de France dans le Nord comme des tiques à l'oreille d'un chien.

— Deux cent dix ans! dit François, capable, certes, de faire ces sommes, mais dépassé par l'imagination de tant d'années s'ajoutant aux dix ans de sa vie.

— J'ai cinquante-deux ans, dit Sauveterre. Deux cent dix ans, cela fait, à deux ans près, quatre fois mon âge.

Je regardai Sauveterre, son poil grison, son visage couturé et ridé et ses mains où de grosses veines bleues apparaissaient. Quatre fois l'âge de l'oncle Sauveterre, c'était une immensité.

— Mais si Dieu, après tout ce temps, ne nous a pas rendu Calais, dit la Maligou, c'est que Dieu ne l'a pas voulu.

— Sotte caillette ! dit Jonas qui, dans son indignation, s'appuya davantage sur Barberine. Si Dieu avait voulu que les Anglais aient Calais, il l'eût placé de l'autre côté de la Manche, à côté de Douvres.

— Ah, c'est bien vrai, ça ! dit Barberine, frappée par l'évidence de ce raisonnement, et en même temps, elle donna une taloche à la petite Hélix qu'elle surprit à me pincer. Quant à ce qui se passait derrière son vaste dos, elle ne paraissait pas s'en apercevoir.

— Les Anglais, dit François, ont-ils pris Calais par traîtrise ?

— Non point, dit Sauveterre, mais en combat loyal après leur éclatante victoire de Crécy sur notre pauvre Roi Philippe VI.

J'avais appris avec Samson pendant l'été l'interminable liste de nos Rois et je craignis un moment que Sauveterre, qui avait l'habitude de ce genre de questions, me demandât à qui Philippe VI avait succédé et qui était venu après lui. Mais Sauveterre poursuivit.

— À Crécy, dit-il, ce furent les Anglais, les meilleurs archers qu'on ait jamais vus sur terre, qui donnèrent la victoire à leur camp.

— Pardon, monsieur le Capitaine, dit Jonas d'un air profondément blessé. Ce sont les arcs, et non point les archers anglais, qui sont les meilleurs. Parce qu'ils sont faits d'un buis qui ne pousse que chez eux.

— Tu as raison, Jonas. Et s'il y avait eu deux mille de tes pareils à Crécy, la bataille eût tourné autrement.

— Merci, monsieur le Capitaine, dit Jonas en rougissant de fierté à la pensé des exploits qu'il eût pu accomplir à Crécy, deux cent dix ans plus tôt.

— Comment fut pris Calais? dit François, qui savait combien Sauveterre aimait qu'on lui posât des questions.

Comme mon père, comme beaucoup de seigneurs ou bourgeois huguenots, Sauveterre nourrissait un respect presque religieux pour le savoir — jusqu'à apprendre à lire aux domestiques afin qu'ils eussent accès aux Saintes Écritures.

— Calais, dit Sauveterre, fut pris au bout d'un an par rage de faim, la flotte anglaise bloquant le port et Philippe VI n'arrivant pas à la délivrer par terre. Tout était mangé, et les chiens, et les chats, et les chevaux, au point que le vaillant Capitaine de la défense, Jean de Vienne, craignit que les pauvres Calaisiens n'en vinssent à manger chair de gens.

— Hélas! dit Barberine qui, parce qu'elle était si blanche et si succulente, avait toujours craint d'être rôtie au cours d'un siège. C'est grand péché que de manger la chair d'un chrétien!

— Chrétien ou pas, dit Faujanet, faim fait saillir le loup du bois et, homme ou pas, crève-la-faim se fait loup. En mes dix ans de service dans la légion de Guyenne, j'ai vu des choses que je ne dirai pas.

— Et bien fais-tu, dit Sauveterre, en ne marquant aucune impatience. En ces extrémités, reprit-il, et tout étant perdu, Jean de Vienne composa. Il fit demander à Edouard III d'Angleterre de laisser sortir de la ville peuple et garnison. « Nenni, dit Edouard III, ils m'ont tué trop de mes bons Anglais! Tous y mourront! »

— Le méchant homme! dit Barberine.

— Non point, dit Faujanet. C'était son droit.

— Un droit barbare, dit Sauveterre. À preuve que les Barons du roi anglais lui firent mille prières pour adoucir la pointe de son haïr. Et Edouard dit enfin qu'il prendrait à merci peuple et garnison, si seulement six notables de Calais lui venaient rendre les clefs de la ville, nu-pieds, nu-chef, en chemise et la corde au col. Et de ceux-là, dit-il, en fronçant le sourcil, il ferait sa volonté.

— Et il fallut trouver ces six-là ! dit Jonas. Je gage que ce ne fut point facile. D'ordinaire, les bourgeois des bourgs ont bonne trogne, face cramoisie, et ils tiennent autant à leur vie qu'à leur bourse !

— On les trouva, dit Sauveterre, à qui ce discours ne plut qu'à moitié. Et le premier à se désigner fut le plus riche. Il s'appelait : Sire Eustache de Saint-Pierre.

— Aussi avait-il déjà un nom de saint, dit la Maligou, mais Sauveterre lui jeta un regard si peu gracieux qu'elle se tut.

— Le nom n'a rien à voir, dit Sauveterre avec sévérité. Eustache de Saint-Pierre était un bon chrétien qui, malgré ses richesses, aspirait au bonheur éternel de la présence de Dieu. En se désignant pour la corde, il dit ceci : « *Si je meurs pour ce peuple sauver, j'ai grande espérance d'avoir grâce et pardon envers Notre-Seigneur.* » Certes, ajouta Sauveterre, Sire Eustache se trompait en son espoir : les œuvres ne donnent pas la grâce[1] (Que de fois ai-je depuis entendu cette phrase, dans sa bouche ou celle de mon père !). Mais son dessein n'en était pas moins très noble et très pieux, puisqu'il sacrifiait sa vie au peuple de sa ville.

— Mourut-il ? demanda Barberine, les larmes coulant sur ses joues rondes, et Cathau et ma mère pas très loin de l'imiter, je crois. Le cœur me fend, poursuivit-elle, quand je pense à ce pauvre Moussu forcé de s'aller faire pendre nu-pieds comme un gueux, sans même un couvre-chef ou un pourpoint...

— Mais il n'y avait pas de pourpoint en ces temps, dit François, remarque qui me parut pédante et sans cœur, étant donné le grand péril que courait Sire Eustache.

— Il ne mourut point, dit Sauveterre. Pas plus que ses cinq compagnons, tous bourgeois honorables et

1. D'après le Credo calviniste.

bien étoffés en biens, dont l'un avait deux demoiselles à marier, belles et gracieuses.

— Hélas ! dit Cathau, sensible, mais voulant encore plus le paraître et zézayant un peu, selon la mode. Pauvres demoiselles, qui au lieu de se trouver un mari, vont perdre un père au gibet !

Cathau était déjà chambrière de ma mère chez les Caumont, et se donnait parmi nous quelques airs, ne trouvant pas notre noblesse assez ancienne. Gentille fille, au demeurant, les yeux noirs piquants, les joues fraîches et les lèvres bien rouges, ayant comme unique souci dans sa jolie tête d'épouser un jour Cabusse. Depuis son départ, les larmes lui coulaient des yeux le jour, et la nuit elle fondait en soupirs, avec des remuements à fatiguer son lit.

— Mais il ne fut point pendu, dit Sauveterre. Pas plus que Sire Eustache et les autres. « Coupez-leur la tête ! » dit Edouard III.

— Mon doux Jésus ! s'écria Barberine.

— Mais ils ne furent pas décollés, dit Sauveterre. Car la douce Reine d'Angleterre, bien que durement enceinte, se jeta aux pieds du Roi et lui dit : « Gentil Sire, depuis que j'ai passé la mer en grand péril de Douvres à Calais, pour vous venir retrouver, je ne vous ai pas don requis, mais ce jour d'hui je vous demande, pour l'amour du Christ, avoir merci de ces six hommes ! » Et le Roi, se laissant fléchir, les lui remit, et elle les traita dignement.

Les femmes poussèrent ici quelques soupirs. En vérité, je m'en aperçus plus tard, Sauveterre avait changé quelque peu les paroles de la Reine anglaise, car dans sa prière au Roi, elle avait dit : « *Pour l'amour du fils de Sainte Marie* », ce qui, sur les lèvres huguenotes de Sauveterre, était devenu : « *Pour l'amour du Christ.* »

— Il reste, dit Sauveterre, que tous les Français de Calais, nobles, bourgeois et artisans, furent dépossédés de leurs biens, et durent sur l'heure quitter la ville, où le Roi Edouard III les remplaça par autant d'Anglais des divers états. Et c'est ainsi que le coucou anglais, jetant bas nos œufs français, pondit dans notre nid et en fit un repaire pour lui-même et les siens pendant deux cent dix ans !

Il s'interrompit en fronçant les sourcils.

— Mais nos chiens, depuis un moment, aboient comme fols. Jonas, va donc voir qui les émeut.

Jonas sortit de son pas mesuré de géant. Quelques secondes s'écoulèrent, puis on entendit le bruit d'une course, Jonas fit irruption dans la grande salle et cria d'une voix tremblante :

— Les Roumes attaquent !

CHAPITRE IV

Ces Roumes, tant redoutés de nos campagnes, étaient des gueux chassés d'Espagne qui crevaient la faim sur les chemins de Guyenne, jusqu'au jour où, dans le malheur des temps, un chef habile les avait armés et organisés en pillards. Ces gens étaient montés comme l'écume et, comme elle, ils devaient disparaître, la paix revenue, leurs troupes taillées en pièces et leur Capitaine envoyé tout botté au gibet. Celui-ci, dans le fond de son cœur, n'ignorait pas que son aventure aurait un jour cette fin, ce qui donnait une folle audace à ses actes désespérés.

Sauveterre avait prévu que leur attaque aurait lieu la nuit, et il avait pris quelques précautions, multipliant dans l'enclos entourant notre étang les chausse-trapes meurtrières, mais non pas si fragiles que le poids d'un chien pût les enfoncer, car trois grands dogues, achetés depuis peu, patrouillaient là jour et nuit, si féroces et si hérissés que même Faujanet avait peine, pour les nourrir, à les approcher.

En outre, sur les quatre faces de Mespech, Sauveterre avait fait fixer dans le joint des pierres, à proximité des créneaux, de larges bobèches et son premier soin, après l'annonce de Jonas, ne fut pas d'armer sa troupe, mais d'allumer et de répartir les torches aux endroits préparés, ce qui donna au château et à l'étang un air de féerie qui nous plongea, Samson et moi, dans le ravissement, mais qui révéla aussi que les Roumes occupaient déjà notre île. À l'aboiement furieux des chiens, le silence le plus menaçant avait succédé, et dès que la façade sud du château fut illuminée, les Roumes se cachèrent au fond des remises qui, dans l'île, abritaient nos charrettes et nos araires.

Sauveterre, en pourpoint comme il était, et sans prendre le temps de revêtir un corselet et de se coiffer d'un morion, distribua les arquebuses à tous, y compris à François et aux femmes, et ordonna un feu nourri sur l'intérieur des remises. Mais nous dominions celles-ci de si haut que nos torches laissaient des zones d'ombre sous les remises, et que nos arquebusades touchaient surtout les lauzes du toit. Nous aurions eu de meilleures vues en occupant la petite tour ronde qui faisait la jonction entre l'île de Mespech, mais il aurait fallu pour cela abaisser un des deux ponts-levis que cette tour comportait. Sauveterre sentit qu'il avait trop peu de monde pour envoyer un détachement à ce poste avancé qui, si bien conçu qu'il fût pour assurer notre défense, ne servit en fin de compte à personne, ni aux Roumes ni à nous-mêmes.

Nos assaillants, tapis au fond des remises de l'île, faisaient sur nos créneaux un feu continu, mais si peu efficace qu'il semblait que ce fût davantage pour nous amuser que pour nous engager. Cela donna à penser à Sauveterre qu'ayant fixé notre attention et notre feu sur l'île, les Roumes préparaient une attaque sur nos arrières. Il envoya Faujanet et Jonas faire le tour des remparts. Et il fit bien car si, à l'ouest et à l'est, ils ne remarquèrent rien d'anormal, au nord, en revanche, Jonas, qui marchait en avant, vit à une quinzaine de mètres devant lui un Roume se hisser par un créneau et prendre pied sur les dalles du chemin avec la légèreté d'un chat. Jonas s'immobilisa et, bandant son arc, transperça d'une flèche l'envahisseur qui tomba sans un cri, les mains crispées sur sa poitrine. Jonas fit alors signe à Faujanet de rester sur place et, se baissant, il s'avança à pas de loup. Il découvrit huit grappins fixés dans les creux des créneaux, et jetant un œil par ces creux, il vit des Roumes qui, sans se soucier le moins du monde de la torche qui éclairait la face nord, montaient aux cordes en s'appuyant de leurs pieds nus contre la muraille. Jonas fut stupéfait de leur folle bravoure et, se retirant de quelques pas dans l'ombre, envoya Faujanet quérir Sauveterre.

Suivi des frères Siorac et de Faujanet, celui-ci arriva comme Jonas abattait un deuxième Roume, tout aussi silencieusement que le premier. Sauveterre immobilisa ses trois hommes derrière Jonas et leur dit à voix basse :

— Laissez faire le carrier. Ne tirez que sur mon ordre.

Un Roume fut encore abattu, puis un quatrième surgit, qui, touché par la flèche de Jonas, en une partie sans doute moins vitale, poussa un cri déchirant et, se rejetant en arrière, plongea dans l'étang. Sauveterre entendit alors une série de plongeons qui indiquaient que les Roumes suspendus aux cordes abandonnaient la partie. Il disposa ses hommes aux créneaux avec ordre de tirer sur tout ce qu'ils voyaient bouger. Et lui-même, sortant davantage la tête, s'aperçut que les Roumes disposaient d'un radeau. Les plongeurs ne tardèrent pas à rallier le radeau, puis nageant entre deux eaux, disparurent dans l'obscurité. Sur la berge, on vit s'enfuir, sans pouvoir l'atteindre car la lumière confuse de la torche portait à peine jusque-là, un groupe d'hommes qui devaient probablement venir en renfort du premier après avoir tiré le radeau à eux par le filin. L'emploi du radeau était certes ingénieux, car un nageur n'aurait pu lancer les grappins à la hauteur des créneaux, alors que pour un homme debout, cela ne demandait qu'un peu d'adresse et de force.

Sauveterre examina les trois hommes tués par Jonas. Ils étaient habillés de noir, un fort coutelas à la ceinture et, sous la capuche qui recouvrait la tête, Sauveterre trouva des pistolets. Ils ruisselaient d'eau ce qui indiquait qu'ils avaient dirigé le radeau en nageant, seul le lanceur expérimenté de la bande avait pris place sur l'embarcation avec les grappins.

Sauveterre sentit la sueur couler dans les paumes de ses mains. Une dizaine d'hommes atterrissant sans être vus sur le chemin de ronde du nord, et qui seraient tombés par-derrière sur les défenseurs de Mespech tandis qu'ils étaient si occupés à tirer sur l'île, les auraient massacrés jusqu'au dernier.

Les grappins furent retirés, ainsi que les cordes qui y étaient attachées et, laissant Jonas et Faujanet poursuivre leur ronde, Sauveterre suivi des frères Siorac rejoignit le groupe des femmes. Du côté de l'île, il y avait un certain remuement sous les remises, produit sans doute par l'arrivée des fuyards, mais on ne voyait personne et les arquebuses s'étaient tues.

Sauveterre ne fit aucun récit aux femmes et ne commanda aucun tir. Et comme ma mère lui demandait un peu nerveusement ce qu'on faisait là, il répondit à voix basse :

— Tout est fini, je crois, mais il faudra bien que les Roumes se montrent pour s'en aller.

Personne sur les remparts n'était plus désolé que Samson et moi, car même pour nous il devenait évident que nous n'aurions pas l'occasion tant attendue de balancer nos pierres sur la tête des assaillants. J'ai honte de dire que nous perdîmes alors un peu intérêt à l'affaire, et que nos têtes, alourdies par les morions trop vastes dont Barberine nous avait coiffés, se posèrent sur nos munitions. Et sur cette couche, bien qu'elle ne fût pas moelleuse, le sommeil nous gagna.

La voix éclatante de Jonas nous réveilla en sursaut.

— Capitaine des Roumes ! cria-t-il. Tirez-vous de votre cachette ! Apparaissez ! Il ne vous sera fait aucun mal. Le Capitaine de Sauveterre désire vous parler.

J'ouvris tout grands les yeux et la lune m'éblouit. Sa clarté dans le ciel, sans être tout à fait celle du plein jour, aurait permis de lire un livre. Je passai le nez par le creux d'un créneau et je vis un homme sans casque ni cuirasse mais de bonne taille, et d'une tournure élégante, sortir de l'ombre d'une de nos remises et s'avancer d'un pas fier jusqu'au fort poteau de châtaignier que la frérèche avait planté au centre de l'île pour y faire tourner poulains et pouliches en cours de dressage.

— Monsieur, dit Sauveterre, votre vilaine attaque contre Mespech ayant échoué, il me semble que vous n'avez pas intérêt à la poursuivre. Pour en finir, je vous offre la possibilité honorable de gagner le large sans vous arquebuser et sans faire de poursuite.

Le Capitaine des Roumes fit entendre un petit rire.

— Quant à nous poursuivre, monsieur le Capitaine, dit-il dans un provençal teinté de catalan et avec une espèce de recherche dans le choix des mots, vous ne le pourriez, si vous le vouliez. Votre petite garnison compte cinq hommes, vous inclus, quatre femmes et des enfants. C'est peu, pour tailler des croupières à une centaine d'hommes bien armés!

Ayant lancé ce trait de risée, le Roume s'esclaffa. Il avait de belles dents qu'à cette distance on voyait très bien grâce à la clarté extraordinaire de la lune.

— Mais nous pouvons du moins vous faire payer cher votre retraite, dit Sauveterre d'un ton rogue.

— Pas si nous attendons de nouveau la nuit noire pour nous retirer! Et puis, reprit le Capitaine des Roumes, il nous reste encore quelques gages. Nous pourrions, en partant, brûler vos remises de l'île, ainsi que les charrettes et araires qu'elles abritent. Et nous pourrions aussi en passant par Taniès mettre le feu au bois de châtaigniers dont vous tirez de si beaux tonneaux...

Ici, la Maligou qui, dès que les arquebusades avaient cessé, était accourue avec la Gavachette sur les bras, dit à voix basse que le Roume était le plus beau des hommes, et que si ce Roume, qui était pourtant étranger au pays, connaissait si bien Mespech, c'était par magie et sorcellerie.

— Ma mie, lui dit Sauveterre d'une voix basse et

furieuse, je m'étonne que votre pot soit bon. Car vous n'avez pas dans votre tête autant de cervelle qu'il en faudrait pour cuire un œuf!

Et il la renvoya rudement à sa cuisine. Elle s'en fut sans mot dire, plus échevelée que jamais, avec des croix et des signes et les fesses tremblotantes.

— Eh bien, monsieur, dit Sauveterre après un long silence. Que proposez-vous ?

— Cinq cents livres pour lever le siège du château et quitter la région sans navrer vos forêts, vos bâtiments et vos tenanciers.

— C'est une somme considérable.

— Allons, allons, monsieur le Capitaine, dit le Roume en souriant. C'est une somme qu'en vos coffres vous avez en triple ou en quadruple! L'année a été profitable pour vous en prêts de grains, sans compter la vente des tonneaux et celle des pierres appareillées de votre carrier!

Sauveterre sentit que la discussion serait inutile et que le Roume ne rabattrait pas d'un sol.

— À supposer que je vous verse cette rançon, dit-il, qui me garantit que vous allez foi garder ?

— Ma parole, dit le Roume avec fierté.

— On ne mange point de rôt à la fumée, dit Sauveterre. Je ne me nourris pas de promesses.

Le Roume rit.

— Je vous laisserai donc en partant un otage, que vous me renverrez au bout de quarante-huit heures écoulées.

— Soit, dit Sauveterre, à condition que vous me révéliez qui vous a si bien renseigné sur Mespech.

Le Roume rit de nouveau.

— Monsieur le Capitaine, vous n'aurez rien pour rien! Ce renseignement lui-même vaut cinquante livres de plus.

— Je les donnerai, dit Sauveterre après un moment de silence.

— Dès que j'aurai les cinq cent cinquante livres, reprit le Roume, je lierai l'otage au poteau de dressage de vos chevaux et je vous dirai ce que vous voulez savoir.

Il y eut un moment de silence, et le Roume dit d'une voix changée :

— Il me manque trois hommes. Les avez-vous ?

— Oui, dit Sauveterre, ils ont été occis en mettant le pied sur nos remparts. Je les ferai porter en terre chrétiennement et sans les mutiler.

— Mais ce n'est pas moi qui mutile ! dit le Roume avec vivacité. Ce sont les quelques Maures que j'ai dans ma troupe. Quand ils tuent un ennemi, ils désirent lui ôter à la fois le bonheur de la vie et l'honneur d'être un homme.

— On ne peut avoir le second sans le premier, dit Sauveterre. La mutilation est donc inutile. Et vos Maures n'en pissent pas plus roide.

— Pardi, vous avez raison, dit le Roume. Mais je ne les convaincrai pas.

— Liez votre otage, dit Sauveterre. Je vais quérir l'argent.

Le sac de jute contenant les cinq cent cinquante livres dut être lourd au cœur de Sauveterre quand il fut pendu par une cordelette hors du fenestrou de la petite tour qui commandait l'entrée de l'île, et balancé de façon à atterrir de l'autre côté du bras d'eau qui nous séparait d'elle. Le Roume s'en saisit, compta nos bonnes livres tournois à la clarté de la lune. Si jeune que je fusse, je trouvai une furieuse injustice à voir Mespech ainsi rançonné.

— Eh bien, monsieur, ces renseignements ? dit Sauveterre.

— Monsieur le Capitaine, dit le Roume, vous avez un bon voisin, et qui vous aime. Il m'a fait remettre cinq cents livres, à charge pour moi d'attaquer Mespech, et promesse de cinq cents livres en plus si je réussissais ! Je guerroyais sans beaucoup de profit du côté de Domme, quand son majordome m'a atteint, et m'a tout dit sur Mespech, sa garnison, ses ressources et ses chausse-trapes en quinconce, une fois franchie sa clôture. Et pour n'y pas tomber, nous avons tout simplement employé des planches, dont nous avons fait un chemin. Sans vos chiens, mais on ne m'en avait pas parlé, Mespech était pris.

— Qu'est-il advenu d'eux ?

— Telle était leur férocité que nous avons dû les occire.

Il y eut un silence assez lourd et Sauveterre dit :

— Je suppose que vous n'avez jamais rencontré M. de Fontenac ?

— Seulement son majordome. Un Italien, un nommé Bassano. J'ai rendez-vous avec lui au lever du soleil à la Flaquière pour aviser.

— Où, à la Flaquière ?

— Le gros noyer à la croisée des chemins.

— Irez-vous ?

— Point, si vous me baillez vingt-cinq livres.

— Dix, dit Sauveterre.

— Fi donc ! dit le Roume. Monsieur, nous n'allons pas marchander !

— Que perdez-vous à ne pas y aller ? Bassano n'aura pas d'argent sur lui, puisque vous avez échoué.

— Ce n'est pas tant ce que je perds, dit le Roume. C'est ce que vous gagnerez en y allant à ma place.

Sauveterre ne discuta pas plus avant, et les vingt-cinq livres furent acheminées, par les mêmes voies, jusqu'au Roume.

— Vous me trouverez fidèle à mes engagements, dit le Roume. Et j'espère que vous serez fidèle aux vôtres.

— Assurément. Où renverrai-je votre otage, dans quarante-huit heures ?

— Il sait où me retrouver. Je vous salue, monsieur le Capitaine, dit le Roume. Je regrette que la nécessité de survivre et de nourrir ma tribu me contraigne à ces vilenies, car je suis bon chrétien, et j'aspire comme tout un chacun à trouver grâce après ma mort auprès du Seigneur.

— Monsieur, dit Sauveterre non sans effort, personne ne peut préjuger du jugement de Dieu. Mais si votre salut vous tient à cœur, je souhaite que vous soyez sauvé.

Ici, Jonas murmura quelque peu, mais Sauveterre d'un geste sec de la main le fit taire, et le Roume dit en quittant le ton de persiflage qui avait été le sien depuis le début :

— Je vous remercie, monsieur le Capitaine. Je me souviendrai de votre vœu.

Le Roume et les siens partirent comme ils étaient venus, à la nage, leur arquebuse au-dessus de leur tête. Puis on entendit dans le lointain les sabots des chevaux et les grincements des charrettes qui avaient dû les amener à proximité de Mespech.

Quand, sur l'ordre de Sauveterre, Jonas descendit dans l'île pour délier l'otage et le décapuchonner, car un voile le recouvrait de la tête aux pieds, il eut une surprise heureuse : il se trouva devant une fille dont la beauté brillait sous la lune. Sa chevelure était brune, son œil noir brillant, sa lèvre épanouie, sa charnure vigoureuse.

Jonas, l'ayant déliée, la regarda sans mot dire du haut de sa grande taille. Et la garce, levant le museau d'un air hardi, lui dit :

— Eh bien, qu'attends-tu pour me forcer ? N'est-ce pas là ton droit de guerre ?

— Et point ne m'en manque l'envie, dit Jonas qui, fort ému déjà, le fut davantage par cette effronterie, d'autant qu'il était travaillé par sa longue chasteté dans la grotte de la carrière. Il ajouta, carrant ses herculéennes épaules : et à toi aussi, je pense.

— Je me défendrai bec et ongles, dit la garce, mais avec le ton de quelqu'une qui, après un beau combat, se prépare à être vaincue.

— Es-tu donc pucelle ? dit Jonas. Vivant avec ces Roumes, est-ce possible ?

— Oh, ce n'est pas ce que tu crois ! Ils ont leurs lois et leurs rites. Et par la Vierge, c'est vrai que je suis pucelle.

— Ne jure pas ici, Roume, dit Jonas en baissant la voix. Et moins encore par la Vierge ! Quel âge as-tu ?

— Quatorze ans.

— Il serait temps, dit Jonas avec un soupir.

Il reprit :

— Et nous aussi, à Mespech, nous avons nos lois et nos rites. Il faut dire oui devant le curé — ou le ministre : ce qui, à mon sens, n'est que farce et batellerie, la nature parlant si haut. Mais qu'y faire ? Je n'ai point inventé nos coutumes. Ma mie, si je te forçais, le Capitaine me donnerait mon congé et je crèverais à nouveau la faim. Excuse-moi, jolie renarde, mais il me faut d'abord nourrir mon grand corps : la panse passe avant la danse.

— C'est donc que le Capitaine me garde pour lui ! dit la garce avec une ondulation de la croupe et en rejetant en arrière d'un mouvement vif sa crinière de cheveux noirs.

— Ne crois point cela ! dit Jonas en riant de bon cœur.

Il reprit à voix basse :

— Pour le Capitaine, toute femme est piperie et perdition de l'âme. Le Capitaine pense au ciel et non aux beaux tétons que voilà.

Ce disant, il les effleura l'un après l'autre de son énorme index.

— Et pardié, il a bien tort, car plus jolie belette oncques ne vis, toute Roume que tu sois.

— Je ne suis point Roume, mais Mauresque, dit la garce avec un accent de fierté. On me nomme la Sarrazine. Cependant, je suis chrétienne.

— Oh, pour ça ! dit Jonas avec un petit rire, mais en baissant la voix. Quand il s'agit de paillarder, je ne regarde pas à la religion !

Le ton changea quand Jonas amena l'otage dans la grande salle, où Sauveterre et nous tous, à l'exception de Faujanet, laissé de garde sur les remparts, réparions nos forces en mangeant pain de froment et chair salée et en buvant notre piquette.

— Sarrazine, dit Sauveterre d'un ton sec en lui jetant le plus bref des regards, car l'émotion de Jonas et des frères Siorac devant cette fille aux yeux luisants ne lui échappait pas, tu seras peu de temps prisonnière. J'ouvrirai ta cage après-demain à l'aube.

— Et bien en peine je serai de retrouver alors le Capitaine des Roumes, s'écria Sarrazine, car il ne m'a point dit où il allait.

— Il ne te l'a point dit ? s'écria Sauveterre en se levant à demi de son tabouret.

— Non, Moussu ! dit Sarrazine en secouant sa crinière. Et c'est pour étouffer mes cris de rage que le Capitaine m'a encapuchonnée. Car j'avais bien compris que son dessein, en me liant au poteau, était de me donner à de nouveaux maîtres comme un chien dont on ne veut plus.

— Et qu'avais-tu fait pour mériter son ire ? dit Sauveterre en la dévisageant avec sévérité.

— Je l'aimais trop, dit Sarrazine, et pour ce qu'il ne voulait point de moi, j'avais tenté de le poignarder.

— Action fort vilaine ! dit Sauveterre. Comme la luxure dont elle était fille !

— Ah, Moussu, vous avez bien raison ! dit Sarrazine, la tête baissée, mais le téton palpitant. Aussi suis-je fort travaillée de remords et je prie tous les jours le Seigneur Dieu de me pardonner le sang en trop qu'il m'a baillé.

Une prière de cette farine n'ayant pas l'heur de plaire à Sauveterre, il y eut un assez long silence, rompu enfin par ma mère.

— Qu'allons-nous faire de cette garce sans pudeur ? s'écria-t-elle sur le ton le plus véhément. (Mais elle pensait peut-être au retour de Jean de Siorac à Mespech.) Elle ne peut point rester ici !

— Nous aviserons, dit Sauveterre, qui n'entendait point se laisser gagner à la main par une femme, fût-elle l'épouse de son frère bien-aimé.

Il ajouta :

— L'aube va se lever, et j'ai devant moi une autre tâche. Jonas, poursuivit-il en se levant, apporte-moi mon morion et mon corselet.

Cette tâche, c'était le rendez-vous avec Bassano, auquel il avait jusque-là hésité à se rendre, craignant quelque traîtrise du Roume ; mais le récit de la Sarrazine levait ses hésitations. Le Roume avait empoché les cinq cents livres de Fontenac, les cinq cent soixante-quinze livres de Mespech, et par un trait de ruse, qui était aussi un trait de risée, purgé sa troupe d'une meurtrière. Gagnant sur tout, pourquoi risquerait-il sa mise ? À cette heure, se gaussant et fort content de lui, il chevauchait au loin, à la recherche d'une autre proie.

Sur sa rencontre avec Bassano, Sauveterre ne fit pas de récit, même en son *Livre de raison*, et les frères Siorac, qui l'accompagnèrent, restèrent là-dessus aussi muets que d'ordinaire.

Au bout d'une heure qu'ils étaient sortis, on vit revenir l'un des Siorac, qui demanda une corde, ce qui nous donna à penser qu'un arbre allait porter un pendu. Mais quel arbre ce fut, et comment l'affaire se passa, c'est ce que nous ne sûmes que bien plus tard, et non point par Sauveterre, mais par notre père, à qui Sauveterre le confia, et à qui quelques mots échappèrent au cours des ans, et bien contre sa volonté, je pense, le secret devant rester à jamais dans la frérèche.

Je n'ai point de doute en mon esprit que l'intention de Sauveterre était bien de prendre vif Bassano et de le serrer prisonnier pour lui faire porter témoignage contre son maître. Mais Bassano, dès qu'il vit Sauveterre dans le jour à peine naissant, se rua sur lui l'épée haute, et avant que Sauveterre ait eu le temps de dégainer, lui porta un coup qui l'eût occis sans le corselet qu'il avait revêtu. Ce que voyant les frères Siorac, ils arquebusèrent l'assaillant et l'étendirent roide aux pieds de l'assailli.

Quant à l'arbre auquel le cadavre fut pendu, ce fut le chêne qui servait aux Fontenac dans l'exercice de leur justice seigneuriale. Il était plus que centenaire et se dressait sur un *pech*, à une dizaine de toises de leur château, et presque sous les fenêtres du donjon où logeait le maître de céans, comme s'il eût aimé, et ses ancêtres avant lui, reposer ses yeux au spectacle des pauvres gueux qu'il avait voués à la corde.

Ce que Bertrand de Fontenac pensa quand il vit au matin son majordome sanglant se balancer sous la branche maîtresse du chêne justicier, nul ne le sut, car il ne porta pas plainte devant les juges, et il se tut, tout comme la frérèche, ayant fort bien compris ce langage qui se passait de mots pour dire bien ce qu'on voulait dire, d'un château à l'autre.

La glorieuse nouvelle de la prise de Calais par le Duc de Guise parvint fin janvier à Sarlat, mais il fallut attendre trois mois encore et les premières feuilles du printemps pour que mon père revînt en son logis, sain et entier, avec ses trois soldats.

J'ai quelque raison de me souvenir de la date de son retour, le 25 avril 1558, car elle coïncida avec l'anniversaire de mes sept ans, et aussi parce que, la veille, j'avais eu maille à partir avec François de Siorac.

François, en tant qu'aîné, nourrissait de grandes prétentions qu'il n'avait ni le courage ni même la force de soutenir car, malgré ses onze ans, il était à peine plus grand que moi et portait une mollesse aux exercices du corps qui ne m'incitait pas au respect. Il devait sentir là-dessus sa faiblesse, car il préférait aux entreprises violentes de Samson et de moi-même des occupations tranquilles, comme la pêche, qui ne me plaisait guère, pour ma part, en raison de l'immobilité qu'elle commandait. C'est à ce sujet que la dispute entre nous éclata.

À Mespech, avec la Maligou, j'étais toujours le premier levé, trouvant le lit insupportable dès que j'étais réveillé. Je fus donc bien surpris, un matin, alors que j'avalais un bol de lait chaud dans la grande salle, de voir surgir François qui, d'entrée de jeu, me dit d'un ton hautain — imité de celui que prenait parfois ma mère et qui devait être contagieux car Cathau l'imitait aussi, mais seulement en parlant à la Maligou, car avec Barberine, elle n'eût osé :

— Mon frère, mon intention ce matin est de pêcher dans l'étang. Vous m'accompagnerez. Vous porterez mes lignes et mes seaux, vous fixerez les vers aux hameçons et vous appâterez.

J'avais assuré tant de fois sous ses ordres ces dégoûtants offices, et toujours à contrecœur, haïssant au surplus le rôle de valet où mon aîné me réduisait, que cette fois-ci je suivis mon sentiment et dis avec fermeté :

— Non, monsieur mon frère (c'est ainsi qu'il exigeait d'être appelé), je n'irai point.

— Et pourquoi, s'il vous plaît ? dit François, le sourcil levé, l'air fier, l'œil menaçant.

— Parce que je n'aime pas la pêche.

— Peu importe que vous l'aimiez. Vous ferez ce qu'on vous dit.

— Non point, dis-je en le regardant dans les yeux. Cette bravade l'étonna et il fut quelque temps avant de reprendre souffle.

— Je suis votre aîné, dit-il enfin. Vous me devez obéissance.

— Je dois obéissance à mon père et à l'oncle Sauveterre.

— Et à notre mère, dit François.

— Et à notre mère, dis-je, me sentant assez coupable de l'avoir oubliée et assez piqué que François ait remarqué mon omission.

— Et à moi, dit François.

— Non point.

— Oubliez-vous, dit François, que je serai un jour seigneur de Mespech, et vous, un petit médecin à Sarlat ?

Ceci me blessa fort, mais je fis bonne mine et je dis aussi fièrement que je pus :

— Je serai un grand médecin dans une grande ville, comme Paris, ou comme Bordeaux, ou Périgueux.

— Grand ou petit, dit François avec le dernier

mépris, que ferez-vous, sinon soigner les pesteux et les vérolés ?

— Je ferai donc ce que fait mon père, et de son plein gré, sans même recevoir d'argent.

Ici, François ne dut pas se sentir sur un terrain solide, car il revint à son projet de pêche.

— Peu importent vos clabauderies. Je vous ai commandé un service en tant qu'aîné, et vous devez me le rendre.

— Monsieur mon frère, j'ai dit non.

— Dans ce cas, je vous châtierai.

Je me levai et marchai vers lui avec détermination.

— Ou je vous ferai châtier, ce qui revient au même, dit François hâtivement.

Je sentis son recul, et je poussai ma pointe plus avant, car je rageais à la pensée que ce grand niquedouille serait un jour seigneur de Mespech, comme il aimait à me le rappeler. En outre, je lui en voulais d'évoquer ainsi en toute occasion la mort de mon père dont la pensée, depuis l'acte lu par le notaire Ricou, me plongeait dans l'appréhension.

— Je déteste votre pêche, dis-je, les dents serrées. C'est occupation de vilain, et non de gentilhomme, à qui conviennent mieux la chasse, le cheval ou les armes.

— Les armes ! dit François avec un rire. Moi, j'ai tiré à l'arquebuse sur les Roumes dans l'île, tandis que vous ronfliez sur votre tas de cailloux !

— Je ne ronflais pas ! m'écriai-je avec indignation.

— Mais que si ! dit François. Et ronflait à vos côtés ce fils de vachère dont vous avez fait votre ami !

— Samson est mon frère.

— Votre demi-frère.

— Alors, dis-je en serrant les poings, un demi-frère vaut mieux qu'un frère entier.

— Osez-vous m'affronter ? s'écria François hors de lui, et le préférer à moi qui suis votre aîné ? Ignorez-vous que Samson est un affreux bâtard qui ne vaut même pas la merde que je chie ?

Ma volonté n'eut aucune part dans ce qui suivit : je

me jetai sur François et lui donnai un soufflet jusqu'à effusion de sang, et comme le couard, au lieu de me combattre, me tournait le dos, un grand coup de pied par le cul. Mon aîné s'enfuit alors hors de la salle, gémissant et saignant et à mes yeux, par cette retraite, tout perdu d'honneur. Je l'entendis crier dans l'escalier qui menait à la tour de Sauveterre que, tel Caïn, j'avais voulu l'occire.

Ah, certes ! ce fut un jour marquant dans l'histoire de Mespech que le jour où je battis mon aîné ! Et les plus fortes remontrances n'y changèrent rien, ni le fouet, ni l'eau, ni le pain sec, ni les larmes de ma mère, ni le front sévère de Sauveterre, ni l'emprisonnement pour quarante-huit heures dans la tour nord-est, salle tout à fait dénudée où je fus laissé seul avec un balai, dont je fis aussitôt grand usage contre les araignées, et me démenant contre elles comme un diable, si douloureux que fût mon fessier. Là-dessus, Barberine, les larmes roulant sur ses joues rondes (car j'avais pour moi, hors ma mère, toutes les femmes de la maison), me porta un beau pain blanc tout frais et, dans une cruche, de l'eau qui se trouva être du lait. Quelques minutes plus tard, la clef tournant dans la serrure, je levai la tête et je vis Samson — avec ses cheveux de cuivre, ses taches de rousseur et ses yeux d'un bleu éclatant — déposer sur le plancher un pot de miel, me sourire et s'enfuir.

Je n'avais point, par vergogne, répété à Sauveterre les propos de François sur Samson, mais il les apprit par la Maligou, qui les avait entendus de sa souillarde ; et entrant en claudiquant dans ma prison pour se les faire confirmer, il aperçut le miel dont je tartinais mon pain et fronça le sourcil.

— Qu'est cela ? dit-il.

— Du miel, monsieur mon oncle, dis-je en me levant.

— Je vois bien. Qui vous l'a apporté ?

— Je ne saurais le dire.

— Et moi, je le sais déjà, dit Sauveterre.

Il aperçut aussi le lait, car rien n'échappait à son œil noir perçant très enfoncé dans son orbite, mais il ne souffla mot là-dessus, et il se contenta de me faire redire très exactement les paroles de François sur Samson. Puis il fronça derechef le sourcil et dit d'un ton très mécontent :

— C'est là propos de palefrenier, bas, malsonnant, indigne d'un chrétien. François sera châtié, lui aussi. Mais cela n'excuse pas votre faute. Mon neveu, vous avez en vous trop de violence et de sang. Au moindre affront, vous foncez comme un taureau ! Il faudra vous corriger.

Puis il sortit, mais sans ordonner de m'enlever miel ni lait. Et comme je le sus plus tard, faisant appeler Barberine, il la tança.

— J'ai dû me tromper, dit Barberine en tremblant. Les deux pots sont si pareils !

— Allons, ma pauvre Barberine, ne mens pas, dit Sauveterre en haussant les épaules ; toute la femme est dans le ventre, et tu aimes Pierre comme si tu l'avais fait.

— Je l'ai bien un peu fait, dit Barberine.

— Certes ! Certes ! dit Sauveterre.

Et il reprit :

— Quel tracas que le gouvernement des enfants ! Et pourquoi faut-il que les hommes se marient ! C'est payer trop cher des joies trop courtes. Et maintenant, il me faut fouetter Samson, qui est bien le plus aimable des trois ! Car ce François a une vraie langue de femme, et Pierre est un violent, haut à la main et fier comme un milord.

— Mais il a bon cœur, dit Barberine.

— Le cœur n'excuse par le corps.

Samson fut donc fouetté pour le vol du pot de miel, ce que je déplorai, mais à mon grand ravissement et au sien aussi, on me le donna dans la tour nord-est comme compagnon de captivité pour subir même peine, tandis que n'osant le mettre avec nous, on serra François dans la tour nord-ouest, pour quarante-huit heures de solitude, mais sans le fouetter, mon soufflet et mon coup de pied ayant déjà fait l'affaire. C'est ainsi que mon père, s'en revenant de guerre sain et gaillard, trouva son logis dans une grande émotion, et ses trois fils prisonniers.

Cette arrivée, par une radieuse aurore, vue de la fenêtre de ma tour, ce fut un beau tumulte ! Les trois ponts-levis abaissés par Jonas, et tandis que, dans l'île, Marsal le Bigle et Coulondre Bras-de-fer arrêtaient la charrette et la déchargeaient, mon père, suivi du seul Cabusse, pénétra à cheval dans la cour de Mespech et y fit un tour au galop en poussant des cris de triomphe et de joie avant d'immobiliser sa monture devant les marches du perron que descendait en courant ma mère, les cheveux blonds au vent et en robe décolletée du matin — telle que Jean de Siorac l'avait vue pour la première fois, treize ans plus tôt, dans la salle d'honneur du château de Castelnau, lors de sa visite à Caumont.

Mon père sauta en voltige de son cheval et, courant vers elle, il atteignit le bas du perron tandis qu'elle trébuchait dans sa course sur les dernières marches, tombait dans ses bras, et l'étreignait, pleurs et rires mêlés, lui demandant pardon de l'avoir tant fâché le jour de son départ.

— Chut, ma mie ! dit mon père à voix basse. Nous ne parlerons plus de nos différences ! (Mais hélas, on en reparla, deux ans plus tard, et à longueur de jours.)

Mon père ajouta d'une voix sonore :

— Pour l'heure, tout doit être à la liesse, Baronne de Siorac !

— Baronne ! dit ma mère. Êtes-vous donc Baron ?

— Oui-da ! Sur la recommandation du Duc de Guise, le Roi vient d'ériger la châtellenie de Mespech en Baronnie, dont je porterai désormais le titre, et François, après moi !

À ce moment, jaillissant de tous côtés et débouchant avec des cris et des exclamations dans la cour de Mespech, tout le domestique apparut, Faujanet hors de sa tonnellerie, la Maligou de sa souillarde, les frères Siorac de l'écurie, et, dégringolant l'escalier à vis de sa tour et précédée de la petite Hélix, le minois chiffonné mais les yeux hardis, déboula Barberine, les tétons à demi sortis de sa cotte à peine lacée, et Catherine, rose d'émotion, accrochée à son cotillon vert bandé de rouge.

— Mon doux Jésus ! dit Barberine, car mon père n'était pas seulement son maître, mais son héros.

Enfin, Sauveterre surgit, tout vêtu de noir, mais la joie brillant au fond de ses orbites, et pour aller plus vite, sans souci de sa dignité, descendant de côté les marches, comme un crabe, en raison de sa boiterie. Dès qu'il l'aperçut, Jean de Siorac laissa là Isabelle et courut se jeter dans ses bras.

— Mon frère ! Mon frère ! dit Sauveterre, presque incapable de parler et frottant sa joue rude contre la sienne, il ajouta : Mais ai-je bien ouï ? Vous êtes baron ?

— Oh pour ça, lui dit mon père à l'oreille, je rapporte de Calais des espèces qui ont plus de substance qu'un titre. Ces Anglais étaient fort étoffés...

Et se détachant enfin des bras de Sauveterre, il baisa tendrement Catherine, la joue plus rose que jamais, et l'œil plus bleu de tout ce rose, et à la suite, la petite Hélix, Barberine, et même la Maligou, mais non Cathau, ce qui eût donné de l'ombrage à ma mère. Puis allant vers les hommes et les regardant l'un après l'autre dans les yeux et leur baillant des deux mains des petites claques sur le gras des épaules, il dit avec une façon à lui de les nommer qui leur faisait honneur, comme si rien que leur nom était déjà un mérite : « Ah ! mes cousins Siorac ! Ah, mon pauvre Faujanet ! Ah, Jonas ! Ah, mon pauvre ! »

— Mais où sont donc mes droles ? poursuivit-il en jetant autour de lui un regard étonné. Que ne sont-ils déjà là ? Restent-ils à paresser dans leur lit quand leur père revient de guerre ?

Siégeant en tribunal avec Sauveterre dans le cabinet où la frérèche était censée, le dimanche, ouïr la messe et sans que ma mère fût invitée à siéger avec eux (car on pouvait soupçonner qu'elle était, dans l'affaire, juge et partie, et qu'une expression comme *ce fils de vachère* avait pu tomber de ses lèvres dans l'oreille de François), mon père reçut en audience ses fils l'un après l'autre, à Samson, reprochant son vol; à moi-même, ma violence; à François ses insultes. Mais de ces trois harangues, la seule qu'il jugea utile de consigner dans son *Livre de raison,* pour l'édification des intéressés et de ceux qui viendraient après eux à Mespech, fut celle qu'il adressa à l'aîné.

— Mon fils, bien que vous ayez de l'esprit, vous avez agi dans cette affaire comme un grand fol, et c'est justice si votre orgueil a été abaissé. Votre droit d'aînesse n'est pas fondé sur l'équité, mais sur la nécessité de ne pas affaiblir le domaine en le partageant. Il ne vous confère aucun autre droit. En humiliant Pierre, en le traitant en valet, en lui faisant honte de son futur métier, vous avez ajouté l'injustice à l'injustice. La conséquence, vous la connaissez. Quant à Samson, en prononçant à son endroit les paroles que vous savez, vous m'avez grandement offensé. Pensez-y. Je ne voudrais pas l'être deux fois. Les mots dont vous avez usé ne doivent plus passer vos lèvres si vous tenez à mon affection. La mère de Samson est morte. Vous n'avez donc pas à vous demander qui elle était, mais seulement à vous rappeler qui est le père de Samson, et à honorer son fils à l'égal de vous-même. Souvenez-vous-en, je vous en prie.

Je suppose que le baron de Mespech, en le transcrivant, a quelque peu arrangé son discours, car dans l'ordinaire de sa vie, sa langue n'était pas si latine. Mais pour moi, ce document m'est cher, car il mit un terme à la subordination où mon aîné tâchait de m'enfermer, et établit ouvertement Samson dans des droits égaux à ses frères. Quant à la « violence » qui me fut alors reprochée, même ce jour d'hui, je tiens qu'elle fut aussi juste et utile que celle d'un barbier qui, de son couteau, crève un aposthume dont le pus accumulé s'écoule.

La triple punition fut levée, non sans une cérémonie, inspirée à nos Capitaines par le souvenir des arrangements auxquels on recourait dans les armées pour empêcher les duels. Nous fûmes, sous leurs auspices, tous les trois confrontés, et appelés à nous faire des excuses réciproques en protestant de l'amour que nous nourrissions l'un pour l'autre. Je fis avec beaucoup d'effort ce qu'on exigea de moi, et François sans effort aucun, tant il coulait facilement son caractère dans les moules qu'on lui imposait. L'honneur d'un chacun réparé, on passa aux embrassades qui, comme les sceaux à la dernière page d'un traité, mettaient fin d'ordinaire à ce genre de querelle. François dut baiser sur les joues ses cadets et à voir la grâce qu'il y mit, sa figure longue et correcte brillant de componction, vous eussiez juré qu'il le faisait de bon cœur.

Ce jour-là, et les jours suivants, et toute l'année de mes sept ans, j'ouïs avec délices de la bouche de mon père et de celle de ses soldats les récits de la prise de Calais, et comment nous avions chassé les derniers Anglais hors du pays. Il semblait que ce fût un grand avancement de la fortune de France que la prise de ce port que les Anglais, depuis la guerre de Cent Ans, avaient fait leur, gardant par là les clefs du royaume et pouvant y déverser à leur guise leurs armées. Aussi tenaient-ils Calais pour un joyau plus cher que tous ceux de leur couronne et ils avaient tant et tant fortifié la ville après l'avoir peuplée de bons sujets de leur roi, qu'ils la tenaient pour imprenable et qu'ils avaient inscrit sur une des portes qui la fermaient :

Français prendront Calais
Quand le plomb nagera sur l'eau
Comme liège.

Vanterie qui prouve bien que tous les peuples se ressemblent, et que même les Anglais gasconnent quand il s'agit de leur valeur.

J'étais ébloui en mes sept ans que « le plomb eût nagé sur l'eau », admirant fort mon père d'avoir eu part à cette entreprise, et fort heureux que le royaume fût à nouveau entier et dans des mains françaises, chose que la frérèche ne se lassait jamais d'exalter. J'écris ceci vingt-cinq ans plus tard, en mon âge mûr et jugement rassis, et pourtant mon cœur ne laisse pas de battre quand on prononce devant moi le mot « Calais ». Que cette ville soit redevenue nôtre après avoir été si longtemps l'image et comme le symbole de l'occupation étrangère, je tiens que ce fut là l'événement le plus important qui marque l'histoire du royaume en ce milieu du siècle.

Mon père ouït dire de la bouche de notre voisin, Pierre de Bourdeille, seigneur de Brantôme, qui encore qu'il fût « abbé », s'entendit bien avec les huguenots quand ils occupèrent son abbaye, que le premier « inventeur » de l'entreprise sur Calais fut l'Amiral Gaspard de Coligny, le même qui fit cette belle défense de Saint-Quentin, donnant ainsi à Henri II le temps de convoquer le ban et l'arrière-ban de la noblesse pour résister à l'envahisseur espagnol. Je n'ai pas besoin de dire qui était l'Amiral et quel fut son triste destin, quatorze ans plus tard, à Paris, dans la nuit si funeste de la Saint-Barthélemy. Les Coligny — j'entends par là les trois frères de cette illustre famille, Odet, Cardinal de Châtillon, d'Andelot, Colonel général de l'Infanterie, et l'Amiral — étaient tenus à Mespech en grande estime et respect parce qu'ils étaient les premiers grands seigneurs français à s'être convertis à la religion réformée, encourageant par leur exemple de moindres seigneurs à se déclarer, et donnant au parti huguenot une tête et une épée.

D'après Brantôme, mais il ne faisait là, comme souvent, que répéter un « ouï-dire » sans en préciser l'origine, l'Amiral, durant la trêve de Vaucelles, envoya M. de Briquemaut reconnaître Calais sous un déguisement. M. de Briquemaut lui fit un rapport, et sur ce rapport, et sur les faiblesses de la défense, l'Amiral composa un mémoire et des plans pour un projet d'attaque, qu'il montra au Roi. Bien des mois plus tard, la guerre faisant rage de nouveau entre l'Espagne et Henri II, le Roi se souvint de ces plans et de ces mémoires, et les ayant fait quérir chez Madame l'Amirale (Coligny étant prisonnier des Espagnols depuis la prise de Saint-Quentin), il les remit au Duc de Guise pour qu'il les étudiât.

Si cette histoire est vraie, elle est intéressante à l'extrême puisqu'elle montre la future tête du parti huguenot en France et le futur chef du parti catholique — le premier accusé d'avoir trempé dans l'assassinat du second, et dans la suite des temps, le fils du second assassinant le premier — travailler ensemble, bien que de loin, l'un par ses plans, l'autre par sa brillante exécution sur le terrain, à la délivrance de Calais. Preuve que les Français peuvent beaucoup pour la conservation du royaume quand ils sont unis.

D'après mon père, la faiblesse de la défense de Calais tenait à l'idée que se faisaient ses défenseurs de la force de sa position.

La ville était presque entièrement entourée d'eau, ici par la mer, là par des fossés alimentés par la rivière Hames, là encore par des marais, et reliée à la terre ferme par une unique jetée défendue par des forts. L'hiver, ces eaux gonflaient démesurément, et les Anglais, confiants dans cet obstacle naturel, avaient pris l'habitude, par souci d'économie, de réduire beaucoup, en mauvaise saison, la nombreuse garnison qu'ils entretenaient à Calais pendant l'été. Ils se reposaient aussi sur les prompts secours qu'ils pouvaient recevoir de Douvres, et sur ceux de l'armée espagnole, si forte en France après le désastre de Saint-Quentin.

— Le succès, dit mon père avec cette façon que j'aimais de se tenir très droit, les jambes écartées, et les mains aux hanches, sans arrogance ni dureté aucune mais parce qu'il avait en son corps une force et une vie qui le redressaient sans cesse, même aux instants de lassitude, le succès tint au secret si bien gardé de l'entreprise, à la surprise et au désarroi où fut plongé l'ennemi quand il nous vit, sous ses murs, et à l'extrême rapidité de l'exécution, qui ne laissa pas aux secours anglais le temps d'arriver de Douvres. Il ajouta : Ce secret, cette surprise, cette rapidité, nous les devons au Duc de Guise.

— Comment est-il ? demanda Isabelle, ses cheveux dorés brillant sous le soleil qui pénétrait par une des fenêtres à meneaux de la grande salle.

— Vous voulez dire de sa personne ?

— Oui, dit ma mère en rougissant.

— Eh bien, dit mon père avec un petit rire, il est de haute et belle taille, et quand il ne porte pas cuirasse, il est vêtu d'un pourpoint et de chausses de satin cramoisi, voué à cette couleur pour l'amour d'une dame ; sur les épaules, une cape de velours noir bandé de rouge, sur la tête un bonnet de velours noir avec une belle plume rouge. Êtes-vous satisfaite, Baronne ? ajouta-t-il, mi se gaussant, mi-attendri.

— Oui, monsieur, dit ma mère avec confusion.

— En trois jours, reprit mon père, Guise enleva les forts de Sainte-Agathe, de Nieullay et de Risbank qui commandent la jetée menant à Calais. Il donna l'ordre alors à d'Andelot, mais je vous reparlerai de d'Andelot, dit-il tourné vers Sauveterre et lui jetant un regard qui disait beaucoup de choses ; Guise, dis-je, ordonna à d'Andelot de tailler une tranchée pour vider dans la mer l'eau du fossé qui entourait la ville. Ce ne fut pas chose facile. Cabusse et Marsal vont vous le dire : ils y étaient. Et si Coulondre n'y était pas, c'est que son bras de fer ne lui permettait pas de manier pelle et pioche qui, pourtant, gagnèrent la ville autant que canons et arquebuses.

— Oui-da ! dit Cabusse après s'être assuré du regard que mon père lui cédait la parole. (Et jamais Marsal le Bigle ne fut plus marri d'être bègue que lorsqu'il vit Cabusse rafler pour lui tout l'honneur de l'affaire.) Oui-da, les sables étaient mouvants, et les terrains si fangeux qu'on était crotté jusqu'à la moustache ! (l'auditoire regarda celle qui barrait sa trogne colorée). Et à coup sûr, on se serait enfoncé dans cette bouillasse jusqu'au cou, si Sénarpont...

— Le gouverneur du Boulonnais, dit mon père.

— ... n'avait distribué des claies qui nous soutenaient tandis que nous creusions, et vlan! et vlan! et que les Anglais nous arquebusaient de leurs remparts, et pan! et pan!

— M... m... mais il y avait les p... p... postes, dit Marsal, qui commençait presque toutes ses phrases par mais, bien que ce mot fût pour lui si difficile.

— Les postes, reprit Cabusse, ce sont des boucliers d'osier que Sénarpont avait fait fabriquer, et qui se fixaient dans la fange par des pieux pointus. Le bon de l'affaire, c'est qu'on pouvait les bouger, et les avancer en avançant la tranchée. Il y a plus d'un vaillant qui leur doit la vie, dit Cabusse en regardant Cathau d'un air qui montrait bien qu'il se rangeait parmi eux. Bon, reprit-il, on finit enfin cette fameuse tranchée, et à marée basse, l'eau douce du fossé s'écoule dans l'eau salée et on reçoit l'ordre dans le fossé à sec d'y installer les canons...

— M... m... mais à m... m... marée haute, dit Marsal le Bigle.

— Mais à marée haute, reprit Cabusse, il fallait abandonner les canons, fixés ferme par des ancres dans la fange, car la mer revenant par notre tranchée les recouvrait entièrement. Et se sauver nous-mêmes, car le flot montait vite. Pardieu, je n'ai jamais de ma vie tant pataugé dans la boue et les eaux glacées.

— Ne jure pas, Cabusse, dit Sauveterre.

— Bien, Monsieur le Capitaine, dit Cabusse, conciliant.

Et il reprit, le geste large et la parole rapide :

— Et à marée basse, il fallait revenir et nettoyer les canons et tirer, et tout cela sous les arquebusades de messieurs les Anglais!

— Mais on tirait aussi sur eux pour contrarier leur tir, dit Coulondre Bras-de-fer qui, homme de peu de mots, ajouta cependant: J'étais de ces arquebusiers.

— C'est vrai, dit mon père.

— Ces canons, dit Cabusse, étaient énormes.

Il se lissa la moustache et jetant un coup d'œil à Cathau comme s'il confondait avec la leur sa propre virilité, il reprit.

— Ils étaient du plus gros calibre ! Il y en avait quinze ! Et ils faisaient un bruit d'enfer ! On dit même que de Douvres on les entendait !

Il fit une pause et reprit, les yeux luisants :

— C'est ces canons qui ouvrirent dans la citadelle la brèche par où nos troupes entrèrent dans Calais et prirent la ville.

— Mais encore fallait-il donner l'assaut ! dit mon père avec un sourire car il aimait beaucoup Cabusse, avec autant d'indulgence pour ses défauts visibles que d'estime pour ses vertus cachées. Il ajouta : Et là, je peux dire comme Coulondre : j'en étais ! Guise décida de forcer la brèche à la marée montante le soir, et lui-même entra le premier dans l'eau glacée jusqu'à la ceinture pour traverser le fossé où nous avions établi les canons. Il était suivi de plusieurs centaines d'arquebusiers, d'Aumale et d'Elbeuf ses frères, et d'une quantité de gentilshommes volontaires, dont j'étais, répéta mon père en riant. Tout mouillé et glacé qu'on fût, on escalada les remparts, on força la brèche, le tout dans un assaut furieux. Ce fut un beau massacre, les Anglais de la citadelle étant vite submergés par le nombre. Les pauvres diables n'eurent pas la moindre chance. À part une poignée qui réussit à se sauver dans la ville, ils furent tous passés au fil de l'épée dans la fureur du combat. Quand nous fûmes maîtres du château, Guise y établit d'Aumale et d'Elbeuf et repassa le fossé, cette fois avec de l'eau jusqu'au cou, pour rejoindre le gros de l'armée. Et nous, nous voilà coupés d'elle pour toute une nuit, jusqu'à la marée descendante, et séparés d'une ville hostile par une simple porte ! Le gouverneur de Calais, Lord Wentworth, décida d'attaquer aussitôt, malgré l'obscurité, et de nous rejeter dans les fossés avant qu'on nous pût secourir. Il battit la porte de la citadelle de quatre canons amenés par les rues de la ville, et lança assaut sur assaut sans réussir à nous déloger ; à l'aube, la marée se retira, et Lord Wentworth, ayant perdu la moitié de ses troupes, se résigna à composer. À sa prière, Guise accorda à tous les habitants vie sauve et libre sortie, comme Edouard III l'avait fait pour les Français deux siècles plus tôt, quand il avait pris la ville. D'Andelot pénétra aussitôt dans Calais avec une quarantaine d'officiers pour contenir nos soldats et prévenir le sac, le carnage et les forcements.

— Et les secours anglais ? dit Sauveterre.

— Ils arrivèrent, mais trop tard. La ville était déjà dans nos mains. La rapidité, mon frère, la rapidité ! L'affaire fut si vite menée que huit jours suffirent pour prendre Calais !

La suite, Jean de Siorac la réserva au seul Sauveterre, dans le silence de son cabinet, et à ses fils, quand nous fûmes d'âge à comprendre l'intérêt de ces choses.

— Jamais je ne vis une telle picorée ! dit Jean de Siorac en marchant de long en large dans le petit cabinet, Sauveterre, que sa jambe tracassait, étant assis dans un grand fauteuil. Je ne parle pas seulement des munitions, mais des vivres en quantité incroyable, de l'argent en belles espèces sonnantes, et des marchandises de toute sorte, de très beaux meubles, des soieries de Chine, des pièces de drap, des étains, du bronze, des balles de bonne laine anglaise pour cent mille livres, des peaux de moutons pour cinquante mille livres ! D'Andelot reçut les peaux pour sa part... le reste des Capitaines, des écus. Thermes, dix mille. Sansac, quatre mille, Bourdin et Sénarpont, deux mille...

Il suspendit sa phrase et regarda Sauveterre en silence d'un air malicieux.

— Et toi, Jean ? dit Sauveterre.

— Toi et moi, dit Siorac, nous reçûmes quatre mille écus.

— Quatre mille écus ! dit, l'œil brillant, Jean de Sauveterre. Tu as dû accomplir quelque exploit que tu passes sous silence.

— Chut ! Les exploits passent, les écus restent ! Nous allons pouvoir mettre à exécution notre bel et bon projet et acheter un moulin dans les Beunes.

— Aucun n'est à vendre.

— Nous attendrons. Et en attendant, nous confierons cette somme à quelque honnête juif de Périgueux pour qu'il lui donne un peu de ventre.

Il y eut un moment de silence, aussi lourd que les quatre mille écus tombant un par un dans les coffres de Mespech.

— Le Seigneur, dit Sauveterre avec gravité, continue à nous protéger, et à multiplier nos biens.

— Amen, dit mon père.

Il s'assit en face de Sauveterre et reprit :

— Vous vous étonnez peut-être que j'aie demandé mon congé avant que la paix soit signée. Mais d'abord, elle est imminente. Aucune des parties n'a intérêt à ce que la guerre continue. Et surtout, les choses ont pris pour nous (il souligne le *nous*) une tournure nouvelle. Guise et son frère...

— Lequel ?

— Le Cardinal de Lorraine... ont rencontré à Marcoing le ministre de Philippe II d'Espagne, Granvelle. En cet entretien, il fut un peu question de la paix, et beaucoup de la lutte contre les hérétiques...

— Je l'aurais juré.

— Et Granvelle, qui doit avoir de bons espions dans notre armée, dénonça aux Guise d'Andelot. Il aurait fait prêcher la doctrine de Calvin en Bretagne, envoyé des livres suspects à son frère Coligny, captif des Espagnols, et enfin, pendant toute l'expédition de Calais, il se serait abstenu d'aller à messe. Que fit Guise, à votre avis ?

— Il répéta au Roi les accusations lancées par un ministre espagnol contre son propre général.

— Vous avez deviné l'odieuse vérité ! Le Roi fit aussitôt arrêter d'Andelot, et comme celui-ci déclarait hautement sa foi, le Roi ordonna de le serrer dans le château de Melun. Ainsi, le Roi de France emprisonne le colonel général de l'Infanterie française sur la suggestion de l'ennemi ! On ne saurait aller plus loin dans la bêtise et la tyrannie !

— C'est une bonne nouvelle, dit Sauveterre, malgré les apparences. D'Andelot est un homme de guerre, et dans le royaume, un personnage considérable. L'Amiral de Coligny aussi. En outre, ils sont par leur mère les neveux de Montmorency. Si d'Andelot tient bon et si Coligny se convertit, le Roi peut difficilement leur faire un procès et les brûler. Et si le Roi ne les brûle pas, comment brûler les autres ? Nous aurons alors fait un grand pas vers la liberté de conscience, que nous réclamons.

Siorac secoua les épaules et fit la moue.

— Vos espoirs, monsieur mon frère, me paraissent excessifs. Il faut compter avec la stupidité du Roi. Il peut ne pas brûler d'Andelot et brûler néanmoins de moindres seigneurs. La logique ne l'embarrasse guère.

Sauveterre soupira et, dans ses orbites creuses, ses yeux noirs s'emplirent de tristesse. À la réflexion que venait de faire Siorac, il avait compris que son frère bien-aimé n'était pas encore disposé, malgré l'exemple de d'Andelot, à se déclarer publiquement pour la Réforme.

— Jean, dit-il avec douceur, vous êtes encore trop du siècle. Vous ne vous donnez pas à Dieu sans réserve.

— Point, dit Siorac. Je ne me réserve que pour mieux me donner. Mais trop de vies dépendent de la mienne pour que je coure m'offrir au bûcher. L'important n'est pas de mourir, mais de faire triompher sa foi.

Là-dessus, Sauveterre soupira encore, et crispant les deux mains sur les bras de son fauteuil, il se tut.

— Savez-vous... dit Siorac en se levant et, en gagnant la fenêtre, il se campa devant elle, et regarda le spectacle pour lui si habituel mais dont il avait presque perdu le souvenir, de la vaste cour de Mespech avec son puits, son catalpa et son perpétuel va-et-vient... Savez-vous que nos soldats ont bien fait leur pelote ? Surtout Cabusse ! Ne pouvant piller la ville, ils ont pillé les navires anglais dans le port ! Et Cabusse rapporte dans ses bagages une substantielle picorée : un bon milliasse d'écus.

— Que compte-t-il en faire ?

— Acheter une terre et se marier. Mais rien ne presse.

— Tout presse, au contraire ! dit Sauveterre. En votre absence, nous avons vu couler de notre chambrière des torrents de larmes et souffler des soupirs à attiser le feu d'une forge !

— Ha ! dit mon père en riant. J'ai toujours pensé que cette étoupe-là, malgré les petits airs qu'elle se donne, ne demandait qu'un silex !

— Nous n'en sommes plus aux étincelles, mais à la flamme, dit Sauveterre. Vous avez, je suppose, observé ces tendres regards pendant les récits épiques de notre Gascon. En vérité, la garce est si échauffée et si escambillée qu'elle pourrait bien sauter ou briser les clôtures pour rejoindre son étalon. Mieux vaut les marier avant d'avoir à sévir.

— Eh bien, marions-les rondement, dit mon père.

— Mais il faut d'abord que Cabusse achète sa terre. Le Breuil est à vendre.

— Le Breuil ? Où est le Breuil ? Je connais ce nom.

— Cette vaste terre sur le chemin de Ayzies, passé notre carrière. Le rocher affleure partout, mais il y a une bonne source, et les prés conviendraient aux moutons. Avec trente bêtes, Cabusse et sa femme pourraient vivre, surtout si nous leur confiions au surplus les nôtres, à compte et demi. Comme vous le savez, nos brebis, pour l'instant, ne nous rapportent rien : le berger mange le profit.

— Mais Cabusse est-il bon berger ?

— Il a conduit en sa jeunesse des troupeaux de trois cents à quatre cents têtes en transhumance.

— Et la maison ?
— La toiture demande quelques lauzes, que Jonas pourra couper.
— Eh bien, dit Siorac, c'est chose faite. Mais Isabelle ne nous saura aucun gré de nos dispositions. Elle va perdre sa chambrière. Qu'avez-vous fait de cette Sarrazine dont vous m'avez parlé ?
— Je ne l'ai pas gardée huit jours. Je l'ai placée. Isabelle, avec raison, n'en veut pas à Mespech. Cette garce est tout à fait sans pudeur. Elle pourrait tenter le Diable.
Siorac ouvrit la bouche pour parler, puis, se ravisant, se tut, détourna la tête et, avec deux doigts de la main gauche, il tapota un des petits carreaux sertis de plomb de la fenêtre.

CHAPITRE V

Quand Cabusse acheta le Breuil, son voisin de la carrière, Jonas, fut commis au remplacement des lauzes qui manquaient sur le toit. Mais il ne s'arrêta pas là. Ayant remarqué une lézarde qui zigzaguait parmi les pierres sur la face nord, il en conclut que le poids des lauzes travaillait une maçonnerie mal jointoyée, et au lieu de se contenter de boucher la fissure, il obtint des Capitaines de construire contre le mur suspect un arc-boutant qui le consolida et lui donna, en outre, de ce côté, un aspect qui plut fort à Cabusse. « On dirait, dit-il, une fortification. — Mais c'en est une, dit Jonas. — Je m'entends », dit Cabusse.
Il baignait dans la joie de se voir propriétaire d'une terre, et, chaque jour que Dieu faisait en ce beau printemps, il la parcourait en tous sens, se plaisant à son apparence doucement vallonnée, à sa source, à ses bois, à sa grande étendue dont il tirait vanité, aveugle en même temps au fait que, sous l'humus, le roc apparaissait partout sans assez de profondeur de

terre pour qu'on pût labourer ou planter des arbres fruitiers, et à peine de quoi faire un potager. Les bois, d'ailleurs, n'étaient que taillis et pins pauvres de garrigue, et fourniraient peu de bûches pour l'hiver. Terre maigre, terre à moutons, comme l'avait si bien vu la frérèche qui, d'ailleurs, eût elle-même acheté le Breuil, si le Breuil en eût valu la chandelle, et bien aise, au demeurant, que ce fût Cabusse, homme lige et soldat fidèle, qui s'en rendît acquéreur, car elle n'eût pas voulu d'un voisin douteux aux abords de sa précieuse carrière, et si près des limites du domaine de Fontenac. Outre que l'installation de Cabusse au Breuil apportait une solution heureuse au problème des moutons de Mespech — qu'une longue suite de bergers incapables n'avait pas fait prospérer — c'était fort rassurant de savoir que Cabusse pourrait prêter, le cas échéant, main forte à Jonas. Ainsi le Breuil et la carrière, en plus du profit qu'on en tirait — modeste pour le Breuil, considérable pour la carrière — avaient l'avantage d'établir une sorte de poste avancé aux frontières de Fontenac, poste qui pourrait aussi surveiller l'unique chemin par où, venant des Ayzies, on pouvait accéder à Mespech. D'ailleurs — on en eut la preuve le lendemain de cette nuit fameuse par le crottin frais laissé derrière elle — la forte bande des Roumes était passée par là dans la nuit où elle nous attaqua, et si Jonas avait été alors dans la carrière, et non avec nous à Mespech, il n'eût pas manqué, au bruit des chevaux et des charrettes, de s'alarmer de ce passage et, prenant les raccourcis, de prévenir le château.

Ses bottes humides de rosée, les mains derrière le dos, la moustache gaillarde, sa trogne colorée respirant le bonheur de vivre et de posséder, Cabusse revint vers la maison où Jonas travaillait à son arcboutant et dit d'un ton modeste :

— Cela prend un bon petit moment de faire le tour de ma terre.

— Tu dois le savoir, dit Jonas, peu amène. Tu le fais tous les jours.

Et il se tut, plein de pensées amères. Les mains derrière le dos, la poitrine en avant et le mollet tendu, Cabusse tourna autour de sa maison et l'admira une fois de plus sous toutes ses coutures.

— C'est un beau logis, dit-il.

— Il n'est pas vilain, dit Jonas. Mais il manque une bergerie.

— Je la ferai construire.

— Les Capitaines te feront payer les pierres.

— Je paierai, dit Cabusse. Je n'ai pas épuisé mon avoir.

— Il n'y a que deux pièces en bas, dit Jonas. Pour une famille, c'est petit.

— J'y ai pensé, dit Cabusse en tirant sa main droite de derrière son dos et en se lissant la moustache. Quand Cathau me donnera des enfants, je ferai des chambres au grenier, et pour y accéder, je ferai construire une petite tour pour y loger un escalier.

— Oui-da ! dit Jonas, une tour ! Et pourquoi pas aussi un pont-levis ? Un châtelet d'entrée ? Des mâchicoulis ?

— Ah ! carrier, tu te gausses ! dit Cabusse. Mais tu ne diras pas que ton arc-boutant n'a pas bonne allure. Et qu'il fait de ma maison une sorte de petit château.

— Il aura bonne allure quand il sera fini, dit Jonas en essuyant de son avant-bras la sueur qui ruisselait sur son front. Prête-moi la main pour porter ce bloc, Cabusse, que tu es là à faire déjà le gentilhomme à regarder travailler les autres.

— Ah ! Jonas, tu m'envies ! dit Cabusse en prêtant la main. Et l'envie est un vilain péché.

À deux ils mirent le bloc en place, et non sans peine, si forts gaillards qu'ils fussent, et Jonas dépassant Cabusse d'une tête. Quand ils eurent fini, ils se redressèrent, suant et soufflant.

— Il pèse, dit Cabusse.

— Il pèse un peu, dit Jonas. Mais dans trois cents ans, il sera encore là. Et nous, nous serons morts.

— Mais en attendant, toi, tu vis.

— Non, je ne vis pas, dit Jonas. La nuit dans une

grotte avec mes chèvres et mes chevreaux, et le jour seul avec mes pierres, à me ronger le cœur avec ma tête. Ah ! certes, je les aime, mes pierres, mais je ne puis pas les prendre dans mes bras. Et je ne possède rien sur cette belle terre du Périgord sinon la chemise que je porte sur le dos. Pour sûr que oui que je t'envie, Cabusse, péché ou pas. Si au lieu de me battre à Mespech contre les Roumes, je m'étais battu à Calais contre les Anglais, c'est moi, ce jour d'hui, qui aurais la terre, la maison et la fille. Je ne veux pas dire, ajouta-t-il avec tact, que je t'envie ta Cathau. Dieu le sait, les garces ne manquent point en ce monde, qui pourraient contenter un homme. Pour te prendre un exemple : Barberine, si elle n'était déjà mariée.

Il ajouta après un temps de réflexion :

— Ou Sarrazine.

— Nous y voilà ! dit Cabusse. Dire que je ne l'ai même jamais vue, cette Sarrazine. On dit qu'elle a le feu au cul.

— Et quelle pucelle ne l'a pas à son âge ? dit Jonas en reprenant son marteau et en donnant sur une pierre brute des petits coups précautionneux et précis qui en détachaient des fragments minces comme des copeaux et dressaient peu à peu une face aussi droite et aussi plane que s'il l'eût taillée à la scie dans du bois. Il répéta :

— Et quelle pucelle ne l'a pas à son âge ?

Et il reprit :

— Et où est le mal ? Et qui s'en plaint ? Celui des deux Jean que ce feu n'intéresse pas... et non pas celui qui s'y intéresse trop : raison pour laquelle la demoiselle de Siorac a exigé qu'on éloigne la pauvrette. Ce qui fait que je n'ai même plus le contentement de la voir. Car un renard prend du plaisir à voir passer une poule, même s'il ne peut pas l'attraper.

Cabusse se taisait, presque honteux d'être maintenant si riche et si bien pourvu et d'avoir laissé si loin derrière lui ce bon compagnon. Car il aimait Jonas, parce que Jonas disait comme lui tout haut ses pensées et qu'il était, comme lui, éloquent.

Jonas mesura un angle droit sur la pierre avec son équerre, dessina la ligne avec une pointe acérée et entama la seconde face, les petits coups de son marteau rythmant ce qu'il disait.

— Le fond de la chose, dit-il, c'est l'argent. Avec l'argent, tu fais ce que bon te semble. Un bel enfant à ta femme (un coup de marteau), en même temps un autre à une jolie pastourelle (un second coup de marteau). Et cela sans aucun risque d'être congédié, vu que tu es le maître, et que tu ne peux te congédier toi-même ! Et pourquoi tu es le maître ? L'argent. Et comment gagnes-tu l'argent ? Par le travail ? Que nenni ! Par le travail, tu ne fais rien qu'enrichir ton maître et te maintenir en vie. Mais l'argent, le bel argent pour acheter la belle terre de Dieu, c'est par la picorée que tu le gagnes. Ou le commerce. Mais le commerce, compagnon (un coup de marteau), ou le prêt de grains avec gros intérêt, comme le pratiquent les messieurs à Mespech (un second coup de marteau), c'est aussi un genre de picorée, un peu plus en douceur que l'autre. Et maintenant, Cabusse, grâce à ce que tu as ramassé en pillant les bateaux des Anglais, et bien que ce soit péché de piller, te voilà presque un petit gentilhomme, avec le bonheur d'avoir une femme, une maison, des prés, des bois, et ta fierté d'homme d'avoir tout cela. Cabusse, est-ce que je te parais valoir moins que toi ?

À cette question carrée, Cabusse répondit en arrondissant les angles, avec sa finesse et sa gentillesse gasconnes (celles-là mêmes qui avaient si bien apprivoisé Cathau).

— Tu vaux davantage, carrier, dit-il l'air grave et la voix profonde. Car tu as un beau métier et tu le fais en y mettant le cœur. Et moi, à part le berger en mes jeunes années, je ne sais rien faire que tuer des gens, et aussi un peu la cuisine, et débourrer un cheval, et labourer, et maints petits tours de main de ce genre, appris de bric et de broc, mais qui, mis bout à bout, ne font quand même pas un métier.

— Et une belle cuisse cela me fait de savoir un métier, dit Jonas en haussant ses puissantes épaules. Toujours seul. Comme un loup qui a perdu sa meute. Il y a des jours, reprit-il, où je suis prêt à prier le Seigneur Dieu de faire un miracle et de muer ma chèvre en femme ou, ce qui serait peut-être plus facile, de me faire bouc moi-même.

— Tu fais bien de me le dire, dit Cabusse en riant. Quand je serai installé ici, si je rencontre un gros bouc poilu errant sur mes terres, je lui ôterai poliment mon bonnet.

Jonas rit aussi, mais d'un rire qui avait peine à passer le nœud de sa gorge. Il venait de penser que lorsqu'il serait, cet hiver, couché sur sa paillasse de feuilles de châtaignier et qu'il écouterait, enveloppé dans sa peau de mouton, le vent souffler dans sa grotte les nuits d'orage, Cabusse et sa femme, à un jet de pierre de lui, seraient bien au chaud dans un vrai lit, en un logis bien clos, et Cabusse, les bras autour de sa Cathau, douce et tiède dans ses longs cheveux.

Le départ de Cabusse fit qu'on garda la Maligou comme cuisinière à Mespech et aussi que la frérèche proposa aux frères Siorac de rester. (En réalité, il ne nous fallait qu'un homme, mais comment séparer les jumeaux ?) Ils acceptèrent avec joie, préférant la sécurité du château à leur petite maison, et toujours poursuivis par le souvenir de la peste de Taniès qui avait emporté leur père. Les deux Jean, toujours aussi férus de droit, voulurent passer un acte devant M. Ricou pour enregistrer leur arrangement avec les cousins. Il est dit dans ce document que les cousins Siorac de Taniès devraient recevoir, pour prix de leur travail à Mespech, le pot, le feu et le logis, mais non point de salaire. Que, en revanche, ils percevraient soixante-quinze pour cent du revenu de leur terre de Taniès, dont les labours, foins, moissons et autres façons incomberaient à Mespech. Et que si aucun des deux ne se mariait, leur propriété, à leur mort, devrait revenir à la frérèche, ou à ses descendants.

Je ne sais si c'est Sauveterre ou Siorac qui arrêta ces termes, mais ils me paraissent être surtout à l'avantage de la frérèche et faire payer assez cher aux cousins leur désir de se sentir en sûreté dans nos murs.

Cathau se préparait à franchir le seuil de Mespech pour aller s'unir à Cabusse en l'église de Marcuays, quand la Maligou accourut, l'air pénétré, et tendit le manche d'un balai au travers de la porte.

— Ah ! c'est vrai ! dit Cathau, rouge de confusion. J'allais oublier ! Tu as raison, Maligou, merci à toi !

Et relevant son cotillon aussi haut qu'il fallut, elle enjamba le balai. Certes, elle montrait ainsi ce qu'elle eût dû cacher, mais au prix de ce petit accroc à la décence, elle s'assurait, dans le mariage, vingt ans de félicité. Ceci valait bien cela, même Cabusse le comprit, et tous et toutes applaudirent, sauf Sauveterre qui fronça le sourcil devant tant de superstition et Jean de Siorac qui, à la vue des jambes de Cathau, se mit à rêver au droit seigneurial dont l'usage s'était peu à peu perdu en Périgord.

À l'église, le curé de Marcuays, que le populaire surnommait « Pincettes » — je dirai un jour pourquoi — unit les deux époux dans le parler de notre pays (mélangé de français) et selon le rituel en usage dans le Périgord depuis 1509.

Cabusse, debout devant le chœur en uniforme de cavalier de la légion, les bottes bien récurées, les moustaches bien coupées et cirées, son couvre-chef dans le creux de son bras, mais sans armes, tourna la tête vers Cathau qui se tenait immobile dans ses voiles à quelques pas de lui et l'appela d'une voix forte :

— Catherine Délibie !

— Qué vous plats ? dit Cathau en s'avançant d'un pas dans sa direction.

— Hiou, dit Cabusse d'une voix sonore, me donne

à vous per votre bon et léal espoux et mari per paroulas de présent en la façа de Sancta Mayre Esgleysa.

Cathau s'avança de plusieurs pas vers Cabusse jusqu'à le toucher et tous deux le visage tourné vers le chœur, et Cathau, que Cabusse dominait des épaules et de la tête, dit d'une voix tremblante :

— Et hiou vous en recebe !

Cabusse s'éloigna alors de quelques pas et Cathau, ayant surmonté ses larmes de joie, appela d'une voix forte :

— Jéhan Cabusse !

— Qué vous plats ? dit Cabusse en avançant d'un pas.

— Hiou, dit Cathau d'une voix claire, me donne à vous per vestra bonna et lealla espousa et femma per paroulas de présent en la façа de Sancta Mayre Esgleysa.

Cabusse s'approcha alors d'elle jusqu'à la toucher et dit avec gravité :

— Et hiou vous en recebe.

Les anneaux ayant été bénis par Pincettes, il se produisit un incident qui émut beaucoup Cabusse. Au moment où il lui passait la bague à l'auriculaire, Cathau replia brusquement la deuxième phalange pour s'opposer à son glissement. Cela voulait dire qu'elle entendait être maîtresse en son logis et commander à son conjoint.

— Cathau, s'écria Cabusse avec colère, c'est encore la Maligou qui t'a appris ce tour ! Que le Diable la crame, mille dious !

— Ne jure pas, Cabusse ! dit Pincettes.

— Pardon, monsieur le Curé, dit Cabusse.

Il reprit :

— Allons, Cathau, point de quartier, étends ton doigt !

— Que nenni ! dit Cathau

— Alors je l'étendrai moi-même, dit Cabusse et, saisissant la petite main de Cathau dans sa pogne, il allongea de force l'auriculaire, glissa la bague à fond et dit d'une voix forte :

— Je serai donc ton maître !

— Je l'entends bien ainsi, dit Cathau, heureuse que Cabusse eût surmonté aux yeux de tous sa résistance.

L'enfant de chœur de Pincettes apporta une cruche remplie de piquette et deux verres, et quand ils eurent bu, Pincettes dit avec le ton bonhomme et gaillard qu'il prenait en ces cas-là :

— Et ora beysas vous[1] !

Cabusse saisit alors la jolie tête de Cathau dans l'étau de son bras et écrasa ses grosses moustaches sur ses lèvres.

— Amen ! dit Pincettes.

Ma mère fut fort marrie de perdre Cathau qui, entrée à son service à douze ans, avait passé treize ans de sa vie avec elle dans une intimité qui n'allait pas sans tempêtes, ma mère ayant l'humeur hautaine et querelleuse, et Cathau, bonne langue, menton carré et yeux farouches pour faire face à l'orage. C'était alors, de part et d'autre, un tumulte à ébranler Mespech et qui indisposait si fort mon père qu'il chargeait Barberine d'apporter à Isabelle des petits messages ainsi rédigés : « Madame, si vous devez tancer votre chambrière, faites-le sans cris. »

Mais on eût plus vite détourné la Dordogne de son cours que calmé la fureur de ma mère quand Cathau lui tenait tête. « Effrontée ! criait-elle, fille de rien ! Née de rien ! Et rien tu seras, quand je t'aurai renvoyée à tes vaches ! — Mais je n'ai jamais gardé les vaches ! protestait Cathau, profondément blessée. Je suis née au château des Milandes, comme vous-même ! — Oses-tu bien te comparer à moi, petit excrément ! disait ma mère. Bientôt tu vas dire que tu descends, comme moi, de Raoul de Castelnau, qui s'est illustré aux Croisades ! — Mais c'est que ça se

1. Et maintenant embrassez-vous !

pourrait bien ! disait Cathau, les yeux brillants. Ne dit-on pas que votre grand-père, en son vieil âge, a eu des faiblesses pour ma mère, qui était chambrière de la vôtre ? En ce cas, Madame, que cela vous plaise ou non, je serais un peu votre tante — même si je suis plus jeune que vous », ajouta-t-elle non sans perfidie. « Ma tante ! dit ma mère avec un rire furieux. Une belle tante que j'aurais là ! Une effrontée ! Une ingrate ! Une ribaude qui ne sait même pas me coiffer ! — Une ribaude, Madame ! dit Cathau en se redressant. Mais je suis pucelle ! » Et sachant bien où piquer ma mère, elle ajouta : « Et si vous en voulez la preuve, demandez à M. de Siorac, qui est médecin, de m'examiner ! — Moi ! hurla ma mère, demander à M. de Siorac de mettre le doigt où je ne voudrais même pas mettre le bout de ma canne ! »

— Madame, dit mon père en pénétrant avec brusquerie dans l'appartement d'Isabelle, le sourcil froncé et l'œil sévère : Ou bien vous chassez sur l'heure votre chambrière, ou bien vous vous accommodez d'elle. Mais pour l'amour du Ciel, cessez toutes deux de vous picanier, et surtout cessez ces cris ! Tout le domestique est dans la cour à écouter vos chamailleries et à se gausser. Et quant à moi, je suis fort tympanisé de vos hurlements.

Si ma mère avait été moins entichée de sa noblesse ancienne (mais Raoul de Castelnau revenait souvent en ses discours), elle eût reconnu qu'étant orpheline et ayant trouvé peu d'affection chez Mme de Caumont, elle s'était attachée à Cathau comme à une sœur cadette. Mais elle se refusait à avouer un sentiment aussi tendre pour une « fille de rien », lui en voulait de l'aimer, et la rabattait sans cesse, ce que Cathau, de son côté, ne supportait pas, admirant sa maîtresse, et la copiant en tout, au point de se croire un peu noble, elle aussi. C'est pourquoi leurs querelles avaient un air de comédie, car les menaces de congédiement ne pouvaient en aucun cas être suivies d'effet, le lien réel entre les deux femmes étant tout autre que le lien apparent.

On le vit bien quand Cathau quitta Mespech. Ce furent des larmes, des soupirs, des embrassades à l'infini, et chez ma mère un désespoir et une mélancolie dont elle mit de longs mois à se remettre, alors même que Cathau et son mari (et Jonas) déjeunaient à notre table chaque dimanche, et qu'Isabelle allait voir sa chambrière chez elle au Breuil deux fois la semaine, et toujours sous escorte, les chemins étant si peu sûrs. La frérèche maugréait de cette escorte qui ôtait deux hommes au travail pour un après-midi, surtout l'été, quand il y avait tant à faire sur le domaine. Mais mon père, qui s'inquiétait du grand abattement de ma mère, alors enceinte, cédait toujours.

Cathau fut remplacée par Franchou, cousine des Siorac du côté maternel, belle fille plantureuse et placide dont les yeux de vache, fixés dans le vide, ruminaient sans fin un rêve paisible. Comme chambrière, elle ne valait pas Cathau, certes, et on le lui disait assez. Mais elle était si humble et si soumise qu'avec elle pas de querelle possible.

« Oui, Madame. Bien, Madame. Comme Madame voudra. Il est vrai, je suis bien sotte. Je demande bien pardon à Madame. Madame a bien raison : je ne sais rien faire. On peut dire que Madame a bien de la patience avec moi » — phrase dont mon père riait aux éclats chaque fois qu'il l'entendait.

Quelques semaines après le retour de mon père, Isabelle de Siorac conçut, et dès qu'elle en eut la certitude, Barberine quitta Mespech le jour même pour aller se faire faire un enfant au plus vite par son mari, puisqu'il était entendu qu'elle nourrirait celui de ma mère. Quand on s'y arrête et quand on y pense un peu, c'est un bien étrange état que celui de nourrice, ses grossesses étant régies par celles de sa maîtresse. Le reste du temps, éloignée de son époux, Barberine devait rester aussi chaste que Jonas dans sa grotte, car il eût été désastreux, en son office, d'avoir du lait à contretemps, et d'être tarie quand il en fallait.

Je fus bien marri de l'absence de Barberine et je regrettai ses baisers du soir, ses gros tétons chaleureux et les infinies gentillesses qu'elle répandait équitablement sur nous avant de monter dans son lit.

La petite Hélix, qui trompait les deux Jean par l'apparence de raison et de sagesse qu'elle donnait, fut commise à notre garde dans la tour. Et ma mère, le premier soir, prit la peine — précédée de Franchou portant un calel — de gravir l'étroit escalier à vis qui montait jusqu'à nous et de surgir parmi nous dans ses beaux atours, sa fraise et ses bijoux, belle comme une reine, et appuyée sur une canne (« Madame, se gaussait mon père, qu'avez-vous besoin d'une canne ? Vous avez vingt-sept ans et vos jambes sont solides. ») Nous étions tous couchés, et la petite Hélix se préparait à éteindre.

— Madame, dis-je aussitôt, dois-je me mettre debout ?

— Non point, dit gracieusement la Baronne de Siorac, restez couché. Vous aussi, Catherine.

Mais comme elle ne nommait ni Samson ni la petite Hélix, ceux-ci crurent bon de se lever et de se tenir debout, en chemise et pieds nus, à côté de leurs lits, sans que ma mère parût s'en apercevoir.

— Monsieur mon fils, dit Isabelle, penchant sa jolie tête de côté, le bras droit à l'horizontale reposant sur sa canne, allez-vous bien ?

— Oui, Madame.

— Approche ton calel, Franchou, sotte caillette !

— Oui, Madame.

— En effet, vous avez bonne mine, bien que le soleil commence à vous gâter le teint.

Je trouvai bien étonnant qu'il fallût à ma mère la lumière du calel pour s'en apercevoir, car elle n'était pas sans me voir dans la journée, ne fût-ce qu'aux repas.

— Catherine, reprit-elle en se dirigeant vers son lit, allez-vous bien ? Franchou, stupide petite vachère, le calel !

— Oui, Madame, dit Franchou.

— Eh bien, Catherine, je vous ai posé une question.

— Oui, Madame, dit Catherine, plus morte que vive.

Sur quoi, ma mère marcha de long en large dans la pièce, dans toute sa beauté et sa grâce, faisant sonner le bout de sa canne sur le plancher, et passant et repassant devant Samson et la petite Hélix sans faire plus attention à eux que s'ils avaient été — comme Cathau — de « petits excréments » sur le bord du chemin. Quand j'y pense, il n'y avait pas à chercher bien loin pour savoir d'où François avait tiré sa malheureuse métaphore sur notre frère Samson.

— Eh bien, dit ma mère en sortant de son royal silence, je vous souhaite le bonsoir, monsieur mon fils. À vous aussi, Catherine.

— Merci, Madame, dis-je.

Et avec un temps de retard Catherine dit d'une petite voix douce et gentille qui, je ne sais pourquoi, me serra le cœur :

— Merci, Madame.

Ayant ainsi accompli son devoir, ma mère donna un petit coup de canne sur les fesses de Franchou pour l'inviter à la précéder, et disparut à sa suite dans l'escalier à vis, sa jupe balayant derrière elle majestueusement les marches dont elle maudissait à chaque pas l'étroitesse. Aussitôt la petite Hélix monta sur le lit de Barberine et, debout, se mit à danser une gigue avec des grimaces et des contorsions qui arrachèrent des rires à Samson. Je ris aussi. Mais Catherine éclata en sanglots et je me levai pour la prendre dans mes bras et la consoler.

Le soir suivant, ma mère, que l'escalier de la tour (où elle faillit, dit-elle, « se rompre le col ») avait rebutée, délégua Franchou, qui vint nous demander de sa part, calel au poing, si « monsieur son fils et mademoiselle Catherine se portaient bien ».

— Oui, Franchou ! dis-je en éclatant de rire, car la petite Hélix, derrière son dos, imitait ma mère avec sa canne.

— Dans ce cas, dit Franchou, ses bons yeux de

vache fixés sur moi avec étonnement, Madame votre mère vous souhaite le bonsoir.

— Merci, Franchou! criai-je en riant de plus belle, et certes, je faisais bien de me dépêcher d'en rire de peur d'avoir à en pleurer.

Car, en dépit de sa pompe, ma mère nous aimait. J'en ai ce jour d'hui la certitude, si fort que j'en doutasse alors. Tant de petites choses me reviennent qui prouvent qu'elle n'avait pas le cœur dur — comme son intervention auprès de la frérèche pour que fût abrégé le supplice des maraudeurs. C'est l'absurde idée qu'Isabelle se faisait de son sang et de son rang qui l'amenait à mettre entre ses enfants et elle tant de distance. Bien différente en cela de mon père qui, lorsqu'il croisait Samson et moi dans un couloir de Mespech, mettait ses bras en croix pour nous barrer la route et disait d'une voix joyeuse :

— Halte-là, drolasses! Il y a un péage à payer!

— Quel péage, monsieur mon père?

— Trois baisers chacun! Et on paye comptant! Sans baragouiner!

Je me jetais alors dans ses bras, il me soulevait dans les siens et appliquait sur mes joues trois baisers sonores. Il en faisait autant pour Samson. Et après une petite tape à chacun sur les fesses, il poursuivait gaiement son chemin.

Ma mère trouvait ces manières communes et sentant par trop le bourgeois. Comme la choquaient le commerce que les deux Jean faisaient des pierres, des tonneaux et des grains, et plus encore, la stricte économie qu'ils exigeaient dans le ménage de la maison, et les comptes qu'ils y faisaient de tout. « Un cent d'épingles pour Isabelle : cinq sols », notait mon père sur son *Livre de raison*. « Ma cousine, disait Sauveterre une semaine plus tard en ramassant une épingle dans la cour de Mespech et en montant soufflant et claudiquant jusqu'à l'appartement d'Isabelle pour la lui remettre, voici, je crois, qui vous appartient. N'égarez pas vos épingles, ma cousine. Elles sont si chères. »

Ce n'est pas, j'en suis sûr, l'étroitesse des marches de l'escalier qui découragea ma mère de venir en personne nous souhaiter le bonsoir, mais la présence de Samson, qui lui rappelait des souvenirs si déchirants, et à un degré moindre, celle de la petite Hélix, qu'elle détestait, ayant surpris deux ou trois fois le regard de mon père glisser sur sa poitrine naissante. Elle n'était pas non plus dupe, comme les deux Jean, de sa « sagesse ». En quoi son instinct ne la trompait pas : car la petite Hélix, en l'absence de Barberine, s'était installée dans son grand lit où Franchou partie et le calel soufflé, elle me commandait de venir la rejoindre. J'obéissais, moitié content, moitié inquiet. Et c'étaient alors dans l'obscurité propice et la tiédeur des draps, des pinçons et des suçons, des morsures et des mignotements, des « je suis dessus, tu es dessous » ou « je t'étouffe et tu m'étouffes » et quantité d'autres jeux dont aucun n'était tout à fait innocent.

Isabelle de Siorac mit au monde en février 1559 un enfant mort-né et la pauvre Barberine en fut pour ses frais. Elle resta avec un gros garçon sur les bras et « du lait à revendre », comme elle disait. Mais les bonnes nourrices, saines, douces et bien lachères étant rares, elle ne tarda pas à recevoir une offre d'un riche bourgeois de Sarlat dont la femme, annuellement enceinte, venait d'accoucher. Ma mère s'alarma beaucoup : laisser partir la précieuse Barberine, c'était la perdre, et qu'arriverait-il quand elle-même aurait à nouveau un enfant ? Elle persuada donc la frérèche de retenir Barberine à Mespech comme gouvernante des enfants à un sol le jour, avec permission de garder avec elle son nouveau-né et de le nourrir. Ma mère alla plus loin dans la générosité en acceptant d'être la marraine et, prenant son rôle à cœur, on la vit souvent, même en public, bercer l'enfantelet dans ses bras, tout « petit excrément » qu'il fût et « né de rien ».

Pour nous, je veux dire pour Catherine, Samson et moi, ayant eu si peur de perdre Barberine, nous fûmes au comble de la joie de la voir à nouveau trôner parmi nous dans son grand lit, même si nous devions maintenant la partager avec un petit braillard.

Quand elle revint, elle portait autour de son cou blanc et gras un collier que sa grand-mère et sa mère (toutes deux nourrices, Barberine étant la troisième de la dynastie) avaient porté avant elle et qui passait pour favoriser une lactation régulière et abondante. C'était un simple fil noir (qui tranchait sur sa peau d'une blancheur éclatante) et sur ce fil noir étaient enfilées trois agates taillées, celle du milieu en forme d'olive très allongée et celles qui l'encadraient parfaitement rondes. Mon père prétendait en riant qu'il s'agissait là d'un symbole phallique hérité des païens, mais ce qu'il voulait dire par là, je ne le compris que plus tard. Quant à Barberine, elle se signait à ces paroles et protestait qu'elle était bonne chrétienne, et sa mère et sa grand-mère avant elle. Alarmée cependant par le dire de mon père, elle n'eut de cesse qu'elle n'eût ajouté une petite croix au collier, ce qui ne lui retira rien de ses vertus, bien au contraire.

Fin avril 1559, les tristes nouvelles de la paix désastreuse de Cateau-Cambrésis parvinrent jusqu'à Mespech, plongeant les deux Jean dans la fureur et la désolation. Combien de fois depuis ai-je entendu mon père citer à ce sujet les fortes paroles de Montluc : « En une heure, et par un trait de plume, fallut tout rendre, et souiller et noircir nos belles victoires passées de trois ou quatre gouttes d'encre. »

Henri II n'avait eu, en fait, que deux pensées : faire la paix à tout prix pour frapper à nouveau les huguenots, et libérer Montmorency prisonnier des Espagnols. Dans son aveuglement, il rendait sans combattre à Emmanuel-Philibert, lieutenant général de Philippe II, le Bugey, la Bresse et la Savoie, et lui offrait, en plus, la main de Marguerite de France, fille de François Ier. « Sire, lui dit M. de Vieilleville, gouverneur de l'Île-de-France, ce qui me dragonne l'âme, c'est que vous ayez fait cette immense libéralité au lieutenant général de votre naturel et mortel ennemi le Roi d'Espagne, qui sera, par le moyen de ce voisinage, quand il lui plaira, aux portes de la ville de Lyon, laquelle auparavant était quasi au milieu de votre royaume, et est maintenant devenue votre frontière. » Mais rien n'y fit, et hors Calais, on rendit tout, et encore le Piémont, et pour sceller ce mauvais traité, Philippe II, qui venait de perdre sa Reine anglaise, épousait Elizabeth, fille d'Henri II. Par ce mariage et celui de la sœur du Roi avec le Duc de Savoie, nos ennemis d'hier devenaient nos alliés.

Le Roi n'avait mis tant de hâte à faire la paix que pour tourner ses armes contre ceux de ses sujets qui n'avaient pas la même façon que lui d'adorer le Seigneur. L'encre du traité à peine sèche, il frappa aussitôt, et à la tête.

Le Parlement de Paris était réuni depuis la fin avril pour arrêter son attitude à l'égard des protestants que d'aucuns dans son sein entendaient protéger contre les persécutions, les uns parce qu'ayant à cœur l'indépendance du royaume, ils étaient hostiles à l'influence du Pape et de l'Espagne, et les autres parce qu'ils étaient eux-mêmes gagnés à la Réforme. Le 10 juin, le Roi entra dans la salle où siégeait la Cour et ordonna que la délibération se poursuivît en sa présence.

Les conseillers ne se laissèrent pas intimider. Viole et Du Faur demandèrent qu'on suspendît les poursuites contre les réformés et qu'on réunît un concile. Anne de Bourg, s'élevant contre les supplices, s'écria : « Ce n'est pas chose de petite conséquence que de condamner ceux qui, au milieu des flammes, invoquent le nom de Jésus-Christ. »

Henri II était peu accessible aux idées, et encore moins aux idées nouvelles. Il écouta avec stupeur les orateurs et, se levant brusquement, il ordonna leur arrestation. C'était là non seulement un coup d'État sans précédent dans l'histoire du Parlement, mais la preuve aussi que désormais on n'épargnerait personne, quelle que fût sa dignité ou sa qualité. En ruinant de ses mains l'autorité d'un grand corps, le Roi enterrait la légalité du royaume et prenait la tête de l'Inquisition. Dans son entourage, on agitait le projet, pour en finir avec l'hérésie, de mettre les réformés hors la loi, ce qui eût permis au populaire de les tuer impunément et, morts, de les dépouiller.

Ces nouvelles parvinrent à Mespech le 30 juin.

— Voyez où nous en serions aujourd'hui, mon frère, si je vous avais écouté, dit mon père à Sauveterre. Je pourrais vous nommer dix seigneurs en Périgord, sans compter Fontenac, qui seraient aujourd'hui heureux de se liguer pour dépecer Mespech, si nous leur en avions fourni l'occasion.

— Quand on sert Dieu et Dieu seul, répliqua Sauveterre, il faut se fier à Sa providence. Israël a subi des persécutions sans nombre, mais le Seigneur, pour finir, a toujours puni ses ennemis.

À l'instant où Sauveterre prononçait ces paroles, Henri II, le matin même plus sain et plus gaillard qu'aucun homme en France, agonisait dans de mortelles douleurs, un tronçon de lance lui ayant perforé l'œil gauche au cours d'une joute.

On avait, pour la circonstance, dépavé la rue Saint-Antoine devant l'hôtel des Tournelles, afin que les chevaux pussent galoper sur le sable et que les chutes des jouteurs fussent moins rudes. Henri II, en tant que tenant, devait courir trois courses, et ses assaillants une seule. Henri II se prépara avec beaucoup de soin à ce qui était pour lui la grande affaire de sa vie, car il aimait à la passion tous les exercices corporels, et il attachait plus de prix à l'honneur de faire branler sur sa selle son adversaire qu'à l'avantage de conserver une province à son royaume. Et quand le premier assaillant, Emmanuel-Philibert de Savoie — qui n'avait cessé de porter ce titre alors même qu'il ne possédait pas un seul pouce de terre savoyarde — entra à l'hôtel des Tournelles pour se présenter au Roi, celui-ci, déjà tout armé et casqué, lui dit en riant :

— Or çà, mon frère, serrez bien les genoux, car si je puis, je vous ferai vider les étriers, sans respect de notre alliance.

Il n'y parvint pas, cependant, chacun des deux adversaires brisant sa lance sur le bouclier de l'autre, et le Duc, son tronçon jeté, empoignant l'arçon de sa selle et branlant quelque peu mais sans tomber. Les juges donnèrent l'avantage au Roi, mais après la deuxième course qu'il courut contre le Duc de Guise, celui-ci n'ayant pas bronché, et Henri II pas davantage, ils opinèrent pour l'égalité. La troisième et dernière course que le Roi devait courir l'opposait au Comte de Montgomery, Capitaine des Gardes. C'était un grand et roide jeune homme dans toute la force de ses vingt ans, et le Roi et lui se choquèrent à outrance, brisant chacun leur lance, mais sans que les juges donnassent avantage à l'un ou à l'autre, ce qui piqua fort le Roi. Il haussa sa visière et il cria qu'il voulait avoir sa revanche contre Montgomery et courir une quatrième course.

Cette prétention était si manifestement contre les règles des joutes (car le tenant devait trois courses et non point quatre) qu'elle rencontra quelque opposition : de la part de M. de Vieilleville, qui entrait au même instant en lices pour courir, en tant que tenant, ses trois courses, et de Montgomery lui-même qui, en tant qu'assaillant, ne pouvait donner qu'une course et craignait que les autres assaillants ne lui reprochassent d'avoir outrepassé ses droits. Mais le Roi, élevant le ton, ne voulut rien entendre, renvoya M. de Vieilleville hors des lices et commanda à Montgomery d'y entrer à nouveau. Ce que fit Montgomery, très à contrecœur, et plus roide que jamais.

L'obstination du Roi avait créé un certain malaise chez les spectateurs, si bien que lorsque la course commença, les trompettes et clairons qui, dans les courses précédentes, avaient sonné à tue-tête et oreilles étourdies, restèrent silencieux. Et ce qui fut plus tard estimé comme un présage funeste, cette course-là se déroula dans le plus mortel silence.

Tout se passa alors très vite. Les deux assaillants brisèrent chacun leur lance, mais Montgomery, toujours aussi tendu, au lieu de jeter à terre son tronçon comme il aurait dû, garda dans sa main le tronçon brisé. Et son coursier poursuivant, après le choc, son furieux galop, ledit tronçon porta contre la tête du Roi, soulevant la visière de son heaume, et lui crevant l'œil. Le Roi lâcha son bouclier, bascula en avant, avec juste assez de forces pour embrasser le col de son cheval qui, toujours au galop, l'emporta jusqu'à l'extrémité des lices où les officiers royaux l'arrêtèrent. « Je suis mort », dit le Roi d'une voix faible en tombant dans les bras du Grand Écuyer.

Il survécut dix jours dans des souffrances atroces. Philippe II envoya de Bruxelles Vésale, le célèbre chirurgien qui, aidé d'Ambroise Paré, sonda la plaie et tâcha d'en retirer les esquilles de bois de la lance. Pour essayer de comprendre l'étendue du mal, les deux grands médecins se firent donner par la Conciergerie quatre têtes de criminels qu'on venait de décapiter, et contre ces têtes ils choquèrent avec force le tronçon de Montgomery. Mais ces macabres expériences leur apportèrent peu de lumières.

Le Roi reprit ses esprits le quatrième jour et ordonna qu'on pressât le mariage de sa sœur et de sa fille, avec ses ennemis de la veille. Ce qui fut fait, mais dans l'affliction des esprits et l'attente d'une issue fatale, ces noces sans hautbois ni violons évoquaient un convoi funèbre. En suivant le silencieux cortège, on se répétait la sinistre prédiction de Nostradamus :

Le lion jeune le vieux surmontera
En champ bellique par singulier duel ;
Dans cage d'or les yeux lui crèvera,
Deux plaies une ; puis mourir mort cruelle.

On soulignait à voix basse que le « lion jeune » désignait, de toute évidence, Montgomery, et « la cage d'or » le heaume doré du Roi.

Le Roi mourut deux jours après les mariages princiers, le 10 juillet 1559. Le récit que je viens d'en faire parvint à Mespech le 25 juillet par une lettre de Paris. J'en trouve un résumé à cette date dans le *Livre de raison*, écrit par mon père, ainsi que les réflexions qu'elle inspira à Sauveterre en marge du livre : « Mon frère, n'avais-je pas raison de ne pas désespérer ? En arrêtant Anne du Bourg et les conseillers du Parlement de Paris, qui tiennent pour nos idées, Henri II a voulu frapper la Réforme à la tête. *Et c'est à la tête que Dieu, à son tour, l'a frappé.* Les jugements du Seigneur sont un profond abîme, qui s'éclaire parfois d'une lumière éclatante. La tempête de la persécution qui a bouleversé tout le royaume va peut-être s'apaiser par ce coup évident de la Providence. »

À quoi, le lendemain 26 juillet, mon père répondit : « C'est peu probable. À Henri II, son fils François II va succéder. C'est un enfant, il est marié à Marie Stuart, dont il est ensorcelé, et celle-ci est la nièce des Guise. Le pouvoir ne va donc pas changer de mains, ni la persécution cesser. » Jean de Siorac ne se trompait pas : Henri II était à peine dans sa tombe que les Guise étaient les maîtres du royaume. Six mois plus tard, Anne du Bourg était brûlé en place de Grève comme hérétique.

L'année 1560, on fit les foins fort tard à Mespech, en raison du temps qui, tout le début juillet, resta pluvieux et venteux avec des gelées fort âpres, et plus ressentant son hiver que son été. Le 15, enfin, il se mit au beau sec et Siorac, s'étant fait apporter toutes les faux, les fit débarrasser de la graisse dont elles étaient ointes, et les trouva toutes luisantes et affilées, sauf une qui avait perdu son tranchant à force d'usage. Il commanda à Faujanet — que personne n'égalait dans cette tâche — de la taper, et Faujanet, l'ayant placée sur une petite enclume pour lui redonner du fil, lui appliqua, deux heures durant, de petits coups de marteau si précis et si réguliers que je restai un bon moment à le regarder, émerveillé.

On avait prévenu les tenanciers, dont on voulait l'aide, et le lendemain, à la pique du jour, les faucheurs, nos soldats — j'entends nos deux soldats, Coulondre ne pouvant faucher en raison de son bras de fer — Faujanet, Jonas, Michel et Benoît Siorac, la Maligou, Fougerol (de Taniès), et Délibie de la Flaquière se mirent en ligne en bordure de notre champ des Hauts Prés, prenant bien leurs distances avec chacun son voisin pour que la coudée fût franche.

Comme j'allais sur mes dix ans et Samson aussi, j'avais obtenu de me lever moi aussi ce jour-là dans la nuit noire et de couper les orties du chemin d'une mauvaise faux ébréchée, moi fauchant et Samson râtelant, ou l'inverse. François, lui, montait la garde avec la frérèche et Coulondre Bras-de-fer, patrouillant à cheval avec eux le long de la crête et à l'orée du bois, un pistolet non chargé dans les fontes et le poing sur la hanche. Mais dès que le soleil arda, il se fatigua du tape-cul de son petit hongre noir et rentra au logis pour ne même pas revenir manger avec nous sous le gros noyer à onze heures, n'aimant pas se mêler à nos gens et ne se sentant pas aimé d'eux. Car nos Périgordins apprécient chez un jeune drole, outre la vaillance à la tâche, un regard clair, un rire gai et une prompte parole, et peu leur plaisaient les silences de notre aîné, pour ce qu'ils avaient appris à se méfier de l'homme qui se tait, comme du chien qui n'aboie pas.

Avec les grandes pluies de ce juillet pourri, les orties avaient grandement prospéré en taille et en nombre, et Samson et moi nous commençâmes un terrible massacre, les passant au fil de l'épée sans en épargner une seule. « Tiens, vilain Anglais, disait Samson, voilà qui t'apprendra à venir occuper Calais, au lieu que non pas rester dans ton royaume ! » On tua des milliers de ces malheureux, d'autant qu'ils se défendaient peu, balançant bêtement leurs feuilles urticantes et leurs tiges si faciles à trancher qu'un bâton eût suffi.

— Holà, mes droles! dit mon père, mi-sérieux, mi se gaussant, du haut de son cheval, vous êtes en retard sur l'histoire du royaume. Les Anglais ne sont plus nos ennemis depuis qu'ils ont rendu Calais, et depuis qu'à la sanglante Mary a succédé Elizabeth, laquelle n'est point papiste, comme je vous l'ai dit.

Les faucheurs, alignés, attendaient le signal des Capitaines pour commencer. Ils frissonnaient dans la petite brise fraîche de potron minet, car ils s'étaient vêtus à la légère en prévision du chaud du matin et de la sueur à venir. Tâtant de la main gauche à leur ceinture le coffin où la pierre à aiguiser baignait dans l'eau, ils reposaient l'autre main sur le dessus de la lame, la faux dressée devant eux dans la position qu'on lui prête quand on représente la Mort sur les gravures. Cependant, ils étaient, tous les neuf, plutôt contents que tristes. Car si dure que fût la tâche devant eux, en revanche, ce jour-là était fête aussi.

À Mespech on ne lésinait pas sur le manger au temps des foins. Et les faucheurs, vers les quatre heures, s'étaient calé la panse au château d'une forte soupe aux légumes et lardons suivie d'un copieux chabrol.

Alignés en bordure du Haut Pré, ils regardaient sans parler l'herbe onduler sur la pente jusqu'à l'orée du bois en contrebas. Mille Dious, elle avait bien profité des pluies, la garce : haute, verte, luisante, épaisse comme chevelure de femme et il y en avait tant et tant, et une telle immensité d'étendue qu'on se disait qu'on ne pourrait jamais la faucher toute, même à neuf, d'ici ce soir. Valait mieux n'y penser point trop, mais se dire qu'à onze heures il y aurait beau pain de froment, quantité de chair salée et piquette sans parcimonie.

En bas, sur la charrette, à l'ombre de l'arbre, ils voyaient la dizaine d'arquebuses chargées que la frérèche avait amenée, afin que les faucheurs, en cas d'attaque, pussent se joindre à eux. Ils savaient gré aux capitaines de ces précautions, comme de patrouiller à cheval, tout le temps que durerait la fauche, ce que ne faisaient pas tous les maîtres, certes, d'aucuns aimant mieux laisser leurs gens sans défense que de s'endolorir le fessier d'une journée passée en selle.

Quand Jean de Siorac leva le bras pour donner le signal, Faujanet, qui était, dans la ligne des faucheurs, le premier à gauche, se campa sur ses jambes et entama la lisière du champ, faisant siffler virilement sa faux dans l'herbe attendrie par la rosée et ramenant toute la coupe d'un seul geste en andain régulier sur sa gauche. Jonas, qui était le second, lui laissa prendre une bonne toise d'avance avant d'entamer l'herbe à son tour, et son voisin de droite, Fougerol, attendit, lui aussi, pour commencer, que Jonas se fût enfoncé d'une bonne toise dans le champ. Le décalage en profondeur de faucheur à faucheur fut ainsi respecté jusqu'au dernier à droite de la file, qui avait par là même huit toises de retard sur Faujanet. Ainsi chacun voyait clairement devant lui la petite bande de champ qu'il avait à faucher, et ne risquait pas de choquer la pointe de sa faux contre le dos de la faux de son voisin de gauche, ni de laisser de folles herbes entre sa portion et la sienne.

Faujanet, le premier à gauche de la file, se trouvait par là être le chef de la fauche, puisqu'il donnait aux autres le rythme qu'ils devaient suivre, et leur indiquait également les pauses pour aiguiser les lames en sonnant deux coups d'une petite corne qu'il gardait suspendue par un lacet autour du col. La frérèche avait choisi Faujanet pour cet office, non parce qu'il était des neuf le meilleur faucheur, mais parce qu'il était, bien au contraire, un faucheur moyen, ni trop puissant ni trop rapide, et que tous, par conséquent, pouvaient suivre sans que personne ne disloquât, par son retard, le dispositif.

Faujanet lui-même n'interprétait pas comme je dis la charge qu'on lui avait confiée. Mon père remarquait en souriant que les foins étaient pour lui son heure de puissance et de gloire, et à observer le visage du petit noiraud tandis qu'il saisissait sa corne pour sonner deux coups (ou trois pour reprendre le travail), on pouvait voir le prix qu'il attachait à ses fonctions. En outre, il aimait faucher. Certes, la faux n'était pas dans ses mains, comme dans celles de Jonas, une manière de jouet. Faujanet, au contraire, sentait l'effort dans ses reins, ses bras, la torsion de son torse et la tension de ses petites jambes bien cramponnées au sol pour que son corps, en se penchant, ne basculât pas en avant. Mais c'était un effort ménager de l'avenir. Faujanet veillait à ne pas prendre trop d'herbe à trancher à la fois au bout de sa faux et à ne pas forcer le rythme en revenant trop vite à son point de départ après une coupe. Dès qu'il sentait poindre la fatigue, il sonnait deux coups de sa trompe, profitant de l'aiguisage pour souffler, passant et repassant la pierre mouillée sur les deux faces. L'important n'était pas d'aller vite mais d'aller jusqu'au bout. En outre, Faujanet savait que pour l'heure il mangeait son pain blanc le premier, car l'herbe, à l'aube, était tendre, accommodante, mais quand deux ou trois heures plus tard, le soleil l'aurait séchée de sa rosée, elle exigerait bien plus de force, alors même que les faucheurs en avaient moins, les gouttes de sueur ruisselant de leurs fronts dans les yeux et, dans le dos, entre les omoplates. Il faudrait alors prévoir des aiguisages plus rapprochés et plus longs, non point tant pour refaire le fil (encore qu'une faux ne soit jamais trop tranchante) que pour reposer les faucheurs.

Ses devoirs empêchaient quelque peu Faujanet de sentir sa fatigue, mais quand elle le poignait trop, il tâchait de s'en distraire en écoutant le « souiche... souiche... » des neuf faux pénétrant dans l'herbe pour la couper à ras du sol. Comme elles n'y pénétraient pas en même temps, chacun ayant un peu d'avance ou de retard sur son voisin, il n'y avait point de temps mort, mais une série de « souiche... souiche... souiche... » qui se chevauchaient. C'était une musique

que Faujanet aimait, parce qu'elle parlait d'abondance de foin bien engrangé, de bétail bien nourri, mais aussi parce qu'elle rythmait un métier l'homme : Vit-on jamais pisseuse faucher un champ des heures d'affilée sous le soleil ? Car la garce fane ou râtelle, mais elle ne coupe pas. Tout au plus, peut-on lui confier une vieille faux ébréchée comme aux petits droles du maître pour défaire des orties au bord du chemin.

On peut être petit, les jambes torses, et noiraud d'œil et de teint comme Faujanet, mais avoir de la tête, et Faujanet savait que penser de l'herbe qu'il coupait. En outre, il était tonnelier, et voyait ainsi les choses de plus haut que le paysan de la glèbe. Celui-ci s'inquiétait de tout, même de l'abondance, et son dicton favori disait :

Annado de fé,
Annado de ren[1].

Ce qui voulait dire qu'à l'abondance de l'herbe correspondent des moissons médiocres. Mais Faujanet, pour ce qu'il avait un jugement solide, comprenait qu'il ne fallait pas avoir trop de fiance au proverbe, et il préférait se répéter quant à lui : « Année sans foin, année de rien », comme bien l'avait prouvé l'année 1557 et l'effroyable sécheresse qui avait sévi en Périgord pendant huit mois, jaunissant l'herbe, asséchant puits et sources, et réduisant à la famine le pâtre et le laboureur.

Sur la demande des Consuls de Sarlat, Monseigneur l'Évêque avait ordonné des prières dans toutes les églises du diocèse et une grande procession à la chapelle de la Vierge entre Daglan et Saint-Pompon, vers laquelle on était monté sous un soleil dur, la croix en tête, au chant des litanies des saints. On avait pris soin de ne point omettre aucun d'eux, de peur

1. Année de foin.
Année de rien.

que l'oublié se vexât et prît le parti de la sécheresse. Les prêtres s'étaient enroués à réciter en latin les prières secrètes, dont l'efficacité pour ramener l'eau leur était connue. Les fidèles s'étaient confessés en masse et avaient donné avec largesse aux quêtes, alors qu'ils avaient déjà si peu, et pourtant, malgré tout ce mal qu'on s'était donné, point de pluie, et la vraie misère était venue l'hiver avec les bêtes vendues ou abattues faute de quoi les nourrir, les tenanciers ruinés, les propriétaires gageant leurs terres, et tant de journaliers congédiés et désoccupés, tournés en gueux sur les chemins de France, mangeant les glands de chêne et l'écorce des arbres.

Aussi Faujanet se sentait content que l'herbe sous sa faux fût haute, épaisse et succulente, car ce foin-là, si l'orage ne le gâtait point avant d'être engrangé, annonçait bonne chair de veau, de bœuf et de mouton, lait de vache en abondance, chevaux vigoureux pour tirer l'araire et rompre les friches, et donc, aise et contentement pour les petites gens du monde, car les Messieurs comme ceux de Mespech ont de vastes réserves sur quoi vivre et même profiter des prêts dans les années mauvaises, mais le petit, rien devant lui jamais, et si le cœur du Seigneur Dieu s'endurcit contre le peuple du Sarladais comme en 1557 — sans qu'on sût pourquoi, alors, il en voulait tant aux Périgordins, pas tellement plus pécheurs que d'autres — Il défend aux nuages de se fondre en pluie sur la province, et pour le pauvre, au bout de quelques mois, ce sont les affres et douleurs de la faim.

Cet hiver-là, il ne fut question dans nos campagnes autour de Taniès, Sireil et Marcuays, que du loup que Jonas avait apprivoisé, et je n'eus de cesse de le voir, obtenant de la frérèche de m'en retourner avec Jonas à sa grotte le dimanche soir et d'y passer la nuit du dimanche au lundi, ainsi que Samson.

Ce n'est pas tous les jours, certes, qu'on couche

dans une grotte, dont l'entrée est fermée par une grosse pierre, comme celle du cyclope Polyphème, et dont le feu dégage sa fumée par une ouverture ronde dans la voûte au-dessus de votre tête. Et ce n'est pas chose ordinaire, à bientôt dix ans, de dormir à côté d'un loup, d'un vrai loup, le poil fauve et l'œil sauvage ; d'une chèvre qu'il respecte ainsi que ses chevreaux ; et de l'herculéen Jonas enveloppé de sa peau de mouton et aussi de sa propre toison, presque aussi épaisse que celle du loup.

Mais j'anticipe : il y eut d'abord la veillée autour du feu que Jonas allumait sur un foyer de lauzes surélevées, et la lutte des flammes contre le vent froid qui venait du trou circulaire dans la voûte jusqu'à ce que la bise d'en haut fût vaincue, cédant la place à la fumée et au courant d'air chaud venu d'en bas. La Maligou nous avait baillé, enveloppé dans une serviette et placé en un corbillon, un poulet tout rôti, dont Samson et moi mangeâmes chacun une aile, Jonas les deux pilons, et le loup, ou plutôt la louve, la carcasse. C'était merveille de l'ouïr broyer les os dans sa puissante mâchoire, allongée dans sa fourrure fauve entre Jonas et moi, la gueule un peu sur le côté, et l'œil mi-clos dans la volupté de l'heure. Comme dessert il y eut de bonnes noix que Jonas brisait comme un pois entre le pouce et l'index et décortiquait en un tournemain. Jetant alors les coquilles dans le feu, il plantait les cerneaux dans un fromage frais de sa chèvre, laquelle nous donnait aussi à boire, étant bonne lachère, par le truchement d'une cruche qui circulait de Jonas à nous et dont la louve, dans une écuelle, recevait sa part. Il fallait la voir lapant ce lait mousseux comme un chat, la langue passant ensuite sur les babines pour rattraper la moindre goutte.

— Jonas, dit Samson, ta louba ne va-t-elle point un beau jour croquer ta chèvre ?

— Pourquoi le ferait-elle ? dit Jonas. Ma chèvre lui donne son lait tout comme à moi.

— Mais sait-elle que c'est elle qui le lui donne ?

— Pour sûr que oui. Faut point croire que les bêtes sont si bêtes. Je ne trais jamais ma chèvre que la louba soit couchée à mes côtés, la langue pendante et la gueule ouverte, attendant une bonne écuellée de lait tout chaud sorti du pis. Pour sûr que oui, elle le sait.

— Mais loup aime chair, dis-je.

— Aussi je lui en donne assez, de ma chasse.

Jonas, sans bouger de sa place, étendit un long bras musclé, ramena un sac pansu et en tira trois poignées de châtaignes, ce qui, vu la dimension de ses mains, fit un beau tas devant lui. Un peu à part du feu jetant ses hautes flammes, il arrangea alors un petit foyer avec la cendre chaude, et sous cette cendre il glissa les châtaignes. Une odeur prenante envahit la grotte et me rappela les bonnes veillées à Mespech depuis que les âpres gelées de l'hiver étaient là.

— Jonas, dit Samson, on dit que ta chèvre un jour va se changer en garce et que tu pourras la marier.

— Qui dit cela ?

— Cabusse.

— À Dieu plaise que cela soit possible ! dit Jonas sans un sourire. Car j'ai bien besoin de compagnie. Mais tant qu'à faire, je préférerais que ce soit la louba qui se change en femme, et non la chèvre.

— Et pourquoi cela ?

— Parce que la chèvre me baille lait et fromage, ce que femme ne me pourrait bailler. Et puis, ajouta-t-il en regardant le feu et sur un ton tout à fait sérieux comme s'il croyait la transformation non seulement possible mais imminente, ma louba est belle. Maintes garces seraient fières d'avoir ses yeux luisants et son poil épais.

Ce disant, il enfonça sa large main dans la fourrure de la louve et la caressa, et la louve, tournant alors la gueule vers lui, poussa un soupir, et le regarda avec tant d'amour que je crus bien, en effet, que le miracle allait se produire là, sous mes yeux, tandis que je me goinfrais de châtaignes rôties.

— Jonas, dit Samson, comment as-tu apprivoisé ta louba ?

— Par la patience et l'amitié. Je l'ai trouvée dans un trou de renard qu'elle avait agrandi, les yeux fiévreux, maigre à montrer les côtes. Elle s'était cassé une patte, et pour échapper à sa meute qui, comme vous savez, achève et mange les bêtes blessées, elle avait dû se réfugier là. Je lui ai apporté du lait, puis un peu de chair, et quand elle a réussi à se traîner hors du trou, je lui ai passé une corde de chanvre autour du museau, et je lui ai remis la patte.

— Tu es donc aussi rebouteux, Jonas ? dis-je en le regardant avec considération.

— Eh oui, j'ai appris à rebouter de mon grand-oncle qui, dans son village, était aussi un peu sorcier, mais pour le bien, non pour le mal, tant est que même le curé le respectait. Ah, si mon grand-oncle vivait encore ! dit-il en laissant sa phrase en suspens et en regardant rêveusement sa louve.

Là-dessus, je m'endormis, et Samson aussi, sur une paillasse de feuilles de châtaignier préparée par Jonas ; trois grandes peaux de mouton empilées sur nous, si bien que, le feu s'éteignant, je me réveillai à l'aube, le corps chaud et le visage glacé. Je fus étonné, en ouvrant les paupières, de ne pas me retrouver dans la tour de Mespech, et comme j'allais les refermer, je rencontrai deux grands yeux fauves qui me regardaient fixement. Mes cheveux se dressèrent. C'était la louve.

— Jonas ! criai-je.

— Qu'y a-t-il ? dit Jonas, debout, sa tête me surplombant à une hauteur vertigineuse.

— Ta louba me regarde.

— Un chien regarde bien un évêque, dit Jonas. Dormez, Moussu Pierre. Il n'est pas temps encore pour le lait du matin. Le feu n'est même pas rallumé.

Je me rendormis et je rêvai qu'un vieillard au regard noir effrayant entrait dans la grotte. Il était grand, plus grand même que Jonas, et se penchant sur lui, il prononçait des mots inintelligibles en traçant au-dessus de sa tête des signes étranges. Alors, le visage de Jonas se tournait en museau, et son grand corps se changeait en celui d'un loup. Il se levait, bâillait, montrant d'énormes dents blanches et pointues puis, venant s'asseoir tout contre sa louve, il claquait les mâchoires. Il me regardait lui aussi fixement sans que je puisse savoir si c'était avec haine ou avec amitié.

À peine étions-nous rentrés à Mespech que Barberine, qui nous attendait, vint au-devant de nous, et la petite Hélix la suivant, avec l'enfantelet dans ses bras, et m'adressant derrière son dos force grimaces.

— Doux Jésus, vous voilà enfin ! Moussu le Baron vous attend dans sa librairie avec Moussu de Sauveterre pour une communication de grande conséquence. Mais vous ne pouvez paraître ainsi : vous puez. Allez vous dépuer quelque peu et coiffez-vous.

Ce que nous fîmes, changeant aussi de linge, Barberine se plaignant que, même lavés à grande eau, nous sentions encore « la chèvre, le loup, et pis encore ». Tandis que nous mettions l'un et l'autre une roide chemise parfumée à la lavande, la Maligou entra pour nous renifler sous le nez.

— Ah ! mes pauvres ! dit-elle. Je respire autour de vous une forte odeur de soufre (elle fit le signe de croix sur nos têtes). C'est donc bien ce que je me pensais : cette louba est une sorcière qui a pris la forme d'un animal pour leurrer notre carrier et le conduire droit à l'Enfer.

— Tais-toi donc, Maligou, dit Barberine. Les Capitaines n'aiment point qu'on parle ainsi, surtout à nos jeunes Messieurs. (Mais cependant, il était aisé de voir que les paroles de la Maligou avaient fait impression sur elle.)

— Et dites-moi, Moussu Pierre, dit la Maligou en s'adressant à moi d'un air entendu, est-ce que Jonas aime cette louba ?

— Oh ! pour ça, oui ! dis-je. Au point de souhaiter que Dieu fasse de la louba une femme pour la marier.

— Hélas ! dit la Maligou, toute la gelée de son corps informe tremblant de compassion. C'est bien ce que je me pensais. Voilà notre carrier déjà bien leurré et dupé et entortillé dans les rets des septante-sept démons de l'Enfer. Ce n'est pas le Seigneur Dieu qui change les louves en femmes, Moussu Pierre, poursuivit-elle avec autorité. C'est le Diable. Et quand cela se fera, il n'y aura point mariage en l'église, mais paillardise ignominieuse et cachée dans une grotte sous le regard d'une chèvre. Hélas, pauvre Jonas ! Plus bel homme oncques ne fut en Sarladais ! Si grand, si fort, et si velu ! Mais on dit bien : luxure et paillardise sont les chemins de l'Enfer.

— Tu dois le savoir, dit Barberine, à qui ce discours déplut, toi qui en ta grange fautas quatorze fois avec un Capitaine des Roumes.

— Quinze, dit la Maligou en se signant. Mais je ne fautai point. Comme tu sais, je fus forcée. Du moins la première fois. Les fois suivantes, je m'abandonnai à la volonté de Dieu.

La frérèche nous attendait dans la librairie en compagnie d'un vieillard entièrement vêtu de noir qui, avec sa barbe blanche, son visage pâle, sa forte carrure et sa majestueuse immobilité, nous parut ressembler au Moïse de notre Bible. Je sus plus tard qu'il s'appelait Raymond Duroy et qu'il était ministre de la religion réformée à Sarlat, bien que de façon encore clandestine. Sauveterre, lui aussi vêtu de noir, et Raymond Duroy étaient tous deux assis, l'air grave et le maintien austère. Mais mon père, vêtu de vert (qui était la couleur de ma mère), allait et venait, se campait devant la fenêtre, pivotait sur ses talons, revenait se poster derrière le fauteuil de Sauveterre dont il empoignait le dossier des deux mains, puis, s'éloignant de nouveau, retournait à la fenêtre, le visage non pas tant grave que tendu, incapable, visiblement, de rester une minute en même place, et comme à son ordinaire, le pas élastique, le dos droit, le mouvement vif, le geste élégant, et par moments, mettant les mains aux hanches dans son attitude favorite, il gonflait son torse puissant et, levant le menton, il tournait la tête de droite et de gauche d'un air impatient.

— Eh bien, mes droles ! dit-il en nous voyant

entrer et son visage s'éclairant soudain, mais résistant à l'envie de nous enlever dans ses bras et de nous embrasser. Avez-vous vu la louve ? Est-elle belle ? Êtes-vous contents ?

— Nous le sommes, dis-je, un peu réticent après ce que je venais d'entendre dire à la Maligou.

— Eh bien, dit mon père, qui tenait beaucoup, depuis ma fameuse querelle avec François, à ce que régnât la concorde parmi ses fils, saluez votre aîné et asseyez-vous.

Je m'avançai et aperçus François, que le dossier de sa chaise nous avait jusque-là caché, et qui était assis face à la frérèche et à Raymond Duroy, les bras croisés, l'air grave, la vertu même. Je le saluai et, se penchant, il me fit l'honneur de me baiser sur les deux joues ainsi que Samson.

— Mes fils, poursuivit mon père avec quelque solennité et se souvenant de son latin, nous avons à vous faire part et d'une nouvelle de conséquence et d'une grave décision que nous avons prise, M. de Sauveterre et moi.

Il fit une pause et reprit :

— La nouvelle, la voici : François II est mort le 5 décembre d'une défluxion d'humeur à l'oreille. Il a régné un an et demi à peine. Il avait seize ans quand il est mort.

Il s'arrêta et regarda le ministre Duroy comme s'il attendait un commentaire, et le ministre, les mains reposant sur les bras du fauteuil, et levant vers nous sa longue barbe blanche et son visage pâle, dit d'une voix grave sans sortir de son immobilité :

— Pour le coup, Dieu est apparu ! Il a frappé le père à l'œil et le fils à l'oreille. Le premier, parce qu'il ne voulait pas voir les vérités de la Réforme. Le second, parce qu'il ne voulait pas les entendre.

— La conséquence, dit mon père, la voici : les Guise ont été bannis du pouvoir. Et l'heure n'a jamais été si favorable dans tout le royaume à notre cause. Deux Princes du sang ont pris notre parti : Anthoine de Bourbon, Roi de Navarre, et son frère le Prince de

Condé, que les Guise avaient emprisonné, mais que la Reine Catherine, qui est régente, Charles IX étant encore mineur, vient d'élargir. Coligny est rétabli dans ses titres. Il est à nouveau Amiral de France, et d'Andelot de nouveau Colonel général de l'Infanterie. Dix Évêques dans le royaume se sont prononcés pour nous, dont l'Évêque de Périgueux. Le Chancelier nommé par la Reine Catherine, Michel de L'Hospital, nous favorise en secret, et la Régente elle-même, incline, dit-on, à la Réforme. En réalité, poursuivit-il avec un sourire rapide, c'est une louve, mais, comme celle de Jonas, elle se fait agneau.

Il fit une pause.

— Ici même, reprit-il, en Périgord, les quatre frères Caumont, dont la puissance se fonde sur l'imprenable château de Castelnau, ont pris parti depuis longtemps pour la cause, et le Baron de Biron, capitaine des Compagnies du Roi dans la Sénéchaussée de Sarlat, n'agira pas contre nous, même s'il en reçoit l'ordre. La preuve en est que lorsqu'il y a eu ce tumulte début décembre à Sarlat, le populaire s'étant ému de ce que M. Duroy ici présent ait enterré un des nôtres, M. Delpeyrat, sous la lanterne des morts sans prêtres ni flambeaux, Biron refusa à l'Évêque de Sarlat l'appui de ses hommes d'armes.

Mon père se tut à nouveau, puis il dit d'un ton grave en détachant les mots avec beaucoup de force :

— M. de Sauveterre et moi avons décidé, après de longues réflexions, que le moment était venu pour nous de cesser d'ouïr la messe, et de déclarer ouvertement notre foi. Messieurs mes fils, ajouta-t-il en se campant devant nous les mains aux hanches et en nous dévisageant l'un après l'autre d'un air impatient et sévère, que vous en semble ? Parlez ! Suivrez-vous votre père ?

— J'épouserai la foi de mon père bien volontiers et de tout cœur, dit François, un peu trop hâtivement peut-être.

— Je suis déjà de la Religion, dit Samson d'une voix douce. Je n'en connais pas d'autre.

Comme je ne disais rien, mon père me jeta un coup d'œil impérieux et dit d'un ton bref :

— Et toi, Pierre ?

Je dis, le cœur me battant un peu :

— J'ai été élevé par ma mère, avec votre accord, dans le culte catholique. Mais je n'ai pas dix ans. Je suis très ignorant. Souffrez qu'avant que je vous suive je vous demande de m'instruire davantage sur la religion réformée.

Les yeux de mon père étincelèrent.

— Je ne me satisferai pas d'une réponse dilatoire ! dit-il d'un ton irrité. Prends garde, Pierre, que ce retard à me suivre ne te soit en réalité inspiré par le Démon !...

Le ministre Raymond Duroy leva la main et, son noble et sévère visage tourné vers mon père, il dit d'une voix grave :

— C'est sur un sol résistant que se bâtit une foi solide. Tout n'est pas imputable au Malin. Si Pierre désire être instruit des vérités de notre foi, je me chargerai bien volontiers de son instruction.

Encore tout ébranlé du soudain courroux de mon père — qui était pour moi en toutes choses mon modèle et mon héros — je regardai le ministre Duroy. Je lui savais gré de son inattendu secours, mais plus j'observais sa carrure d'athlète, sa vénérable barbe blanche, son front bossué de savoir et de sagesse, plus je me sentais petit devant lui. Dans son pâle et vigoureux visage vivaient de profonds yeux noirs dont le regard brillant était à peine soutenable, et je me dis que j'avais à peu près autant de chances de résister à ce formidable champion de la foi nouvelle que de lutter à mains nues avec Jonas.

CHAPITRE VI

Le ministre Duroy ne mit pas huit jours à me convertir. Encore fit-il en ce laps de temps bien d'autres choses, car c'était un homme d'une activité inlassable, toujours à chevaucher par les combes et les pechs pour prêcher la bonne parole parmi le populaire.

Avant d'ouvrir la bouche, il avait, quant à moi, partie à demi gagnée : la messe à Mespech, je l'avais noté dans mes ans les plus tendres, c'était l'affaire des femmes et du domestique. Le culte catholique, c'était le curé Pincettes, ignare, ivrogne et paillard, posant en confession des questions curieuses à l'extrême et que j'écoutais avec confusion, tant elles m'apprenaient de choses. C'étaient aussi les méchants qui avaient brûlé Anne du Bourg et, avant lui, cette longue série de martyrs dont la frérèche citait les noms avec vénération. Je n'admirais rien au-dessus de mon père et de l'oncle Sauveterre et, par eux, j'appartenais déjà à un parti — celui des huguenots persécutés — avant même d'adhérer à une foi.

Cependant, je n'y adhérai pas sans quelques réticences que je compris qu'il fallait taire pour ne pas entrer plus avant en querelle avec le père que j'aimais. Ainsi je trouvais obscur ce qu'on me disait du salut qui se gagnait par la grâce, non par les œuvres, et de mon point de vue, peut-être simpliste, la religion de ma mère me satisfaisait là-dessus davantage. J'étais, en outre, attaché au purgatoire, que je tenais pour une institution bien commode où, dans mon repentir, j'aurais accepté de faire un court séjour pour me laver de mes fautes, et en particulier de mes jeux avec la petite Hélix.

J'étais plus attaché encore à la Vierge Marie qui, dans mon esprit, s'identifiait à Barberine, à son sein chaleureux, à son doux visage, à ses bras consolants. Dans cette religion nouvelle, il n'y avait, si j'ose exprimer ainsi ma puérile opinion, que des hommes à aimer. Ce que je sentais alors, je le pense toujours en quelque façon. Puisque aucun Créateur — même quand nous repoussons les images et les idoles — ne peut échapper à la ressemblance de l'homme, n'est-ce pas pitié que rien de la femme ne soit divinisé, et pas même sa fonction maternelle ?

Mon père avait fait promettre à ses fils le secret de la décision de la frérèche tant que je ne serais pas rallié, et pendant les huit jours que dura mon instruction, ma mère, les frères Siorac et tout le domestique ignorèrent que Mespech allait basculer — eux compris — dans le camp de la Réforme. Encore mon père se réserva-t-il Isabelle de Siorac pour la bonne bouche, car il la consigna en sa chambre avec Franchou le dimanche 22 décembre au soir. Il avait décidé de profiter, ce soir-là, de la présence dans nos murs de Jonas, Cathau et Cabusse, pour entreprendre, après le dîner, la conversion en masse de nos gens.

Les deux chandeliers (qui n'avaient plus servi depuis le soir où Sauveterre nous avait raconté la prise de Calais par les Anglais en 1347) furent, sur l'ordre de Jean de Siorac, allumés par la Maligou pour souligner la solennité de l'heure, ou peut-être symboliser les lumières que la frérèche allait apporter à ses serviteurs. À l'extrémité de la table, nettoyée de ses reliefs par les femmes, siégeaient le Baron de Siorac, M. de Sauveterre et le ministre Duroy, dont les cheveux blancs étaient illuminés par les hautes flammes qui derrière lui dansaient, dessinant comme une auréole autour de sa tête vénérable.

De chaque côté de la longue table, à l'exception de Franchou, que le service de sa maîtresse retenait à l'étage, nos gens avaient pris place, non pas n'importe comment, mais selon un ordre de préséance qui ne laissait rien au hasard, car du haut bout (celui où le ministre et la frérèche étaient assis) jusqu'au bas bout, où les femmes avaient pris place, l'importance des convives allait en décroissant : les fils d'abord, Catherine ensuite (âgée alors de six ans), puis les frères Siorac (parce qu'ils étaient de notre parentèle), Cabusse et sa femme (parce qu'ils étaient propriétaires du Breuil), les deux soldats (en raison de leur ancienneté à notre service), Jonas et Faujanet (qui, recrues récentes, passaient après eux), et enfin Barberine, la Maligou, Franchou, (quand elle était là), et la petite Hélix portant dans ses bras Annet, le bébé de notre nourrice, et enfin la Gavachette, qui avait tout juste l'âge de ma sœur Catherine, mais aussi brune de peau et de cheveux que Catherine était blonde.

Nos gens n'étaient pas tout à fait sans pressentir ce qui allait se passer, d'abord parce que les opinions de la frérèche leur étaient depuis longtemps connues, même si, par prudence ou loyauté, aucun d'eux n'en avait jamais fait état hors de nos murs, et ensuite parce qu'ils savaient fort bien qui était Raymond Duroy, le tumulte qui avait suivi l'enterrement huguenot de Delpeyrat sous la lanterne des morts à Sarlat l'ayant fait connaître de tous en nos régions. Mais ils se doutaient peu de l'engagement qu'on allait leur demander, croyant peut-être, en leur naïveté, que des serviteurs catholiques pouvaient continuer dans le service d'un maître huguenot.

Là-dessus, mon père les détrompa. Assis, debout, allant et venant, s'arrêtant, croisant les bras, plaçant les mains sur les hanches, il parla à sa manière impatiente et pétulante, un peu sans ordre ni suite, tant la passion l'emportait, mais enfin le sens de son discours était clair. M. de Sauveterre, le Baron de Siorac, ses trois fils, François, Pierre et Samson de Siorac, allaient se déclarer publiquement pour la religion réformée, et ils attendaient de leurs parents (ceci pour les frères Siorac), de leurs amis (ceci pour Cabusse et Cathau), et de leurs domestiques, qu'ils les suivent dans cette voie : D'abord parce que cette voie était la vérité de Dieu, obscurcie par les papistes, mais rendue à sa pureté primitive par les réformés. Ensuite parce que dans les temps troublés que nous traversions, il était difficile à la frérèche de faire longtemps confiance à quiconque ne serait pas de leur opinion, ayant crainte que celui-là pourrait, un jour ou l'autre, sous l'influence de son confesseur, être amené à trahir Mespech au bénéfice de ses ennemis.

Certes, mon père ne disait pas tout à plat qu'il chasserait de Mespech tous ceux qui ne donneraient pas leur adhésion au culte réformé, mais c'est bien là la conclusion qui découlait de ses propos, et je vis bien, à l'étonnement et à l'effroi de nos gens, que c'est bien ainsi qu'ils le comprenaient.

Quand ce jour d'hui je pense derechef à cette scène, elle ne me rend pas très heureux. Car le Baron de Siorac faisait à Mespech ce qu'il avait si fort reproché à Henri II de faire en son royaume : il exigeait de ses sujets qu'ils eussent même religion que lui. La différence, c'est qu'il n'avait pas le pouvoir de les envoyer au bûcher. Du moins pouvait-il les priver de leur pain et les bannir de son domaine, sanction qui n'était pas petite, alors que tant de gueux affamés et désoccupés parcouraient la province. Qu'on pût parler de liberté de conscience en un temps où la religion romaine tyrannisait le royaume montrait certes, en ce siècle, un progrès d'importance. Mais cette liberté-là n'était le plus souvent conçue par ceux qui la réclamaient que comme un privilège réservé aux gentilshommes ou, à la rigueur, aux bourgeois étoffés des villes. Elle ne s'étendait pas au petit peuple, encore tout serré et contraint par le lien féodal — ce petit peuple sur lequel, justement, le culte romain gardait beaucoup d'emprise par son faste, ses processions, l'or et le chatoiement de ses cérémonies, et la part qu'il laissait aux superstitions populaires.

Mon père, ayant dit sa pensée, se tut et se rassit, et fut l'effroi de nos gens tel et si grand à la pensée d'être rejetés de Mespech comme l'escargot hors de sa coquille et poussés, nus, désarmés et sans pain sur les chemins du monde, que leurs yeux leur sortaient presque des orbites et leur langue, séchée contre leur palais, leur refusait tout service.

Sauveterre, les ayant l'un après l'autre regardés, sentit le degré de leur épouvantement et en augura bien. Car il aimait assez le domestique de Mespech pour souhaiter qu'il fût, en sa totalité, sauvé. Et d'un autre côté, congédier quiconque se fût obstiné dans les abominations papistes lui eût serré le cœur, non pas tant à cause de la famine où le quidam serait réduit, qu'en raison des risques de perpétuelle damnation qu'il aurait encourus après sa mort.

Il dit avec autant de calme que mon père avait été emporté :

— Le ministre Duroy va maintenant vous instruire des différences entre le culte romain et le nôtre.

Raymond Duroy ne se leva point, et quand il parla, à l'exception de ses yeux noirs et de sa bouche, son visage resta figé, et son corps demeura aussi immobile que s'il avait été taillé dans du marbre. Il ne fit pas non plus le moindre geste, ne soulevant même pas ses mains des accoudoirs du fauteuil pour souligner son dire. Mais de cette glace un grand feu en même temps sortit, en particulier quand Duroy dénonça la simonie et la corruption des prêtres catholiques.

— Ces prêtres, dit-il, sont riches des biens de ce monde et pauvres des biens spirituels. Ils vivent en délices le jour et la nuit. Leur ministère est tout souillé et gâté de leur avarice. Ils ne baptisent pas l'enfant sans argent. Ils ne solennisent pas les noces sans saigner les plus pauvres de quelques sols. Ils ne permettent la sépulture des trépassés qu'on ne leur paye l'ouverture de la terre. Bref, de l'administration des sacrements, les prêtres ont fait magasin et boutique. Pis même : par une grande et horrible simonie, ils font marchandise des pardons et absolutions des péchés ! Ils vendent des indulgences ! En telle et si puante pourriture des mœurs du clergé romain, comment s'étonner s'il détourne à son usage les biens que les Princes ou les particuliers lui ont confiés pour l'assistance des pauvres et l'instruction des peuples ?

Duroy fit une pause, et de la main, mon père fit un

petit geste pour inviter nos gens à parler, ce qu'ils firent avec alacrité, tant ils approuvaient ce début.

— Avares, oui, ils le sont, murmura Faujanet, qui se souvenait avoir été repoussé de l'Évêché de Sarlat quand il quémandait un croûton.

— Et si avides qu'ils te tondraient un œuf, dit Cabusse.

— Je pourrais te citer un chanoine, moi, dit Jonas en se tournant vers Cabusse, et pas loin d'ici, qui avec son long chapelet a chapelé la bourse de plus d'un.

— Je le co... co... connais, dit Marsal le Bigle.

Seul Coulondre se tut, tant le silence était chez lui habitude invétérée. Mais on le savait peu dévot, peu chaud à ouïr la messe, et comme détaché de la foi de ses pères, par l'amertume qu'il avait eue de perdre son bras. Cabusse n'était pas plus fervent. Il avait l'irrespect du Gascon pour les prêtres. Comblé comme il l'était par les biens de ce monde — le Breuil, ses moutons et Cathau — il pensait fort peu à l'autre.

On savait maintenant, par l'ex-chambrière de ma mère, à quoi se limitaient ses oraisons. Le matin en s'étirant : « Seigneur, Votre Serviteur se lève. Donnez-lui une bonne journée. » Et le soir en bâillant : « Seigneur, Votre Serviteur se couche. Donnez-lui une bonne nuit avec sa femme et épouse. »

La Maligou et Barberine écoutaient tout et ne disaient rien, ayant vergogne à parler devant les hommes, mais elles échangeaient entre elles à voix basse quelques réflexions et souvenirs vingt fois déjà remâchés sur le curé Pincettes — qu'on appelait ainsi parce qu'un plaisant de Marcuays, se rendant au presbytère et le trouvant vide, avait pris les pincettes pendues sur le côté de la cheminée et les avait placées dans le lit de la gouvernante — farce qu'il croyait faire à l'accorte commère, mais qui s'était retournée contre le curé, celui-ci pendant un bon mois s'étant indigné, même en chaire, de ne plus retrouver ses pincettes, à croire qu'on les lui avait volées.

— Tu as bien raison, dit la Maligou. Plus grand paillard oncques ne fut. À confesse, en la sacristie, il lorgne les tétons des filles et leur pose la main sur le cuisseau.

— Et pour sûr, dit Barberine, qu'il n'y a pas en France fils de bonne mère qui soit plus ivrogne. À preuve, à l'enterrement du pauvre Petremol, la tombe ouverte et le corps descendu, Pincettes, comme il allait marmonner les prières des morts, aperçoit au premier rang de l'assistance Bellièvre, le maréchal-ferrant. Aussitôt, interrompant le bredouillis de ses patenôtres, il lui dit d'une voix forte et claire : « Bellièvre, tu me fais penser que tu me dois encore une barrique de vin. Souviens-toi bien de me la rendre. Il y va de ton salut. » Après quoi, il reprit ses oraisons comme si de rien n'était.

Quand le silence fut revenu, le ministre Duroy se mit à exposer et à résumer avec beaucoup de clarté les quarante articles de la confession de foi calviniste telle que le synode de 1559 l'avait fixée. Il s'exprimait sur le ton de la plus tranquille certitude et il avait le grand art de rendre accessibles au populaire et aux enfants les idées les plus ardues. Même à ce jour, je me souviens de la façon dont il fit comprendre à son auditoire comment les huguenots entendaient la Cène.

— Les prêtres catholiques, dit-il d'une voix grave mais toute vibrante d'indignation, soutiennent qu'il y a présence réelle et charnelle du corps et du sang du Sauveur dans le pain et le vin de la communion. Mais cela ne se peut, et le prétendre, c'est piperie et fausseté. Il faut comprendre que le corps et le sang du Sauveur nourrissent l'âme autant que le pain et le vin nourrissent le corps. L'entendre autrement n'est qu'imposture. Comment Jésus-Christ pourrait-il à la fois être au Ciel et dans la panse de ceux qui communient ? En réalité, le corps de Notre-Seigneur est autant éloigné du pain et du vin que le plus haut ciel est éloigné de la terre.

À quoi mon père, levant la main, ajouta :

— Quand Christ dit : « Buvez, ceci est mon sang » et « Mangez, ceci est mon corps », il faut l'entendre comme une parabole, et non pas littéralement, comme le font les papistes.

Ceci — blasphème inouï pourtant pour un prêtre romain — fut fort bien accueilli par un auditoire qui n'y entendait pas malice et accepté par lui comme une vérité relevant du simple bon sens. Nos gens ne firent pas davantage de difficultés quand le ministre Duroy attaqua le célibat des prêtres (« C'est toute hypocrisie, dit Jonas. Pour sûr que Pincettes est moins chaste que moi en ma grotte »). Quand Duroy parla des vœux monastiques, Cabusse fit remarquer en se gaussant que « les moines sont les poux du peuple ». Quand on en vint aux indulgences, Faujanet fit remarquer qu'« à ce compte, seuls les riches seraient sauvés ». Et sur le sujet des confessions auriculaires, Barberine fit remarquer qu'« elles renseignaient Pincettes sur les secrets des familles ».

En revanche, un prodigieux étonnement et une assez forte résistance se firent jour quand Duroy s'en prit au culte de Marie et des saints. Il mena pourtant son attaque avec tact et prudence.

— D'après l'Écriture, dit-il, Christ est le seul médiateur entre Dieu et les hommes. Il ne faut donc pas prier la Vierge et les saints pour qu'ils intercèdent auprès du Christ, ni leur rendre un culte quelconque. Nous respectons les saints comme autant de héros de la foi, mais nous refusons de les adorer. De même, nous honorons Marie comme mère du Christ, mais nous refusons de l'adorer. La parole de Dieu en Sa Sainte Écriture est claire et indubitable. Le seul intercesseur auprès de Dieu est le Christ. Quiconque s'écarte de cette règle tombe dans l'idolâtrie. Le culte de Marie et des saints n'est qu'abus et fallace de Satan.

Il y eut à ce moment-là une forte émotion parmi nos gens — hommes et femmes — et à leur silence effaré, aux yeux qu'ils roulaient en tous sens, aux lippes crispées, on pouvait voir que les paroles de Duroy heurtaient chez eux une tradition millénaire.

Car il n'était point de maison bourgeoise qui n'eût à Sarlat, dans une petite niche, une statue de la Vierge devant laquelle il eût été peu indiqué de passer sans un signe de croix ou un *Ave* murmuré à voix basse. Chaque village un peu important avait son saint, et la fontaine de son saint, et les miracles de son saint, à qui culte était rendu, qui passait en ferveur, parfois, celui rendu à Jésus-Christ, car le Christ était loin, tout comme le Roi en son Louvre, tandis que le saint du village était proche, comme le seigneur en son château.

Quand mon père, qui savait bien tout cela, perçut le silencieux tumulte que Duroy avait provoqué, il résolut de débrider l'apostume et dit sur le ton de l'enjouement, et non de la colère :

— Parlez, mes bons amis. Parlez en toute aise et fiance. Il ne vous en sera point fait grief.

Mais nos bons amis se turent, très effrayés à la pensée de contredire le ministre Duroy qui, avec son visage pâle, ses traits creusés, sa longue barbe blanche et son immobilité, avait justement l'air d'un de ces saints qu'on voit sur les vitraux.

— Allons, dit mon père avec un peu d'impatience, point de vergogne ! Parlez, mes gens ! Dites là-dessus votre sentiment ! Je le veux !

Nos gens se regardèrent entre eux et leurs regards convergèrent enfin sur Barberine comme pour lui demander de porter parole, tant sa position à Mespech paraissait forte comme nourrice des enfants Siorac — ceux qui étaient présents et ceux qui viendraient un jour. Et Barberine, après quelque hésitation, se décida, tant le sujet lui tenait à cœur.

— Moussu lou Baron, dit-elle en rosissant des racines des cheveux à la naissance des tétons, peux-je parler devant que les hommes le feront ?

— Tu le peux, ma pauvre Barberine, dit mon père qui s'attendrit à regarder ce beau rose dans toute son étendue — et d'autant plus bienveillant qu'un tel contradicteur ne lui paraissait pas bien dangereux.

Il ajouta :

— Tu sais combien tous ici nous t'aimons.

— Bien le merci, Moussu lou Baron, dit Barberine, frémissante et la poitrine houleuse, car elle adorait mon père. Pour sûr, reprit-elle, que je ne suis qu'une femme, et une femme bien ignorante, au regard de nos deux Messieurs, et de Monsieur le ministre Duroy, et des Messieurs Siorac, et des soldats qui ont voyagé sur les chemins du monde, et de Jonas et de Faujanet, qui sont si savants en leurs métiers, et j'ai grande audace d'ouvrir la bouche en leur présence, moi qui ne sais rien faire que donner mon lait comme une pauvre vache en l'étable. Mais touchant la Vierge Marie que, sauf offense à ces Messieurs, j'aime et je vénère, je me pense ceci : On prie Jésus pour qu'il intercède auprès de Dieu, est-ce point vrai, Moussu lou Baron ?

— C'est vrai, Barberine.

— Alors, reprit Barberine, si on passe par le fils pour adoucir le père, pourquoi ne point passer par la mère pour adoucir le fils ?

Il y eut un silence et mon père s'aperçut, je crois, qu'il avait quelque peu sous-estimé Barberine, car il eut un air d'embarras qu'il cacha sous un petit rire. Cependant le ministre Duroy, vigilant, volait déjà à son secours.

— Sans doute, dit-il d'une voix grave, cela se passe-t-il ainsi dans les affaires humaines. Mais ici, il s'agit de Dieu. Et point de n'importe quel fils, mais de Jésus-Christ — lequel est notre Sauveur. Et puisque notre Sauveur, c'est Christ, et non point sa mère Marie, c'est lui qu'il faut prier pour qu'il intercède auprès du père, et non pas elle. Marie a donné naissance au Christ comme Barberine donne son lait : c'est un acte de nature, et non un acte de création. Le créateur, c'est le père. Et le Sauveur, c'est le fils. Priez le père et priez le fils, mais hors d'eux et du Saint-Esprit, ne priez personne, car ce serait être coupable d'idolâtrie et de superstition païenne.

Cela était si clair et si fortement prononcé, et sur le ton d'une si tranquille et si absolue certitude qu'on eût dit que le ministre Duroy, en son grand âge, consentait à remettre de quelques mois encore les félicités célestes, afin de pouvoir nous rappeler ici-bas ces vérités méconnues. Cependant, si impressionnés que fussent nos gens, ils résistaient encore, mais leur résistance, chose étrange, se déplaça, et abandonnant la Vierge Marie (qui après tout n'était qu'une femme), ils se retranchèrent derrière les saints — lesquels étaient si nombreux et si évidemment bénéfiques ou, selon le cas, maléfiques, qu'il paraissait bien difficile de nier leurs incessantes interventions dans la vie des gens.

Mais là encore les hommes ne se décidèrent pas à parler et regardèrent Barberine comme s'ils voulaient, derechef, se cacher derrière son ample cotillon vert bandé de rouge. La nourrice, cependant, secoua de dextre en senestre sa bonne tête ronde, ne voulant point deux fois de suite ouvrir la bouche pour contredire les Messieurs. Et force alors fut aux hommes de se rabattre sur la Maligou, bien que ce ne fût pas assurément la meilleure ambassadrice qu'on pût trouver, son dire, même au goût de nos gens, sentant par trop la superstition. Mais qui n'a point de cheval pour labourer se contente d'un âne, et notre ânesse ne se fit pas prier. Plus échevelée que Gorgone ou Ménade, au premier regard d'invite, elle courut à la brèche et monta à l'assaut.

— Peux-je parler, Moussu lou Baron ?

— Pour sûr que si, ma pauvre Maligou, dit mon père, se gaussant déjà, mais sans le montrer trop.

— Ah ! Moussu lou Baron ! s'écria la Maligou avec un grand soupir et en roulant ses yeux noirs, j'aurais grande frayeur et épouvantement si à Mespech on ne prie plus les saints, car il en est en Périgord de fort malicieux, surtout dans le nord de la province. Et quelles maladies ne verrait-on pas s'abattre alors sur le château ! sur ses gens ! sur ses bêtes ! sur ses récoltes !

— Quoi ? dit mon père, le sourcil haut, et feignant la surprise. Ai-je bonne ouïe ? Suis-je dans tout mon bon sens ? Les saints du Périgord bailleraient des maladies ?

— Et fort méchantes, Moussu lou Baron ! dit la Maligou avec une affreuse grimace. Saint Siméon de Ligueux donne le haut mal. Saint Eutrope rend les gens infirmes. Saint Paul d'Agonac attire sur les enfants le mal de la peur. Saint Avit vous déjette les membres avec des rhumatismes. Et le saint de Sarazac tord au berceau les jambes des enfantelets.

— Mais ce sont de vrais démons, tes saints, ma pauvre Maligou ! dit mon père en riant.

— Que non pas, Moussu lou Baron ! dit la Maligou. Car ils ne méfont que par dépit de n'être point priés assez. Cependant, si vous leur faites dire des messes par le curé, les voilà qui s'adoucissent.

— Mais ces messes, dit mon père, on les paye au curé ?

— Oui-da ! Qui ne donne rien n'a rien ! dit la Maligou. Et si vous voulez que l'eau du saint vous guérisse, il faut aussi jeter des sols en sa fontaine.

— Voilà des saints bien avares, dit mon père avec un sourire. Et que font-ils en leur paradis de tous ces sols ?

— Je ne sais. Toujours est-il que ces sols ne restent pas longtemps dans l'eau.

— Je le pensais, dit mon père.

— Pour vous prendre un exemple, poursuivit la Maligou, le pauvre Petremol qui est mort il y a deux ans...

— Un premier janvier, dit Barberine.

— Tu dis vrai, un premier janvier. Or, comme vous savez, saint Avit l'avait depuis dix ans tordu et noué de rhumatismes épouvantables. Aussi Petremol, un mois avant sa mort, s'en fut à Saint-Avit, fit dire une messe au saint, et en plein hiver qu'on était, se mit nu comme ver, se frotta tout le corps avec l'eau glacée du saint, et guérit.

— Oh, pour guérir, dit mon père, il guérit si bien qu'un mois plus tard il mourut dans mes bras d'une congestion de la poitrine.

— Mais néanmoins, Moussu lou Baron, guéri des rhumatismes dont il souffrait.

— Certes ! Là où il est, je t'accorde qu'il ne souffre plus ! Ainsi saint Avit donne des rhumatismes, mais aussi les guérit ! C'est merveille !

— N'est-ce pas justice qu'il dénoue ce qu'il a noué, Moussu lou Baron ? dit la Maligou. Ainsi le saint de Sarazac tord les jambes des enfantelets, mais aussi les redresse.

— Moyennant une messe et quelques sols.

— Mais aussi en les frottant de l'eau de la fontaine.

— Qui vaut bien celle de notre puits, dit mon père. Bonnes gens, poursuivit-il en se levant et en prenant un ton grave, vous avez ouï la Maligou. Et quel homme, en écoutant cette pauvre caillette, n'aura pas admiré l'ingéniosité des prêtres à exploiter la crédulité du petit peuple. Ainsi au lieu d'honorer les saints pour les vertus chrétiennes dont leur vie témoigne, on en a fait de petits dieux et de petits démons, en tout semblables à ceux des païens. Car les Romains eux aussi avaient leurs saints et leurs saintes. Dans leurs lacs poissonneux vivaient, croyaient-ils, des naïades propices à leur pêche et ils jetaient dans l'eau non des piécettes, mais des vases, des bracelets et des fleurs.

Mon père fit une pause et dévisagea la Maligou avec sévérité.

— Ah, Maligou ! dit-il. On ferait un gros livre avec tout ce que tu crois et qui n'a d'autre existence que dans les replis de ta pauvre cervelle. Y compris que la Gavachette est fille de Roume, ce qu'elle n'est pas.

À cela qu'elle n'attendait point, la Maligou resta bouche bée et la Gavachette ouvrit tout grands ses beaux yeux noirs liquides et fendus en amande, regarda mon père mais ne dit rien.

— C'est méchante hérésie, poursuivit mon père avec feu, que d'attribuer à nos saints le pouvoir de guérir. C'est puante idolâtrie de faire d'eux des idoles et de les adorer. Il n'y a qu'un Dieu, et lui seul guérit l'âme et le corps. Et c'est Lui et Lui seul qu'il faut prier.

La Maligou, encore sous le coup de ce que mon père avait dit sur la naissance de la Gavachette (car ce forcement par le capitaine des Roumes en sa grange était la gloire et parure de sa vie), resta bouche cousue, les yeux fichés sur la table, et son gros corps graisseux tassé sur lui-même.

Personne, quand elle se tut, n'osa piper. À vrai dire, je ne crois pas que mon père, en quelques minutes, ait réussi à déraciner des croyances séculaires. Mais nos gens étaient trop habitués à plier sous l'autorité du curé pour ne pas plier sous celle de mon père, de Sauveterre, du ministre Duroy, gens graves, gens savants qui lisaient les livres et savaient les choses, et mon père, en outre, si grand médecin et soignant le populaire sans jamais réclamer un sol.

— Eh bien, reprit mon père, vous en savez maintenant assez. Vous connaissez les abus et les errements que nous voulons corriger. Allez-vous suivre vos maîtres dans la religion réformée ?

Personne ne se souciant de répondre le premier, il y eut un silence qui, en se prolongeant, ne laissa pas d'embarrasser la frérèche. Par bonheur, Annet, que la petite Hélix berçait dans ses bras et qui, jusque-là, s'était tenu fort sage, poussa soudain une hurlade à déboucher un sourd. La petite Hélix le passa alors à Barberine qui, délaçant sa cotte rouge, en fit sortir un gros, ferme et fastueux téton dont le petit hurleur happa le bout. De ses petites mains crochant ferme dans la chair blanche, il ferma les yeux et se tint coi en sa félicité. C'était un spectacle pour lequel, d'ordinaire, je n'avais jamais assez d'yeux, et je m'aperçus alors que je n'étais pas le seul, le beau sein gonflé et blanc comme neige de Barberine attirant tous les regards, y compris ceux de mon père, qui souriait en le contemplant, tandis que Sauveterre et le ministre Duroy, les yeux détournés, conversaient entre eux à voix basse. J'eusse rougi de me rêver, moi déjà si grand drole, à la place de l'enfantelet, et pourtant je sentais presque le bon lait chaud et sucré couler dans le fond de ma gorge, et j'enviais au surplus Annet de pouvoir pétrir de ses mains potelées le beau téton si rond et si gros, moi qui, dans le silence des nuits amicales, avais découvert ce plaisir avec la petite Hélix, dont, par malheur, les avantages ne se pouvaient comparer à ceux de sa mère. À la réflexion, je me sentis fort confus d'avoir, devant une telle assemblée, évoqué en moi-même ces péchés que je n'avais jamais consenti à dire en confession au curé Pincettes, de peur que ma mère, en ayant eu par lui connaissance, mît fin à là cohabitation qui les avait rendus possibles. Dieu merci, maintenant que je m'étais fait huguenot, ou, comme disaient nos gens, *ugonau*, je n'aurais plus à me confesser du tout, ce qui m'ôtait du cœur un poids immense, tant je redoutais ces entretiens avec Pincettes, son œil allumé, et sa curiosité insatiable.

Je suis sûr que personne, parmi les assistants, n'osa penser que Barberine allaitant son petit aurait pu servir de modèle à une statue de la Vierge Marie et de l'Enfant Jésus, et c'est bien pourtant ce qui me passa par la tête, tout *ugonau* que je fusse devenu. Mais je n'en soufflai mot, je n'aurais pas voulu contrister mon père qui, attendant la fin de la tétée pour reposer sa solennelle question aux domestiques, dit à Barberine, mi-taquin, mi-sérieux :

— Ma pauvre Barberine, il me prend grande envie de t'enlever ton collier d'agates pour bien te montrer qu'il n'est pour rien dans ta lactation.

— Ah ! Moussu lou Baron ! dit Barberine qui, à cette menace, sentit presque son lait refluer vers sa source, vous n'allez point me faire cela ! Vous me taririez ! Et mon petit Annet serait tout dépéri !

— Non, non, dit mon père en riant, je ne le ferai point, ma pauvre ! Garde tes agates, elles sont si jolies sur ta peau blanche ! (Sauveterre fronça ici le sourcil.) Et qui sait si ton imagination ne suffirait pas, tes agates ôtées, à te tarir ton lait ! Bonne nourrice ne doit pas être contrariée, tout un chacun sait cela.

Comme il disait, le petit Annet lâcha tout soudain sa proie et, gavé, s'endormit. Barberine le remit dans les bras de la petite Hélix et replaça le beau téton dans sa cotte, ce qui, à mes yeux du moins, fit tout d'un coup paraître la grande salle beaucoup plus triste.

— Eh bien, mes gens, dit mon père en reprenant sa gravité, revenons à nos affaires ! Qui ici va se déclarer pour la Réforme ? Parle, Michel Siorac !

— Je le veux, dirent ensemble Michel et Benoît Siorac.

— Cabusse ?

— Je le veux.

— Coulondre ?

— Je le veux.

— Marsal ?

— Je le veux.

— Jonas ?

— Je le veux.

— Faujanet ?

— Je le veux.

Mon père passa alors aux femmes, dont les « Je le veux » furent beaucoup moins francs et assurés, du moins quant à Barberine, Cathau et la Maligou, car pour la petite Hélix (treize ans et demi) et la Gavachette (six ans), tout cela n'était que bonne farce faite à Pincettes.

La Gavachette s'étant déclarée, mon père s'avisa qu'il n'avait pas posé sa question à Catherine qui, étant sa fille, eût dû venir en premier, avant même les frères Siorac. Catherine avait noté cette omission, et se croyant déjà bannie de l'amour de son père, pâle et ses yeux bleus tout près des larmes, elle baissait la tête, ses tresses blondes pendant avec mélancolie le long de ses joues.

— Eh bien, Catherine, ma fille, dit mon père avec un bon sourire, je vous ai oubliée je crois. Mais vous avez entendu ma question : voulez-vous être, comme votre père, de la religion réformée ?

— Je le veux, dit Catherine d'une voix tremblante, et elle éclata en sanglots.

Mon père, qui n'ignorait pas que la raison de ces

larmes touchait à ma mère, se rembrunit et, se levant, dit d'une voix abrupte :

— Barberine, il serait temps que tu couches les enfants. Ils n'ont que trop veillé.

Barberine se dressait pour rassembler son monde quand Coulondre ouvrit la bouche comme un poisson. Cela voulait dire qu'il allait parler, activité chez lui si inhabituelle qu'elle demandait une certaine préparation, car de sa bouche ouverte ne sortit d'abord aucun son. Mais personne ne s'y trompa : Coulondre allait dire tout haut sa pensée. Événement si rarissime que tous les yeux étonnés se fixèrent sur lui et que Barberine, malgré l'ordre qu'elle avait reçu, s'immobilisa.

Coulondre avait posé son bras ou plutôt son avant-bras de fer sur la table pour soulager l'épaule de son poids. C'était un homme dont le poil, la quarantaine à peine franchie, blanchissait déjà. Ses traits, dans un visage long comme carême, étaient tous tirés vers le bas : le coin des yeux, les commissures des lèvres, le nez. Il avait, à table, une façon à lui de clore les yeux qui ne donnait guère envie de lui parler. D'ailleurs, personne n'aurait été très désireux d'ouïr sa réponse. Car lorsque Coulondre Bras-de-fer émettait, non pas un grognement, mais des sons articulés, ce n'étaient que propos tristes et calamiteux. La veille du départ de mon père pour la guerre, Cabusse montrant aux enfants les bâtons à feu, je m'étais exclamé avec enthousiasme : « Voilà de fières armes, et qui vont occire beaucoup d'ennemis. » Et Coulondre avait dit : « L'ennemi a les mêmes », avec un regard et sur un ton qui impliquaient que pas un d'entre eux, mon père compris, n'en réchapperait.

Tels étaient la pente et le talent particulier de Coulondre : il dépouillait l'avenir de tout vestige d'espoir. Aussi, à Mespech, non seulement le domestique, mais même la frérèche, avaient fini par redouter que Coulondre s'exhalât en paroles, car ce n'étaient alors que vapeurs de soufre, remarques à vous brûler le cœur, vérités écrasantes — si grand était son art pour toujours découvrir et révéler le pire côté des choses.

— Moussu lou Baron, dit-il de la voix rauque des gens taciturnes, je voudrais poser une question.

— Pose, pose, mon pauvre Coulondre ! dit mon père avec son enjouement habituel, mais néanmoins inquiet, comme nous tous, de ce que notre grand silencieux allait dire.

— Moussu lou Baron, reprit Coulondre, est-ce que désormais on fêtera les fêtes des saints à Mespech comme on a fait jusque-là ?

On se regarda, et mon père hésitant à répondre, Sauveterre dit d'un ton sec :

— Il n'y a pas de raison de fêter désormais les fêtes des saints, puisque dans la religion réformée, nous n'en célébrons pas le culte.

— Je me le pensais aussi, dit Coulondre d'un ton funèbre, et il ferma les yeux.

Tous les regards convergèrent vers lui, et un silence désolé s'abattit sur la table. Il y eut parmi nos gens une telle consternation et un si grand ébahissement qu'ils ne surent plus — si j'ose dire — à quel saint se vouer. Ils venaient de comprendre qu'ils avaient perdu, en cette seule soirée, une bonne cinquantaine de jours chômés par an.

C'est le lundi 23 décembre dans l'après-midi (ce dramatique entretien est consigné *in extenso* dans le *Livre de raison*) que le Baron de Siorac, M. de Sauveterre, le ministre Duroy et les quatre frères Caumont, dont l'aîné François était seigneur des Milandes et de Castelnau, firent comparaître devant eux, en la librairie de mon père, la Baronne de Siorac pour l'instruire dans la religion réformée et l'inviter à se convertir.

En bons Capitaines, Siorac et Sauveterre avaient rondement mené l'affaire de la conversion de Mespech. Avec le brillant sens tactique qu'avait montré Guise à Calais, ils avaient conquis un à un tous les forts et fortins qui défendaient la ville avant de porter soudain le gros de leurs forces contre la citadelle. Mais s'ils avaient cru bénéficier, au surplus, de l'effet de surprise, ils se trompaient. Car par Franchou — que Barberine, d'heure en heure, renseignait — Isabelle savait tout des progrès de la Réforme dans nos murs, et comment son mari, ses fils, sa fille, les frères Siorac, Cabusse et Cathau, et tout le domestique, hommes et femmes, s'étaient ralliés.

Isolée et comme cernée de toutes parts par « l'hérésie », Isabelle ne se laissa point abattre, bien au contraire. Et l'orgueil aussi raide et rougeoyant que crête de coq, elle apparut dans la librairie de mon père en sa fraise et ses affiquets et superbement vêtue, ses beaux cheveux blonds ornés des perles héritées de ses aïeux (mon père n'ayant certes pas le cœur à dépenser les écus de la frérèche en parures si frivoles).

Ce fut elle aussi qui, avant même que mon père ouvrît la bouche, attaqua.

— Messieurs, dit-elle d'un ton hautain, que faites-vous si nombreux céans ? Vous liguez-vous contre moi ? Êtes-vous mes juges ? Comptez-vous me mettre à la question quand vous aurez fini ? Est-ce pour cela que vous avez convoqué mes quatre cousins Caumont ? Sept hommes contre une malheureuse femme, et celle-ci assistée de personne, vous sentez-vous assez forts pour me vaincre ?

— Madame, dit mon père assez ému de ce début, et de la hauteur où d'emblée sa femme s'était mise, ce discours n'a pas de sens et encore moins de raison. Personne ici ne vous veut du mal, bien au contraire. Et nous désirons tous du plus profond de notre cœur que vous soyez sauvée. Si vous voyez ici vos cousins Caumont, c'est qu'ils sont tout ce qui vous reste de votre illustre famille, et qu'ayant avoué depuis longtemps la religion réformée, ils ont désiré d'être présents quand vous serez appelée par nous à rejoindre nos rangs. Quant à monsieur Duroy, que vous voyez céans...

— Je ne connais pas ce maraud, dit ma mère de son air le plus altier, et je ne désire pas l'écouter.

— Maraud, madame ? dit mon père avec un haut-le-corps. Monsieur Duroy est ministre de notre religion, homme des plus savants et d'une vertu rare. Vous lui devez le respect.

— Monsieur mon mari, dit Isabelle, je dois le respect aux prêtres et prélats de la Sainte Église où je fus élevée ainsi que tous mes aïeux avant moi, ainsi que le Roi de France Charles IX, notre maître et souverain, et je m'y tiendrai avec fidélité jusqu'à mon dernier souffle. Quant à vos pestiférés hérétiques, je ne veux rien avoir de commun avec eux !

Cela fut dit avec tant de force et de dédain qu'un long silence suivit. Sauveterre, Duroy et les Caumont paraissaient changés en pierre. Quant à mon père, il se leva et fit quelques pas dans la pièce, les poings serrés, ivre de rage et du tout capable de parler.

— Isabelle, dit-il enfin d'une voix blanche en se tournant vers elle, prenez garde ! Nous sommes tous ici, comme vous dites, des « pestiférés hérétiques », et si vous ne voulez rien avoir de commun avec nous, cela veut dire que vous allez reniant votre famille entière.

À ce coup, Isabelle comprit qu'elle avait été un peu loin et se tint coite, mais toujours aussi raidie en son attitude rebelle, le buste droit et la tête redressée. Néanmoins son silence permit à mon père de se calmer, de se rasseoir et de reprendre la parole. Ce qu'il fit d'une voix détimbrée par la colère et par l'effort qu'il faisait pour la maîtriser.

— Madame, je vous prie de prendre place sur ce fauteuil, et de bien vouloir écouter ce que le ministre Duroy va vous dire touchant notre religion.

— Non, monsieur, je resterai debout, dit Isabelle d'un ton plus doux mais tout aussi résolu. Je n'ouïrai pas les dangereuses nouveautés que vous-même et les vôtres cherchez à introduire dans la foi de nos pères !

— Mais, ma cousine, dit Sauveterre avec indignation, c'est bien là votre mortelle erreur et elle ne procède que de votre volontaire ignorance. La nouveauté n'est pas notre fait, à nous qui essayons, bien au contraire, de retrouver la source pure et claire du christianisme, dont l'Église romaine a fait un grand fleuve boueux, en y mêlant des coutumes, des idolâtries, des monstruosités et, comme vous dites, des nouveautés. Notre gloire est d'adhérer strictement à la parole de Dieu telle qu'elle se révèle à nous dans l'Ancien et le Nouveau Testament. C'est là une source pure où, pour peu qu'il sache lire, tout un chacun peut boire.

— Et se forger à lui-même sa petite religion, à la faible lueur de son petit bon sens, dit Isabelle avec sarcasme. Non, mon cousin, l'Église a raison de tenir pour une invention pestilentielle d'avoir traduit, comme firent vos huguenots, l'Ancien et le Nouveau Testament en langue vulgaire, et de les avoir répandus, comme vous fîtes, chez les gentilshommes, les bourgeois et le petit peuple, au risque de gâter et de pourrir de fond en comble la religion chrétienne.

— Quoi ! dit mon père, c'est nous qui pourrissons la religion chrétienne ! Alors que nous essayons de retrouver la pureté primitive de sa source en abreuvant le monde de la parole de Dieu ! Cette parole que vos prélats et votre Pape ont presque étouffée sous les additions, les superstitions et les extravagances !

— Monsieur, dit Isabelle, ne parlez pas ainsi du très Saint Père, ou je quitterai la place.

— Madame, dit alors d'une voix douce et grave le ministre Duroy, si vous vouliez bien user de l'humilité du chrétien, vous iriez chercher la parole de Dieu, non pas dans la bouche des hommes, mais dans la Sienne, en Ses Saintes Écritures. Et vous n'auriez pas alors appelé le Pape « le très Saint Père ».

— Et pourquoi, s'il vous plaît ? dit ma mère avec hauteur, mais assez frappée, quoi qu'elle en eût, par l'apparence vénérable du ministre Duroy.

— Parce que le Christ a dit (Saint Matthieu, chapitre 23) : « N'appelez personne sur la terre votre père, car un seul est votre père, celui qui est dans les cieux. »

C'eût été bien mal juger ma mère que d'espérer qu'elle pût être écrasée, ou même ébranlée, par cette objection.

— Mon humilité à moi, dit-elle en redressant la tête, consiste à ne pas faire fond sur la faiblesse de mes lumières, à ne pas interpréter, selon ma petite jugeote, les livres canoniques, et à me reposer, touchant cette interprétation, sur la sagesse des docteurs de l'Église et des saints prélats qui depuis tant de siècles ont défini les dogmes et les rites.

— Et, dit le ministre Duroy, accumulé les erreurs, corrompu et déformé les paroles divines, et fait boutique et marchandise des sacrements.

— Monsieur, je ne vous écoute pas, dit Isabelle.

— Il vous sied bien de parler d'humilité, madame ! dit mon père avec véhémence, vous qui, depuis le début de cet entretien, bravez votre famille et votre mari avec un orgueil luciférien ; vous qui avez des oreilles pour ne pas ouïr la vérité, et des yeux pour ne pas la voir ; vous que j'aime, et que j'ai priée plus de mille fois, parfois même à mains jointes, dans les nuits où la pensée insupportable de votre damnation me tenait éveillé, de lire, madame, de lire, de consentir à lire, ne fût-ce qu'une fois, l'Ancien et le Nouveau Testament.

Ce « vous que j'aime » fit pâlir Isabelle et la fit vaciller davantage que tout ce qui avait été dit jusque-là. Mais elle se reprit presque aussitôt et dit avec la dernière fermeté :

— Je lis mon missel romain, et les Heures de la Bienheureuse Marie, car ce sont livres permis. Mais je ne lirai ni l'Ancien ni le Nouveau Testament, car l'Église me le défend. Et je tiens pour assuré que, hors de l'Église, point de salut.

— Que dites-vous, madame ? cria mon père en pâlissant. Et se tournant vers le ministre Duroy, il dit avec douleur d'une voix étouffée :

— Avez-vous ouï ce blasphème ?

— Hélas, dit Duroy, c'est une rare abomination que de substituer l'Église romaine au Christ et d'en faire une idole. Madame, c'est hors du Christ qu'il n'y a point de salut.

Isabelle, que jusque-là le courroux de mon père n'avait pas intimidée, parut assez frappée, non par la remarque de Duroy, mais par le manifeste chagrin où ses paroles avaient plongé son mari. Elle se tut, et il y eut alors une sorte de pause tacite entre les combattants, comme si chacun d'eux reprenait souffle et tâchait de se remettre de tous les coups dont il était navré.

Geoffroy de Caumont prit à son tour la parole. Le plus acharné religionnaire des quatre frères Caumont, il était prieur de Brive et Abbé d'Uzerche, de Vigeais et de Clairac. Mais en se faisant huguenot, il n'avait pas abandonné pour autant ses fonctions et bénéfices, convertissant ses ouailles et ses moines tambour battant, et point par des moyens fort doux. Au physique, c'était un homme de taille moyenne, aux yeux quelque peu farouches, noir de peau et de poil.

— Ma cousine, dit-il d'une voix rude, vous pour qui toute tradition est sainte, vous devriez bien suivre celle des femmes de notre famille et obéir à votre époux. Vous ne faites point honneur aux Caumont par votre entêtement. Vous êtes plus acaprissat, ma cousine, que la plus butée des chèvres, et prenez garde que votre opiniâtreté ne dégoûte de vous votre mari et ne fasse qu'il vous répudie.

— Quand même mon mari me renverrait, dit Isabelle d'une voix tremblante, je suis trop assurée de votre bonne amitié pour moi, mon cousin, pour craindre que vous me délaissiez.

— Que si, madame ! dit Geoffroy de Caumont en fronçant le sourcil. Que si ! Ni mon aîné, ni mes cadets François et Jean, ni nos parents alliés et amis ne voudraient alors de vous, et il n'y aurait point de retraite pour vous dans toute l'étendue de la province.

Isabelle fit face avec vaillance à ce coup. Elle dit d'une voix assurée :

— Monsieur, quand vous me délaisseriez, l'Église ne me délaissera pas. Et j'aime mieux être la plus misérable de la terre que de quitter l'Église pour les hommes.

— Idolâtre ! cria mon père avec un mélange de douleur et de colère. L'Église ! Toujours l'Église ! Et Dieu, madame, qu'en faites-vous ?

— Pour moi, dit Isabelle, l'Église et Dieu, c'est tout un.

Un silence consterné suivit ces paroles, et Geoffroy de Caumont dit avec fureur :

— Madame, ayant un mari, un frère, des fils, et toute votre famille de la religion réformée, comprenez qu'en restant papiste vous rompez avec ceux de votre sang et de votre alliance les liens naturels et sacrés. Et par tous, à cette heure, vous ne serez plus tenue pour l'épouse, mais pour la garce du Baron de Siorac !

— Il se peut, dit Isabelle en se redressant, mais alors, monsieur, de cette garce, il se trouve que vous avez été le maquereau, car Dieu sait si vous avez poussé à ce mariage !

Geoffroy de Caumont blêmit, et mon père, à qui les mots de « répudiation » et de « garce » avaient fait autant de mal qu'à Isabelle, se leva et dit d'une voix brève, mais avec assez de courtoisie :

— Madame, cet entretien vous a éprouvée. Nous allons y mettre un terme. Et avec votre permission, je vais vous raccompagner dans votre appartement.

— J'irai bien seule, dit Isabelle.

Les larmes aux yeux, mais invaincue et indomptée, elle pivota sur ses talons, et faisant sonner sa canne sur le plancher, quitta la pièce dans un majestueux mouvement de sa large jupe.

Isabelle restant ancrée, inébranlable, dans la foi de ses pères, et refusant tout accommodement, la dispute entre elle et mon père se poursuivit des mois et des années. Elle fit rage, en fait du 23 décembre 1560 au 15 avril 1563, ébranlant Mespech jusque dans ses fondements. Le ferment de désaccord et presque de haine que cette furieuse querelle fit lever dans notre communauté jusque-là ordonnée et paisible, non seulement creusa un fossé entre mari et femme, mais tirailla le domestique, décontenança les enfants, et par moments même — surtout quand il s'agit de savoir s'il fallait ou non renvoyer Franchou — divisa la frérèche.

Malgré ses grands airs, ses picanieries et ses petits coups de canne, ma mère savait se faire aimer de ses chambrières, et Franchou, après Cathau, avait conçu en peu de mois pour elle une affection quasi dévote. Ce qui fit que la frérèche et le ministre Duroy, entreprenant de convertir la servante après la maîtresse, et croyant la tâche facile, furent bien ébahis de se heurter à un mur. D'emblée et tout à plat, Franchou, croisant sur ses forts tétons ses bras rouges, déclara par la Vierge et par tous les saints qu'elle ne voulait rien ouïr des méchancetés qui avaient fait pleurer Madame, qu'elle aimait Madame, et qu'elle voulait vivre et mourir dans la religion de Madame. De cette position elle ne voulut branler, ni par douceur ni par menace.

Mon père fut fort irrité de trouver la pauvre chambrière si entêtée, mais en son for intérieur il ne laissait pas d'être touché par la grande amour qu'elle avait pour sa maîtresse, et Franchou sortie, la rude proposition de Sauveterre de la congédier sur l'heure le prit très à contre-poil. L'œil sourcilleux et le ton abrupt, il repartit qu'il y aurait de la cruauté à priver Isabelle de sa chambrière dans un moment où elle se sentait déjà si isolée à Mespech, et que d'ailleurs, touchant la servante de sa femme, à lui seul revenait la décision. Ayant dit, il tourna le dos et quitta la pièce, laissant Sauveterre grandement navré de ce ton, de ce regard, de ce propos.

Ainsi sur la grande querelle s'en greffa une petite entre les deux frères, non sans épines pour l'un et l'autre, et qui dura un grand mois. Car Sauveterre, bientôt assisté du ministre Duroy, revint à la charge. Ils représentèrent quel déplorable exemple Franchou allait donner à tout le domestique, et en particulier à Barberine et à Maligou, très attachées encore aux superstitions papistes et admirant fort Madame en sa rébellion. Cette mauvaise pomme allait donc gâter tout le panier et créer à Mespech un clan féminin gagné plus ou moins ouvertement à Isabelle, et qui ne serait sans influence ni sur les enfants ni sur les hommes. Du reste, si l'on pouvait se reposer sur le discernement et la discrétion d'Isabelle dans ses rapports avec Pincettes, celui-ci n'aurait-il pas beau jeu, oyant la naïve Franchou en confession, à lui tirer du nez tous les vers qu'il voudrait et à en faire rapport aussitôt à l'Évêque de Sarlat, renseigné ainsi, de semaine en semaine, sur tout ce qui se passerait à Mespech ?

Ces raisons persuadèrent à la fin mon père, mais n'ayant pas le cœur à jeter Franchou sur les chemins (d'autant que, sans penser à mal, il avait un faible pour elle), il lui trouva une place chez une dame huguenote de Sarlat qui la traita bien, s'en fit aimer, et en moins d'un mois la convertit. Mon père fut si heureux de ce dénouement qu'il n'allait jamais à Sarlat sans visiter notre ancienne chambrière, lui porter un petit présent, et, à sa manière enjouée, tapotant ses beaux bras rouges, il lui plaquait deux gros baisers sur ses joues fraîches. Tout ceci innocent et public, et souvent devant moi, mais qui cependant m'étonnait un peu, car je sentais bien que mon père n'eût pas agi ainsi à Mespech.

Ma mère, cependant, de se voir enlever Franchou si peu de temps après Cathau, fut plongée dans le désespoir, et conçut contre mon père un vif ressentiment. Elle le poursuivait du matin au soir, et même la nuit, de ses âpres récriminations, si bien que mon père, évitant sa présence, fuyait de pièce en pièce comme s'il eût eu à sa queue et ses talons une dizaine de diables. « Tu as bien dit, Jean, confiait-il à Sauveterre sur son *Livre de raison*, le sein m'a caché la médaille, et de cette médaille, voici maintenant le revers. » Ce fut bien quand, pour remplacer Franchou, la frérèche s'avisa de donner à Isabelle Toinon, une fille de Taniès, que le ministre Duroy avait convertie. À peine ma mère apprit-elle qu'on avait placé une hérétique à son service qu'elle prit celle-ci en horreur et la persécuta, dégorgeant contre elle un milliasse d'injures, l'appelant « oiselle, sotte caillette, coquefredouille, gueuse, loudière, ribaude, petit excrément », et j'en passe. Je l'ai vue de mes yeux, alors que Toinon lui tenait un miroir pour l'aider à se pimplocher, la piquer au bras d'une épingle, et jusqu'au sang, pour la punir d'avoir bougé. Au bout d'un mois de ce traitement, souffletée, bastonnée, injuriée et piquée, la pauvre Toinon, en larmes, fit son paquet et s'en alla.

— Madame, dit mon père, si vous faites l'enfant, en place d'une chambrière, je vous baillerai une gouvernante.

Et on vit arriver à Mespech une vraie montagne de femme, forte huguenote, moustachue et carrée, l'œil sévère et la bouche serrée, dominant ma mère de deux bonnes têtes, et accueillant ses injures avec un tranquille mépris. Pendant deux semaines, ma mère hésita à la souffleter, tant sa large face, si haut au-dessus d'elle, lui paraissait hors d'atteinte. Mais enfin, par une belle matinée d'été, en la chambre de ma mère, la bataille éclata.

— Alazaïs, dit Isabelle, mets cette table là.

Sans un mot, Alazaïs souleva le lourd meuble comme plume et le plaça où ma mère le lui avait dit.

— À la réflexion, dit Isabelle, cet endroit ne me convient guère. Mets-la donc par ici.

Alazaïs obéit.

— Ou plutôt non, dit Isabelle, pose-la plutôt dans ce coin.

Alazaïs obtempéra, mais quand ma mère voulut derechef lui faire branler la table, elle dit de sa voix rude :

— Madame, c'est assez s'amalir. Foin de tous ces caprices. La table restera où elle est.

— Gueuse ! cria Isabelle hors d'elle-même. Oses-tu bien m'affronter ? Et saisissant sa canne, elle la leva pour l'en navrer.

Mais Alazaïs, sans bouger d'une semelle, saisit la canne, l'arracha des mains d'Isabelle, la brisa en deux sur son genou et en jeta les morceaux par la fenêtre. Celle-ci donnait sur l'étang qui entourait Mespech, et pendant plus d'un mois tout le domestique put voir, non sans quelque ébaudissement secret, les deux tronçons flotter sur l'eau.

Isabelle poussa un rugissement qui fit accourir mon père. Comme il ouvrait la porte de l'appartement, il vit ma mère pâle, échevelée, les yeux hors de la tête, se ruer sur Alazaïs, un petit poignard à la main. Mais la robuste chambrière, sans reculer d'un pouce, lui saisit le poignet au vol, le lui tordit, et l'arme tomba sur le plancher où elle se piqua et où mon père, tout aussitôt, la prit.

— Monsieur, hurla ma mère, si cette horrible ribaude ne quitte pas les lieux sur l'heure, c'est moi qui partirai.

— Asseyez-vous, madame, dit mon père d'une voix sans réplique, et cessez vos cris. Si vous en êtes à vouloir assassiner nos gens, il vaut mieux, en effet, que vous quittiez la place. Car, sachez-le, eussiez-vous eu le malheur de tuer votre chambrière, je vous aurais livrée aux juges à Sarlat pour y languir en cellule jusqu'à la fin de vos jours.

— Ah ! monsieur, je le vois bien, vous ne m'aimez plus ! dit Isabelle, les larmes lui jaillissant des yeux et, en son désespoir, se tordant les mains.

— Par malheur si ! dit mon père en se laissant aller sur une chaise avec un air de lassitude et de chagrin qui fit plus d'effet sur Isabelle que tous les reproches de la terre.

Il ajouta avec un soupir :

— Hélas, si je ne vous aimais, je ne souffrirais pas vos folies une minute de plus.

— Suis-je donc si folle, mon pauvre Jean ? dit ma

mère en se jetant à ses genoux et en l'entourant de ses bras.

— À lier, dit mon père, qui oncques ne sut résister à la beauté de ma mère, à ses larmes, à ses manières enjôleuses. Et en cette occasion, touché encore de la voir si douce à ses pieds, il la serra contre lui et baisa ses lèvres.

À cette vue, Alazaïs écarquilla les sourcils, quitta la chambre, et de son pas lourd et résolu d'arquebusier, s'en alla trouver Sauveterre en sa tour.

— Moussu, dit-elle de sa voix rude, me crezi que quitaray[1].

— Et pourquoi donc, ma pauvre ? dit Sauveterre.

— Je le vois bien, Moussu lou Baron est tout ensorcelé de sa papiste. Elle a tâché de m'occire, et trois minutes après, le voilà qui la mignonne et lui lèche le morveau.

Alazaïs ne quitta pas Mespech, et l'ensorcellement de mon père ne dura que le temps qu'il fallut pour qu'Isabelle conçût. Aussitôt notre Barberine dut s'absenter pour se faire bailler un enfant par son mari, et la petite Hélix reçut à nouveau le commandement de la tour et des enfants, ce qui donna plus d'aise aux sournoises délices de mes nuits.

L'épisode du poignard et la réconciliation qui s'ensuivit ne furent dans la longue querelle entre Isabelle et mon père qu'une brève accalmie, après quoi la tempête, jour et nuit, recommença, ma mère à peine enceinte ayant déclaré tout de gob, et non sans quelque braverie, que l'enfant à naître serait baptisé selon le rite de son Église, comme mon père le lui avait promis à son mariage. C'était jeter de l'huile sur le feu, lequel flamboya à nouveau et jusqu'au ciel, non sans grand chagrin de part et d'autre, mon père, à proportion qu'il aimait si fort Isabelle, désespéré à

1. Je crois que je vais m'en aller.

la pensée qu'en persévérant dans ses idolâtries papistes elle se vouait, ainsi que son futur fils, à la damnation éternelle.

J'avoue qu'en mes ans les plus tendres comme ce jour d'hui en mon âge mûr je ne vois pas les choses ainsi. Élevé comme je le fus entre deux religions, et amené à choisir l'une d'elles par une pression qui ne fut pas petite, je ne puis haïr celle que j'ai abandonnée, ni détester ses « erreurs » autant que le faisait mon père ni croire que ceux qui de bonne foi les partagent soient voués à l'Enfer, et ma pauvre mère moins qu'une autre. Mais bien peu de gens, hommes et femmes, se trouvaient en ces temps-là dans des dispositions aussi tolérantes, comme la suite le fit bien voir.

Car le cruel différend de Mespech n'était que la moindre image et le reflet en très petit de ce qui se passait au même instant dans le royaume entier entre catholiques et huguenots, amenant ces émotions, ces tumultes et, pour finir, ces affreuses guerres civiles par lesquelles la fortune de France fut presque portée en la terre.

CHAPITRE VII

Étienne de La Boétie, fils du lieutenant-criminel qui avait aidé la frérèche à acquérir Mespech, avait été nommé très jeune, en vertu de ses grands talents, conseiller au Parlement de Bordeaux, et chaque fois qu'il partait visiter en son château Michel de Montaigne, « son intime frère et immutable ami », il poussait jusqu'à Sarlat, se reposait deux ou trois jours dans sa maison natale ou, si la saison le permettait, dans le petit manoir qu'il possédait à une lieue de la ville, ne manquant jamais, au retour, de s'arrêter à Mespech.

Je lis sur le *Livre de raison* de mon père qu'il dîna

avec la frérèche le 16 décembre 1561. Le hasard voulut que se trouvât là le cousin d'Isabelle, Geoffroy de Caumont, aussi acharné huguenot, je l'ai dit, qu'elle était catholique intraitable.

Ce qui donnait beaucoup d'intérêt à cette fortuite rencontre des deux hommes, c'est que la Régente, connaissant la grande réputation de sagesse d'Étienne de La Boétie, venait de l'adjoindre comme conseiller à M. de Burie, lieutenant général de Guyenne (mais non point le seul en ces fonctions, hélas!), lequel Burie avait fort à faire, en ces temps troublés, à accommoder ou raccommoder tous les sujets du Roi. Le repas, devant nos gens, se passa en civilités, mais après dîner les messieurs se retirèrent comme à l'accoutumée dans la librairie de mon père, où brûlait un grand feu, et là l'entretien prit une autre tournure, Étienne de La Boétie évoquant les émotions qui venaient de surgir entre catholiques et réformés dans l'Agenais, le Quercy et le Périgord.

Cette conversation, mon père la transcrivit *verbatim* le lendemain sur son *Livre de raison*, tant il aimait l'éloquence qui coulait sans effort des lèvres de La Boétie, élégante et nombreuse, et substantielle aussi, car le grain était aussi lourd que la paille était belle. N'est-ce pas pitié que la mort nous ait ravi si jeune un si clair génie, qui eût pu prétendre aux plus hauts emplois du royaume et y porter sa sagesse et sa modération ?

Il apparut vite que La Boétie ne faisait pas ces contes pour rien à la veillée, mais qu'il avait ès qualités une mise en garde à adresser, sinon à la frérèche, du moins à Geoffroy de Caumont, qu'il ne cessa de regarder de ses beaux yeux lumineux, tandis qu'un sourire éclairait son visage assez laid, mais dont on oubliait la laideur dès qu'il ouvrait la bouche.

— Le malheur, dit-il avec un sourire, c'est que les hommes ne souffrent pas facilement les croyances d'autrui. Depuis que Catherine de Médicis et Michel de L'Hospital ont mis un terme aux persécutions dont vous souffriez, la Réforme s'est beaucoup renforcée, surtout dans nos provinces du Midi, et vos huguenots, messieurs, en devenant plus forts, sont devenus aussi plus intolérants. À Agen, je ne vous apprends rien en vous rappelant qu'ils se sont emparés par les armes de l'église Sainte-Foy, ont brisé les croix et les autels, rompu les images et les reliques, brûlé les ornements sacerdotaux et les missels, et ont fait de l'église un temple dont ils interdisent l'entrée aux prêtres catholiques. Ils ont agi de même à Issigeac et en maints autres endroits.

— C'est, dit Geoffroy de Caumont, l'œil sombre et la voix rude, que nous ne pouvons pas admettre le culte idolâtre rendu par les papistes à ces reliques, à ces croix, à ces statues, idolâtrie si contraire, comme vous savez, Monsieur de La Boétie, à la parole de Dieu.

— Mais si, monsieur l'Abbé de Clairac, dit La Boétie avec une douce ironie, il faut l'admettre, pour peu que vous vouliez que les catholiques souffrent aussi vos temples dénudés. L'iconoclastie des réformés, outre qu'elle détruit parfois des chefs-d'œuvre, blesse les consciences de beaucoup de bons sujets du Roi qui ont mêmes droits que vous en ce royaume.

— Si ces bons sujets-là avaient l'oreille du Roi, dit Caumont, le sourcil froncé, ils nous enverraient tous au bûcher. On l'a bien vu sous Henri II et sous François II.

— Guise et les Guisards étaient alors les maîtres, dit La Boétie, mais avec la régence de la Reine mère, les temps ont bien changé.

Il ajouta avec un sourire :

— Et croyez-vous que je vous brûlerais, monsieur de Caumont, si j'en avais le pouvoir ?

— Ah ! monsieur de La Boétie ! dit mon père en riant, c'est que vous êtes un catholique hors du commun, et, comme votre intime ami, Michel de Montaigne, un homme ondoyant et divers : Vous servez fidèlement le Roi, mais en vos jeunes ans, vous avez écrit une très belle déclamation contre le pouvoir absolu. Et vous êtes une sorte bien particulière de papiste. Vous oyez la messe, certes, mais vous êtes antiromain dans l'âme, hostile aux images, aux reliques, aux indulgences, et partisan de profondes réformes en l'Église. Et vous poussez si loin l'esprit de conciliation qu'à Agen et Issigeac vous avez conseillé à M. de Burie tout bonnement de partager les églises à mi-temps entre catholiques et réformés. Ce qui fut fait.

— Et n'eut, malgré tout, guère de suite, dit Caumont. Malgré votre modération, monsieur de La Boétie, et peut-être vos sympathies pour nous, vous n'avez pu empêcher le massacre de trente des nôtres en la maison d'Orioles à Cahors il y a à peine un mois. Et mort d'homme n'est-elle pas plus déplorable que la destruction des statues, des reliques et des croix ?

— Certes, dit La Boétie, mais une enquête est en cours à Cahors. La Reine mère y a commis deux commissaires civils. Et n'était-ce pas une mortelle erreur, monsieur de Caumont, qu'ont fait les vôtres en tuant le vieux Baron de Fumel en son château ?

— Mais je n'y suis pour rien, et je n'y étais pas ! dit Caumont en rougissant de colère. Et vous n'ignorez pas que le Baron de Fumel, d'après ce qu'on m'a dit, avait fait une braverie à ses sujets protestants en interdisant le prêche d'un ministre en son domaine.

— On dit tant de choses ! s'exclama La Boétie. M. de Montluc qui, comme vous savez, partage avec M. de Burie la lieutenance générale de Guyenne, affirme que c'est vous, monsieur de Caumont, qui soutenez en sous-main toute la sédition huguenote dans l'Agenois et le Périgord.

Geoffroy de Caumont se leva si brusquement que sa chaise tomba à terre.

— Mais qui est Montluc ? cria-t-il en mettant d'instinct la main à la poignée de son épée. Une créature de François de Guise ! Un homme qui ne croit ni à Dieu ni à Diable, et ne sert que ses intérêts en prétendant servir le Roi. Est-il vrai, monsieur de La Boétie, qu'il va recevoir de Philippe II des fantassins espagnols ?

— C'est vrai, par malheur, dit La Boétie, et je vois là raison de plus pour vous d'être prudent.

— Je vous en prie, Caumont, dit mon père, remettez votre chaise sur ses pieds et, de grâce, asseyez-vous. Monsieur de La Boétie est notre ami et ne vous donne que de bons et beaux conseils.

Il y eut un assez long silence. Caumont se rassit, l'air très rembruni et les lèvres serrées. La Boétie le regarda d'un air grave, secoua la tête et reprit au bout d'un moment :

— Monsieur de Caumont, ne prenez pas à mal ce que je vous dis. Mais votre famille s'avance beaucoup trop. Votre beau-frère, le Baron de Biron, aurait donné asile à des huguenots séditieux. Votre aîné, François de Caumont, a fait de l'église des Milandes un temple, privant ses sujets catholiques de leur lieu de culte, Montluc a fait de cela un rapport à Catherine de Médicis, à qui cette usurpation a déplu, comme l'a navrée la mort du Baron de Fumel, dont elle dit qu'elle va porter le deuil. Il serait peu sage, monsieur de Caumont, de donner l'impression à la Régente, déjà si alarmée de ces tumultes, que nos huguenots de Guyenne sont des séditieux qui ne songent qu'à se rebeller contre la loi du Roi.

Caumont, l'air irrité, ouvrit la bouche, puis se ravisa et se tut, et comme son silence persistait, M. de La Boétie lui dit sur le ton le plus amical, mais non sans fermeté :

— Hélas, monsieur l'Abbé de Clairac, je le sais, l'Église romaine est merveilleusement corrompue d'infinis abus. Je ne mets pas en doute votre sincérité à les vouloir réformer. Mais qu'obtiendrez vous par la force ? La répression. Montluc en a les moyens. Par nature il incline au sang. Et M. de Burie ne pourra toujours le contenir. Qui pis est, la position des protestants de Guyenne est moralement faible : Ils demandent au Roi la liberté de leur culte, mais eux-mêmes, là où ils sont les maîtres, ne l'accordent pas à ceux qui suivent le culte du Roi.

M. de La Boétie fit une pause et ajouta sur le ton le plus pressant :

— Je vous en prie, monsieur de Caumont, ne tombez pas en ces extrémités. Ne soyez point si âpre et si violent. Accommodez-vous aux catholiques. Ne faites point de bande et de corps à part. Vous voyez quelles ruines cet esprit de parti a déjà apportées au royaume, où se voient partout une extrême désolation et les pièces éparses d'un État démembré. Si ces tumultes doivent se poursuivre, je crains le pire.

Caumont, à ce discours pressant, ne répondit pas un seul mot, mais les yeux à terre, le corps droit et raidi sur sa chaise, il garda un silence farouche. La Boétie changea alors de sujet, fit des compliments à la frérèche sur la prospérité de Mespech, et après quelques minutes de cet entretien, échangeant avec Siorac et Sauveterre des regards désolés, il prit congé.

Il me faut dire ici quelques mots sur l'émotion de la maison d'Orioles à Cahors. Bien qu'elle fît, en fait, plus de victimes parmi les nôtres que le massacre de Vassy, celui-ci est bien plus connu des Français pour la raison que l'on verra plus loin. Cependant, le tumulte de Cahors donne déjà l'image et le modèle de ce qui se passa quelques mois plus tard à Vassy, et en tant d'autres lieux où les tueries de protestants dans les premiers mois de 1562 préludèrent à la première de ces affreuses guerres civiles qui déchirèrent le royaume de France jusqu'à l'avènement d'Henri IV.

En l'année 1561, le 16 novembre, les calvinistes de Cahors étaient assemblés pour célébrer leur culte dans la maison d'Orioles appartenant à Raymond de Gontaut, seigneur de Cabrerets. Le temps étant fort doux pour la saison, les fenêtres de la maison d'Orioles se trouvaient ouvertes, et tandis que les religionnaires chantaient les psaumes de David, un enterrement, suivi d'un grand concours de peuple, et précédé par le curé de Notre-Dame de Soubirou, vint à passer dans la rue, accompagné de chants funèbres.

Bien que les psaumes de David et les cantiques des prêtres célébrassent le même Dieu, catholiques et réformés se sentirent les uns et les autres insultés par leur juxtaposition. Les réformés, par braverie, chantèrent plus fort. Les catholiques en firent autant. De la rue aux fenêtres on en vint aux insultes, les insultes laissèrent place aux menaces, et les menaces aux coups. Le populaire, accouru en masse et excité en sous-main par d'acharnés catholiques, enfonça la porte de la maison d'Orioles, et courant sus aux « hérétiques » assemblés là pour « ouïr la parole du Diable », en massacra une trentaine.

Quant au meurtre du Baron de Fumel, ce fut, sous couvert de religion, une jacquerie que lui firent ses sujets. Si grande était leur haine contre leur vieux seigneur que, le château pris, ils lui arrachèrent ses vêtements, le flagellèrent à le tuer et, comme si la mort ne les contentait point, ils lui baillèrent, alors qu'il gisait inerte sur le carreau, une infinité d'arquebusades, de pistolades et de coups de dague, n'y ayant fils de bonne mère qui ne voulût le meurtrir, et le boucher de Libos allant même jusqu'à lui couper le col de son grand couteau.

Les sages conseils prodigués, en ces sanglants tumultes, par Étienne de La Boétie à Geoffroy de Caumont, ne furent pas perdus pour la frérèche. Mais il est vrai qu'ils allaient dans le sens de leur pente. Mon père avait alors cinquante-six ans, Sauveterre soixante et un, et soucieux de conserver les biens qu'ils avaient si durement acquis, ils n'étaient pas hommes à les hasarder en se portant à des excès. Ils ne touchèrent donc point à l'église de Marcuays et pas même à la chapelle de Mespech qui conserva intactes sa croix et sa statue de la Vierge (que d'ailleurs mon père admirait, car elle était en bois peint, et fort naïve). Mieux même : ne voulant pas courir le risque de faire escorter ma mère le dimanche à Marcuays par deux soldats huguenots (ce qui eût peut-être donné prétexte à quelque braverie des acharnés papistes), Jean de Siorac continua à bailler cinq sols le mois au curé Pincettes afin qu'il vînt dire sa messe au château pour le seul bénéfice de ma mère, laquelle, pimplochée à ravir en ses beaux affiquets, y assistait seule, bien droite en un fier recueillement, tenant à la main comme un emblème son missel romain, sans d'ailleurs jamais l'ouvrir.

Après l'office, la frérèche invitait le curé Pincettes à une collation dans la librairie de mon père et lui tenait des propos courtois sur le temps et les cultures. Pincettes, dont le nez bourgeonnait dans une trogne d'un rouge ardent, était avare, paillard et ivrogne, mais il ne manquait pas de finesse, et sentant tout l'avantage, en ces temps si troublés et si gros de danger pour les prêtres, de conserver de bons rapports avec les seigneurs huguenots du lieu, il ménageait les hérétiques en ses prêches et ne se permit oncques la moindre attaque, publique ou privée, directe ou voilée, contre Mespech. Ainsi, en cet océan de tumultes que le royaume devenait, la paix régnait à Taniès, à Sireil et à Marcuays. Et quand les huguenots, plus tard, s'étant rendus maîtres de Montignac, essayèrent de porter leur iconoclastie dans l'église de Taniès, Siorac, suivi de ses soldats, accourut à brides avalées pour les en dissuader.

Mais il y avait du danger aussi en cette modération, comme on verra — les modérés des deux bords, au plus âpre de nos guerres, étant mal vus des deux partis.

À Mespech, tout ce temps-là, une souterraine idolâtrie papiste continuait à brûler, surtout chez les femmes, sous le couvert de l'huguenoterie de commande. Je m'en aperçus en d'étranges circonstances, couché que j'étais avec la petite Hélix dans le grand lit de Barberine, alors retirée en son foyer pour la raison que j'ai dite. Au milieu de la nuit — et elle était très noire — la petite Hélix se mit à frissonner au point de faire branler le lit.

— Qu'est ceci? dis-je en m'éveillant à demi. Tu trembles?

— Oui-da, dit-elle, et je ne peux pas m'en empêcher.

— Et pourquoi?

Point de réponse.

— Es-tu saisie de la fièvre ardente? dis-je en me reculant.

— Non, dit-elle d'une voix étouffée par la peur. Mais je me pense que c'est grand péché, ce que nous faisons, chaque nuit que le Diable sur nous étend, et par ta faute.

— Par ma faute, coquinasse! dis-je, me réveillant tout à fait. Tiens donc! Et qui a commencé?

— C'est moi, dit-elle à contrecœur, mais c'est toi qui m'as fait choir en tentation, étant si joli drole.

— Fallait mieux résister.

— Et comment le peux-je, moi pauvre manante? Et toi fils de Baron?

— Tu te moques, friponne! dis-je, irrité. Le fils du Baron, il n'y a pas si longtemps que tu lui pinçais le cul au sang. Et quant à ce que tu veux dire, tu m'en as appris plus que je n'en savais.

— Mais je me trouve de m'en repentir, dit-elle avec des sanglots et en versant de vraies larmes.

Je m'assurai qu'elles étaient vraies (la sachant grande comédienne et la nuit étant noire) en passant le doigt sous ses yeux et en le retirant tout mouillé. Je fus bien marri de son chagrin, l'aimant d'amitié, en sus de tous les petits jeux qui m'attachaient à elle.

— Hélix, dis-je, si tu te penses ainsi, faut donc cesser tout à fait.

— Oh non! Oh non! Oh non! s'écria-t-elle, surtout maintenant que tu marches sur tes onze ans et que tu deviens homme, Dieu merci!

Et me prenant la tête avec fureur dans ses bras potelés, elle l'appuya avec force sur ses jolis tétons, ce qui me réduisit au silence deux fois, et parce qu'ils me bâillonnaient, et parce que déjà je les aimais fort, tout bec jaune que je fusse.

Elle me lâcha enfin, et de plus belle, reprit ses pleurs et ses tremblements.

— Que je suis donc à plaindre, mon pauvre mignon, dit-elle penchée sur moi et ses larmes me choyant dessus, à me penser tous les jours que je m'en vais cramer dedans l'enfer, les vilains diables me retournant dans les flammes avec des fourches, à s'teure de ce côté, à s'teure de l'autre, pour que je sois bien rissolée partout, moi, pauvre petite Hélix, qui tant aime Dieu pourtant, et le Seigneur Jésus.

— Mais nul ne peut dire à l'avance qu'il sera damné, dis-je, plus assuré en ma théologie huguenote qu'elle ne l'était.

— Sûr que si! dit, toujours pleurante, la petite Hélix, à qui ces nuances échappaient. Je vais cramer, je le sens jusque dans mes os. Que n'ai-je en moins les années que j'ai en plus de toi et je pourrais dire, comme la Maligou, qu'il y a eu forcement et cuissage de la pauvre servante par le fils du seigneur. Et point ma faute, ni péché.

— Et belle menterie ce serait, Hélix! Si tu as oublié les mignonneries par où tu commenças, je vais te les ramentevoir.

— Oh non! Je ne veux rien ouïr, méchant! Va-t'en! dit-elle en s'écartant de moi. Tu m'as ensorcelée avec tes beaux cheveux dorés qui te font si semblable à un bel écu d'or! Mais c'est piperie et faux-semblant! Tu es le Diable!

— Je ne le suis, et tu le sais! dis-je avec colère. Le Diable, il est là, poursuivis-je en touchant de la main diverses parties de son corps. Et si tu oses répéter que je suis le Diable, je m'en vais dormir avec Samson et tu ne me verras plus céans.

— Oh non! Oh non! Oh non! dit-elle en me saisissant derechef en ses bras et en me serrant contre elle avec la dernière violence. Ne t'en va point, je t'en supplie, Pierre de Siorac! Ou je serais si malheureuse que je me jetterais du haut de la tour en l'étang.

Cette menace ne m'émut guère. Je l'avais trop souvent ouïe des lèvres de ma mère, et il n'était femme à

Mespech qui, en ses humeurs noires, n'allât après elle la répétant. Cependant, je consolai la petite Hélix, et par degrés ses pleurs cessèrent, et ses sanglots. Et je la croyais déjà assoupie, quand elle dit d'une voix piteuse :

— La vérité, c'est que je suis trop petite pour mon gros péché.

— Mais qu'y faire, dis-je en ma naïve logique, puisque tu ne veux point le discontinuer ? (Et à vrai dire, je n'y tenais pas non plus.)

— Je sais ! s'écria-t-elle en s'asseyant avec brusquerie sur son séant. On va tous deux prier la Sainte Vierge qu'elle intercède pour nous auprès du Divin Fils !

— Prier Marie ! dis-je avec indignation. Mais ce serait là pure idolâtrie ! Et c'est pour le coup que nous serions damnés !

— Que non point ! Ma mère la prie tous les jours en cachette, et la Maligou, et la Gavachette, et moi aussi !

— Que me dis-tu là ?

— La vérité. La Maligou a dressé un petit autel à la Sainte Vierge en un coin du grenier, avec une belle grande image d'icelle et des fleurs séchées. Et c'est là que nous allons prier l'une après l'autre en baisant les pieds de l'image, et toujours quelqu'une pour faire le guet.

— Ma mère sait-elle ?

— Oh non ! Nous n'osons pas lui dire.

— Et pourquoi ?

— En ses colères, elle ne sait pas langue garder.

— Et quand faites-vous cela ? dis-je, au comble de l'ébahissement.

— Quand les Messieurs sont retirés le soir en la librairie.

Et certes, le moment était bien choisi. Dans la grande salle, à la veillée, il y avait toujours tant de va-et-vient, les femmes vaquant au ménage, et les hommes autour du feu regardant les châtaignes rôtir sous la cendre et parlant fort et haut entre eux en l'absence des maîtres, qu'il était facile de s'absenter sans donner l'éveil.

— Je ne prierai point Marie, dis-je avec résolution. Ni ici ni au grenier. Mais fais-le, toi, puisque cela te chaut.

— Mais seule, cela ne vaudrait rien, dit la petite Hélix. Il nous faut prier de concert, puisque nous péchons ensemble.

Et ensemble recommencer! pensais-je alors, mi-sérieux, mi-me gaussant, car je sentais toute l'infirmité de son raisonnement. Mais, sur sa demande, je promis pourtant à la petite Hélix de rester coi sur le culte secret de Marie dans notre repaire huguenot. Et je me tins à ma promesse, non sans quelques tourments de conscience, ma fidélité à mon père me piquant et poignant. Mais j'avais bien trop peur que la frérèche congédiât Barberine et la petite Hélix, pour ne pas rester bouche cousue.

Étienne de La Boétie avait certes bien fait de mettre en garde Geoffroy de Caumont contre Montluc qui, après avoir balancé un temps entre l'Église romaine et la nôtre, avait choisi la première, sans autre conviction que son désir d'avancer sa fortune à la Cour, son avidité à remplir ses coffres, et l'affreux bonheur qu'il trouvait à répandre le sang. Au physique, c'était un homme sec et osseux, avec un visage fort maigre, les pommettes hautes et saillantes, les sourcils coléreux, les lèvres minces. Point du tout fanatique et ne tuant pas pour l'amour d'une cause, mais par politique, par ressentiment et par plaisir.

C'est à Saint-Mézard, dans l'Agenais, qu'en février 1562 il donna la première mesure de sa cruauté. Il y avait eu dans le village une petite jacquerie huguenote contre le seigneur du lieu, le Sire de Rouillac, celui-ci ayant voulu empêcher ses sujets réformés de rompre les images de l'église de Saint-Mézard et de s'emparer des calices (car en ces entreprises, il n'y avait pas que la foi : la picorée avait aussi sa part). Mal en prit à Rouillac : le populaire s'émut et l'assiégea dans sa maison. Cependant, plus heureux que le Baron de Fumel, il n'y laissa pas la vie, étant secouru à temps par des gentilshommes voisins. Mais il y eut de part et d'autre d'aigres et méchantes paroles, surtout au sujet d'une grande croix de pierre du cimetière que d'aucuns huguenots avaient rompue.

Montluc fondit sur Saint-Mézard avec sa troupe à l'aube du 20 février, mais aucun de ses hommes d'armes ne connaissant les maisons, tous les huguenots purent se sauver, sauf un nommé Verdier, deux autres malheureux et un jeune diacre de dix-huit ans qui furent pris, liés et amenés au cimetière où Montluc, suivi de son bourreau, les confronta aux deux Consuls de Saint-Mézard et à un gentilhomme du lieu.

— Traîtres, dit Montluc, est-il vrai que ce gentilhomme et les deux Consuls vous disant que le Roi trouverait mauvais que vous rompiez la croix, vous avez répondu : « Quel roy ? Nous sommes les roys. Celuy-là que vous dites est un petit reyot de merde. Nous lui donnerons les verges et lui apprendrons un métier pour qu'il gagne sa vie comme les autres. »

— Ah, monsieur ! dit Verdier. À pécheur miséricorde !

— Méchant, dit Montluc, veux-tu que j'aie miséricorde de toi alors que tu n'as pas respecté ton Roi ?

Et ce disant, il le poussa rudement sur le fragment de la croix brisée, disant à son bourreau :

— Frappe, vilain !

Et aussitôt le bourreau, sur la croix même, décolla Verdier. Quant aux deux autres huguenots, on les brancha à l'orme du cimetière. Restait le diacre. Montluc fit preuve à son égard d'une bien curieuse sorte de mansuétude. Vu son jeune âge, il se contenta de le faire fouetter — mais si longuement qu'il mourut sous les coups.

Ainsi furent exécutés sans procès, sans juges et sans arrêt, quatre sujets du Roi.

A Cahors, pendant ce temps, les deux commissaires civils envoyés par la Reine mère enquêtaient sur le massacre de la maison d'Orioles. Ils firent un procès à quinze catholiques qu'ils expédièrent au gibet. Montluc, aussitôt, se précipita à Fumel. Son chemin passant par Sainte-Livrade, on lui amena six huguenots qu'il brancha *sans tant languir*. Mais à Fumel, étant rejoint par M. de Burie, il lui fallut prendre plus de formes et requérir deux Conseillers de la Sénéchaussée d'Agen pour juger les meurtriers du Baron de Fumel. Ce qui fut fait en grande promptitude, et dix-neuf huguenots furent pendus.

De Fumel, Montluc se rendit alors à Cahors pour intimider les deux commissaires civils de la Reine mère, qui avaient eu l'audace de serrer en prison M. de Vieule, Chanoine de Cahors, dont ils pensaient qu'il avait poussé au massacre de la maison d'Orioles. Là, Montluc, en présence d'une nombreuse assemblée, s'affronta, à peine arrivé, à Geoffroy de Caumont, qui venait se plaindre de lui à M. de Burie.

— Monsieur de Burie, dit Caumont, M. de Montluc a faussement prétendu qu'un ministre prêchant devant moi à Clairac s'en était pris à la personne du Roi.

— Je l'ai dit, et ce n'est point faux ! dit Montluc, s'avançant vers Caumont, la main sur sa dague, et suivi d'une quinzaine de ses gentilshommes. Et c'est grande honte que vous ayez enduré ces paroles de votre ministre huguenot après tous les bienfaits que vous avez reçus du Roi.

Caumont pâlit de colère et fit face à Montluc :

— Je dis et je répète que je n'étais pas présent quand ce ministre fit ce prêche, et que de toute façon, je n'ai pas de comptes à vous rendre.

Là-dessus, Montluc s'avança vers lui d'un pas, sa dague à demi sortie du fourreau. Caumont mit la main à l'épée, mais il ne put la tirer, car les gentilshommes de Montluc lui sautèrent au col et l'eussent tué, si M. de Burie n'était intervenu pour le pousser dehors et lui sauver la vie.

— Et moi, cria Montluc, tandis que Caumont franchissait le seuil, moi je dis et je répète, Abbé de Clairac, que vous soutenez toute la sédition huguenote dans l'Agenais et le Périgord, et que le Roi serait bien avisé de vous faire épouser quelque temps la tour de Loches !...

M. de Caumont parti, Montluc terrifia si bien les commissaires civils par ses injures et ses menaces qu'ils s'enfuirent à leur tour de Cahors, le laissant seul maître de la justice du Roi en Guyenne, M. de Burie n'ayant plus le cœur à s'opposer à lui.

Le vent tournait, en effet. Le Duc de Guise (et derrière lui l'Église de France, le Pape et Philippe II d'Espagne) redevenait tout-puissant. De ces forces dont la nuée se préparait à fondre sur nous, Montluc n'était, en nos provinces, que le docile et féroce instrument. La frérèche en avait conscience, et bien qu'elle n'eût pris aucune part aux tumultes et aux séditions dans le Périgord, elle commença à fortifier Mespech.

Les nouvelles du Nord et de Paris n'allèrent pas tarder à accroître nos alarmes. Accompagné d'une nombreuse escorte, le Duc de Guise, le 1er mars, s'en revenait de Joinville, où il avait été visiter sa mère, et regagnait la capitale. C'était un dimanche, et la matinée étant déjà fort avancée, il s'arrêta à Vassy pour ouïr la messe. Jamais plus brillante assistance n'avait honoré l'humble église. Le vainqueur de Calais, superbe en son pourpoint et ses chausses de satin cramoisi, et portant plume rouge en sa toque de velours noir, pénétra le premier dans la nef assurément le plus grand, le plus beau et le plus majestueux de tous les gentilshommes de sa suite. Il avait d'autres raisons de porter haut la tête à Vassy, s'y sentant quelque peu le maître, la ville appartenant à sa nièce Marie Stuart.

Mais à peine était-il admis dans le chœur et assis

dans son fauteuil doré qu'on vint l'avertir qu'à une portée d'arquebuse cinq cents réformés célébraient leur culte dans une grange en chantant les psaumes.

— Qu'est cela ? dit-il en levant un sourcil irrité. Ne suis-je pas presque chez moi ici ? Et Vassy étant ville close, même l'Édit de janvier ne donne pas à ces hérétiques le droit scandaleux qu'ils s'arrogent. Voilà leurs belles Évangiles ! Ils outrepassent toujours ! Allons rappeler à ces téméraires qu'étant mes sujets ils sont mal venus à me faire cette braverie.

À ces mots, il sortit de l'église avec sa suite. Mais, par malheur, deux de ses impétueux gentilshommes le devançant, entrèrent avant lui dans la grange et y provoquèrent du tumulte.

— Messieurs, dirent poliment les huguenots, s'il vous plaît, prenez place.

À quoi le jeune La Brousse répondit en mettant la main à l'épée :

— Mort Dieu ! Il faut tout tuer !

À ce jurement, les huguenots s'émurent, jetèrent les fâcheux dehors et se barricadèrent. Mais d'aucuns d'eux furent assez mal avisés pour se poster sur un échafaud au-dessus de l'entrée et cribler de pierres le Duc et son escorte quand ils se présentèrent.

On les cribla de balles. Les portes furent enfoncées. On arquebusa comme des pigeons ceux qui tâchaient de s'enfuir par les toits. Quand le Duc arrêta le carnage, vingt-quatre huguenots étaient morts, et plus de cent étaient blessés.

Le rôle politique assumé depuis peu par le Duc donnait de l'importance à l'événement. Il avait formé avec Montmorency et le Maréchal de Saint-André un triumvirat qui, par-dessus la tête de la Régente, qu'ils jugeaient trop indulgente à la Réforme, s'était donné pour but d'extirper l'hérésie du royaume, fort résolu, en ce grand dessein, selon l'affreux conseil du Pape au jeune Charles IX, de *n'épargner ni le fer ni le feu*. Cependant, ceci, dans l'esprit de Guise, restait quelque peu abstrait. Grand chef de guerre, il n'avait point, comme Montluc, la tripe cruelle. Il se voulait, bien au contraire, bon, courtois, chevaleresque. À Metz et à Calais, il avait agi avec humanité envers ses prisonniers. À sa mort, il se confessa du massacre de Vassy, tout en niant l'avoir prémédité.

Mon père qui, ayant servi sous lui à Calais, l'aimait et l'estimait, en dépit de son zèle catholique (où il entrait bien quelque ambition), avait coutume de dire que si les excités des deux bords n'avaient pas gâté les choses à Vassy, le Duc se serait contenté d'une vive remontrance à ses « sujets » et rien de plus, pour avoir rompu l'Édit de janvier. En réalité, disait-il, l'événement déborda François de Guise sur le moment, et le dépassa ensuite dans ses conséquences.

À Cahors, le massacre de la maison d'Orioles avait fait plus de morts qu'on n'en releva à Vassy. Mais quel en était le responsable ? Un vieux Chanoine qui avait ému les plus acharnés parmi le populaire. De l'un et des autres, la prison et les gibets firent justice. Mais au carnage de Vassy présida un seigneur plus puissant que le Roi de France. Guise avait frappé sans que personne pût lui demander des comptes, sinon, comme lui-même, un Prince, et par la lutte armée. Condé le comprit bien qui, aussitôt, commença à recruter des soldats.

Sentant bien que l'événement n'ajoutait pas à sa gloire, Guise revint très troublé à Paris. La nouvelle du massacre l'y avait précédé. Il eut la surprise de recevoir, dans une capitale fanatisée par les prêtres, un accueil délirant. Quand le héros apparut dans la Cité — le satin cramoisi dont il était vêtu rehaussé par la robe noire de son genet d'Espagne — les Parisiens, accourus de toutes parts, crièrent : « Vassy ! Vassy ! », comme si Vassy avait été la plus belle de ses victoires. Pucelles et commères, se pressant essoufflées jusque sous les pieds de son cheval, contemplaient, le cœur battant, le bel archange rouge, porte-glaive de l'Église contre les hérétiques.

Guise volait de triomphe en triomphe. À l'hôtel de Guise, le Prévôt des marchands l'attendait, entouré de ses pairs. Il lui offrit vingt mille hommes et qui plus est, deux millions d'or — plus que les riches bourgeois de Paris n'avaient accordé à Henri II pour lutter contre l'Espagnol. Ces offres étaient faites, précisait le Prévôt, pour *pacifier le royaume*, autrement dit pour le plonger dans l'horreur d'une guerre fratricide.

En moins d'un mois, l'incendie allumé à Vassy gagnait le royaume. À Sens, à l'occasion d'un pèlerinage, un pieux jacobin lança la foule contre les protestants, qui furent frappés, égorgés et jetés dans l'Yonne. À Tours, deux cents huguenots furent liés, assommés et traînés dans la Loire. À Angers, le Duc de Montpensier fit pendre, décapiter ou rouer tous les réformés dont il put se saisir. À Gironde, Montluc, qui n'attendait que les exemples venus du Nord pour se déchaîner, pendit le même jour soixante-dix des nôtres aux halles de la ville.

Partout les protestants réagissaient. Ils s'emparaient par les armes d'Angers, de Tours, de Blois, de Lyon, d'Orléans. La Régente, à Fontainebleau, voyait le trône de son fils Charles IX ballotté entre deux factions rivales, sans vouloir ni pouvoir prendre parti.

Les triumvirs, à la tête de mille cavaliers, mirent un terme à son irrésolution. Ils vinrent l'enlever de force ainsi que son fils. Catherine de Médicis pleurait de rage, mais elle dut s'installer au Louvre, prisonnière d'une population fanatique, et chef nominal du parti catholique.

Le 13 juillet 1562, le Parlement de Paris mit les protestants hors la loi. Désormais, et dans toute l'étendue du royaume, il était permis aux habitants des villes et aux manants du plat pays de s'armer et de courir sus aux réformés sans être déférés, poursuivis ou inquiétés par la justice.

Cette permission accordée à une moitié du royaume d'assassiner l'autre moitié bouleversa la frérèche. Elle craignit le pire, surtout quand Montluc s'empara du château de l'aîné des Caumont, François, et y établit M. de Burie avec une garnison.

Ceci fait, Montluc se dirigea vers Clairac, et n'y trouvant pas Geoffroy de Caumont, qu'il eût été si heureux d'humilier, il balança à pendre les moines apostats, mais l'avarice l'emportant sur le zèle religieux, il se contenta d'exiger d'eux une rançon de trente mille écus. Allant ensuite en Périgord, il alla régler un vieux compte avec le Baron de Biron, coupable à ses yeux d'avoir hébergé des huguenots séditieux : il dévasta ses terres. Montluc disposait maintenant de trois mille fantassins espagnols, et bien que la Régente l'eût prié de grossir de cette troupe l'armée que Guise rassemblait à Paris, il argua de la nécessité de *pacifier* la Guyenne, pour ne pas obéir. Sous Guise, à Paris, il n'eût rien été. En Guyenne, il régnait sans partage, se donnant les deux plus grands plaisirs de sa vie : pendre et remplir ses coffres.

Lorsque Montluc quitta la lieutenance de Guyenne, ceux-ci étaient plus riches de trois cent mille écus. Et quant aux pendus qu'il avait laissés derrière lui, il s'en excusa dans ses *Commentaires* avec un cauteleux cynisme : « La nécessité de la guerre, écrivit-il, nous force, *en dépit de nous-mêmes*, à faire non plus d'état de la vie d'un homme que d'un poulet. »

Ce n'est pas que nos huguenots ne fussent forts en nos provinces du Midi, même après qu'on les eut mis hors la loi. Mais sous la conduite de petits Capitaines épris d'aventures, ils se dispersaient contre les villes et les bourgs en une infinité d'actions qui tenaient davantage de la pillerie ou de la vengeance que de l'esprit de Calvin. Nous en vîmes près de nous le triste exemple.

Quand nos voisins huguenots de Montignac mirent la main sur le château de leur bourg, ils pendirent La Chilaudie, qui le défendait, dépouillèrent l'église sans négliger pour autant les dépouilles, et Arnaud de Bord, qui les commandait, extorqua aux catholiques terrorisés une taille énorme.

Montignac n'étant qu'à quelques lieues de Taniès

et de Marcuays, Pincettes s'alarma des rumeurs qui, au début du mois d'août, désignaient ses églises et lui-même comme les victimes imminentes d'Arnaud de Bord. Chapeau bas, il vint s'en ouvrir humblement à la frérèche.

— Monsieur le Curé, dit mon père, si vous voulez éviter que ceux de Montignac mettent à mal vos églises, dénudez-les vous-même. Enlevez les meubles, chandeliers, calices, ostensoirs, ornements sacerdotaux et autres, et portez-les à l'Évêché de Sarlat.

— Mais les reverrai-je? dit Pincettes en baissant les yeux. L'Évêché a les dents si longues.

— Alors, dit Jean de Siorac avec un sourire, confiez-les au lieutenant-criminel. M. de la Porte est fort honnête homme.

— Je n'ai pas les moyens de les charroyer jusque-là, ni de protéger leur transport.

— Mespech vous baillera les chars, les chevaux et l'escorte, dit mon père, ce qui déplut quelque peu à Sauveterre, bien qu'il désapprouvât par ailleurs les excès d'Arnaud de Bord.

Pincettes fit comme mon père lui avait conseillé, mais à peine avait-il achevé son déménagement qu'un lieutenant d'Arnaud de Bord apparut à Taniès avec quelques cavaliers. Jean de Siorac courut aussitôt à sa rencontre, suivi de nos soldats. Batifol — c'était le nom du lieutenant — était armé en guerre, avec morion et corselet, et portait en outre une terrible moustache, plus grosse et plus hérissée encore que celle de Cabusse. Il entra dans le plus grand courroux à voir l'église dénudée.

— Il y a, à ce qu'on m'a dit, tromperie et piperie, dit-il en se donnant des airs, et s'il en est ainsi, nous châtierons le curé de Marcuays et ses complices.

— Me comptez-vous parmi ceux-ci, monsieur Batifol? demanda froidement Jean de Siorac en le regardant dans les yeux.

— Non point, monsieur le Baron, non point. Mais on dit que vous avez baillé chars et chevaux au curé pour retirer les meubles de l'église.

— On dit vrai.

— Vous n'êtes donc qu'un demi-huguenot, monsieur le Baron, dit Batifol en fronçant le sourcil, puisque vous protégez l'église papiste.

— Je protège ses meubles, et non sa foi. La mienne, qui vaut bien la vôtre, n'admet pas la pillerie et la picorée entre gens de même nation.

— Peux-je répéter ces propos à Arnaud de Bord ? dit Batifol en tordant sa moustache.

— Vous le pouvez et le devez, monsieur, dit mon père en remontant à cheval.

— C'est qu'il y va de votre vie, monsieur le Baron, dit Batifol, qui remontait sur le sien.

— Vraiment, monsieur ! dit mon père avec un sourire.

Batifol regarda de nouveau mon père d'un air de braverie assez mal assuré, puis tourna bride et s'en fut au galop avec les siens. Mon père et ses soldats regardèrent en silence la petite troupe s'éloigner et, en cette occasion, Coulondre Bras-de-fer fit une de ses rarissimes et lugubres remarques :

— Cet homme-là sent la corde, dit-il d'une voix rauque.

Les propos entre le Baron de Mespech et Batifol furent échangés en public, et quand Pincettes les apprit des manants de Taniès, il accourut à Mespech, sa face cramoisie ayant quelque peu perdu ses couleurs, son gros nez bourgeonnant tombant sur ses lèvres, et celles-ci branlantes, au point de ne pouvoir parler.

— Messieurs, dit-il en balbutiant, ceux de Montignac ne peuvent que rêver de se revancher sur Mespech, mais sur moi, ils le peuvent, hélas ! D'autant que Monseigneur l'Évêque m'interdit de quitter mes villages. Vais-je donc demeurer à Marcuays pour attendre d'être pendu par le col, comme ils l'ont fait au pauvre La Chilaudie ?

À cet appel voilé, Sauveterre, le visage comme pierre, ne répondit pas un mot, et déroba ses yeux à ceux de mon père, déplorant par avance son humaine faiblesse.

— Monsieur le Curé, dit Jean de Siorac, voulez-vous demeurer quelque temps en secret au Breuil, en la maison de Cabusse ?

— Ce n'est guère possible, dit Pincettes en baissant les yeux et en regardant le bout de son gros nez. Cabusse est fort jaloux. Même marié, il ne pouvait souffrir que j'ouïsse Cathau en confession.

Cette révélation n'étonna point mon père, mais l'amusa. Il reprit sur un ton plus enjoué :

— Eh bien alors, en la grotte de Jonas ?

— Avec cette louve ! s'écria Pincettes en levant les bras au ciel. Avec cette diablesse dont il est tout ensorcelé !

— Curé, tu ne peux croire à cette fable ! dit Sauveterre, l'œil noir et le ton sec.

Mais à cela, Pincettes, les yeux baissés, ne répondit pas. Il ne se souciait pas d'affronter Sauveterre. Quant à mon père, il se rembrunit. Il soupçonnait Pincettes, par superstition ou esprit de parti, d'avoir lui-même accrédité parmi ses ouailles ces rumeurs dont la réputation de Jonas commençait à souffrir. Il se leva.

— Monsieur le Curé, vous désirez sans doute, avant de vous retirer, présenter vos respects à Mme de Siorac.

Pincettes pâlit en entendant ce congé, mais ne perdit pas tout espoir. Il savait l'empire qu'Isabelle, surtout en son état, gardait encore sur mon père.

Et en effet, Pincettes avait à peine repassé nos trois ponts-levis qu'Isabelle dépêcha Alazaïs en la librairie pour demander à Jean de Siorac de la venir voir, s'il lui plaisait, en son appartement.

Mon père trouva Isabelle dolente en sa couche sur ses oreillers, le ventre fort gros déjà, et les tétons épanouis dans un décolleté en dentelle, mais malgré son état, pimplochée et pimpladée avec le dernier soin, le rouge mis, le sourcil dessiné, le cheveu blond coiffé en bouclettes par notre grande Alazaïs qui, bien que ces offices lui parussent frivoles, s'en acquittait avec une conscience toute huguenote, et quelque tendresse à la fin pour cette pauvre obstinée papiste, qu'elle recommandait à Dieu, tous les soirs, en ses prières. Ainsi dans toutes ses grâces ma mère était étendue, comme je l'ai vue si souvent en ces derniers jours de sa vie, dans ce monde qui passe et nous fait passer au grand juge — dont elle était alors si proche, bien qu'aucun de nous, et elle-même pas davantage, ne le sût. Car elle était là, encore en ses vertes années, sans rides ni voussures, ni infirmités d'aucune sorte, belle et blonde en ses affiquets, peignée et pulvérisée de parfums, ressentant tout l'amour que mon père avait pour elle, et le lui rendant au centuple, mais en secret, derrière les raideurs de son orgueil.

— Ma mie, dit mon père avec un sourire joyeux, je suis bien aise que vous m'appeliez et de vous voir si belle et en si bonne santé, alors que votre terme approche.

— Dieu veuille alors, monsieur, dit Isabelle en se raidissant déjà, que vous ne me contrariez point en mes volontés, si près que je suis d'accoucher, car vous me gâteriez, peut-être, l'enfant à naître.

— Par ma foi, madame ! dit Jean de Siorac en riant, à peine suis-je entré céans que vous voilà dirigeant sur moi vos batteries ! Et de quoi donc s'agit-il ?

— Monsieur... dit Isabelle.

Et elle s'arrêta ; elle craignait quelque peu mon père, même en son humeur enjouée, car il passait très promptement de la gaieté au courroux.

— Je vais vous le dire, dit Jean de Siorac en prenant un visage sérieux. Vous désirez retirer quelque temps en nos murs le curé de Marcuays pour le sauver de la hart qui lui est promise par ceux de Montignac. Eh bien, madame, je vais vous mettre à l'aise. Je vous accorde votre demande, mais en y mettant conditions : qu'il soit votre hôte, et non le mien ; qu'il n'apparaisse pas dans la salle commune et ne voie pas nos gens ; qu'il couche dans le cabinet d'Alazaïs, laquelle nous mettrons pour un temps la nuit avec la

Maligou ; et qu'enfin il prenne ses repas ici avec vous, et non en bas.

— Oh, pour cela, dit ma mère en levant ses belles mains toujours frottées d'onguents et de crèmes, cela ne se peut ! Ses pieds lui puent, et d'une façon atroce ! Même à messe j'en suis incommodée et distraite en mes dévotions.

— Eh bien ! dit mon père en riant aux éclats. Le curé dînera seul dans son cabinet, et Alazaïs le servira.

Mais Alazaïs, présente en cet entretien, et redressée de toute sa taille, refusa tout à plat.

— Avec tout mon respect, Moussu lou Baron, je ne servirai pas ce curé, dit-elle de sa voix profonde. Ce n'est pas tant qu'il est curé, mais je n'aime pas sa trogne.

— Qui sa trogne, qui ses pieds ! dit mon père en riant. Le pauvre diable va périr de faim ! Eh bien, la Maligou le servira ! dit-il avec un petit geste prompt pour clore l'affaire et éloigner Alazaïs tandis qu'il s'asseyait sur le lit d'Isabelle et, lui prenant les mains, la contemplait avec ravissement dans l'éclat de sa maternité.

Selon l'ordre qu'il reçut de mon père, Pincettes vint à Mespech sans bagage aucun, à la nuit et sans avoir dit à quiconque sa destination.

Il n'était pas depuis deux semaines dans nos murs que M. Guillaume de la Porte se présenta devant le premier pont-levis de Mespech, accompagné de cinq gens d'armes, et demanda à voir la frérèche.

— Messieurs, dit le lieutenant-criminel d'un air grave dès qu'il fut introduit, le bruit court à Sarlat que vous avez enlevé et séquestré le curé de Marcuays pour l'empêcher de dire sa messe.

— C'est un bruit auquel il faudra couper les pattes, monsieur le lieutenant-criminel, dit mon père, car ainsi il ne courra plus sottement de tous côtés, noircissant notre bon renom, tandis que nous faisons à l'égard de ce pauvre curé notre devoir de chrétiens en lui évitant la hart.

Et laissant Sauveterre lui expliquer la chose, il alla chercher Pincettes, qui vint confirmer ses dires, avec des effusions de gratitude à n'en plus finir envers ses hôtes, en raison des bontés dont il était l'objet. Il est de fait qu'il était bien en point et luisant de graisse et de santé, la face à nouveau cramoisie, car la Maligou, qui le servait en son cabinet, lui baillait largement de notre vin et des plus beaux morceaux.

Comme Jean de Siorac accompagnait M. de la Porte jusqu'au premier pont-levis, Catherine, qui jouait avec ses poupées à côté du puits, accourut, ses tresses blondes volant derrière elle, et prit la main de mon père, mais sans pouvoir dire un mot, ayant épuisé toute sa provision de courage en l'accostant.

— Monsieur le Baron, dit le lieutenant-criminel, j'ai vu que vous construisiez autour de votre étang une deuxième enceinte. Ces défenses, en un tel moment, font jaser.

— À tort, de nouveau, monsieur le lieutenant-criminel, dit mon père. Mespech sera toujours ouvert au Roi... (il le regarda) et aux officiers royaux. Mais le Parlement de Paris a mis hors la loi les réformés, et je puis avoir à me défendre de certains voisins.

— Vous pensez à Fontenac, dit M. de la Porte en fronçant le sourcil, et vous avez raison d'y penser. Il n'est pire tyranneau dans toute la province, mais si appuyé à l'Évêché et même en Cour que je ne puis rien contre lui. Savez-vous que lorsque quelqu'un de sa famille tombe malade, il n'est de médecin à Sarlat qui ose aller en son repaire, de peur de ne pas en ressortir libre ou même vivant ?

Mon père s'en revint, tenant la fraîche menotte de Catherine dans la sienne, heureux de la voir si belle et si vive, mais sans trouver mot à lui dire, tant il l'aimait. Comme il mettait le pied sur la première marche du perron, Alazaïs se dressa devant lui, l'air farouche, et le dominant d'une bonne tête. Elle dit d'un ton abrupt :

— Moussu lou Baron, vodriay vos parlar del cura de merda[1].

— Diga me[2].

Alazaïs jeta un coup d'œil à Catherine et, se penchant, elle dit à l'oreille de mon père quelques mots qui le firent sursauter.

— Retourne à tes poupées, Catherine, dit-il de sa voix nette et rapide, et toi, Alazaïs, dépêche-moi cette grosse ribaude en ma librairie.

Quand fessue, ventrue et mamelue (comme disait mon père), et le cheveu ébouriffé, la Maligou apparut dans la librairie, Jean de Siorac referma la porte derrière elle et, faisant le tour de la matrone, se campa devant elle, les mains aux hanches, la dévisageant d'un air sévère.

— J'en ai appris de belles ! La nuit, le curé et toi, vous forniquez comme rats en paille !

La Maligou esquissant un signe de dénégation, Jean de Siorac leva la main et dit en haussant la voix :

— Ne mens pas, Maligou, ou sur l'heure je te congédie.

— Doux Jésus ! dit naïvement la Maligou. Mais si je ne mens point, je serai chassée tout pareil !

— C'est donc vrai !

La Maligou se mit à trembler.

— Hélas, Moussu lou Baron, je n'ai pu résister : il parle si bien !

— Et tant plus mal il agit ! N'as-tu point vergogne de paillarder comme putain cramante, toi une femme mariée, et de commettre l'adultère, et avec Pincettes encore ?

— Justement, Moussu lou Baron, avec un curé, ce n'est qu'un demi-péché ! Surtout qu'il a la bonté de m'absoudre, après !

Jean de Siorac leva les bras au ciel.

— Personne ne peut t'absoudre de péché mortel, paillarde, sauf le Père qui est dans le ciel.

1. Je voudrais vous parler de ce curé de merde.
2. Dis-moi.

— Aussi je le prie dévotement tous les soirs par l'intercession du fils, dit la Maligou en baissant les yeux, car au même instant elle promettait à la Vierge Marie de brûler une chandelle devant son image au grenier, si mon père, par miracle, ne la chassait pas.

— Et si Pincettes te faisait un bâtard ?

— Oh ! Pour ça non ! dit la Maligou d'un air malin et savant. Je connais les herbes, et je sais où les mettre !

— Et quelles sont ces herbes ? dit mon père, qui était toujours très curieux des simples utilisés dans les chaumières.

— Avec votre respect, je ne saurais vous le dire, dit la Maligou. La ménine, qui me les a enseignées, m'a fait promettre le secret.

— Tu me le diras, si tu ne veux point que je te chasse.

— Moussu lou Baron, dit la Maligou, le cœur battant et ouvrant de grands yeux, si je vous le dis, vous ne me chasserez point ?

— Tu as ma parole, dit Jean de Siorac qui, dès la première minute, avait décidé, pour des raisons fort sages, d'étouffer l'affaire.

— Merci mon Dieu, et vous, doux Jésus ! dit la Maligou qui, les mains croisées sur son ventre et les yeux chastement baissés, prononça en son for intérieur une action de grâces : « Et merci surtout à vous, Vierge Marie, de ce miracle que voilà, et d'avoir pardonné ma faiblesse. Je me pensais bien aussi qu'entre femmes on se comprendrait bien toujours. Mais merci encore de votre amabilité, bonne Vierge, et vous aurez votre chandelle, et c'est promis, et bien ladre qui lésinerait. »

Après que la Maligou lui eut dit les herbes et « où les mettre », mon père lui fit promettre de ne plus revoir Pincettes de jour ou de nuit, d'aube ou de crépuscule, à la chandelle ou à la lumière du jour, et de ne jamais, à âme qui vive, apprendre par vanterie cette fornication. Puis il chargea Coulondre Bras-de-fer de porter désormais ses repas à Pincettes, ce que

Coulondre fit sans que le curé pût jamais tirer de lui autre chose que des remarques laconiques et funèbres sur l'avenir du monde.

Jean de Siorac fut si prudent en cette affaire qu'il n'en toucha mot à Jean de Sauveterre qu'une fois Pincettes hors de nos murs.

— Ah, Jean! dit Sauveterre avec reproche. Tu m'as donc caché quelque chose!

— Il le fallait. Je craignais de toi un éclat.

— Et maintenant que Pincettes est parti, vas-tu chasser la Maligou?

— Non point. Elle a ma parole. Et c'est pour le coup qu'elle se répandrait partout en vanteries et clabauderies qui feraient le tour des villages! Non, mon frère, clignons les yeux doucement sur sa faute et gardons-la. En outre, ajouta-t-il avec un sourire, il n'y a pot ni rôt en Périgord qui approche les siens.

Ce n'est pas Montluc, mais le Sieur de Saint-Geniès, gouverneur pour le Roi en Périgord, qui rétablit l'Église catholique à Montignac. Ses troupes, armées de canons, vinrent assiéger, le 14 août, Arnaud de Bord. Il se rendit trois jours plus tard avec ses partisans, et le 11 septembre, après un procès rondement mené, seize d'entre eux furent pendus sur la place de Montignac, et parmi ces seize figurait le pauvre Batifol, dont Coulondre Bras-de-fer avait si lugubrement prévu la fin deux semaines plus tôt. Quant à Arnaud de Bord, il ne fut supplicié que le 18 octobre, sans qu'on pût jamais savoir les raisons de ce cruel délai.

Pincettes, rassuré sur son avenir, nous avait quittés depuis deux semaines déjà, quand un certain Monsieur de L. (c'est ainsi qu'il est désigné dans le *Livre de raison* de la frérèche) apparut sous les murs de Mespech à la nuit tombante avec une petite escorte, et bien que les consignes de sécurité fussent alors très strictes à Mespech, les deux Jean, qui paraissaient l'attendre, l'admirent sans difficulté, lui et sa petite troupe. Celle-ci cependant — que l'on nourrit et abreuva — ne reçut pas permission de se mêler à nos gens, mais fut cantonnée dans la grange où Alazaïs, seule, fut dépêchée pour les servir.

Quant à Monsieur de L., il prit son repas, non dans la salle commune, mais en la librairie avec la frérèche, servi par François, Samson et moi, fort excités du mystère qui entourait le personnage, et au comble de la fierté, quand mon père nous invita à rester en sa compagnie après le repas. François avait alors quinze ans, Samson et moi, nous allions sur nos douze ans déjà, et mon père estimait sans doute que si nous étions assez grands droles pour participer à la défense de Mespech (car nous étions chaque jour exercés à l'épée, à l'arquebuse et à la pique par nos soldats), nous pouvions être admis, bien qu'encore muets comme carpes, au conseil où se décidaient les destinées de la Baronnie.

Monsieur de L., que je regardais avec beaucoup de curiosité, me surprit assez. Il avait une fraise plus large, un pourpoint plus riche, et un visage moins austère que les huguenots que nous recevions d'ordinaire à Mespech. En outre, il ne parlait pas d'oc comme nous, mais s'exprimait en français, langue dont, certes, j'avais l'entendement, mais dont il usait avec un accent que je n'avais jamais ouï, et que je sus plus tard être celui de Paris. Son visage, sans moustache ou barbe d'aucune sorte, était comme un galet poli de s'être frotté à tant d'autres galets à la Cour, son geste était rond, son attitude gracieuse, et bien que son parler pointu me choquât au premier abord, je reconnus vite que Monsieur de L. était parfaitement courtois, multipliant les salutations et les compliments, et employant dix mots quand un seul eût suffi. Il portait le cheveu long, bien propre et bien bouclé, malgré les incommodités de son voyage à cheval ; ses gants, que de tout l'entretien il ne quitta pas, firent mon admiration : ils étaient d'une peau fine et souple que je n'avais jamais vue en Sarladais.

— Messieurs, dit Monsieur de L. après un long

prologue de politesses, vous connaissez mon nom, vous savez qui je sers et vous n'ignorez pas qui m'envoie.

Il me parut heureux de ce début, dont il avait dû user plus d'une fois déjà, car il le récita d'une traite et avec beaucoup d'aisance. En même temps, il prit un air de fierté modeste, comme s'il portait sur lui, quoique indigne, le reflet des grandeurs qu'il représentait.

— Venons-en au fait de votre ambassade, monsieur, s'il vous plaît, dit mon père qui, le visage tendu et les mains nerveuses, trouvait ce début un peu long.

— J'y viens, dit Monsieur de L. Les nôtres, comme vous savez, se rassemblent à Gourdon sous la conduite de M. de La Rochefoucauld et de M. de Duras. Ils sont plusieurs milliers, sans que je sache leur nombre exact, et doivent rejoindre l'armée du Prince de Condé à Orléans. M. de Duras est un homme de guerre, il a commandé la légion de Guyenne. François de La Rochefoucauld a fait ses preuves, lui aussi. Mais le Prince a pensé que Monsieur le Baron de Mespech, qui a si bien et si longtemps servi, pourrait apporter à ces deux chefs l'appui de sa valeur et de son expérience.

Je vis à l'air de mon père qu'il n'était en aucune façon étonné par cette proposition, et qu'en fait, il l'attendait, et qu'elle ne l'enchantait guère.

— Monsieur, dit-il avec une courtoisie un peu froide, vous appartenez, je crois, au Vidame de Chartres, et vous l'avez accompagné en Angleterre quand il a négocié, au nom du Prince de Condé et de l'Amiral de Coligny, le traité d'Hampton Court avec la Reine Elizabeth.

— C'est vrai, dit Monsieur de L. qui, en dépit de son aisance, trahit ici un profond embarras.

— On dit que pour prix de son aide aux huguenots, la Reine Elizabeth a exigé que les nôtres livrent Le Havre à ses troupes, gage qu'elle ne rendrait à la France, la guerre finie, qu'en échange de Calais.

La gêne de Monsieur de L. parut croître, et il me parut même qu'il perdait ses couleurs

— Mais vous n'ignorez pas, monsieur le Baron, dit-il d'une voix quelque peu altérée, que, selon les termes du traité de Cateau-Cambrésis, la France doit de toute façon rendre Calais à l'Angleterre en 1567...

— Ou, à cette date, le garder définitivement et, en compensation, verser alors à l'Angleterre une somme de cinq cent mille écus. Et quel Roi de France, quel que soit celui qui régnera alors, préférerait la solution que je viens de dire à celle que vous avez évoquée ?

— Mais c'est cette solution qu'adoptera assurément le Prince de Condé, la guerre finie.

— Mais il ne le pourra pas ! cria mon père avec passion.

Il se leva et, pivotant autour de son fauteuil, il crispa les deux mains sur le dossier. Après un temps, et le visage bouleversé, il reprit avec un mélange de douleur et de colère :

— Il ne le pourra plus ! Puisqu'il a donné Le Havre en gage à la Reine Elizabeth ! Et pensez-vous qu'elle s'en dessaisira pour une somme d'argent, quand le seul but de l'aide qu'elle nous prête est de ravoir Calais ?

Après cet éclat, mon père se rassit, encore tout tremblant d'indignation, et bien que Sauveterre ne fût pas sorti de son immobilité, je voyais bien, à son visage, qu'il partageait tous les sentiments de mon père sur ce déplorable marché.

Après un long silence, Monsieur de L. dit d'une voix basse et détimbrée, mais non sans un air de dignité qui parut faire quelque impression sur mon père :

— Je pense, monsieur le Baron, que lorsque le Prince de Condé et l'Amiral de Coligny ont signé le traité d'Hampton Court, ils ne se sont pas bien rendu compte qu'ils engageaient si gravement l'avenir de Calais. Ils ont pu penser que l'option de racheter la ville leur resterait ouverte. Le temps les pressait. Dans tout le royaume, c'était sur les nôtres la curée et l'hallali. Mais le Prince et l'Amiral se jugeraient malheureux et infâmes s'ils avaient eu la pensée d'amoindrir le royaume.

— Et cependant ils l'ont hypothéqué ! dit Sauveterre. La France a attendu deux cent dix ans pour reprendre Calais aux Anglais, et Dieu sait le sang et les larmes qu'une telle entreprise a coûtés. Demandez-le au Baron de Mespech. Il y était ! Et maintenant, de quelques traits de plume, le Prince et l'Amiral ont perdu la ville. Et pourquoi ? Pour un secours de six mille soldats anglais, dont trois mille encore doivent occuper Le Havre ! Et une aide de cent mille couronnes ! Contribution dérisoire au regard de ce qu'obtient Elizabeth ! Un morceau du royaume de France, et non des moindres !

Après cet éclat, il y eut un long silence, et Monsieur de L. dit d'une voix grave :

— Bien que présent, je n'étais pas partie, messieurs, aux négociations d'Hampton Court. Je reconnais que la dure nécessité où nous étions de conclure a permis à la Reine anglaise de nous étrangler, que nos engagements sont tout à fait fâcheux, et qu'il y a là, en bref, un marché fort mauvais. Mais après tout, un traité n'est qu'un traité... Condé et Coligny se battent, le dos au mur. Monsieur le Baron de Siorac, allez-vous leur refuser votre concours, alors qu'il s'agit de rien moins que de la survie de la vraie religion dans le royaume de France ?

Mon père se leva et fit quelques pas dans la pièce, le visage très troublé et les mains derrière le dos, tandis que Sauveterre le regardait avec anxiété, ses fils aussi. Car nous craignions qu'il ne pût résister à un appel aussi pressant, et nous le voyions déjà à cheval, armé en guerre, et quittant Mespech pour aller rejoindre Condé et Coligny dans une guerre incertaine et, à ses yeux, illégitime.

— Monsieur, dit enfin Jean de Siorac en se rasseyant et en parlant avec assez de calme, si je vous dis non, je vais me sentir malheureux à l'excès, car j'aurai l'impression que je me sépare, dans les faits, sinon dans mon cœur, de notre cause. Mais si j'accepte, je le serai pareillement, car je prendrai alors les armes contre ma nation et contre mon Roi. Et c'est pourtant, ajouta-t-il d'une voix sourde, au premier parti que je vais me ranger. Je ne rejoindrai pas le Prince de Condé. Non, monsieur, je vous en prie, n'ajoutez rien. Tout ce que vous pourriez me dire maintenant, je me le suis cent fois répété.

Je regardai Samson, infiniment soulagé, et bien que François, immobile comme une image, ne tournât pas la tête, il me sembla voir qu'il poussait aussi un soupir. Quant à Monsieur de L., il ne pressa pas le point davantage, mais il prononça un discours un peu long pour demander à ses hôtes une contribution en argent à l'entretien des troupes que Duras rassemblait à Gourdon. Les deux frères, se retirant dans un petit cabinet attenant à la librairie, conférèrent seuls quelques minutes sur cette demande et revinrent avec une somme de mille écus — énorme sacrifice pour qui les connaissait. Monsieur de L. compta les écus comme s'il se fût agi de quelques sols et sans paraître autrement étonné. Quand ce fut fait, il écrivit, en style redondant, un très beau reçu au nom du Prince de Condé. Après quoi, il demanda qu'on rassemblât son escorte, et après mille compliments, il s'en alla.

Dans les jours qui suivirent, mon père perdit tout enjouement, déchiré qu'il était entre ses deux fidélités, l'une à la vraie religion, l'autre au Roi ou, comme il disait, « à sa nation ». Je sus bien plus tard que Condé lui-même et, bien davantage, Coligny étaient passés par les mêmes affres. Ils tranchèrent autrement et, certes, je ne les juge pas. Pour mon père, ce fut l'abandon de Calais qui le décida dans le sens opposé, mais non sans une blessure qui fut longue à se refermer. Quelques années plus tard, j'entendis Jean de Sauveterre remarquer que, dans une affaire qui mettait en jeu des devoirs contraires, quel que fût le parti auquel on s'arrêtât, on « ne pouvait que se sentir ensuite dans son tort ».

Une semaine après la brève apparition de Monsieur de L. à Mespech, ma mère accoucha d'un enfant mort-né et fut prise presque aussitôt d'une fièvre ardente et continue. Mon père ne quitta pas son chevet, et dormait la nuit dans le petit cabinet qui avait abrité Pincettes, et se faisait porter ses repas dans la chambre de sa femme. Bien qu'il n'apparût plus dans la salle commune, je savais que l'état de ma mère empirait au long visage triste d'Alazaïs quand elle venait à la cuisine chercher les viandes pour mon père et le lait chaud pour la malade.

Cette situation durait depuis une semaine quand mon père me fit appeler dans le petit cabinet qui était maintenant sa chambre. Je le trouvai assis, les deux coudes sur une petite table et la tête dans ses mains. Il ne bougea pas quand j'entrai et, intrigué par son immobilité — lui qui était d'ordinaire si vif et si allant — je restai debout devant lui, osant à peine respirer, et le cœur plein d'appréhension à le voir si différent de sa coutume. Bien pis ce fut quand, sentant enfin ma présence, il retira ses mains de son visage et me laissa voir ses yeux dont les larmes coulaient, une à une, le long de ses joues mal rasées. Je n'en crus pas mes propres yeux et je restai à le regarder, béant et stupide, mes jambes tremblant sous moi, un vide affreux dans ma poitrine, et la tête comme perdue, tant le monde solide où j'avais vécu jusqu'alors me parut s'effriter et se réduire en miettes quand je vis mon héros pleurer.

— Pierre, dit enfin mon père d'une voix faible et détimbrée, votre mère se meurt et demande à vous voir. Je ne vous suivrai pas en sa chambre. Elle a désiré vous voir seul.

Il se leva, et quand il fut debout, il se ressembla si peu en son attitude et allure, paraissant tout d'un coup faible, voûté, âgé et, qui pis est, mal tenu, lui qui était tant propre et coquet en sa mise, que sa vue m'affligea presque autant que la nouvelle qu'il venait de m'apprendre. Comme si tout mouvement lui était devenu insupportable, sans bouger, il me montra de la main la porte qui conduisait à la chambre de ma mère, et passant devant lui, pâle, suant, les yeux baissés (tant sa faiblesse me faisait à la fois honte et peur), j'entrai.

La fortitude de ma mère me rasséréna, bien que la mort, même à mes jeunes yeux, fût déjà inscrite sur son visage, celui-ci montrant une orbite creuse, une joue décharnée et une prunelle égarée et fiévreuse. Mais elle était parée de ses couleurs ajoutées, le cheveu bouclé avec le dernier soin, et le front toujours altier.

— Asseyez-vous, Pierre, dit-elle d'une voix faible et pressée, mais bien articulée. J'ai peu de forces et peu de temps. Ma tête s'en va, je suis dans un nuage.

Je m'assis sur un petit tabouret où, je suppose, mon père était resté des heures, depuis une semaine, à se ronger le cœur à la regarder.

— Pierre, dit Isabelle, quand j'ai rencontré Jean de Siorac, je portais autour du cou une médaille de la Vierge. Je voudrais que vous l'acceptiez de moi, et que vous la portiez, votre vie durant, pour l'amour de moi.

Je restai muet, tant l'énormité de ce qu'elle osait me demander me frappait de stupeur.

— Pierre ! Pierre ! dit-elle avec une impatience fébrile, et en se soulevant sur ses oreillers, j'ai peu de temps. Ne tardez pas à me répondre. Acceptez-vous ?

— J'accepte, dis-je, mais n'est-ce pas plutôt à mon frère aîné que vous devriez faire ce présent ?

— Non, dit-elle en retombant sur son oreiller et en fermant les yeux. François est sans caractère. Il ne l'aurait point portée.

Je vis que sa main gauche fermée se tendait vers moi, je la saisis, je l'ouvris et y trouvai la médaille et sa chaîne.

— Mettez-la, dit-elle en ouvrant les yeux.

Je déboutonnai mon pourpoint et j'obéis, ayant ce faisant l'impression de commettre à l'égard de mon père une action si noire que je n'oserais jamais plus, dès cet instant, regarder mon âme en face.

Isabelle cligna ses pauvres yeux si creux, si fiévreux et déjà égarés, et elle dit d'une voix éteinte :

— Je ne la vois pas. Est-elle bien autour de votre cou ?

— Oui. Elle y est.

— La porterez-vous comme je l'ai dit ?

— Oui.

Elle fit un petit geste faible, mais encore impérieux, de la main pour me donner mon congé, et comme j'allais me détourner, je la vis qui, tout soudain, m'adressait un regard et un sourire, non de mère, mais de femme. Il éclata avec tendresse dans son visage moribond, et l'illumina un inoubliable instant, tandis qu'elle me disait d'une voix extraordinairement douce et ténue, comme si, déjà, elle me parlait de l'autre monde :

— Adieu, Jean.

CHAPITRE VIII

On enterra Isabelle, comme elle l'avait désiré, sous le chœur, dans la petite chapelle de Mespech. Sur la dalle en pierre ocre du pays qui recouvrait son cercueil, Jonas entreprit de graver ces mots dictés par mon père :

ISABELLE, BARONNE DE SIORAC
1531-1562

Jonas voulut faire une gravure qui résistât au temps, et pendant deux longues semaines, où qu'on se trouvât à Mespech et pour peu qu'on prêtât l'oreille, on entendait résonner les funèbres coups de marteau qu'il frappait sur son burin.

Jean de Siorac décida de ne rien changer à la chapelle telle qu'elle était quand ma mère y oyait la messe. Elle conserva donc intacts sa croix, ses images, ses ornements et sa statue en bois peint de la Vierge. Il ordonna seulement qu'une serrure fût mise à la porte, et celle-ci étant fermée à double tour, il serra la clef dans son cabinet. Quant à notre culte réformé, il continua à se célébrer, comme au premier jour, dans la salle commune.

La mort de ma mère me poigna quelque peu la conscience : il me semblait que j'eusse dû m'affliger davantage, et d'autant que je savais maintenant que j'avais été son fils préféré. Mais Isabelle consentait si peu, en sa hauteur, à connaître ses enfants et, bien qu'elle les aimât fort, elle les aimait de si loin, que je n'avais jamais senti d'elle à moi assez de chaleur pour que mon cœur allât à sa rencontre.

Je portais fidèlement sur ma poitrine, cachée par mon pourpoint, sa médaille hérétique, mais c'était là fidélité de serment. De douleur à me percer la poitrine, je n'en aurais senti que si j'avais perdu à jamais Barberine. Mais Barberine était de retour parmi nous, déversant à nouveau sur les enfants ses tendres regards, ses caresses douces, et le gazouillis des sobriquets d'amour qu'elle nous donnait chaque soir avant de souffler son calel. Elle portait maintenant, serré en ses beaux bras, un nouvel enfantelet, Jacquou, que mon père avait juré d'élever, puisqu'elle l'avait conçu tout exprès pour nourrir celui d'Isabelle. En plus de Jacquou, Annet s'accrochait à ses jupes, déjà grandet, mais que, selon la coutume du pays, elle nourrissait toujours.

Ce retour excepté, il n'y eut pas de changement, après la mort d'Isabelle, dans le ménage de Mespech. Alazaïs n'était plus utile comme chambrière mais notre grande huguenote reluisait de vertus si rares que la frérèche la garda pour aider aux travaux de la maison, des champs, et aussi, le cas échéant, de la défense, la forte vierge valant bien un soldat, ayant appris en peu de temps à manier la pique et à tirer l'arquebuse.

Vint un jour où, à notre grand soulagement, les coups sourds du marteau cessèrent, et Jonas, émergeant de la chapelle, courbé et couvert de poussière de pierre jusqu'aux sourcils, fit demander à mon père de venir voir sa gravure et lui dire s'il en était content.

— C'est du beau travail, Jonas, dit Jean de Siorac, mais pourquoi avoir gravé si profond ?

— La pierre est belle, mais trop douce, et elle s'use vite.

Mon père poussa un grand soupir.

— Ainsi, tu as fait de ton mieux pour que dure le souvenir d'Isabelle de Siorac sur cette terre. Mais, mon pauvre Jonas, cela ne se peut. Dans quelques siècles, on aura tant marché sur cette dalle que ton beau travail sera effacé. Et Isabelle ne sera plus rien ici-bas, même pas un nom.

À cela, dans le feu du moment, Jonas ne sut répondre, mais quelque temps après, il dit, au Breuil, à Cabusse :

— N'empêche, Cabusse, dans deux cents ans d'ici, on verra encore ma gravure. Et le passant qui la lira — sans rien connaître d'Isabelle de Siorac — se dira peut-être : « Trente et un ans. Bien jeune est morte la pauvrette. » Et il se trouvera d'avoir un mouvement de compassion. Et moi, alors, je n'aurai pas perdu ma peine, je serai content.

— Et où tu seras toi, à ce moment-là ? dit Cabusse.

— Où que je sois, je serai content.

Isabelle à peine enterrée, mon père qui, pendant sa maladie, était resté serré en sa chambre, apparut à la lumière du jour, clignant ses yeux rouges et gonflés, et vêtu de noir de pied en cap, vêture qu'il ne quitta plus jusqu'au terme de sa vie. Aussitôt, il se rua avec fureur au travail, et le travail, certes, ne manquait point.

La frérèche, je l'ai dit, avait entrepris de doubler la clôture de pieux de châtaignier qui entourait notre étang d'une muraille hors échelle portant en son sommet un chemin de ronde et des créneaux. Cette deuxième courtine était ronde en sa forme et devait se coudre, aux deux bouts, à un châtelet d'entrée, déjà achevé, sorte de grosse tour carrée et rustique à deux étages, dont le premier comportait des mâchicoulis défendant une porte à deux battants. Celle-ci commandait le passage voûté ménagé sous la tour. Si les pétards des assaillants faisaient éclater ce portail, ils trouveraient à l'autre bout de la voûte une herse en fer qu'ils pourraient certes branler et tordre, mais en s'exposant, pris dans la nasse de la voûte, au feu des meurtrières coudées ménagées, des deux parts, dans l'épaisseur des murs, et aux pierres projetées sur leurs têtes à partir des trappes.

Quant aux pièges jusque-là disséminés dans la terre de l'enclos autour de l'étang — ce qui n'était pas sans danger quand vache ou bœuf vaguait hors du chemin —, ils furent rassemblés dans la partie circulaire comprise entre la clôture de pieux et la muraille. On ne pouvait donc, sautant la muraille, que s'y trouver empêtré et navré.

C'est grâce à Alazaïs qu'on recruta notre guetteur de nuit, Escorgol. Et d'ailleurs, c'était son cousin. Il la rappelait par ses dimensions, mais différait fort d'elle par sa gaieté et ses chansons, et par une particularité inouïe : il avait été quasi aveugle en ses vertes années, et s'était mis tout d'un coup à voir clair, sans intervention de barbier ni de médecin, à trente ans — miracle qui l'avait, disait-il, rendu joyeux, et le garderait en joie jusqu'à la fin de sa vie, vu qu'un homme qui a vécu au fond d'un puits pendant trente ans ne peut qu'être heureux quand il émerge à la lumière du jour.

De son long passage dans cette nuit, Escorgol avait, outre sa gaieté, gagné une qualité bien précieuse pour un guetteur de nuit : une ouïe merveilleusement fine. Assis le jour avec nous dans la salle commune, il pouvait entendre, une bonne minute avant les dogues de l'enclos, les sabots d'un cheval sur le chemin de terre de Mespech.

Escorgol avait l'œil brun et pétillant, le nez petit, la lèvre gourmande dans un visage rond, un peu écrasé, surmonté d'un crâne rond tout à fait chauve. Émergeaient de cette citrouille deux grandes oreilles dont le haut était pointu et dont le bas branlait fort quand il riait ou parlait, ce qui arrivait souvent, car il était plus rieur et clabaudeur qu'aucun fils de bonne mère dans le plat pays.

Combien de pierres brutes ou appareillées furent charroyées, en ces temps, de notre carrière du Breuil à Mespech ! Et combien de pierres, tous, à mains nues et écorchées, portèrent ou posèrent, grands et petits, hommes ou femmes, selon la force de chacun ! Tous s'y mirent, sauf Coulondre qui, vu son bras de fer, menait les charrois, et la Maligou, fort affairée à cuire le pot pour tout le monde, et enfin Barberine qui, outre Jacquou dans ses bras et Annet dans ses jupes, avait encore le petit de Cathau à s'occuper, pendant que Cathau, bien bravette, aidait à Cabusse sur les échafaudages.

Les mains, certes, ne manquaient pas. La frérèche avait engagé deux carriers à la tâche pour suppléer Jonas, qui ne pouvait suffire à la demande, étant souvent sur le chantier le maître d'œuvre et le maçon.

Puis la vendange et la récolte des noix terminées, tous nos tenanciers accoururent, donnant la main au reste du domestique : Faujanet, Marsal le Bigle, les deux frères Siorac, Alazaïs, qui valait deux hommes, et la petite Hélix, qui n'en valait pas le quart d'un étant trop occupée à les regarder. Travaillaient, en outre, les leçons apprises, les trois grands droles du Baron, le Baron lui-même, mettant bas son pourpoint, Sauveterre, malgré sa boiterie, et même Catherine et la Gavachette, qui furetaient partout parmi les blocs, ayant mission de trouver des petits éclats plats pour servir de cales entre les pierres.

Les maîtres étant si proches des serviteurs au cours de ce long travail, et rapprochés encore par la part qu'ils y prenaient, bien savait-on en profiter pour leur faire tenir quelques petits messages. À sa façon discrète, indirecte et périgordine, Jonas remarqua, comme en se gaussant, que tant qu'à faire et pendant qu'on y était, il pourrait bien, avec la permission des Messieurs, se bâtir aussi une maison sur sa grotte, pour que non pas vivre en sauvage toute sa vie. Mon père n'accueillit pas mal le propos et se laissa aller, mi-sérieux, mi-riant, à une demi-promesse. Mais Sauveterre, qu'effrayait déjà la dépense de l'enceinte, lui opposa visage clos et sourde oreille.

En tout, cela faisait bien vingt-cinq personnes à nourrir tous les jours, et la Maligou, assez heureuse, au fond, de faire la cuisine en plein air, et de voir tant de monde, gémissait d'avoir de l'ouvrage à revendre, Barberine ne lui étant plus que de faible secours, vu que si elle sortait un blanc téton pour nourrir Jacquou, Annet, tout grandet qu'il fût, se mettait à brailler pour avoir l'autre, lequel elle lui baillait aussitôt, partageant comme la louve de Rome entre Romulus et Rémus son lait inépuisable. C'était un spectacle fort joli que de voir Barberine ainsi tétée des deux bords par ces avides gaillards. Je m'arrêtais de travailler pour les regarder. J'en étais remué jusqu'aux entrailles, et presque jaloux, quand je pensais qu'en la fleur de ses dix-huit ans, elle m'avait nourri, moi, tout comme eux deux, et que j'étais maintenant si grand drole, apprenant les armes, le latin, l'histoire du royaume et, avec mon père, les secrets de la médecine.

Siorac et Sauveterre ignoraient moins que personne que, même ainsi fortifié, Mespech ne saurait en aucune manière résister à une armée royale pourvue de canons. Ils l'avaient dit au lieutenant-criminel et ils eurent encore l'occasion de le répéter à M. de Salis, lieutenant général du Périgord au siège de Sarlat : sujets loyaux, jamais ils ne fermeraient leurs portes au Roi ni aux officiers du Roi.

Mais d'autres périls étaient à craindre. Depuis la mise hors la loi par le Parlement de Paris des réformés, la lie de la populace, ayant reçu permission de voler, de forcer et d'occire, était sortie comme des cloportes de ses cachettes. Les brigands et les caïmans, les tire-laine et les vagabonds, les gueux et les mendiants, issus des bouges puants où ils se terraient, s'étaient formés hardiment en bandes et, sous prétexte de religion, commettaient sur les maisons isolées des huguenots les pires cruautés. À vrai dire, ces bandes n'étaient encore apparues qu'au nord du royaume, et surtout dans l'Anjou et le Maine, qu'elles dévastaient, mais selon la fortune de la guerre civile, elles pourraient, à la recherche d'aventures et de nouvelles pilleries, descendre jusqu'en Guyenne, où ce ne serait pas Montluc, certes, qui désirerait les réduire.

Nous étions affrontés à des dangers plus proches, comme Jean de Siorac l'avait dit, non sans intention, à Guillaume de la Porte. Notre voisin Bertrand de Fontenac, qui nous haïssait en raison du bannissement de son père, nous en avait administré la preuve en lançant les Roumes contre nous, quand Jean de Siorac se battait sous les murs de Calais. Il était donc à craindre qu'enhardi par les persécutions dont les nôtres étaient l'objet dans le royaume, il n'essayât à nouveau quelque traîtrise contre Mespech.

Tandis que nous pensions ainsi à notre redoutable voisin, notre enceinte s'achevait, et Escorgol était déjà installé au premier étage du châtelet d'entrée quand la frérèche eut l'extrême surprise de recevoir, par chevaucheur, une missive du Baron de Fontenac.

Siorac n'en crut pas ses yeux, ni Sauveterre ses oreilles, quand Siorac lui lut tout haut le poulet : la fille unique du Baron de Fontenac, Diane, était atteinte d'une grave maladie, dont on pouvait craindre qu'elle mît fin à ses jours. Par malheur, aucun des médecins de Sarlat, de Bergerac et de Périgueux n'avait, à ce jour, consenti à venir donner ses soins à Diane au château de Fontenac.

— Et pardi ! Ils connaissent l'homme ! dit Sauveterre.

En conséquence, le Baron de Fontenac demandait à M. le Baron de Siorac, et à M. de Sauveterre, Écuyer, de lui faire la grâce de pardonner chrétiennement les différends qui s'étaient élevés dans le passé, entre les deux familles...

— Les « différends » ! s'écria Sauveterre. La phrase est belle !

— ... et suppliait humblement le Baron de Mespech de venir apporter à sa fille le secours de sa science.

Les deux frères se regardèrent avec stupeur.

— Je suis d'avis de refuser tout à plat, dit Sauveterre. Savons-nous seulement ce qu'elle a, cette Diane ? Peut-être la peste. De nouveaux cas viennent d'apparaître dans le Sarladais, et il ferait beau voir que cette Fontenac nous apportât la contagion !

— Je suis, au contraire, d'avis d'accepter, dit Siorac. Cela me paraît à la fois plus chrétien et plus habile.

Il eut un sourire en prononçant ces mots.

— Mais, bien sûr, en posant conditions.

Après une longue discussion, son avis l'emporta et, sur l'heure, Siorac rédigea une lettre au Baron de Fontenac. Il faisait remarquer, d'abord, que s'il était licencié en médecine de la Faculté de Montpellier, il n'était pas docteur, et qu'il y avait, à coup sûr, à Sarlat, à Bergerac et à Périgueux, des médecins plus savants que lui-même ; qu'il n'avait soigné jusque-là que des personnes trop pauvres pour pouvoir requérir les soins de ces savants ; qu'il ne pouvait s'éloigner de Mespech en ces temps si troublés, et moins encore visiter son voisin, mais que si celui-ci voulait lui confier sa fille Diane, accompagnée d'une chambrière, il soignerait et hébergerait la malade et la gardienne au deuxième étage du châtelet d'entrée de Mespech, dont la fenêtre sud donnait sur le donjon de Fontenac ; qu'il voulait qu'il soit bien entendu qu'il serait le seul à décider des soins à donner à Diane de Fontenac pendant toute la durée de la cure ; que pendant cette durée, Diane, pas plus que sa chambrière, ne recevrait de visites de Fontenac ni d'aucune autre personne ; qu'en cas d'issue funeste de la maladie, le Baron de Fontenac dégagerait entièrement la responsabilité du Baron de Mespech, et renoncerait d'avance à tout recours ou procès contre lui ; et qu'enfin Diane et sa chambrière devaient être, de haut en bas, lavées à l'eau chaude et épouillées avec le plus grand soin avant de quitter Fontenac.

Je ne sais comment expliquer cette dernière prescription, assurément fort bizarre, sinon par l'horreur un peu maniaque que mon père ressentait pour la saleté et certains insectes parasites contre qui, à Mespech, il menait une guerre quotidienne. Plus tard, quand je demeurai moi-même à la Cour de Charles IX, la pensée souvent m'égaya de l'horreur qu'eût ressentie mon père à voir une de ces belles dames superbement parées qui entouraient le Roi saisir un pou qui courait dans ses cheveux et l'écraser entre ses doigts délicats, sans que personne, autour d'elle, parût s'en étonner.

Fontenac, en tout cas, consentit à tout, y compris à ce qu'une copie de la correspondance échangée entre mon père et lui à cette occasion fût faite par huissier et confiée au lieutenant-criminel de Sarlat pour être gardée dans ses archives.

Personne, à Mespech, pas même Escorgol, qui logeait au premier étage du châtelet dont elle habitait le second, ne fut admis à voir Diane, dont mon père nous dit seulement qu'elle avait quatorze ans et qu'elle était fort belle, avec de longs cheveux noirs et de grands yeux verts, et, au surplus, douce et bonne, ressemblant en tout à sa mère et non au tigre qu'elle avait pour père : description qui enflamma fort l'imagination des trois droles de Mespech.

Ce que Jean de Siorac se garda de dire, en revanche, c'est qu'il avait reconnu sur Diane les marques de la peste.

Bien que ce mois de septembre fût très doux, il ordonna de brûler un grand feu, nuit et jour, dans la chambre de la malade : il pensait que la contagion de la peste se propageant par l'air, celui-ci serait purifié par le feu. Pour la même raison, il portait un masque devant la bouche et le nez quand il approchait Diane et, avant de partir, il le jetait dans les flammes du foyer. Gagnant alors sa librairie, en écartant tous et toutes sur son chemin, il s'y faisait apporter deux cuves pleines d'eau très chaude. Dans l'une, il jetait ses vêtements, et dans l'autre, il se plongeait lui-même tout entier, tant il croyait à la vertu de la chaleur contre la contagion. Il prescrivit les mêmes précautions à Toinette, la chambrière de Diane, et même à Escorgol, pour ce qu'il approchait Toinette en lui portant le bois de chauffage et les viandes. Jamais le pauvre Escorgol ne s'était tant baigné de sa vie, et il s'en plaignait amèrement, ayant crainte que sa peau ne s'usât ou ne se ramollît au contact de l'eau.

Mes grands professeurs de médecine, en Montpellier, quand plus tard je leur contai ceci, se gaussèrent beaucoup, arguant que l'eau, même chaude, ne peut rien contre la contagion de l'air, puisque l'eau et l'air sont, par essence, éléments incompatibles. C'était bien raisonné, sans doute. Néanmoins, personne à Mespech n'attrapa la peste, ni Toinette, ni Escorgol, ni mon père. Il y avait donc peut-être du bon dans ces bizarreries.

Diane souffrait d'une fièvre ardente et continue et elle était, en outre, fort maigre et fort faible, la nourrice qui la soignait à Fontenac ayant cru bon de la mettre à la diète. Mon père, remarquant que ses urines étaient rares, ordonna qu'on lui donnât du lait à volonté, et elle en but jusqu'à deux litres par jour, étant tout le jour frissonnante et dévorée d'une soif prodigieuse.

Le sixième jour, mon père nota qu'un gros apostume qu'elle avait à l'aine se mettait à suppurer. Il écrivit à Fontenac que sa fille allait mieux, puisque le mal commençait à lui sortir du corps, et que si la suppuration continuait, on pouvait espérer sa guérison.

Deux jours après cette lettre, Mespech reçut la visite d'un grand médecin de Sarlat, Anthoine de Lascaux qui, se disant mandaté par le Baron de Fontenac, demanda à voir la malade. Et, très réellement, il la «vit», et pas davantage, car il ne s'avança pas plus avant que le seuil de la pièce. Là-dessus, il dit qu'il lui trouvait assez bonne mine, mais que pour hâter sa guérison, il faudrait lui tirer du corps deux pintes de sang par jour.

— La saigner! dit mon père. Mais pourquoi donc? Anthoine de Lascaux, qui était un bel homme bien gras et sûr de lui, sourit de l'ignorance de ce licencié, et voulut bien l'éclairer des lumières les plus récentes de la science.

— Je vois que la *saignée fréquente*, en tant que remède, n'est pas encore parvenue jusqu'à vous, monsieur le Baron. Elle est pourtant souveraine dans tous les maux, et fort en honneur depuis que Leonardo Botalli, l'illustre médecin italien de Charles IX, l'a introduite à la Cour de France.

— Et que fait cette saignée?

— Elle tire le sang pourri du corps du malade. Vous n'êtes pas sans savoir que plus l'on tire de l'eau croupie d'un puits, plus il en revient de bonne. Le semblable en est du sang et de la saignée.

— Comparaison n'est pas raison, dit mon père après un moment de réflexion. L'eau du puits se renouvelle par la source qui l'alimente. Mais on ne sait comment se refait le sang.

— Le sang engendre le sang, dit Lascaux avec gravité.

— Peut-être, mais point si vite. J'ai vu en mes campagnes des milliers de blessés très affaiblis par le sang répandu, même quand la plaie restait saine. Et, celle-ci guérie et fermée, les blessés demeuraient faibles encore des semaines durant.

Lascaux leva une main magistrale.

— En raison, justement, de la partie pourrie de leur sang. On eût beaucoup hâté leur guérison en la leur tirant du corps.

À cela mon père réfléchit encore un moment et reprit:

— Si vous parlez de la partie pourrie du sang, c'est donc qu'il y a une partie saine. Et comment sait-on, quand on saigne, que c'est la partie pourrie que l'on tire, et non la saine ?

Ceci parut embarrasser Lascaux. Mais comme il était assez fin malgré son enflure, il prit le parti de tourner l'affaire en gausserie.

— Ah ! Monsieur le Baron, l'autorité des plus grands médecins du royaume n'est donc rien à vos yeux ! Vous êtes un grand sceptique ! Vous ne croyez pas plus à la saignée qu'à la Vierge Marie, et vous êtes hérétique en médecine comme en religion...

Mon père voulut bien rire de cette saillie, invita Lascaux à déjeuner et le traita bien. Et Lascaux, de retour à Sarlat, écrivit à Fontenac que le Baron de Mespech était assez bon homme, encore que fort bizarre en ses conceptions, mais que néanmoins la malade, telle qu'il avait pu l'observer à loisir, présentait toutes les apparences d'une proche guérison. Je retrouvai cette lettre de Lascaux bien des années plus tard, dans les archives du château de Fontenac, et mention, au revers, de la main du Baron, qu'il avait baillé cinquante écus à ce grand médecin de Sarlat, pour le prix de sa consultation.

De « consultation », il n'y en eut pas d'autre, car Jean de Siorac envoya un billet ferme et courtois à Fontenac pour lui rappeler leurs conventions. Livrée, ainsi, aux seuls soins de mon père, Diane poursuivit à Mespech sa longue convalescence, apparaissant parfois aux croisées du châtelet d'entrée, tandis que nous achevions de mettre la dernière main au mur d'enceinte.

Ce septembre était ensoleillé et doux, et parfois, enveloppée d'une fourrure blanche, Diane ouvrait la fenêtre et, accotée à son rebord de pierre, restait un assez long moment à nous regarder de ses grands yeux verts, avec l'ombre d'un sourire sur ses lèvres encore pâles. Je notai que ces apparitions faisaient beaucoup d'effet sur mon aîné, au point de le clouer sur place, l'œil fixe et les mains vides, et sans branler d'un pouce pendant une grande minute. Qui eût pensé que ce grand niquedouille eût tant de sang dans les veines, l'imagination si vive, et le cœur si atendrézi ? Diane nous regardait tous sans regarder personne, mais du coin de son œil vert, elle n'avait pas laissé de voir le trouble de François. Et dès qu'il baissait les yeux, en reprenant sa tâche, elle lui glissait, dans un battement de cils, un regard, un seul, et si prompt, et si vite retiré, que c'était à peine si le pauvre François pouvait y lire un encouragement. Ainsi font les filles, dit-on, quand on les a bien élevées.

Mais avec la petite Hélix, en mes nuits, c'était un style plus rustique.

— Méchant Pierre ! me dit-elle, dès que, le calel soufflé, Barberine se fut elle-même soufflée dans un profond sommeil. Tu regardes beaucoup trop cette patota de château. Ton aîné est déjà bien pris et bien englué, le pauvre ! Et toi te plaît aussi cette grande perche ?

— Elle a le visage fort beau, dis-je pour la picanier.

— Assa ! dit-elle avec véhémence. Elle est blanche comme navet, et du téton comme sur ma main.

Et ce disant, elle sauta sur moi et, se penchant, me colla les seins sur les yeux, « pour me les boucher », dit-elle.

Des clabaudages parmi nos gens, il y en eut, et pardessus tout, de la cuisine à la souillarde, où les langues vibrèrent fort entre la Maligou et Barberine. Mais en la librairie, de frère à frère, pas un mot, nulle trace sur le *Livre de raison*, et pas la moindre allusion non plus à François qui, sentant bien dans ce silence ce qu'il voulait dire, osait montrer parfois un visage désolé.

Le 1er octobre, la frérèche reçut un émissaire dépêché par M. de Duras, qui rassemblait à Gourdon les troupes huguenotes du Midi pour les mener à Orléans grossir l'armée du Prince de Condé.

L'entrevue eut lieu en la librairie de Mespech, et là aussi François, Samson et moi étions présents, Jean de Siorac pensant que ce n'était pas assez que ses droles fussent instruits, par Sauveterre, des grands faits du passé : ils devaient aussi apprendre l'histoire du royaume, tandis qu'elle se faisait, pour ainsi dire, sous leurs yeux, de jour en jour.

L'émissaire s'appelait Verbelay, et il n'avait point, certes, l'aisance d'homme de Cour de Monsieur de L. Il sentait à la fois le soldat et le prêtre et, d'ailleurs, il avait mué du second au premier, ayant été novice à Cluny sur la recommandation de son frère, l'Évêque du Puy. Mais son froc donnant de l'urticaire à sa jeune peau, il l'avait jeté aux orties et, devenu huguenot, il ressentait forte démangeaison de se battre. Il portait une rapière, une dague, un pistolet passé à sa ceinture, et au-dessus de cet armement, des yeux noirs ardents, des cheveux plats, et un grand nez pour respirer le sang de son ennemi. D'ailleurs fort brave, comme on le vit bien par la suite.

Verbelay commença à remercier la frérèche des mille écus qu'elle avait donnés à Monsieur de L., et que celui-ci avait remis à M. de Duras. Le don avait servi à adjoindre à la petite artillerie de Duras, qui ne comptait jusque-là que des couleuvrines, une grosse pièce dont l'apparition avait redonné courage aux soldats huguenots de Gourdon. Dans leur humeur populaire et méridionale, ils la surnommèrent *chasse-messe* en se gaussant, et sur l'heure la baptisèrent, non à l'eau, mais au vin de Cahors, une partie sur le bronze neuf, et la plus grande dans les gosiers.

Chasse-messe devait faire ses premiers tirs contre les murs de Sarlat, que M. de Duras comptait prendre, puisque son droit chemin pour aller en Orléans le faisait passer par là. Et il demandait à M. le Baron de Mespech, qui était connu pour s'être illustré dans un siège fameux, de lui apporter en cette occasion l'appui de ses conseils.

— À Calais, dit mon père, il s'agissait de chasser les Anglais hors de la ville. Le devoir était clair. Mais ici, il est par essence confus. Car s'il est vrai qu'on a commis un grand crime en mettant les réformés hors la loi, c'en est un autre de se dresser contre son souverain et d'arracher une ville à son obéissance.

— Je ne suis point ici, monsieur le Baron, dit Verbelay en montrant quelque impatience, pour vous prier de revenir sur votre décision. Il ne s'agit pas du secours de votre bras, mais de vos avis.

— Eh bien, mon avis, puisque M. de Duras me fait l'honneur de me le demander, le voici, dit Jean de Siorac, un peu piqué de ce ton. Si le droit chemin de M. de Duras passe par Sarlat, que M. de Duras fasse un détour et laisse la ville derrière lui.

— Quoi ? dit Verbelay, ses yeux noirs lançant des éclairs. Laisser derrière nous ce riche Évêché, alors que l'argent nous manque si durement pour notre cause ? Et une ville sans donjon, sans château, ayant pour toute défense une simple muraille avec quelques petites tours et un fossé ; et, qui plus est, surplombée de collines d'où l'on peut plonger dans la place et la voir toute, par le cul comme par la tête ?

Jean de Siorac ne répondit pas, laissant entendre qu'il avait tout dit. Et comme le silence se prolongeait, Sauveterre, peut-être parce qu'il avait trouvé mon père un peu trop abrupt, reprit :

— À part *chasse-messe*, qu'avez-vous comme couleuvrines, monsieur Verbelay ?

— Six.

— C'est bien peu pour un siège.

— Mais nous sommes douze mille. Ils sont trois cents.

— Trois cents derrière des murs, dit Sauveterre, et qui se battront comme des tigres pour protéger leurs femmes, leur or et leur foi — quelle que soit cette foi, ajouta-t-il avec un petit geste de la main. En outre, Sarlat a su que M. de Duras allait l'attaquer. Les Consuls ont abondamment pourvu la ville de vivres et de munitions, et force bonne noblesse catholique du pays a répondu à leur appel : Fontanilles, Puymartin, Périgord, Claude des Martres, La Raymondie, tous ces hommes se sont fort bien organisés en quatre compagnies distribuées sur le rond du rempart, hérissées d'arquebuses et, qui plus est, ils disposent d'une bonne batterie sur la grosse tour de la paix.

— Néanmoins, nous aurons Sarlat! dit Verbelay avec résolution.

— Dans dix jours, dit mon père. Ou plutôt vous l'auriez dans dix jours si, avant dix jours, M. de Burie, qui est au château des Milandes, et M. de Montluc, qui est dans l'Agenais, ne vous tombaient sur le dos pour vous prendre à revers. Monsieur Verbelay, répétez, je vous prie, exactement mon propos à M. de Duras. Il aurait eu Sarlat en vingt-quatre heures par surprise. Mais on a trop parlé chez vous. Sarlat vous attend, Burie et Montluc sont prévenus et se préparent à vous tailler des croupières. Croyez-moi, le plus droit chemin, le plus sûr et le plus prompt, pour rejoindre le Prince de Condé à Orléans, ne passe pas par Sarlat.

— Je répéterai fidèlement vos dires, monsieur le Baron, et les vôtres aussi, monsieur l'Écuyer, dit Verbelay en se levant et en prenant congé avec toute la brièveté que lui permettaient les limites de la politesse. Mais ses yeux ardents étincelaient et on voyait qu'il était fort mécontent de l'avis qu'il avait à transmettre.

De la fenêtre de la tour, Siorac et Sauveterre le regardèrent monter à cheval et piquer des deux avec sa petite escorte. Sauveterre hocha la tête:

— Voilà un excellent conseil, et qui sera perdu.

— Je le crains, dit mon père, les poings aux hanches et la tête redressée. Ah! Si le Prince de Condé m'avait offert le commandement de l'armée de Gourdon...

— Mais il n'a tenu qu'à vous...

— Que non! Que non! dit Siorac en marchant avec impatience dans la pièce. On m'offrait quoi? D'être le lieutenant de Duras! Mais Duras est un bon colonel d'infanterie, routinier et borné. Il veut donner à son armée un premier succès facile en se faisant la main sur Sarlat. Mais il n'a pas d'abord su feindre de ne pas l'attaquer, comme Guise a fait si bien pour Calais. Il a perdu l'effet de surprise. Il n'emportera donc pas Sarlat dans le pas de son cheval. Il perdra, en revanche, assez de temps sous ses murs pour être rejoint et taillé en pièces par Montluc et ses terribles fantassins espagnols. Non! dit mon père avec feu en tapant à plusieurs reprises du poing droit dans sa main gauche, le premier devoir de Duras était de sortir son armée à brides avalées de ce guêpier merdeux du Périgord, d'échapper, par la rapidité des mouvements, aux griffes de Montluc, et d'amener ses douze mille hommes intacts à Condé.

Assis, les mains à plat sur mes genoux et, comme mes deux frères, muet, j'écoutai ces propos avec admiration et aussi avec quelque surprise, car j'apprenais par eux que mon père, huguenot loyaliste, se serait «peut-être» rebellé contre son Roi, si on lui avait offert de commander en chef à Gourdon. Jean de Siorac avait donc bien raison de dire que le devoir, en ces temps troublés, était «par essence confus»... Illisible, en outre, il l'était, et le devint de plus en plus, quand on sut à Mespech que le 3 octobre au soir, l'armée de Duras, ayant fait ses approches, investissait les murs de Sarlat. Il apparut, dans les conversations de la frérèche, que la prise par les nôtres d'une ville à laquelle les attachaient déjà tant de liens amicaux les plongeait dans des sentiments fort mêlés.

— Duras ne prendra pas Sarlat, dit mon père avec un haut-le-corps dès qu'il sut la nouvelle.

— Mais Jean, dit Sauveterre, vous parlez comme si vous ne désiriez pas qu'il la prît.

— Mais vous-même, le désirez-vous?

— Je le désire, dit Sauveterre sans le moindre enthousiasme, comme un premier succès de nos armes dans une guerre injuste qu'on nous a imposée.

— Mais est-ce vraiment un succès? dit mon père en marchant avec impatience de long en large. Duras prend la ville. Eh bien, que se passe-t-il? Nos soldats, qui sont, hélas, des soldats comme les autres, courent à leurs exploits habituels: le sac, le meurtre, le forcement des filles. On tue quelques prêtres, on rançonne les plus riches. On pille et dénude les églises. On lève des tailles sur les marchands. Et après deux jours de ces désordres, on quitte les Sarladais aussi catholiques qu'ils l'étaient avant, et avec des raisons nouvelles de se revancher sur les nôtres. Non, non, la prise de Sarlat ne résout rien. C'est dans le nord du royaume, entre Condé et Guise, que se fera la décision.

— D'un autre côté, dit Sauveterre, si Duras échoue devant Sarlat, cet échec abaissera le courage des nôtres et laissera bien mal augurer de la suite.

— Certes ! Certes ! dit mon père en baissant la tête. C'est aussi ce que je me répète. Mais imaginez douze mille soldats lâchés dans une petite ville comme Sarlat, qui ne compte pas cinq mille habitants ! Mon frère, sont-ce là nos évangiles ?

On apprit le jour suivant que Duras avait mis en batterie *chasse-messe* et deux couleuvrines dans un jardin au pied de Pissevi, non loin de la fontaine de Boudouyssou. Le tir commença à huit heures du matin, et deux heures plus tard, la muraille qui faisait face s'écroulait, mais la batterie de Duras avait été si mal et hâtivement installée, sans levée de terre pour la protéger, sans fascines ni gabions pour la couvrir, que l'âpre mousquetade qui partait de la ville tua le maître de l'artillerie, blessa le canonnier et força le reste des servants de se retirer. *Chasse-messe* et les deux couleuvrines restèrent ainsi abandonnées dans leur jardin, la grêle ininterrompue des arquebusades tirées par les assiégés interdisant leur accès. Si les Sarladais avaient eu assez de monde pour faire une sortie, les trois pièces étaient à eux. Mais ils n'y pensaient point. Ils avaient fort à faire à remparer leur mur de ce côté.

À dix heures du soir, la nuit étant tombée, les nôtres donnèrent une alarme de tous les côtés, avec grandes sonneries de trompettes, battements de tambours, hurlements étranges, échelles brandies et salves d'arquebuses, et à la faveur de cette diversion, ils réussirent à retirer *chasse-messe* et les couleuvrines du jardin de Pissevi, et les placèrent plus heureusement au sud-ouest de la ville, sur la colline de Pechnabran, d'où elles dominaient la muraille. Là aussi, elles jetèrent bas les défenses. Mais les assauts que Duras donna le 5 et le 6 octobre furent partout repoussés par les assiégés, et le 6 au matin, Duras, apprenant que M. de Burie faisait mouvement pour le rejoindre, leva le siège, non sans brûler les faubourgs, le couvent des Cordeliers et le château de Temniac.

Il prit alors en toute hâte par Meyrals et Tayac dans la direction de Périgueux, mais il ne put même atteindre la ville. Il fut rejoint le 9 octobre dans la plaine de Vergt, surpris par Montluc et écrasé. Ce fut un carnage affreux. Les paysans s'en mêlant, on tua là six mille huguenots dans les bois alentour. Il n'y eut pas de quartier. Le reste des huguenots de Duras s'enfuit à vauderoute, et quand Duras atteignit Orléans, il ne lui restait plus que cinq mille hommes à bout de forces, de valeur et d'espoir. Les trois jours qu'il avait perdus sous les murs de Sarlat avaient coûté au parti huguenot la moitié d'une armée et la première défaite de la guerre.

Huit jours après la sanglante défaite de Vergt, Samson, François et moi, nous étions, en fin d'après-midi, au premier étage du châtelet d'entrée, assis autour d'Escorgol, l'écoutant dévider un conte de sa Provence. Et bien que notre guetteur contât fort bien, d'une voix forte et sonore en belle langue d'oc, quelque peu différente de notre périgordin, je voyais bien que mon aîné n'écoutait que d'une oreille, surtout lorsqu'un pas peu pesant se faisait entendre au-dessus de nos têtes, séparé de nous par un plafond de châtaignier qui n'avait pas plus d'un pouce et, sur ordre de la frérèche, ajusté si rapidement par Faujanet que du jour apparaissait entre les planches. Je jetai un petit coup d'œil malicieux à Samson, mais innocent comme il l'était encore, faisant de ses nuits le même usage que Barberine (je ne sais à qui, sinon peut-être au Diable, je dois tant de remerciements, que mes anges gardiens en la tour aient eu si bon sommeil), Samson ne quittait pas de son regard clair le visage d'Escorgol, tout ouïe à son dire et le sourçil froncé quand quelque mot provençal l'étonnait.

À côté de la grande cheminée — car, les nuits d'hiver, il faudrait du feu à notre guetteur pour le tenir éveillé — s'ouvrait, taillé dans l'épaisseur du mur, un escalier à vis en pierre qui menait à l'étage au-dessus, tant courbé et tant étroit qu'il avait fallu monter par la fenêtre le mobilier destiné à la chambre que Diane partageait avec sa chambrière. La cheminée était au nord, rigoureusement assise sur la nôtre, les deux conduits, avant de sortir du toit de lauzes, se confondant. Mais, sur l'ordre de mon père, le foyer du dessus brûlait d'un feu ardent, et, en prêtant l'oreille — comme faisait François — on pouvait entendre les craquements et les sifflements des bûches qui s'y consumaient.

L'escalier à vis était fermé, au deuxième étage, d'une solide porte de chêne pourvue de deux verrous, l'un à l'intérieur de la chambre, l'autre de ce côté-ci, mais à notre étage, il n'était pas clos, et on pouvait voir les premières marches tourner autour du pilier de pierre central, bien éclairées par un fort joli fenestrou taillé dans la courbe du mur, et que la courbe, justement, nous dérobait, si bien qu'on ne voyait que la lumière dorée qu'il baillait, en cette radieuse après-midi, aux belles marches ocre que Jonas avait taillées. Je me souviens qu'assis comme j'étais sur un escabeau, le dos contre les pierres du mur et écoutant Escorgol, mon œil, errant dans la pièce, s'attardait souvent sur la cavité brillante, douce et mystérieuse que faisait cette courbe de marches tournant autour du pilier, jusqu'à la porte de chêne verrouillée derrière laquelle la captive vivait, que nous n'avions jamais vue, sinon de loin, à sa fenêtre. Pour moi, je me donnais là, en passant, un plaisir de l'imagination, mais pour le pauvre François qui, comme disait la petite Hélix, était déjà bien pris et englué, il en allait autrement, je le voyais bien. Les yeux figés et mélancoliques, les lèvres un peu tremblantes, il regardait la lumineuse montée des marches dans le mur, comme l'entrée défendue du jardin d'Éden.

Escorgol s'interrompit soudain et, fermant les deux yeux, il dit :

— Tiens donc ! j'entends quelqu'un !

Je me levai et, me dirigeant vers l'étroite fenêtre au-dessus des mâchicoulis, je regardai le chemin de terre qui, du bas de la courbe des Beunes, montait vers le châtelet d'entrée. Je ne vis rien, et à part quelques cris d'oiseau, n'entendis rien. Samson vint me rejoindre et, comme moi, tendit l'oreille.

Cependant Escorgol, qui avait saisi à côté de son lit une arquebuse, ferma les yeux, écouta derechef et, reposant à terre son arme, dit :

— C'est quelqu'un qui vient seul, et pieds nus.

Après quoi, il s'approcha de nous et regarda à son tour, au-dessus de nos têtes, le chemin vide encore. François, ne branlant pas d'un pouce, demeura sur son siège, perdu non pas dans ses pensées, mais dans une seule.

Tout au bout du chemin montant vers nous des Beunes, une tête apparut, puis un buste, puis le corps tout entier. À sa démarche, à n'en pas douter, une garce. Quand elle approcha, je remarquai qu'elle avait tant de cheveux noirs que c'est à peine si se voyaient ses yeux, et très peu de vêtements sur elle, les jambes et la moitié des tétons apparaissant — d'ailleurs robuste et l'air fier malgré ses loques.

— Que veux-tu, drolesse ? dit Escorgol du haut de la fenêtre, la considérant, mi-allumé, mi-méfiant. Si c'est pour mendier, passe. Ce jour-ci, nous ne donnons point.

— Je ne mendie point, dit la fille avec assurance. Je viens parler de Jonas le carrier avec les messieurs de Mespech.

— Mais je te reconnais, toi ! m'écriai-je en me penchant sur le rebord de pierre de la fenêtre. Tu es la

Sarrazine que le capitaine des Roumes nous a laissée en otage il y a quatre ans, et que l'oncle Sauveterre a placée à la Volperie à Montignac.

— C'est bien moi, Sarrazine, dit-elle en redressant la tête, comme si son nom était un titre.

— Si vous la connaissez, dit Escorgol, en nous tendant une dague à chacun, descendez lui ouvrir la porte piétonne, mais refermez bien après elle les trois verrous. Je reste à guetter ici.

Je descendis en courant le petit escalier à vis qui, de l'autre côté de la cheminée, prenait la suite de celui que j'ai décrit s'en allant vers le haut, et qui avait mêmes dimensions, sauf qu'il était moins gai, ne prenant le jour au rez-de-chaussée que par des meurtrières coudées par lesquelles, sans être atteint, on pouvait navrer les assaillants qui auraient enfoncé la porte. Samson courait sur mes talons et, au moment de tirer les trois verrous de la porte piétonne, lui à droite et moi à gauche, nous mîmes la dague derrière le dos, comme nous avait appris mon père. Je fixai la chaîne qui entrebâillait la porte et par cette étroite ouverture, se baissant beaucoup et de biais, se glissa Sarrazine, qu'une fois dedans j'appréhendai vivement par le bras, lui mettant la pointe de ma dague sur la gorge et lui commandant de ne branler mie tant que Samson n'aurait refermé la porte. Quoi fait, Samson lui saisit l'autre bras, le retourna en arrière, et lui faisant sentir sa pointe sur l'omoplate, lui dit que j'allais la fouiller. Ce que, mettant ma dague à la ceinture, je fis fort sérieusement d'abord, visitant le petit panier d'osier qu'elle avait à la main (mais il était vide). Cependant, au premier palpement, le peu de vêtement qu'elle portait, et ce peu très troué ne cachant aucune arme, ma fouille gagna en longueur ce qu'elle perdit en rudesse.

Sarrazine se mit à rire en se tortillant et darda sur moi un œil luisant à travers ses cheveux de jais.

— Pardié, mon jeune Moussu, dit-elle d'une voix à la fois rieuse et rauque, vous avez fort grandi en quatre ans, je me pense, à voir la façon dont vous me visitez! Dites à votre frère roux de ne pas tant me piquer le dos.

Elle ajouta en riant et en se trémoussant :

— Je n'ai d'autres armes sur moi que celles qui font la perdition des hommes.

— Mais celles-ci en abondance! dis-je en lui jetant un regard sous lequel, de plus belle, elle se trémoussa.

— Rengaine, Samson, et monte la herse, repris-je en retenant Sarrazine par le bras, non par nécessité, mais parce que sa chair ferme et fraîche plaisait à mes doigts, et parce que j'étais fort émerveillé de la nouveauté de cette arrivée, en ces temps où nous étions tous si lugubrement serrés et prisonniers dans l'enceinte de Mespech par le trouble des temps et l'arrêt qui nous avait mis hors la loi. Car de sortir hors de nos murs, il n'en était point question, pas même pour nous rendre à Sarlat, où les plus acharnés papistes reprenaient le haut du pavé.

La herse montée puis baissée, et ayant fait un signe rassurant à Escorgol qui nous suivait de l'œil avec envie de la fenêtre de derrière — mon frère François, pour l'heure à venir, son seul auditeur, si tant est qu'il l'écoutât — je balançai peu si je devais conduire Sarrazine à Sauveterre ou à Jean de Siorac, et pour celui-ci me décidai presque aussitôt, sachant bien la grise mine que le grison ferait à la drolesse, alors que je savais bien qu'elle amuserait mon père, et qu'aussi il nous laisserait présents à l'entretien. En outre, je m'étais avisé que, malgré sa chemise trouée et ses pieds nus couverts de la poussière du chemin, elle était fort propre, le cheveu luisant et net, l'haleine pure, et sans rien qui pût offenser le nez si fin de mon père.

Je fis donc entrer la garce en la librairie et dis à mon père qui elle était.

— Eh, adieu, Sarrazine! J'ai fort ouï de toi, ces quatre années! dit Jean de Siorac, se mettant debout, les mains aux hanches et la tête redressée, tandis qu'il enveloppait la fille de son œil bleu, dont disparut pour un temps la tristesse. Que viens-tu faire céans? ajouta-t-il avec son ancien enjouement.

— Me plaindre, Moussu lou Baron, dit Sarrazine en faisant une profonde révérence, sa chemise trouée bâillant jusqu'à la taille, spectacle dont je ne perdis pas miette, et mon père non plus, je crois.

Elle ajouta, les yeux baissés :

— Votre carrier Jonas m'a forcée.

— Holà ! dit mon père, qui fit mine de sourciller. Mais c'est crime capital ! Et qui vaut la corde ! Et où cela s'est-il passé ? Dans les chemins ? Par les combes et par les pechs ?

— En sa grotte, dit Sarrazine, la paupière hypocrite.

— Et que faisais-tu en sa grotte, ma pauvre ? dit Jean de Siorac.

— J'étais venue voir sa louve, dont on dit que c'est merveille comme il l'a apprivoisée.

— La merveille, dit mon père en riant, c'est que tu aies fait pieds nus cinq lieues par les chemins de la Volperie à la grotte de Jonas, rien que pour voir cette louve ! Jonas t'avait-il invitée ?

— Non point, Moussu lou Baron. Je ne l'avais point revu depuis qu'il m'avait déliée du poteau où le capitaine des Roumes m'avait liée. Cependant, quand il m'a vue en sa grotte, il s'est montré bien aimable.

— Je crois, dit mon père.

— Il m'a donné à boire du lait de sa chèvre, et comme j'étais fatiguée, sa louve étant couchée, il m'a mis la tête sur son flanc et m'a dit de la caresser. Ce que je fis. Alors, il s'est étendu à côté de moi, et j'ai dit : « Mais toi aussi, Jonas, tu as sur la poitrine une toison fort belle. » Et de l'autre main, je l'ai caressée. Et ainsi caressant les deux fourrures, la louve grondant doucement sous moi, et Jonas me regardant avec des yeux grands comme des lunes, au bout d'un moment, je ne sais par quelle magie, je me suis trouvée de ne plus être vierge.

Il y eut un silence après ce récit qui nous laissa tous trois rêveurs, je dis tous trois, car même mon gentil frère Samson rougit.

— Il n'y eut pas là grande magie, dit Jean de Siorac.

Sarrazine battit du cil.

— Pourtant, il y eut forcement.

— Bien petit, dit mon père. Néanmoins, si tu l'affirmes, il me faudra exercer ma justice seigneuriale et envoyer Jonas tout botté au gibet.

— Oh que non ! Que non ! Que non ! s'écria la Sarrazine avec passion en secouant sa crinière. Ce n'est pas le moment de le pendre quand je veux le marier !

— Voilà une garce sans rancune, dit mon père. Et Jonas ?

— Il le veut aussi, selon votre culte huguenot.

— N'es-tu pas catholique ? dit mon père en reprenant son sérieux.

— J'ai été élevée dans l'Islam, dit Sarrazine avec simplicité. Puis les Roumes m'ont faite catholique. Et désormais, je serai de la religion de mon mari.

— Autant dire que le mari vaut bien le culte. Eh bien, réjouis-toi, Sarrazine, dit Jean de Siorac. Tu n'as pas perdu ton temps en faisant cette longue marche de la Volperie à la grotte !

— C'est que j'y avais beaucoup pensé depuis ces quatre ans, où je n'ai pas vu d'homme plus beau et plus fort que Jonas dans tout le plat pays de Montignac.

Mon père rit.

— Eh bien, c'est chose faite, Sarrazine.

Mais celle-ci, cessant un temps de branler le corps et de se trémousser, dit d'un air grave :

— Pas tout à fait, Moussu lou Baron (et elle fit derechef une révérence aussi profonde que la première). Je ne veux point vivre en une grotte comme une sauvage, avec des chèvres et une louve. Il faut donner permission à Jonas de se bâtir une maison au-dessus de la grotte.

— Ah, nous y voilà, coquinasse ! dit mon père en riant.

C'est alors qu'on entendit dans l'escalier le pas claudicant de Sauveterre. Puis un coup fut frappé à la porte, et Sauveterre apparut, fronçant le sourcil dès qu'il aperçut Sarrazine, et détournant aussitôt les yeux pour les jeter avec appréhension sur Jean de Siorac.

— Jean, dit Siorac en réprimant la gaieté que la Sarrazine avait apportée avec elle, voilà Sarrazine, votre otage, que vous avez placée. Elle veut bien épouser Jonas selon notre culte, pourvu qu'il se bâtisse une maison sur sa grotte.

— Une maison ! dit Sauveterre en levant les mains au ciel avec scandale.

— Moussu l'Écuyer, vous avez tout, et en abondance, pour ce faire ! dit Sarrazine avec feu, et non sans effronterie. La pierre pour les lauzes et les murs, la chaux ou la glaise pour lier, les châtaigniers pour la charpente, et pour bâtir, un carrier qui est aussi maçon ! Et pourquoi Jonas, qui vous sert si bien, et qui s'est si bien battu pour vous contre les Roumes, n'aurait-il pas sa maison comme un chrétien ?

— La garce a la langue bien pendue, dit Sauveterre, à qui ce discours ne plut guère.

Il s'assit avec un soupir, mais il n'en dit pas davantage, sachant trop bien ce qu'en pensait Siorac.

Il y eut un silence, les deux frères évitant l'un et l'autre de parler pour ne point avoir à s'affronter.

— Sarrazine, qu'est-ce que c'est que ce panier d'osier que tu tiens à la main ? dit mon père au bout d'un moment.

— Un présent que j'apporte pour votre ménage, Moussu lou Baron, dit Sarrazine en esquissant une révérence, mais cette fois sans aller si profond, tant elle sentait combien Sauveterre en serait incommodé. Je l'ai fait moi-même de mes mains, dit-elle avec fierté, avec les brins de saules de vos Beunes, dont vous avez grande quantité au-dessous de la carrière.

— Voyons voir, dit tout d'un coup Sauveterre en tendant la main et en saisissant le panier qu'il examina avec soin sous toutes ses faces, éprouvant la solidité des brins et la façon dont ils étaient noués. C'est là de la belle ouvrage, Sarrazine, poursuivit-il en s'adoucissant quelque peu, et tu n'as pas perdu ton temps avec les Roumes.

Il la regarda — non certes comme la regardait

mon père, mais d'un air où réflexion et calcul entraient.

— Et saurais-tu, dit-il au bout d'un moment, fabriquer aussi une hotte de vendangeur ?

— Je l'ai fait déjà, dit Sarrazine avec une modestie bien imitée de fille, et sans plus mettre son corps brun en branle, car elle sentait que, du côté de Sauveterre aussi, ses affaires s'arrangeaient. Mais, ajouta-t-elle, il y faut plus de temps, et des brins plus gros.

— Dis-moi, dit Sauveterre d'une voix sévère, pourrais-tu faire en un mois quatre hottes ?

— Je le pense.

Sauveterre regarda mon père et, d'un seul coup d'œil, s'entendit avec lui.

— Eh bien, dit-il, nous bâtirons une maison où vous loger, Jonas et toi, et toi, Sarrazine, tu nous feras quatre hottes de vendangeur par mois. Tu n'auras rien la première année, mais au bout d'un an, nous te paierons deux sols la hotte.

— Trois, dit mon père.

— Trois, dit Sauveterre en haussant les épaules avec un peu d'humeur.

Sarrazine était aux anges et sautait presque de joie, quand je la raccompagnai au châtelet d'entrée, comptant pour rien la peine gratuite de ses doigts, de ses bras et de son dos pendant douze mois, pour avoir la joie de loger dans une maison bâtie par son mari et dont le domaine des coseigneurs allait s'enrichir.

On la maria selon notre culte deux jours plus tard, puisqu'il ne fallait pas attendre davantage, le péché de chair étant consommé. Et Sarrazine, dans les Beunes, aussitôt se mit, les pieds mouillés d'eau froide, à couper ses brins de saule. C'est ainsi qu'à cette date Mespech commença à vendre des hottes de vendangeur, en même temps que les barriques de vin fabriquées par Faujanet, commerces qui s'alliaient à merveille, et dont l'alliance ne fut pas sans profit, si j'en juge par les comptes minutieux de Sauveterre dans le *Livre de raison*.

La nouvelle que Montluc avait vaincu les nôtres à Vergt atteignit Guise alors qu'il assiégeait les huguenots à Rouen. La ville était fort bien défendue par Montgomery, ce grand et raide jeune homme à qui Catherine de Médicis avait voué une haine mortelle parce que le tronçon de sa lance, au cours d'une joute, avait crevé l'œil de son mari bien-aimé. Que l'accident, trois ans plus tôt, fût complètement fortuit — Montgomery ayant couru cette dernière course sur l'ordre exprès d'Henri II et à son corps défendant — ne changeait rien au ressentiment passionné de l'Italienne. Petite, boulotte, le visage poupin, mais la mâchoire carnassière, les humiliations de son règne, pendant lequel, même dans son propre lit, elle n'était pas la première, lui avaient appris à dissimuler. Elle pouvait sourire de ses gros yeux dilatés à un interlocuteur tout en projetant sa mort, mais sans rien précipiter, attendant son heure. Celle de Montgomery avait sonné. Le huguenot paierait deux fois : sa révolte contre Charles IX, et ce tronçon de lance qu'il avait omis de jeter. Chaque jour, la Régente descendait dans les tranchées, bravant canonnades et arquebusades et pressant les opérations par l'exemple de sa bravoure.

Guise avait destiné ses premiers coups à Orléans, mais lorsque Condé livra Le Havre à Elizabeth d'Angleterre, en vertu de ce funeste traité d'Hampton Court qui avait tant indigné la frérèche, il courut assiéger Rouen pour y prévenir un débarquement anglais qui eût fort inquiété Paris. C'était compter sans le peu d'empressement que mettait Elizabeth à honorer ses promesses, maintenant qu'elle avait Le Havre et pouvait attendre la fin de la guerre pour l'échanger contre Calais.

L'armée catholique, depuis qu'elle s'était emparée du Fort Sainte-Catherine qui, du haut de la falaise, dominait Rouen, sentait la victoire à portée de main. Elle était commandée, en fait par Guise, en principe par les triumvirs (Guise, Saint-André, le Connétable), qui n'étaient d'ailleurs pas trois, mais quatre, depuis que le Roi de Navarre, Anthoine de Bourbon — un des premiers grands seigneurs, avec Condé, à se convertir à la Réforme — avait, sur la vague promesse de Philippe II de lui rendre la Navarre espagnole, pour la deuxième fois abjuré, et de nouveau oyait la messe et adorait Marie. Sa femme, Jeanne d'Albret, méprisait ses palinodies. Elle était restée dans son petit royaume de Navarre, ferme en sa foi, dédaignant les grimaces de Cour. Mais Anthoine était une tête folle et molle, qui donnait raison au dernier qui avait parlé, et qu'au surplus le premier cotillon faisait tourner. *Totus est venereus*[1], écrivait Calvin, qui n'avait jamais rien fondé sur lui.

Sous Rouen il voulut, imitant la Reine mère, répondre à sa bravoure par la témérité, et il fit dresser sa table derrière une muraille que le tir des huguenots battait. Là-dessus, il mangea de bon appétit, et oubliant où il se trouvait, à la fin du repas, il se leva. Une arquebusade aussitôt l'abattit. La ville prise, il se fit porter en litière dans les rues par ses soldats pour se donner la dernière satisfaction de voir massacrer les huguenots dont il avait été le chef et partagé la foi. Cela fait, il mourut tout aussi sottement qu'il avait vécu, laissant derrière lui une femme qui était l'homme de la famille et un fils qui, pour bonheur pour la Fortune de France, ressemblait à sa mère[2].

Le sac de Rouen fut ce qu'on peut imaginer de pire, mais Catherine de Médicis n'en retira pas le plaisir qu'elle en attendait : Montgomery s'échappa. Il sauta dans une galère et descendit la Seine. Apercevant la chaîne qu'à Caudebec les catholiques avaient tendue au travers du fleuve, il promit à la chiourme la liberté. Les forçats, en hurlant, pesèrent sur les avirons et jetèrent l'éperon de la galère contre l'obstacle, qui céda. Montgomery atteignit la haute mer et la côte anglaise. Cependant le destin ne l'en tint pas

1. Il est tout à Vénus.
2. Le futur Henri IV.

quitte pour autant. Deux ans plus tard, il lui ménagea un deuxième rendez-vous avec Catherine de Médicis et avec la mort.

En apparence, la prise de Rouen n'était qu'un fleuron de plus ajouté à la Couronne de Guise, cette Couronne dont on commençait à murmurer qu'il entendait la substituer un jour à celle de Charles IX. Cependant, à son partement de Rouen pour regagner Paris, le Duc était des plus moroses, car la gloire du siège, il avait dû la partager avec le Connétable de Montmorency qui, au service de trois rois, avait vieilli sans mûrir, avec le Maréchal de Saint-André qui, plus jeune que le Connétable, n'avait pas plus de talents, et même avec ce pauvre fol d'Anthoine, dont on eût dit qu'il s'était fait arquebuser tout exprès pour parcourir la ville conquise sur sa litière, comme un héros mourant.

À Paris, Guise eut la surprise d'apprendre que l'armée huguenote, renforcée des trois mille reîtres et des quatre mille lansquenets que d'Andelot avait ramenés d'Allemagne, avait pris Etampes, La Ferté-Alais, Dourdan et Montlhéry. Certes, ce n'était pas là grand effort de guerre : les huguenots rôdaient autour de la capitale. Ils ne l'assiégeaient pas. Les petites villes saisies avaient pour but de donner quelque pillerie aux reîtres et lansquenets, qui réclamaient à grands cris leur solde. Et comme ces cris empiraient, Condé et Coligny décidèrent de gagner la Normandie, attirés par le mirage des subsides et des secours d'Elizabeth d'Angleterre.

Les huguenots avançaient vers l'Ouest, très ralentis par les chariots où les reîtres avaient entassé leur picorée. L'armée royale, s'élançant à leur suite, les rattrapa et, malgré leur hâte, leur marchait presque sur les talons. Coligny, craignant que les Royaux ne lui donnassent sur la queue, décida Condé de s'arrêter et de faire face. L'endroit était bien choisi : c'était la plaine de Dreux, où Condé pouvait déployer ses cinq mille cavaliers.

Guise, qui se tenait à la droite de l'armée royale

avec ses gentilshommes et les vieilles bandes françaises, avait décliné tout commandement, se souciant peu de tirer à nouveau pour d'autres que lui-même les marrons du feu. Haussé sur les étriers de son grand genet noir, redressant sa haute taille, avisant à son aise à la ronde et comme au spectacle, il laissa sans broncher Condé et Coligny défaire le Connétable.

— Monsieur le Duc, monsieur le Connétable se fait piller !

— Je le vois, dit Guise.

— Monsieur le Duc, monsieur le Connétable est blessé !

— Je le vois.

— Monsieur le Duc, monsieur le Connétable est pris !

— Je le vois.

Les huguenots, fort occupés à hacher les battus, criaient déjà victoire, mais Coligny désigna de son épée Guise et ses hommes immobiles sur la droite du champ de bataille.

— Je vois là, dit-il, une nuée qui va fondre sur nous.

Quelques instants plus tard, Guise, jugeant les deux adversaires épuisés, se dressa à nouveau sur ses étriers et dit :

— Allons, compagnons, tout est à nous !

Et entraînant derrière lui les fantassins espagnols, il mit à vauderoute l'infanterie protestante. Condé fut blessé à la main et capturé. Les huguenots fuyaient. À quatre heures tout paraissait fini.

C'est à ce moment que surgirent, sur la droite de l'armée victorieuse, mille reîtres et trois cents gens d'armes que Coligny avait réussi à rallier. Ils enfoncèrent la cavalerie catholique, mais ne réussirent pas à entamer le bataillon, hérissé de piques, des vieilles bandes françaises. Coligny se retira mais, nul ne l'ignorait, il n'était jamais si grand que dans les défaites et les retraites.

Guise n'osa pas le poursuivre trop avant. D'ailleurs, il était vainqueur, plus qu'il n'avait espéré, et de ses ennemis, et de ses rivaux : le Connétable était prisonnier et le Maréchal de Saint-André était mort. Le triumvirat se réduisait désormais à lui seul. Le bel archange rouge de l'Église catholique était devenu, du même coup, l'unique pilier du trône.

Il écrivit à Catherine de Médicis de belles lettres où il lui détailla, avec mille formules de respect pour elle-même et le Roi, sa belle victoire de Dreux. Mais cela ne lui suffit pas. Un mois plus tard, il vint à Blois trouver la Reine mère alors qu'elle se préparait à dîner, et lui demanda si, après le repas, il lui plairait de lui donner audience.

— Jésus ! Mon cousin ! dit la Reine, étonnée et feignant encore plus de l'être. Que me demandez-vous là ? Une audience ! Et pour quoi faire ?

— Je voudrais, dit Guise, vous représenter devant la Cour tout ce que j'ai fait depuis mon partement de Paris avec votre armée.

— Mais, mon cousin, je le sais. Vous m'avez tout dit par vos lettres.

— Madame, dit Guise avec un tranquille aplomb, je voudrais vous le dire de ma bouche, et vous présenter aussi tous les bons capitaines et serviteurs du Roi et de vous-même, qui se sont si vaillamment battus pour vous à Dreux.

La Reine accepta ce qu'elle ne pouvait refuser avec son accoutumée et souriante bonne grâce. Et le repas fini, Guise apparaissant de nouveau devant elle en son satin cramoisi, et entouré de ses Capitaines comme un roi de ses ministres, fit à la Reine et à Charles IX une profonde révérence, et commença son récit épique avec une éloquence naïve et des arrière-pensées qui ne l'étaient pas tant.

La Reine mère l'écoutait, lui souriant de ses gros yeux dilatés, et grinçant des dents derrière ses bonnes joues rondes. Elle avait compris que Guise avait trouvé le moyen de gagner deux fois la bataille de Dreux : la première fois sur le terrain. La deuxième fois en la racontant devant la Cour.

La harangue de Guise finie, la Reine fut prodigue

pour les Capitaines et leurs chefs, en sourires, en grâces, en affectueux remerciements, et en expression d'éternelle gratitude. Mais elle poussa un profond soupir quand elle vit s'éloigner Guise et ses glorieux soudards. Elle n'aimait ni la guerre ni les généraux ambitieux. Il ne lui échappait pas que Guise avait trop grandi, et qu'en somme, le pilier du trône soutenait moins le trône qu'il ne l'ébranlait.

Quant au récit des exploits de Dreux, il ne lui passait pas le nœud de la gorge. Aux batailles, la Florentine préférait la diplomatie, et celle-ci, pour elle, ne comportait que trois moyens : la négociation, le mariage princier, et l'assassinat politique.

Notre ami, parent et allié, François de Caumont — je dis bien François, qui était l'aîné, et non pas Geoffroy, l'Abbé de Clairac — assistait, parmi les courtisans, à cette harangue, comme je l'appris plus tard par ses serviteurs. Il était venu à la Cour pour se plaindre de Montluc, qui lui avait pris son château des Milandes, avait rançonné l'abbaye de son frère et dévasté les terres de son beau-frère, le Baron de Biron.

Le moment de cette plainte était, certes, fort mal choisi, Guise étant si haut. Mais François n'en voulut démordre. Et la Reine n'osant le recevoir, Guise étant encore sous son toit, l'aîné des Caumont eut l'étrange idée de s'adresser plutôt à Dieu qu'à ses saints, et demanda une audience au Duc. C'était proprement s'aller fourrer dans la gueule du loup.

Guise accorda l'audience, entouré de sa Cour, et, le visage froid et royal, écouta en silence les plaintes de François de Caumont contre Montluc. Après quoi, haussant le ton pour que tous l'entendissent, il dit :

— Monsieur de Caumont, je m'étonne que vous me demandiez justice. Tout votre déportement dans votre province vous accuse et condamne. Certes, vous n'avez pas ouvertement tiré l'épée contre le Roi. Mais vous avez aidé la rébellion huguenote. Vous avez abrité les rebelles en vos maisons, et c'est d'elles que sont partis tant de coups contre les nôtres. M. de Charry vous le dira bien, et M. de Hautefort, et tant d'autres seigneurs catholiques de votre province. Ainsi toute la raison que le Roi vous pourrait rendre, ce serait de vous donner la punition que vous désirez tirer de M. de Montluc, lequel est un bon et fidèle soldat, qui a très bien servi le Roi et fait couler à son service des ruisseaux de sang.

— Des ruisseaux ! dit François de Caumont. Ah, certes, monsieur le Duc, vous dites bien !

— Oui-da, je dis bien ! dit Guise en se levant, non sans colère. Montluc a fait couler plus de ruisseaux de sang au service du Roi que vous n'avez versé de gouttes avec l'épée que vous voilà et avec celles de vos trois frères. Aussi Montluc mérite beaucoup, et vous très peu. Souvenez-vous-en, monsieur de Caumont, et corrigez-vous tant qu'il est temps.

François de Caumont se retira, très marri d'être ainsi en public accommodé. S'il eût été prudent, il aurait fui la Cour à la minute même, à brides avalées, pour regagner son Périgord. Mais ses Milandes lui tenaient fort à cœur, et à nouveau il s'obstina. Et sur le bruit que le Duc avait regretté, le soir même, d'avoir été un peu vif à son endroit, et le Duc quittant Blois le lendemain pour se rendre à Orléans, qu'il comptait prendre aux huguenots, Caumont s'offrit pour lui faire un bout de conduite, et le Duc, en effet, échangea au botte à botte avec lui quelques paroles courtoises. Sur quoi, Caumont prit congé du Duc et s'en retourna à Blois.

Mais, un quart de lieue après avoir quitté Guise, il rencontra, entouré d'une troupe de capitaines, Edme de Hautefort qui, s'arrêtant, lui reprocha, le regard furieux, d'avoir laissé, de ses maisons, tirer sur les siens au cours des troubles. Caumont n'eut pas le temps de se justifier. Hautefort mit l'épée à la main et, se jetant sur François, lui en bailla un grand coup sur la tête.

Le meurtre eut lieu le 3 ou 4 février 1563, je ne saurais préciser le jour davantage. Et telle était la passion du temps contre les nôtres qu'il resta impuni et presque inaperçu. Ce n'était là, d'ailleurs, pour reprendre les mots de Guise, qu'une goutte de sang à côté des ruisseaux qui allaient de nouveau couler, le Duc, le 5 février, ayant encerclé Orléans.

Déjà il avait pris le faubourg du Portereau et les Tourelles. Depuis le commencement du siège, il s'en revenait tous les soirs à Saint-Mesmin où, pour regagner son logis, un petit bateau le passait de l'autre côté du fleuve ainsi que son écuyer et les deux chevaux. L'eau passée, ils remontaient tous deux à cheval et longeaient un petit bois. Le 13, la veille du jour que Guise avait fixé pour l'assaut contre Orléans, un huguenot fanatique, Poltrot de Méré, caché derrière un taillis, tira trois coups de pistolet dans ce large dos que la Reine, quinze jours plus tôt, avait regardé avec tant de soulagement quand, sa harangue finie, Guise l'avait quittée. Les balles pénétrèrent dans l'épaule droite, au défaut de la cuirasse. Guise, sans tomber de cheval, s'affala sur l'arçon et dit :

— On me devait celle-là, mais je crois que ce ne sera rien.

Il mourut six jours plus tard. Quant à Poltrot de Méré, son coup fait, il galopa toute la nuit, mais n'arrivant pas à démêler les chemins, le jour venu, il se retrouva sur le lieu de son crime, et il fut pris. Sous la question, il avoua que Soubise et d'Aubeterre l'avaient suscité. Il cita aussi l'Amiral de Coligny, mais se rétracta, et varia fort à ce sujet, même à l'heure de la mort, quand on le tira à quatre chevaux.

C'est en vain que Coligny, qui niait hautement avoir inspiré le meurtre, demanda à la Reine de le confronter avec Poltrot de Méré avant qu'il fût dépêché. La Reine ne le voulut pas, et peut-être avait-elle ses raisons. Neuf ans plus tard, quand elle donna l'ordre d'assassiner Coligny, elle s'arrangea pour qu'on attribuât ce meurtre à la maison de Guise. Ne peut-on penser qu'elle eut une main aussi dans la disparition de François de Guise, et qu'elle était bien aise que Coligny en fût accusé ?

« Nous ne saurions nier, écrivit Coligny en apprenant la mort de Guise, les miracles évidents de

Dieu. » Phrase que la Florentine, qu'on n'eût jamais prise par le bec, n'aurait certes pas prononcée. Mais le miracle de cette mort, qu'elle y ait pris part ou non, changeait sa vie, fortifiait son pouvoir, et affermissait le trône de son fils.

Guise à peine froid dans sa tombe, la Reine fit quelques concessions aux protestants. Elle ordonna à Montluc de ne plus navrer les terres du Baron de Biron et de rendre leur château des Milandes à nos pauvres cousins Caumont. Elle jouait le compromis et la paix, mais elle les jouait en tâchant de tirer du feu pour son pouvoir et son fils le plus de marrons possible.

Elle eut l'astuce de faire engager les négociations de camp à camp entre Montmorency et le Prince de Condé, le premier, captif des huguenots, le second, prisonnier des royaux. L'un et l'autre aspiraient à recouvrer leur liberté. Mais le Prince, étant des deux le plus jeune, le plus épris des femmes et le plus impatient, céda au-delà de ce que son parti eût voulu.

L'Édit d'Amboise, qu'il signa en mars 1563, revenait sur les dispositions les plus libérales de l'Édit de janvier, puisqu'il restreignait la liberté du culte protestant aux maisons des seigneurs haut-justiciers, « avec leurs famille et sujets », et pour le commun des réformés, réduisait le culte à une ville par bailliage. Calvin jugea sévèrement la vanité de ce grand seigneur qui, pourvu que sa caste, en ses châteaux, fût libre de prier le Seigneur à sa guise, faisait peu de cas des contraintes que subissait, dans les villes et le plat pays, la grande masse des religionnaires.

Mon père et Sauveterre partageaient l'indignation de Calvin et des huguenots de conscience, mais ils ne pouvaient l'exprimer trop haut, n'ayant pas combattu. En outre, ils étaient de ceux, justement, qui bénéficiaient, « avec leurs famille et sujets », des dispositions de l'Édit. Et, d'un autre côté, la paix, en revenant, leur fut d'un immense profit, comme je dirai plus loin.

CHAPITRE IX

L'Édit d'Amboise signé, les protestants cessèrent d'être hors la loi, puisque leur existence et leurs droits étaient reconnus par traité. Cela voulait dire que nous pûmes de nouveau apparaître dans nos villages, et mon père se rendre à Sarlat. Ce qu'il fit, après avoir fait renvoyer en son château Diane de Fontenac, toute gaillarde et rebiscoulée. Il eût pu la rendre un mois plus tôt, mais dans les troubles du temps, et faisant fond sur Fontenac comme sur vipère à croc, il était bien aise d'avoir à Mespech ce gage, qui le mettait à l'abri d'une trahison de notre bon voisin. Le départ de Diane — qui, durant son séjour parmi nous, ne sortit mie du deuxième étage du châtelet d'entrée, et qu'aucun de nous, sauf mon père, ne vit jamais que de loin à sa fenêtre, enveloppée de sa fourrure blanche et nous regardant de ses yeux verts — créa en nous un vide extraordinaire, comme si un poème que nous avions aimé nous était sorti pour toujours de la tête. Je ne veux point parler ici de notre pauvre François, qui faisait de son mieux pour cacher une mélancolie dont la frérèche ne consentait pas à s'apercevoir.

Fontenac fit remettre au Baron de Mespech une fort belle lettre avec un présent de cinq cents écus et un genet d'Espagne. Mon père renvoya l'argent, mais serra précieusement la lettre en ses coffres et garda le cheval. C'était une jument noire, d'assez petite taille, mais pleine de feu, et je la montai le premier jour où, l'Édit proclamé, mon père se rendit à Sarlat pour ses affaires, escorté de Marsal le Bigle, de Faujanet, des deux frères Siorac et de ses trois grands droles, tous trois avec deux pistolets dans les fontes et l'épée nue pendant par la dragonne au poignet droit. Mon père craignait moins une embûche sur le chemin qu'une émotion populaire à Sarlat même, fomentée par des prédicateurs qui, mécontents (eux aussi) de l'Édit d'Amboise, dégorgeaient contre les nôtres, à la messe, chaque dimanche que Dieu faisait, des milliasses d'injures.

Cependant le lieutenant-criminel, Guillaume de la Porte, qu'on avait prévenu, attendait mon père devant la porte de la Lendrevie. Il nous demanda de rengainer, ce que nous fîmes, et s'avançant avec mon père au botte à botte, souriant et conversant, mais l'œil sur les fenêtres, il parcourut au pas toute la longueur de Sarlat jusqu'à la porte de la Rigaudie. Là, très regardée par les passants des rues et les badauds se pressant aux fenêtres, la petite troupe, retournant sur ses pas, prit à gauche et, passant devant la maison épiscopale et l'église cathédrale (devant laquelle M. de la Porte se signa et mon père, par courtoisie, se découvrit), elle gagna la maison de ville, où mon père fut reçu sur les marches par M. de Salis, lieutenant général du Périgord au siège de Sarlat, et par les deux Consuls. Et tout ceci sans tumulte ni cris, ni hostilité d'aucune sorte de la part du populaire, sinon deux ou trois méchants regards lancés des fenêtres par des acharnés qui nous haïssaient par zèle pieux et non par personnel ressentiment.

Bref, rien ne se passa et j'en fus bien marri, car j'avais douze ans, c'était la première fois que je portais l'épée du gentilhomme, et bien qu'elle fût encore assez courte, j'en avais la tête enflée et, dressé sur mon genet d'Espagne, je me sentais invincible. Démonté, et les chevaux confiés à nos soldats, j'accompagnai partout mon père, me tenant à sa droite et Samson à sa gauche, l'œil sourcilleux, une main négligente sur la poignée de mon arme, et regardant de tous côtés d'un air assez fendant. En fin de matinée, mon père fit sa petite visite accoutumée à Franchou, lui remit son petit présent, lui parla un temps à l'oreille, et je crus bien qu'il n'en finirait jamais de la baiser sur les joues et de lui tapoter ses bras ronds, quand enfin il prit congé.

Bien qu'elle fût maintenant huguenote et mariée, ni le Breuil ni Mespech n'avaient encore tout à fait digéré Sarrazine, et il fallut tordre et retordre pour qu'elle fût acceptée, surtout par les femmes, tant ses yeux, ses cheveux et la couleur de sa peau faisaient scandale.

Le premier à prendre là-dessus position haute et claire fut Cabusse, pour ce que Cathau se refusait à ses devoirs de voisine, arguant que la Sarrazine n'était point femme à la manière des autres.

— Et de quelle manière l'est-elle donc ? dit Cabusse en faisant la grosse voix et en tirant d'un air terrible sur sa moustache. N'a-t-elle pas, comme toi, deux tétons, une fente pour recevoir le mâle, et un ventre pour porter le pitchoune ? Sans doute, ajouta-t-il avec son tact gascon, n'a-t-elle pas ton joli minois, Cathau, et tes manières de bonne maison, mais si mon compère Jonas l'aime comme elle est, la différence, après tout, n'est que question de pelage, comme on voit entre les chiens, d'aucuns noirs, d'autres fauves ou tachetés, et d'autres encore blancs comme neige. Ce n'est pas au poil qu'on connaît la bête, Cathau, mais à l'usage.

À la veillée, entre la Maligou et Barberine, ce fut une autre chanson. Depuis qu'Isabelle était morte, mon père s'attardait volontiers parmi nos gens le soir, plutôt que non pas aller rejoindre aussitôt Sauveterre en sa librairie, où pourtant brûlait un feu plus vif. Mais ce n'était pas tant de cette chaleur-là dont mon père avait besoin, que du naturel et de la gaieté de nos soldats, et de la présence des femmes, de Barberine surtout, et de ses deux marmots, l'un accroché à sa jupe, et l'autre à terre dans le berceau de châtaignier, que d'un pied, de temps à autre, elle mettait en branle, attendant de leur donner, à l'un et à l'autre, la tétée, ce qui nous ravissait tous, et mon père plus qu'un autre, ayant la tête si près du cœur, et le cœur si près des sens. En outre, ces deux-là, Annet et Jacquou, auraient dû être les frères de lait des deux fils mort-nés qu'Isabelle avait mis au monde, le second lui coûtant la vie. Et, je l'ai dit, l'intention de mon père était qu'ils fussent élevés au château, non, certes, comme mon demi-frère Samson, mais un peu comme nos cousins Siorac, dans une position qui tiendrait du domestique et du parent. Ce n'était pas tout à fait un lien de sang, mais, disait mon père, un lien de lait qui les rattachait à nous. Annet, en outre, avait été le filleul d'Isabelle de Siorac.

Ces marmots n'étaient point, comme on en voyait tant dans nos villages, barbouillés de saleté, la tête grouillante de poux, et, l'été, des moustaches au coin de l'œil. Ils étaient, au contraire, blancs et roses, et le cheveu net, tant mon père tenait la main à la propreté, méticuleux là-dessus jusqu'à dire, à table, à Faujanet, devant le monde :

— Mon pauvre, tes pieds te puent. Va te les laver à la pompe.

Malgré le roulis que Barberine, depuis le début de la veillée, imprimait au berceau, Jacquou se mit à brailler à oreilles étourdies, ce qu'oyant Annet, il se mit à braire à son tour, ce qui lui valut un soufflet de sa mère, car il avait eu bonne soupe à table, fromage de chèvre de Jonas, pommes en compote, et même un peu de chair, et réclamait par friandise et non par faim. Se penchant, Barberine saisit Jacquou en son giron, en déversant sur lui des petits mots si tendres, si ronds et si duveteux que je me sentis fondre du désir d'être à sa place. L'enfantelet, s'accoisant sous ce doux murmure, sa mère le passa à la petite Hélix, qui poursuivit de son mieux le chapelet des cajoleries, et quant à elle, elle entreprit de défaire les lacets de son corps de cotte. Ce qu'elle fit, les yeux baissés par pudeur, tant d'hommes étant assis autour d'elle, mais en même temps avec un certain air de pompe et de fierté, car il ne lui échappait pas qu'elle faisait là son métier, et qu'elle le faisait bien, donnant à ses deux marmots belle écuelle et bonne soupe, et aux spectateurs le plaisir de la vue. Comme toujours, il y avait des nœuds à son lacet, et comme ils ne passaient pas les œillets, elle les défit un à un, sans se hâter, de ses gros doigts ronds du bout, prolongeant d'autant notre attente.

— Barberine, dit mon père (mais il disait cela tous les soirs), tu me feras penser de te rapporter de Sarlat un lacet neuf.

— Oh, celui-là ira bien encore, ils sont si chers, dit Barberine en défaisant le dernier nœud. Et tout aussitôt, la main ferme et le geste large, elle sortit de l'échancrure de son corps de cotte le téton droit, puis le téton gauche, tous deux si gros, si ronds et si blancs qu'un grand silence se fit dans la salle, et qu'on n'entendit plus que le faible pétillement du feu et le suçon glouton des deux affamés.

Barberine était bien soulagée qu'on lui tirât des deux parts son inépuisable lait dont la pression, entre les tétées, la faisait souffrir mille morts, raison pour laquelle Annet, qui marchait sur ses quatre ans, était encore admis au festin, ce qui n'allait pas pourtant sans inconvénient.

— Aïe ! Aïe ! gémissait Barberine qui, les deux mains occupées, ne pouvait elle-même sévir. Hélix, fesse-moi ce petit maloneste. Il me mord.

Hélix appliquait alors une tape sur le derrière d'Annet, qui lâchait le téton un quart de seconde pour braire, puis le happait derechef, cette fois sans y mettre les crocs.

Ah certes, il y avait bien un peu de mélancolie dans l'œil de mon père, tandis qu'il regardait ces deux petits droles, si beaux, si forts et si roses, et Annet déjà tout fétot, espiègle et touche-à-tout, comme il sied à un gars, en place des deux fils qu'il avait perdus et qui auraient leur âge, et Isabelle, en ce cas, encore en vie, au lieu de subir les tortures de l'Enfer. Certes, la damnation ou le salut sont dans les mains du Seigneur, lui seul décide de notre sort dans sa mystérieuse sagesse, mais pour qui ne croyait pas, comme nous, au purgatoire — détestable addition à la parole de Dieu —, c'était une pensée intolérable que d'imaginer l'être que nous avions chéri, plongé, après sa mort, dans les tourments éternels.

Si mon père eut alors cette pensée — et il l'avait souvent, puisqu'il la notait dans son *Livre de raison*

—, il dut la chasser assez vite pour goûter le charme de l'heure, car son œil se mit à pétiller en écoutant les propos que Barberine et la Maligou n'avaient cessé, depuis le début de la veillée, d'échanger à mi-voix, mais qui, dans le silence amené par la tétée, atteignirent les oreilles de tous.

— Et en plus, dit Barberine sur ce ton serein qui était le sien quand ses petits lui tiraient le lait, elle est laide à vous tourner les sangs.

— Oui-da, tu dis vrai, dit la Maligou.

— Qui est si laide? dit Jean de Siorac en levant le sourcil.

— Sarrazine, dit Barberine, non sans quelque confusion d'avoir été écoutée.

— Sarrazine, laide! dit mon père en riant. Ma pauvre Barberine, tu es bien mauvais juge de l'attrait d'une femme! Tu sauras que pour être belle, une femme doit avoir trois parties correspondant à celles du cheval, à savoir la poitrine, le fessier et les crins; que Sarrazine a ces trois parties en abondance, les deux premières bien rehaussées encore par la minceur de la taille, et quant à ses crins, en longueur, en épaisseur et en force, ils valent ceux de la jument noire que le Fontenac m'a baillée, laquelle a si belle crinière quand le vent du galop la rebrousse.

— Avec tout mon respect, Moussu lou Baron, il y a cependant le teint, dit la Maligou.

Mon père fit un grand geste de sa dextre.

— Le teint n'y fait rien, ma pauvre! Ta Gavachette est presque aussi noire de peau que Sarrazine, et c'est pourtant un beau brin de garce, et qui fera rêver plus d'un.

Ici la Gavachette baissa les yeux, et la petite Hélix rougit de dépit, tout en gonflant la poitrine pour attirer le regard de mon père.

— Mais c'est qu'elle est roume! dit la Maligou en regardant la Gavachette non sans fierté.

— Elle n'est pas plus roume que toi! dit mon père en riant à gueule bec. Mais là-dessus, ajouta-t-il d'un air entendu, nous n'en dirons pas davantage.

Il y eut un silence, et la Maligou dit d'un ton âpre, comme pour se revancher sur Sarrazine de l'affront qu'elle venait de subir :

— Ce n'est pas tant que Sarrazine est laide. Moussu lou Baron, c'est qu'elle est fille de diable et succube.

— Et d'où tiens-tu cela, Maligou ? dit mon père en sourcillant. Le Seigneur te l'a-t-il soufflé à l'oreille ?

— Non, mais il y a des preuves, Moussu lou Baron ! D'abord, Sarrazine apparaît de nulle part il y a quatre ans. On la place à la Volperie, et au bout de trois ans, la voilà qui se change en louve blessée et se fait recueillir par Jonas en sa grotte.

— Mais sans pour autant cesser de travailler comme servante à la Volperie, dit mon père en riant. Coulondre Bras-de-fer l'y a vue toutes les semaines quand il faisait son charroi.

— Elle se sera dédoublée.

— Tiens donc ! Comme c'est facile ! Et quelle patte la louve s'était-elle cassée, Pierre, toi qui l'as vue ?

— La dextre de derrière, dis-je, heureux de jouer un rôle dans ce procès.

— Et Sarrazine, à la Volperie, avait donc la jambe droite cassée ?

— Non point, Moussu lou Baron, dit Coulondre Bras-de-fer. Elle marchait comme vous et moi.

— Le Diable peut tout, dit la Maligou.

— À ce compte, il serait aussi puissant que Dieu, dit mon père en changeant de ton et en fronçant derechef le sourcil.

— Que non pas ! Que non pas ! dit la Maligou en se signant, aussi pâle et effrayée que si le bûcher s'entassait déjà autour d'elle. Plaise à vous de vous rappeler, Moussu lou Baron, que je ne suis qu'une pauvre ignorante femelle, et ne sachant ni le comment ni le pourquoi des choses, je peux donc me taire, si vous cuidez que j'en dis trop.

— Tu n'en as pas dit assez, Maligou, dit mon père, le front sévère. Je veux la suite de tes preuves.

— Eh, c'est qu'elles ne manquent pas, Moussu lou Baron ! dit la Maligou en reprenant quelques couleurs. D'abord, la louve ensorcelle le pauvre Jonas en sa grotte, au point qu'il en tombe amoureux et fait le souhait qu'elle se change en femme.

— C'était gausserie, dit mon père.

Que ce fût gausserie, moi qui avais entendu Jonas, je n'en étais pas si sûr, mais je me tus, ne voulant point charger le carrier.

— Et ce fut fait ! dit la Maligou, triomphalement. La louve se changea en Sarrazine, et elle épousa Jonas.

— Si j'entends bien ce tissu d'incroyables sottises, dit mon père, la louve, s'étant changée en Sarrazine, n'en continua pas moins à être louve, puisque femme et louve cohabitèrent deux bons mois dans la grotte de Jonas en assez mauvaise amitié.

— Oui, mais la louve, un jour, disparut.

— Oui-da ! Elle disparut, ayant à la fin croqué un des chevreaux, et craignant la colère de son maître. Et c'est ce que tu devrais bien faire aussi, Maligou, reprit mon père d'une voix forte en la foudroyant du regard. Je te le dis pour la dernière fois, car si, pour ton malheur, tu poursuis dans nos villages ces stupides clabauderies, je te renverrai sur l'heure de Mespech et de ma vie ne te reverrai. En attendant, nul ici, homme ou garce, s'il désire être mon ami, ne dira ni ne souffrira qu'on dise devant lui ces méchantes et damnables paroles sur Jonas et son épouse, mais les tiendra tous les deux, homme et femme, comme je fais, en particulière estime. Et quant à toi, Maligou, puisque tu es dans les secrets du Diable, demande-lui qu'il te dédouble aussi, et tandis que tu cuis notre pot, qu'il fasse de toi en même temps souris grasse et luisante dans mon grenier pour y ronger quelques papiers que j'y ai et qui ne me servent plus de rien.

Là-dessus, la Maligou échangea avec Barberine un regard terrifié, car elles se demandaient si mon père ne leur laissait pas entendre qu'il avait découvert dans nos combles leur culte clandestin à Marie. Mais mon père, ayant dit, se leva, ordonna aux enfants de s'aller coucher, et après un bonsoir des plus brefs aux deux femmes, et l'œil encore très irrité, traversa la salle à grands pas et s'en fut.

Malgré la famine et la peste, comme je dirai plus loin, 1563 fut une année faste pour Mespech. La frérèche put réaliser enfin son «bel et bon projet», depuis toujours conçu et caressé : acheter un moulin dans les Beunes. Jusque-là, nous dépendions, pour moudre, du moulin de Campagnac, et bien que son seigneur fût un de nos amis, et que la redevance qu'il exigeait fût raisonnable, elle n'en grevait pas moins lourdement le prix de nos farines. Or, au printemps 1563, eut lieu à Sarlat la vente à la criée des biens d'Église, et la frérèche racheta aux Cordeliers pour trois mille cinq cent soixante-sept écus le moulin de Gorenne, beau et fort moulin qui tournait à trois meules : meule blanche pour le froment, meule brune pour le seigle, l'orge et le mil, et meule pour l'huile des noix. En même temps que ce moulin, et comprises dans le prix, étaient vendues de fort bonnes terres dans la combe entre Mespech et Taniès, terres tout en longueur, car la vallée était étroite et comme resserrée entre le pech de Mespech et celui du village, mais longée par une route bien empierrée qui à l'ouest menait aux Ayzies, et à l'est au château de Pelvézie.

Ces terres demandèrent un long et lourd travail de tous nos gens, tenanciers et mercenaires à la journée. Il fallut drainer pièce après pièce pour les purger d'un excès d'eau, car elles étaient comme pourries, et par endroits la jambe, les années pluvieuses, s'y enfonçait jusqu'au genou. La frérèche fit ramener les déblais des canaux de drainage jusqu'aux rives des Beunes, construisant sur les deux bords de la rivière des petits talus pour endiguer les crues. Pour fixer ces remblais, on les planta de saules. C'était voir les choses très loin dans l'avenir, car il s'écoulerait assurément bien des années avant que Sarrazine n'épuisât, pour faire ses hottes, les saules situés en aval, à deux lieues de là, en face de la carrière de Jonas.

Ce printemps 1563 était si sec que ce travail dans les Beunes put se faire sans trop d'inconvénients, mais la sécheresse joua en revanche contre nous quand nous dûmes construire, du château au moulin, une route sur le versant nord de notre pech, afin de charroyer nos grains dans un sens et nos farines dans l'autre. La pente était si raide qu'il fallut faire un chemin en lacet. Abattre les arbres ne fut pas une mince affaire, et les dessoucher moins encore, car la terre, en raison du manque de pluie, était dure comme roc. Après cela, il fallut empierrer.

Du moulin de Gorenne, la frérèche se promettait, comme je l'ai dit, une forte économie, mais aussi un grand rapport, car maints petits propriétaires des alentours, quand leur grain était sec en automne — ou même en hiver au fur et à mesure des besoins — faisaient moudre dans les moulins des Beunes moyennant redevance ; tant est que les cordeliers de Sarlat eussent bien fait leurs affaires si, au lieu d'exploiter eux-mêmes, ils n'avaient dû, vu la distance, affermer — le fermier alors mangeant tout le profit, et sans jamais rien réparer, si bien que pour l'épargne d'un clou, d'une lauze, ou d'un peu de travail, il avait laissé dissiper une partie de la toiture et gâter le logis.

Mespech s'employa aux œuvres nécessaires pour tout réparer, et ce fut promptement fait, car nous ne manquions ni de mains ni de moyens.

Le choix d'un meunier posa un autre problème, car la frérèche ne voulut pas, comme pour le carrier, recruter à Sarlat par voie de tambour et de trompe, ne se fiant qu'à des hommes dont elle connaissait déjà la trempe.

Le logis du moulin réparé, la frérèche convoqua Faujanet, pendant la veillée en la librairie de mon père, et lui proposa de s'aller demeurer à Gorenne, sans pour autant abandonner son métier de tonnelier, lequel il exercerait aussi bien dans les Beunes, puisque la meunerie était saisonnière et par à-coups.

— À travail double, poursuivit mon père avec un bon sourire, salaire doublé. En outre, la farine gratis pour ton pain. Et enfin, on te trouvera bien dans le plat pays quelque belle et forte garce de la Religion pour te marier, te seconder et te donner des droles qui, plus tard, te feront vivre. Car ce n'est pas tout de manger ce jour d'hui ; pain de vieillesse se pétrit en jeunesse.

Le petit noiraud, que mon père avait songé à faire asseoir en raison de sa boiterie (qui ne l'empêchait en rien de faucher), écouta sans s'ébahir ces propos alléchants. Mon père parlant, et Sauveterre opinant, les petits yeux noirs de Faujanet allaient de l'un à l'autre, et à chaque nouvel avantage qu'on lui faisait, paraissaient s'attrister.

Quand mon père eut fini, il remercia avec dignité.

— Pour le métier de meunier, je crois, ajouta-t-il, que je pourrais le faire, n'étant pas sot de mes doigts, ni trop gourd non plus de la cervelle. Pour le travail en plus, bien que je boite (ici il regarda Sauveterre), il ne me fait pas peur, comme les Messieurs le savent. Et les Messieurs sont bien bons de me vouloir doubler le salaire, mais ici à Mespech, ayant le feu, le pot et le logis, avec ce que les Messieurs me donnent en plus, je me trouve de gagner assez.

Il s'arrêta, et poursuivit avec quelque vergogne et en baissant les yeux :

— Pour la garce, je remercie bien aussi les Messieurs. Mais au mariage, moi qui pense beaucoup avec ma tête, je n'ai pas grande fiance, s'il faut le dire. Telle qui est douce comme miel le jour des noces a langue de vipère huit jours après. La femme, c'est le contraire de la châtaigne : tout le doux est dessus et les piquants dessous. Je ne m'y fierai pas davantage qu'à un tonneau sans ses cercles.

— Mais, il y a la commodité, dit mon père.

— Justement, dit Faujanet en hochant la tête, la commodité est bien courte et le souci bien long. J'aimerais mieux être à demi pendu que mal marié.

— Il y a de bons mariages, hasarda mon père.

— Je n'en ai jamais vu, dit Faujanet avec simplicité.

Là-dessus, Sauveterre eut un demi-sourire, mon père se tut, et Faujanet se taisant aussi, le silence se prolongea.

— Si j'entends bien, mon pauvre Faujanet, reprit enfin mon père, notre projet ne te sourit guère.

— Cela me fait honte, après ces propositions si honnêtes, de refuser tout à plat aux Messieurs, dit Faujanet avec un soupir, mais m'aller vivre à Gorenne, même avec les avantages que vous me dites, me ferait même effet que de camper aux portes de la mort. À Mespech, chaque soir que Dieu fait, je m'endors tranquille dans une île défendue par de fortes murailles, nombre de bons compagnons bien armés, et des capitaines plus vaillants qu'aucun fils de bonne mère en France. Mais à Gorenne, la première bande qui passe sur la route des Ayzies à Pelvézie se prend l'idée, à voir ce beau moulin par clair de lune, de vous voler grains ou farines. Et les voilà, à vingt ou à trente, enfonçant ma porte, forçant ma femme, et faisant de la dentelle avec mes tripes. À moins que, mettant la religion devant eux pour couvrir leur vilenie, ils ne me rôtissent comme hérétique avec mon propre bois de chauffage.

— Tu es un ancien de la légion de Guyenne, dit Sauveterre, tu sauras te défendre, et nous te prêterons des arquebuses.

— M'en donneriez-vous dix, dit Faujanet, cela ne serait pas assez si ces méchants sont trente.

Siorac et Sauveterre se regardèrent, frappés de ces raisons, et prévoyant qu'ils les rencontreraient chez plus d'un. Le beau moulin des Beunes allait-il rester vide faute de meunier ?

Le lendemain soir, ils convoquèrent Marsal le Bigle, mais celui-ci, louchant et bégayant plus qu'à l'accoutumée, montra la même insupportable répugnance à quitter les solides murs de Mespech pour aller demeurer à Gorenne, où il se sentirait, dit-il, « aussi nu qu'une tortue sans sa carapace ».

Il fallut se rendre à l'évidence : nos soldats étaient

braves, mais point jusqu'à envisager un combat solitaire dans les Beunes contre les fortes bandes qui infestaient la province.

La frérèche commençait à désespérer quand, quarante-huit heures plus tard, Coulondre Bras-de-fer demanda un entretien aux Messieurs. Que Coulondre ouvrît la bouche, c'était déjà inhabituel, mais qu'il demandât à parler étonna prodigieusement la frérèche. Elle le reçut le soir, et comme Coulondre commençait par un silence qui menaçait de durer, mon père lui désigna un escabeau devant le feu.

Jamais le visage long comme carême de Coulondre n'avait paru plus triste. Les yeux, le nez, la bouche, tous les traits tombaient vers le bas, mais cependant, son petit œil brun, sous les lourdes paupières, restait vigilant.

— Moussu lou Baron, dit-il enfin, avec la voix rauque des gens qui parlent peu, et vous, Moussu l'Écuyer, vous ne m'avez point demandé, à moi, d'être votre meunier dans les Beunes ?

— Sans te vouloir blesser, Coulondre, dit Sauveterre, t'en crois-tu capable, avec ton bras de fer ?

— Oui.

— Et veux-tu l'être ?

— Oui.

Il ajouta :

— Il y faudrait des conditions.

Mon père le regarda, et Sauveterre dit d'une voix sèche :

— Lesquelles ?

— Avec la picorée que j'ai rapportée de Calais, j'ai de quoi acheter deux truies. Il faudrait que Gorenne me donne le son pour les nourrir ainsi que les pourceaux.

— À combien de têtes comptes-tu limiter ton élevage ? dit mon père.

— Une trentaine.

Les deux frères échangèrent des regards.

— C'est à voir, dit Sauveterre. Est-ce tout ?

— Non, dit Coulondre, je voudrais les terres des Beunes à compte et demi.

— Nos terres des Beunes à compte et demi! s'écria Sauveterre.

À cette exclamation, Coulondre ne répondit pas. Le visage triste et immobile, il regardait le feu.

— C'est à voir, dit mon père.

Puis il reprit avec circonspection:

— Mais si tu prenais nos terres à compte et demi, et encore une partie de notre son pour tes porcs, tu ne voudrais point de salaire?

— Si, dit Coulondre, l'air toujours aussi morne, mais l'œil vif dans la fente des paupières. Au moins jusqu'à la première vente de mes porcs.

— Est-ce tout? dit Sauveterre d'un air rogue.

Il y eut un silence. Coulondre regardait le feu avec l'air lugubre d'un homme qui n'attend rien du monde.

— Il faudra encore pourvoir à ma défense, reprit-il, et m'aider à construire, de la graineterie du moulin au premier fourré sur la route qui mène à Mespech, un souterrain qui me permette de vous alerter en cas d'attaque.

— Une cloche suffirait, dit Sauveterre.

— Non point, Moussu l'Écuyer, dit Coulondre en soulevant son bras de fer de sa main valide comme pour soulager l'épaule de son poids. Une cloche avertirait aussi l'assaillant. Il saurait alors que je vous appelle à l'aide, et il pourrait vous tendre une embuscade sur la route du moulin. Par le souterrain, je pourrais vous dépêcher ma femme.

— Ta femme? dit mon père en se redressant sur son fauteuil. As-tu déjà fait choix d'une garce?

— Oui-da, dit Coulondre. C'est Jacotte, de la Volperie. Comme vous savez, elle est de la Religion.

— Mais elle a quinze ans! dit mon père en levant les sourcils.

— Tout grison que je sois, elle s'est promise pourtant, dit Coulondre sans bouger un cil.

— La Maligou parlerait ici de magie, dit mon père avec un sourire.

— Il n'y en a point, dit Coulondre avec gravité. Ce printemps dernier, en faisant mon charroi de la Volperie à Mespech, j'ai retiré Jacotte des mains de quatre caïmans qui étaient pour la forcer sur le revers d'un talus. Jacotte a tué le premier de son petit couteau. De mes pistolets j'en ai occis deux autres. Le quatrième s'est jeté sur moi, mais j'ai abattu mon bras de fer sur sa nuque, et lui ai tranché la gorge ensuite de son propre coutelas.

— Et tu n'as rien dit de cet exploit ? dit mon père, stupéfait.

— Jacotte m'avait demandé de rester coi. Vous savez ce qu'il en est des clabauderies de village. On a vite fait de dire plus qu'il n'y en a eu.

— Coulondre, dit mon père, tu as fait un bon choix. Je connais Jacotte pour une forte et vaillante garce, et qui te fera bon usage.

Il y eut un silence. Sauveterre, ses yeux noirs brillant dans ses orbites, et le visage bourrelé de froncements, dit d'un ton peu amène en tapant des deux mains sur les bras de son fauteuil :

— Mais l'affaire est loin d'être faite ! Monsieur le Baron et moi, nous devons consulter.

À cela, Coulondre ne répondit rien, et regarda le feu.

— Coulondre, dit Sauveterre, si nous te construisons un souterrain, ne sera-ce pas une grande tentation, si l'attaque devient chaude, d'abandonner ton poste ?

Une ombre de sourire se dessina sur le visage long et lugubre de Coulondre.

— Moi, dit-il, abandonner vos grains ? Vos farines ? Et mes porcs ?

C'était bien répondu. Mais, pour d'autres raisons, la frérèche se sentait fort troublée. Pour la première fois dans l'histoire de Mespech, elle était amenée à discuter d'un contrat qui ne fût pas d'emblée à son avantage.

La consultation de la frérèche dura un grand jour, et c'est dommage qu'elle n'ait pas été consignée sur le *Livre de raison*. Je me plairais fort, aujourd'hui, à la lire. J'en sais du moins le résultat.

Le lendemain soir, la frérèche fit à Coulondre des propositions. Consentirait-il à élever, en même temps que ses trente porcs, à Gorenne, un même nombre de porcs pour Mespech ?

— Non, dit Coulondre. Soixante, c'est trop. Les grands élevages font les grandes épidémies. En outre, il n'y a pas de place assez à Gorenne pour tant de bêtes.

— Si nous te donnons les terres des Beunes à compte et demi, il faudra que tu fasses les façons, et nous déduirons alors de ta moitié de récolte la location de l'araire, de la herse et du cheval.

— Je remercie les Messieurs pour la location, dit Coulondre, mais avec le reste de ma picorée, je compte m'acheter le cheval et les outils.

— Si l'affaire se fait, nous donneras-tu à Mespech, comme tous nos tenanciers, des journées de travail ?

— Oui, dit Coulondre, mais à raison de cinquante par an.

— Pourquoi cinquante ?

— En me faisant huguenot, dit Coulondre, j'ai renoncé à cinquante jours chômés par an, ceux qui célébraient les saints. Et si je vous donne cinquante journées en plus, cela fait cent. Avec votre respect, c'est assez. Il me faut du temps pour Gorenne.

Sauveterre fronça les sourcils.

— Regrettes-tu de t'être fait huguenot ?

— Nenni, dit Coulondre, lugubre et respectueux, et l'œil fixé sur les flammes de l'âtre.

Quand il eut quitté la pièce, Sauveterre opina d'une voix blanche pour qu'on chassât Coulondre tout de gob de Mespech pour son incroyable insolence.

— Qui plus est, ajouta-t-il, ses petits yeux noirs brillant de fureur, c'est un réformé des plus tièdes.

— Comme la plupart de nos gens, dit mon père avec un sourire. Mais du moins, lui, il n'est pas resté papiste dans son cœur, comme d'aucunes que je pourrais dire.

Il fit quelques pas dans la pièce, le torse redressé et les mains aux hanches. Il reprit :

— Et il n'est pas tant insolent qu'il ne tâche de défendre ses intérêts, comme nous faisons.

— Il ne les défend que trop !

— Comme il défendra Gorenne ! Et nos farines, en même temps que ses porcs ! Comme il a défendu Jacotte sur le revers du talus, où les méchants l'avaient jetée ! Du bec et des ongles ! Avec ruse ! Avec sagesse ! Avec l'insolence que vous lui reprochez ! Avez-vous ouï son excellente remarque sur la cloche pour alerter Mespech ? Cet homme-là n'a pas la tête légère ni la volonté molle !

— Mon idée est toutefois qu'on le chasse ! dit Sauveterre, le front irrité, en fendant l'air de sa dextre.

— Mon idée est qu'on lui confie Gorenne ! dit mon père en riant.

— Quoi ! Lui confier Gorenne ! À ses damnables conditions !

— Mon frère ! Mon frère ! dit Jean de Siorac en venant derrière Sauveterre et en appuyant ses deux mains sur ses épaules. Il faut accepter de perdre un peu pour gagner plus !

Le lendemain, Sauveterre céda. Et c'est ainsi que, de mercenaire qu'il était, Coulondre devint tenancier, alors que dans la famine des temps, maints petits propriétaires vendaient leur terre aux prêteurs de grains, et pour quelques sols ensuite, la cultivaient pour eux.

1563 fut une année calamiteuse dans le Sarladais. Tout comme six ans plus tôt, en 1557 — l'année dont Faujanet parlait toujours, tant l'avaient frappé alors l'extrême courroux de Dieu et son inflexible entêtement à retenir sa pluie dans ses nuages —, la sécheresse fut, en cette année de mes douze ans, proprement effroyable.

Déjà l'hiver s'était ressenti davantage du froid que de l'eau, mais quand vint mars, le temps se mit à la chaleur, quasi comme en été, et à part deux ou trois averses si faibles qu'elles ne firent que mouiller la peau du sol, plus rien ne tomba du ciel. L'herbe n'eut même pas l'heur de partir en ses pousses nouvelles, vertes et brillantes, du printemps. Elle resta rase, comme après la pâture de l'automne, et dès le mois de mai, le soleil ardant sur elle tout le jour, elle se mit à jaunir. Le blé leva, mais mal, en tiges petites et dispersées, les maigres épis les courbant à peine, la terre des labours se fendant et se fissurant comme si elle allait bâiller jusqu'aux Enfers, et pis que tout, le bon humus gras et humide se changeait en poussière que l'aigre vent du nord-est emportait en tourbillons.

Dès juillet, les sources et les puits se tarirent par dizaines, les mares baissèrent, le courant tumultueux des Beunes diminua de moitié. Les meuniers, sur leur cours, défendirent qu'on y vînt puiser, et défense, à leur tour, leur fut faite par les Sénéchaussées, de creuser des biefs ou d'élever des digues qui eussent enlevé de l'eau aux moulins en aval. Nos voisins des villages, charroyant des cuves, vinrent à Mespech mendier de quoi les remplir à l'étang, pour abreuver leurs bêtes, permission d'abord donnée, mais qu'il fallut restreindre à nos seuls tenanciers, quand on s'aperçut que le trop-plein de notre puits ne coulait plus que goutte à goutte. Notre puits lui-même n'assécha point, mais le niveau de l'étang baissa de cinq pieds, ce qui nous effraya tous car, d'après le dire de la frérèche, même en 1557, il n'avait pas autant décru.

Le temps des foins arriva, mais il n'y avait nulle part d'herbe assez pour mettre sous la faux, sauf encore dans les combes, dont les fonds s'étaient gardés humides. Mais là, il fallut ouvrir l'œil et pointer l'oreille, car d'aucuns venaient la nuit avec une faucille couper le peu qu'il y avait pour donner, qui à sa chèvre, qui à sa maigre vache. Nos soldats se mirent à l'affût, et capturèrent un de ces malheureux qui, déjà, se voyait promis au gibet de Mespech, et lamentait non point son sort, qu'il cuidait mérité, mais celui de sa veuve et de ses enfants. Mais le pauvre vilain était de Sireil, la frérèche répugnait à pendre un homme de nos villages. En outre, il était papiste, et on eût pu croire, ou dire, ou laisser entendre, que Mespech avait agi contre lui par zèle. Aussi la frérèche décida de cligner les yeux sur son crime, et après l'avoir serré deux jours dans une tour, on le relâcha sous promesse de nous donner quarante jours de corvée par an pendant deux ans, nourri mais non payé. L'homme fit sa peine en conscience, et je le revois encore à notre table, mettre, en se cachant, la moitié de ce que la Maligou lui servait dans un sac qu'il rapportait en sa masure à sa femme et ses six enfants. Il s'appelait Pierre Petremol, et il était le frère cadet de celui qui avait guéri de ses rhumatismes — et aussi de la vie — en se plongeant l'hiver dans la fontaine glacée de saint Avit.

Mais la mansuétude de Mespech ne servit point, pas plus que n'eût fait, à sa place, la sévérité, tant était grand et pressant le besoin des hommes. Les vols d'herbe continuèrent. Il fallut hâter les foins dans nos combes, et dès que nos épis furent mûrs, faire aussi la moisson, car déjà, le long des Beunes, des gueux de passage nous avaient dévoré sur pied un petit champ de froment, tiges et tout.

Escorgol, en ces temps, avait fort à faire, tant fut continuel, sous le châtelet d'entrée, le défilé des pâtres et laboureurs qui, les larmes leur coulant des yeux et les mains jointes, venaient prier les Messieurs de leur prêter du blé pour eux-mêmes et du foin pour leurs bêtes. Ces prêts étaient gagés sur leurs champs et leurs récoltes, et comme tous, ou presque tous, étaient déjà dans nos dettes — certains nous payant une rente annuelle en grains après la moisson —, d'aucuns en arrivèrent à nous vendre leur terre afin de payer leur pain. D'autres, faute de pouvoir les nourrir, nous vendaient leurs bêtes, très avantageusement pour nous, car le prix de la vache était tombé de moitié, tant la sécheresse avait accru le nombre des vendeurs.

Ainsi, à chaque famine, Mespech arrondissait son

domaine et multipliait son troupeau. Mon père en était durement travaillé en sa conscience. Il dit et maintes fois répéta, en ces temps, qu'il eût éprouvé moins de scrupule à vendre notre froment à Sarlat au prix inouï qu'il y avait atteint, de trois livres pour un quarton[1] de froment, et cinquante sols pour un quarton de seigle.

Mais Sauveterre, aux écus entassés dans les coffres préférait un agrandissement du domaine, et là-dessus, il ne céda pas un pouce.

— Mais, dit Siorac, encore très troublé, qu'arrivera-t-il de ceux de nos villageois qui n'ont plus de terre à gager, ni même à vendre ? Allons-nous les laisser se périr de la faim ?

— Nenni. Nous leur baillerons du grain contre la force de leurs bras. Et ils nous repaieront dans l'année en journées de travail. Nous n'aurons donc pas tant à dépenser en mercenaires au moment du foin ou des récoltes, ou de nos travaux de voirie.

Mon père baissa la tête et regarda ses bottes, les sourcils froncés et l'air assez chagrin.

— Ainsi, dit-il au bout d'un moment, tout, même la sécheresse, nous devient pain et miel. Tout nous accroît. Tout nous profite. Il me semble, pourtant, mon frère, que nous prospérons trop sur la misère des temps.

— Ce n'est point nous qui l'avons provoquée, dit Sauveterre, et rappelez-vous, je vous prie, la parole de Calvin : « C'est une grâce spéciale de Dieu quand il nous vient à l'entendement d'élire ce qui nous est profitable. »

— Certes ! Certes ! dit mon père. Mais à ce compte, les pauvres, autour de nous, deviennent toujours plus pauvres, et Mespech, à proportion, s'enrichit.

— Je ne vois pas que nous ayons à le regretter ni à battre là-dessus notre coulpe, dit Sauveterre avec fermeté. Nous n'allons point donner dans l'hypocrisie des papistes, qui vivent dans la pourpre tout en don-

1. 2,2 litres.

nant comme une grande vertu la pauvreté volontaire. Non, Jean, l'enseignement de Calvin est ici lumineux. Qu'il y ait beaucoup de pauvres et quelques riches n'est pas dû au hasard. Ce que chacun possède ne lui est point advenu par cas fortuit, mais par la distribution de celui qui est le souverain Maître et Seigneur de tout.

— Je le crois, dit mon père.

Mais au bout d'un long moment, et émergeant de ses réflexions, il dit en baissant la voix :

— D'où vient donc que mon cœur se tourmente de la grâce qui nous est faite, comme s'il la trouvait excessive ?

Le 6 juillet, la frérèche reçut par chevaucheur un billet de M. de la Porte. Le lieutenant-criminel l'informait que la peste avait éclaté à Sarlat avec une grande violence, tuant une centaine de personnes par jour. Pour éviter que la contagion se répandît dans toute la Sénéchaussée, il avait ordonné, avec l'accord des Consuls, la fermeture des portes. Mais comme il fallait néanmoins que la ville fût ravitaillée, il priait mon père d'avertir nos laboureurs qu'on maintenait les marchés aux jours accoutumés, mais hors des murailles, dans le faubourg de la Lendrevie. Ainsi les villageois pourraient continuer à apporter leurs œufs, beurre, légumes, fromages et autres viandes, mais sans entrer dans l'enceinte, tous les achats des Sarladais étant faits par le truchement de commissionnaires qui logeaient dans les faubourgs et ne pénétraient pas non plus dans la ville, mais livraient les marchandises à leurs chalands par les guichets. M. de la Porte demandait à la frérèche s'il lui serait possible de pourvoir, par l'abattage et la livraison d'un demi-bœuf, à la nourriture de la ville. « À vrai dire, poursuivait M. de la Porte, la demande de chair n'est pas aussi forte qu'elle l'a été. Car tout ce qu'il y avait ici de noblesse et de bourgeois étoffés, sans compter les juges, l'Évêque et ses Vicaires, ont fui la ville avant la clôture des portes, pour se réfugier dans leurs maisons des champs. Cependant, il reste ici les deux Consuls, quatre chirurgiens, les officiers royaux et moi-même, qui n'entendons pas courir aussi le risque de périr de la faim, dans le grand danger où nous sommes. »

M. de la Porte ajoutait en post-scriptum : « Vous serez bien marri d'apprendre que Mme de la Valade est morte de la contagion le 4. Le corps enlevé, sa pauvre chambrière Franchou — qui fut aussi celle de votre défunte épouse — fut aussitôt enfermée dans la maison de sa maîtresse, portes et contrevents cloués. Pratique cruelle, certes, mais qui est comme vous savez de règle, et contre laquelle je ne puis rien. Franchou est ravitaillée par un corbillon qu'elle descend dans la rue au bout d'une corde par un fenestrou de soupente. Elle subsiste de charité publique, et assez mal. La pauvre garce est presque folle de peur, de faim et de désespoir, et passe son temps à pleurer, à gémir et à appeler, suppliant qu'on la tue au lieu de la serrer prisonnière dans une maison infecte[1]. »

Mon père reçut cette lettre le 6 juillet au matin, et à son sujet, il eut des discussions fort âpres avec Sauveterre. La fenêtre de la librairie étant restée ouverte en raison de l'accablante chaleur, j'en perçus les échos, mais sans pouvoir en conjecturer le pourquoi. Cependant, je vis mon père descendre, quelques instants plus tard, les marches du perron, le sourcil froncé et l'air résolu, et ordonner d'une voix brève aux frères Siorac de tuer un jeune bœuf que nous venions d'acheter, de le dépouiller, de le mettre en quartiers, et de charger ceux-ci sur un de nos chariots.

La même après-midi, comme François, Samson et moi tirions à l'épée contre Cabusse, qui venait tous les jours du Breuil nous exercer, mon père entra dans la salle d'escrime, le front soucieux.

1. Infectée.

— Adieu, Cabusse ! dit-il en prenant, non sans effort, me sembla-t-il, son ton enjoué. Adieu, mes droles !

— Adieu, Moussu lou Baron ! dit Cabusse en le saluant de l'épée et s'adressant à lui avec beaucoup de finesse, à mi-chemin du familier et du respect, comme s'il était lui-même à demi gentilhomme.

— Et comment va Cathau ?

— Elle s'arrondit, dit Cabusse en tirant de la main gauche sur sa terrible moustache et, de la droite, appuyé sur son épée comme sur une canne.

Il reprit avec un large et viril sourire :

— Son terme approche. Elle est pour poser fin juillet.

— Fin juillet ! Par ce soleil ! Ce sera un pitchoune frileux !

— Je le crois aussi, dit Cabusse.

— Et ton voisin Jonas ? ajouta mon père.

— Ah, Jonas ! Jonas ! dit Cabusse avec une soudaine bouffée de poésie gasconne. Depuis qu'il a sa Sarrazine et sa maison, il ne hennit plus après d'autres avoines. Mais cœur contre cœur, il est content.

— Porte-lui mon bonjour, à sa femme, à la tienne aussi. Comment tirent mes droles ?

— Passablement, dit Cabusse, qui était avare de louanges, mais non de paroles, étant quasi amoureux de sa propre éloquence.

Il poursuivit :

— À chacun son défaut, et aussi sa vertu. Des trois, Moussu Samson est le plus fort. Il a un poignet de fer. Mais sans le vouloir offenser, ajouta-t-il avec cette rude délicatesse qui plaisait tant à mon père, il a le cerveau un peu gourd. Pour Moussu François, il a l'œil vif et vigilant, il rompt et se défend fort bien, mais, prudent à l'excès, il ne pousse pas sa botte. Moussu Pierre, lui, est tout attaque et furie, ne rêve que plaies et mort, fonce comme un petit taureau. Mais il se garde mal, il se découvre. Je l'eusse tué cent fois.

— Chacun des trois doit donc apprendre de l'autre sa vertu, dit mon père. Mes droles, poursuivit-il en prenant un air de gravité, la peste est dans Sarlat. J'y vais demain porter un demi-bœuf à M. de la Porte. En raison de la contagion, je ne prendrai pas de domestiques pour escorte, seulement des gens de ma famille. Les frères Siorac, et l'un de vous, s'il lui plaît.

— Moi, dis-je, encore tout suant et haletant de l'assaut que je venais de donner à Cabusse. Puisque je dois être médecin, il est temps que je m'apprivoise à la maladie.

— Moi, dit Samson aussitôt que j'eus parlé.

— Moi, dit François avec un temps de retard.

— Non, pas vous, François, dit Siorac. Je ne veux pas faire courir ce risque à mon aîné. Mais j'emmènerai Pierre et Samson, puisqu'ils y consentent. Adieu Cabusse! Adieu mes droles! Je suis fier de vous. La bravoure ne se montre pas que l'épée à la main.

Là-dessus, l'œil brillant et l'air assez ému, il pivota sur ses talons à sa manière abrupte et nous quitta.

Le soir, mon père ordonna à Samson et à moi de nous retirer, après le dîner, dans la salle du haut de la tour nord-est — celle-là même où nous fûmes l'un et l'autre serrés quand, le jour de mes six ans, je battis François. Mais elle était fort changée depuis la veille: les murs avaient été blanchis à la chaux, les planchers lavés au vinaigre, et dans la cheminée, en dépit de l'ardente chaleur, brûlait un grand feu où l'on avait jeté des aromates: benjoin, lavande et romarin. J'y vis aussi deux lits, séparés par toute la largeur de la pièce, ce qui indiquait que Samson et moi ne devions point, cette fois, coucher ensemble, comme nous étions accoutumés. Et sur un escabeau, à côté de chacun des lits, étaient étalés nos habillements du lendemain, parfumés des mêmes aromates qui brûlaient dans le foyer et, appuyée contre le mur, l'épée courte que nous n'avions le droit de porter que lorsque nous sortions des murs. Mon cœur bondit en l'apercevant. Je la sortis de son fourreau et en portai de grands coups çà et là, pourfendant la peste et ses affreux sicaires, ce qui fit rire Samson aux éclats, mais sans se gausser, la moquerie d'autrui étant étrangère à son âme. Après avoir ri avec lui, je soufflai le calel et je m'endormis comme un sac, sans appréhension aucune, mais tout fier et joyeux d'accompagner mon père dans les hasards de son entreprise, et fort avide de voir et d'apprendre des choses nouvelles touchant à mon futur état.

Mon père nous réveilla le lendemain à la pique du jour, nous apportant à chacun de ses propres mains un bol de lait chaud, du beurre frais étalé sur un grand morceau de pain de froment, et une bonne portion de chair salée. Il nous recommanda de bien manger, et pendant que, chacun assis sur son lit aux deux bouts de la pièce, nous branlions hardiment des mâchoires, mon père mit le pied sur un escabeau et dit avec gravité :

— Pierre, il faut que tu saches, et Samson, toi aussi, que Dieu, ne faisant rien qui ne soit bon et droit, a donc ses raisons profondes et de nous inconnues pour nous envoyer la peste. Cependant, Dieu n'agit que par des agents naturels, et contre ces agents il est licite de se défendre, soit en prévenant leurs effets, soit en les combattant quand ils sont là.

Il se redressa, les mains aux hanches, le parler bref et bien articulé.

— Vous saurez donc, messieurs mes fils, que la contagion de la peste vient à l'homme de l'air corrompu qui entoure les infects, leur linge, leurs meubles, leurs maisons, et les rues par où ils ont passé. D'aucuns savants tiennent que l'air corrompu entre en nous par une vapeur puante. D'autres, par de petites et venimeuses bestioles, tant petites que l'œil ne les voit point, et qui, pénétrant dans la bouche, le nez, l'oreille et les pores de la peau, pondent leurs œufs dans le sang et le gâtent. C'est pourquoi il importe, primo, de bien manger…

— Pourquoi ? dis-je, la bouche pleine, et tout étonné que ce que je prenais pour un plaisir fût aussi un remède.

— Pour ce que les parties nobles du corps, auxquelles le venin s'attache, ne peuvent se défendre si elle ne sont fortifiées. Car tant que les veines et les artères ne sont pas encore remplies du nouvel aliment, elles laissent entrer plus facilement le venin, lequel, trouvant place vide, s'empare des parties nobles du corps, et principalement le cœur, la poitrine et les génitales. Secundo... Mais tu as fini de manger, lève-toi, Pierre, promptement, et quitte la chemise.

Ce que je fis, non sans émerveillement. Mon père prit alors à terre un grand poilon de vinaigre qu'il avait apporté et, y trempant la dextre, il m'en frotta les tempes, les aisselles, la région du cœur, les aines et les parties génitales.

— Ceci, dit-il, préservera ton corps de l'infection.

— Pourquoi ? dis-je.

— Le vinaigre, commença-t-il, allant frotter Samson dans son coin... Mais, poursuivit-il, que ce petit drole est fort et bien bâti ! C'est merveille de le voir, à son âge, déjà si bien membré !

Il s'interrompit, et tournant la tête d'un mouvement vif, il me jeta un regard pénétrant comme s'il craignait de m'avoir offensé par l'éloge de mon frère. Mais, à dire vrai, je n'y pensais pas, j'étais tout entier à son sujet, l'œil et l'ouïe rivés à lui.

— Le vinaigre, monsieur mon père ? dis-je.

— Oui-da ! Le vinaigre, sache-le, est par essence froid et sec. Or le froid et le sec sont choses fort répugnantes à la putréfaction. Raison pour laquelle on conserve les herbes et les oignons dans le vinaigre, lequel est, par conséquent, fort contraire à tout venin, et garde le corps de pourriture.

Ayant dit, mon père revint vers moi et me passa autour du cou le cordon d'un sachet qu'il appliqua contre ma poitrine. Il en fit autant à Samson.

— Ce sachet, dit-il, contient une poudre aromatique qui préserve le cœur. Habille-toi, Pierre. Toi aussi, Samson. Il est temps d'aller.

Quand il nous vit vêtus, il sortit deux petits sacs de sa poche, me bailla le premier et à Samson le second.

— Voici, dit-il, qu'il faudra pendre à votre ceinture. Ce sont des clous de girofle, condiment fort coûteux, qu'il vous faudra mâcher continûment tant que vous serez à Sarlat, et autres lieux infects. Ce faisant, la saine et forte senteur du clou de girofle remplira les spaciosités vides de votre bouche et de votre nez, et ainsi la vapeur pestiférée, ne pouvant trouver place pour se loger en vous, sera repoussée dans l'air extérieur.

Je regardai et écoutai mon père avec une béante admiration pour son immense savoir, tout ébahi d'apprendre en si peu d'espace tant de choses si profondes sur la contagion. Mais à vrai dire, il m'en parlait chaque jour depuis huit jours, et c'est merveille ce que je savais déjà.

— Et enfin, Chevaliers, dit Jean de Siorac, voici vos heaumes : un petit masque de toile imbibé de vinaigre, que chacun portera sur le nez et la bouche dès que nous quitterons Mespech. Eh bien, messieurs mes droles, poursuivit-il en se campant devant nous les mains aux hanches, vous voilà armés en guerre contre la peste ! Et maintenant, allons ! À Dieu vat ! Et que le Seigneur nous protège ! Dans les fontes de vos selles, vous trouverez l'un et l'autre deux pistolets chargés, qui ne vous serviront guère contre la maladie, mais d'aventure, contre la malignité des hommes.

Dans la cour de Mespech, tout le domestique était là, les yeux agrandis, le corps figé, nous regardant partir comme s'il ne nous devait plus revoir que pliés dans nos linceuls et descendus dans la tombe. Sauveterre, dégringolant en crabe les marches du perron, vint embrasser mon père avec emportement et lui dit à l'oreille d'une voix basse, où l'angoisse le disputait à la colère :

— C'est folie ! folie ! folie !

Et mon père, peut-être pour couvrir ce propos, dit alors d'une voix forte que lorsque nous reviendrions, Escorgol sonnerait à la volée la cloche de Mespech, et que nul alors, sur notre passage, ne devrait montrer le nez. En attendant, de grands feux, comme il avait dit, devraient flamber dans les cheminées, et les cuves pleines d'eau mises à chauffer, et en quantité suffisante, pour nous y tremper tous à notre retour, et notre vêture aussi.

Hors les murs, devant le châtelet d'entrée, les frères Siorac nous attendaient, assis déjà sur le siège du chariot transportant les quartiers de bœuf, tous les deux fort pâles, et les lèvres tremblantes. Mon père, levant la tête et tournant le col, retint un instant sa monture pour faire un petit geste d'adieu, de sa main gantée, à Escorgol qui, derrière le fenestrou du châtelet, nous regardait partir, les larmes lui coulant des yeux, ce qui me troubla fort, mais non pas davantage que l'adieu silencieux de nos gens dans la cour, tant est que je commençais à avoir enfin une idée plus juste des périls où nous allions nous jeter.

Le chariot démarra, et mon père, poussant son hongre pommelé à côté des chevaux de trait, considéra un moment en silence le trouble des frères Siorac.

— Mes cousins, dit-il, je me fais du souci pour vous, vous voyant tant travaillés par l'imaginative, laquelle a si grande seigneurie en nous. Vous tremblez ! Vous vous croyez déjà morts ! Or, sachez-le, en crainte et peur, le sang se retire du cœur, et le laisse vacant, permettant au venin de la contagion une entrée plus facile. Ainsi, ceux qui pensent mourir se rapprochent à grands pas de la mort.

— Je ne redoute pas tant la mort, dit l'un des Siorac (et quand il nomma Michel, nous sûmes que c'était Benoît), mais que Michel meure, et que je lui survive.

— Je pense de même, dit Michel.

— Alors, rassurez-vous, dit mon père. Vous êtes jumeaux, et vos humeurs sont si semblables que la contagion ne frappera pas l'un sans frapper l'autre. Ainsi, vous mourrez ensemble, ou vous vivrez ensemble, et vous ne serez point séparés.

— Le Seigneur soit loué ! dit Benoît avec un grand soupir. Mon noble cousin, vous m'avez enlevé un grand poids de dessus le cœur !

— À moi aussi, dit Michel.

Dès cette minute, les couleurs leur revinrent, leurs

traits se raffermirent et ils ne firent plus d'autre plainte que d'avoir, par l'étouffante chaleur, à porter, comme nous trois, gants et masques. Il est vrai qu'au surplus, ils étaient, comme mon père, armés en guerre avec corselets et morions, ce qui n'ajoutait pas à leurs aises, la sueur ruisselant le long de leurs joues, bien que le matin fût jeune encore et le soleil à peine levé. Ils avaient chacun une arquebuse couchée sur leurs genoux, le canon tourné vers le bas-côté du chemin.

À deux lieues de Sarlat, en un lieu dit les Presses, nous aperçûmes en contrebas de la route, alors fort descendante en lacet, et sur la droite, le cadavre d'un homme nu, étendu jambes écartées sur l'herbe jaune et rase d'un pré. Il était plus bas que nous d'une douzaine de toises, et bien que le vent portât dans notre dos, la puanteur qu'il exhalait était insupportable.

— Mes cousins Siorac, dit mon père, passez sans vous arrêter. Toi aussi, Samson. Et attendez-nous au bas de la côte.

Benoît fouetta nos deux chevaux de trait, et ils partirent au galop, suivis de Samson sur son cheval blanc. Mon genet noir et le grand hongre pommelé de mon père, ayant grand désir de les rejoindre, firent quelques difficultés pour s'arrêter, mais après quelques hennissements, voltes et virevoltes, ils se tinrent tranquilles et cois, mais tremblant un peu des jambes sur le talus du haut duquel nous regardions le corps.

— Pierre, dit mon père, ce malheureux porte sur lui tous les signes de la peste. Je vous les ai dits. Pouvez-vous les répéter ?

— Oui-da, dis-je, la gorge nouée et défaillant presque, tant l'odeur et la vue du hideux cadavre me portaient au cœur. Ce gros apostume qui lui tend la peau de l'aine droite est un bubon. Ces pustules noires sur le ventre sont des charbons. Et ces boutons de toutes couleurs sur la poitrine — rouges, azurés et violets — s'appellent le pourpre.

— C'est fort bien, dit mon père, qui feignait de ne

pas apercevoir mon malaise. Notez encore que la peau du corps est jaunâtre et mollâtre, le teint livide, les paupières noires, la face contractée.

Il reprit :

— « Quiconque meurt, meurt à douleur », a dit Villon mais un pesteux plus qu'un autre.

— D'où vient, dis-je avec effort, que cet homme gît là, et non pas dans son lit ?

— Le mal débute par une fièvre ardente, une grande défaillance du cœur, une enflure de l'abdomen, un terrible appétit à vomir, et un flux de ventre continuel et fétide. Et enfin, au bout de quelques heures apparaît une extraordinaire douleur de tête qui rend le pesteux frénétique, et le pousse à se ruer, dans son délire, hors de chez lui, et à courre droit devant lui jusqu'à ce qu'il tombe épuisé.

— Il est donc tombé là, sans secours, sans ami, nu comme à sa naissance, et il est mort.

— Il n'était pas nu. Des gueux de passage l'auront dépouillé. Ceux-ci mourront, et seront à leur tour dépouillés. La vêture et les linges du mort passeront, hélas, de main en main, tuant tous ceux qui les auront touchés. C'est ainsi que l'infection gagne les lieux les plus reculés du plat pays. Mon fils, continua mon père en changeant de ton, vois-tu ce corbeau qui fait l'insolent sur la cime de ce châtaignier ? Tue-le, je te prie !

Fort surpris de cet ordre, mais ne pipant mot, je pris un de mes deux pistolets dans les fontes de ma monture, l'armai, étendis le bras, retins mon souffle et tirai. L'oiseau tomba, froissant et arrachant au passage les feuilles déjà jaunies par la sécheresse. Je rechargeai le pistolet, un peu étonné d'avoir eu à perdre une balle sur une telle cible.

— Aurait-il mangé du cadavre ? dis-je.

— Nenni. Jamais corbeau n'a mangé chair de pesteux. C'est une bestiole trop avisée. Allons !

Mon père poussa son hongre sur le lacet descendant de la route, et quand je fus au botte à botte avec lui, sans marcher plus vite qu'au pas, il dit :

— Ambroise Paré, le chirurgien du Roi, un fort

bonhomme et, comme nous, de la Religion, a raconté que, voyant pour la première fois un pesteux, soulevant son drap pour l'examiner, la puanteur fétide qui s'exhalait de son bubon et de ses charbons le saisit si fort à la gorge qu'il perdit tous ses sens et tomba en syncope. Eh bien, monsieur mon fils, poursuivit mon père avec un sourire, vous dépassez déjà le grand Ambroise Paré, sinon par la science, du moins par le sang-froid. Quand vous avez abattu ce corbeau, votre main n'a pas tremblé.

Et il piqua des deux, me laissant tout ravi et réconforté de son grand éloge, car, à vrai dire, la vue de ce pesteux m'avait d'abord frappé d'une indicible horreur.

Un peu avant le faubourg de la Lendrevie, mon père, dont le hongre trottait devant le chariot (Samson et moi fermant la marche), leva sa main gantée pour nous faire signe d'arrêter. Puis, se retournant sur sa selle, il m'appela :

— Nous allons laisser passer à bonne distance cet affreux cortège, me dit-il en désignant de la main trois chariots remplis de morts qui, venant de la ville, tournaient devant nous sur notre droite, dans un grand champ où des fosses, creusées dans la glaise, béaient sous le soleil de plomb.

Sur les sièges de chacun des chariots étaient assis, immobiles, des hommes vêtus de casaquins de toile blanche et portant des cagoules. Des crocs emmanchés d'un long bois étaient couchés sur leurs genoux. Quand le premier chariot prit son tournant à quelques toises devant nous, je vis que les morts étaient nus, et jetés pêle-mêle l'un sur l'autre. Même à distance où nous étions, et le vent, par bonheur, encore dans notre dos, la puanteur était très forte.

— Est-ce là un nouveau cimetière ? dis-je, étonné.

— Nenni, mais par temps de peste, il est défendu d'enterrer les morts autour des églises, pour ne pas infecter la terre sainte. Aussi les met-on dans le premier champ venu, et dans des fosses.

— À quoi servent ces crocs aux fossoyeurs ?

— Ce ne sont pas des fossoyeurs. Les fossoyeurs sont morts aux premiers jours. Ces hommes en casaquin sont des corbeaux, ainsi nommés à cause de leur croc, par quoi ils crochent dans les morts pour non pas les approcher trop.

— Dans la chair même ? dis-je, horrifié. C'est là barbare usage.

— Oui, certes, mais si on ne le tolérait, on ne trouverait personne. La ville les recrute à prix d'or.

— D'où vient que ces corbeaux, eux, ne meurent point ?

— Ils meurent aussi. C'est pourquoi ils sont payés si cher.

À cet instant, le corbeau qui, du haut du siège, menait l'attelage du troisième chariot, l'arrêta, comme il allait traverser la route pour monter le talus du champ. Ses yeux, à travers les trous de sa cagoule, dévisagèrent mon père, et tout soudain, lâchant ses guides, il leva le bras droit pour le saluer.

— Adieu, Moussu lou Baron ! cria-t-il d'une voix forte et allègre.

— Adieu, l'ami ! Tu me connais donc ?

— Oui-da, et malgré votre masque ! Je vous ai reconnu à votre hongre pommelé, et à l'allure. J'ai besogné pour vous comme mercenaire ce printemps passé pour creuser la route de Mespech à votre moulin des Beunes.

— Et qu'as-tu fait depuis ?

— Hélas ! J'ai été fort désoccupé, crevant la faim trois mois, et presque aux portes de la mort.

— Mespech ne t'aurait refusé ni un croûton ni une soupe.

— Mais comment les aller quérir ? Mes faibles jambes ne me portaient plus. La peste, Dieu soit loué, m'a sauvé ! Je mange enfin mon content.

— Combien te baille la ville pour faire le corbeau ?

— Moussu lou Baron, c'est merveille ! Vingt bonnes livres le mois, dont j'ai déjà touché dix. Les dix autres fin juillet, si du moins je suis encore dessus la terre et non dessous.

Il rit, puis se signa.

— Mais je ne me plains pas, poursuivit-il d'un ton joyeux. C'est une grande liesse, après tout ce que j'ai subi, d'être si riche, de me remplir la panse, de manger de la chair tous les jours, de boire du vin de Cahors, et même de paillarder avec les garces lubriques du faubourg de la Lendrevie ! Dieu me pardonne, j'ai été chaste trop longtemps !

— As-tu femme et enfants ?

— Nenni. Je n'en ai jamais eu les moyens !

— Eh bien, l'ami, je te souhaite prospérité et longue vie.

— La prospérité, j'y suis. Et la longue vie, je n'y crois point ! dit le corbeau en riant. Mais chaque jour qui passe est bon à prendre, pourvu que l'estomac soit plein.

Et là-dessus, fouettant son attelage avec vigueur, il l'engagea sur le talus du champ.

— N'est-ce pas inouï qu'il soit si gai ? dis-je en le suivant des yeux.

Mon père hocha la tête.

— Les pauvres ont un certain courage, brutal et insouciant, qui naît de leur état. Et certes, ils en ont besoin plus que d'autres, car il est faux de dire, comme je l'ai entendu, que la contagion frappe également riches et pauvres. Vos bourgeois étoffés, à la première alarme, appliquent à la lettre le célèbre précepte de Galien en cas de peste : « Pars vite, va loin, et reviens tard. » Mais les pauvres restent en lieux infects, n'ayant nulle part où aller. Et en raison de la saleté où le sort les entretient, mal nourris et comme entassés l'un sur l'autre, la maladie rafle tout.

Arrivé devant la porte de la Lendrevie, mon père héla le guet et lui demanda de prévenir les commissionnaires qu'il apportait de la chair de bœuf pour M. de la Porte et les Consuls. Puis, demandant aux frères Siorac de l'attendre là, il tira avec Samson et moi en plein faubourg de la Lendrevie.

Pour l'air purifier et rendant la chaleur du soleil encore plus accablante, de grands feux de résineux brûlaient à même le pavé dans les carrefours. Pas une âme à passer dans les rues, sauf, invisibles, celles des morts. Et alors qu'à Sarlat ils étaient toujours en excès, ni chien, ni chat, ni pigeon. On les avait abattus en masse dès le début de la contagion, étant suspectes, les pauvres bestioles, de la propager. Çà et là, je remarquais plus d'une maison clouée, d'où sortaient les plaintes des emmurés. Leur porche était surmonté d'un chiffon de crêpe noir qui voulait dire, m'expliqua mon père en baissant la voix, qu'on ne pouvait, sous peine de mort, ni y entrer, ni en sortir, ni même en approcher.

Mon père arrêta son hongre sur une place, ou plutôt une placette, au fond de laquelle s'élevait un logis vieillot à encorbellement. Je le connaissais bien, et je compris alors que livrer une moitié de bœuf aux Consuls et à M. de la Porte n'était point l'unique objet de notre expédition.

Bien qu'il fût armé en guerre, Jean de Siorac démonta en voltige, comme il avait accoutumé, puis il nous commanda, à Samson et à moi, de faire de même et d'attacher les trois chevaux aux anneaux de fer scellés dans les pavés. Ce que nous fîmes. Nous étions alors à une dizaine de pas de la maison infecte. Mon père, ayant jeté à la ronde un regard vif pour s'assurer qu'il n'était pas vu, franchit cette distance, et tira sur un corbillon pendant par une cordelette d'un fenestrou de soupente. J'entendis alors un petit tintement de sonnette, et une tête apparut à la lucarne. C'était Franchou, les traits un peu tirés, mais les couleurs aux joues.

— Doux Jésus ! cria-t-elle en passant le torse à demi hors du fenestrou, ce qui nous donna la vue de ses deux beaux tétons à peine contenus dans son corps de cotte. C'est vous, Moussu lou Baron ! Dieu soit loué ! Vous n'avez point abandonné votre servante !

— Chut, Franchou ! On pourrait t'entendre ! Es-tu malade ?

— De peur et de faim. Autrement, je suis saine.

Depuis la mort de ma maîtresse, je n'ai pas quitté ce réduit.

— Je t'en vais sortir. Crois-tu que tu pourras passer par ce fenestrou ? Tu n'es pas garce fluette !

— Certes ! dit Franchou. J'ai charnure en abondance, surtout dans les parties basses. Mais je tortillerai de mon mieux. Forte souris doit pouvoir sortir de son trou.

— Fort bien. Je vais quérir ce qu'il nous faut.

Et laissant Samson à la garde des chevaux, mon père m'emmena dans les rues voisines, visitant les cours et les appentis à la recherche d'une échelle. Quand il la trouva, ce qui prit quelque temps, car il la fallait longue assez pour atteindre le fenestrou, nous la prîmes chacun par un bout, et tout suant (elle était fort lourde, et la chaleur extrême), nous revînmes vers la placette, très troublés par les grands cris que nous entendions.

— Quel est ce tumulte ? dit mon père en sourcillant et en forçant le pas.

Quand on déboucha devant le logis de Mme de la Valade, d'étonnement nous laissâmes choir l'échelle. Samson, virevoltant sur son cheval blanc, et pistolet au poing, tenait de son mieux en respect une trentaine de gueux armés de piques, de coutelas, de faux, de fléaux (deux d'entre eux portant même arquebuse), lesquels l'entouraient et entouraient nos deux chevaux à l'attache en poussant grondements et cris, mais sans se décider à porter le premier coup. Samson ne tirait pas davantage (comme peut-être je l'eusse fait à sa place). Son visage angélique ne traduisant ni peur ni colère, et ses cheveux d'un blond rouge flamboyant au soleil, il fixait son œil bleu un peu étonné sur la foule, et disait avec un charmant zézaiement :

— Qu'est cela ? Qu'est cela ?

— Qu'est cela ? gronda mon père en écho. Et que veulent ces gens ? Hardi, mon Pierre ! Et courons sus !

Aussitôt, et mettant l'épée au poing — moi-même dégainant et courant dans sa foulée —, il se rua sur le populaire, et distribuant quelques coups du plat de son arme, mais en prenant grand soin de ne navrer personne, il s'ouvrit un chemin jusqu'aux chevaux, les délia, me jeta les rênes, et bondit en selle.

— Mettons le cul de nos montures contre la maison ! me souffla-t-il. Ainsi nous ne serons point tournés !

Et faisant caracoler son hongre, ce qui fit place nette autour de lui, il le fit reculer au pas jusqu'au logis de Mme de la Valade. Mon genet noir n'était pas si bien dressé, mais je parvins pourtant à me placer à sa dextre, et Samson à senestre. À cet instant, les rênes reposant sur l'encolure de nos chevaux, nous avions tous les trois nos deux pistolets au poing, et notre épée pendant par la dragonne au poignet droit. Mon père eût attaqué incontinent, je crois, si, au lieu de nous deux, il avait eu, le flanquant, deux de ses vieux soldats. Mais il ne voulait pas hasarder la vie de ses droles dans un combat de rue. Il préféra parlementer, et d'autant que le populaire, bien qu'armé, paraissait plus faible et affamé que vraiment menaçant.

— Çà, mes amis ! cria-t-il d'une voix forte en se dressant sur ses étriers, mais avec une sorte de bonne humeur gaillarde et militaire. Que veut dire cette émotion ? Est-ce ainsi qu'on accueille les gens dans le faubourg de la Lendrevie ? Et pourquoi nous courez-vous sus ?

— Pour t'occire, Baron, toi et tes fils ! dit un grand et gros homme qui se tenait au premier rang de la foule, et qu'à ses yeux noirs exorbités, à sa vêture, à sa forte panse, et au grand couteau passé à sa ceinture, je reconnus pour être Forcalquier, le boucher de la Lendrevie.

— Que voilà paroles sales et fâcheuses ! dit mon père avec un rire, mais promenant sur la foule, et en particulier sur les deux porteurs d'arquebuse, un œil vigilant. M'occire, Maître Forcalquier ! Tu réussirais donc là où l'Anglais a échoué ! Mais à supposer l'affaire faite, ceux qui ne seront pas morts céans de ma main seront pendus pour ce meurtre !

— Qui les pendra ? dit Forcalquier d'une voix éclatante. M. de la Porte ? (les huées du populaire saluèrent ce nom). Mais ce petit merdeux de lieutenant-criminel se tient serré en son logis ! Il a à peine de soldats assez pour garder les portes. Et s'il en avait pour nous arrêter, qui nous jugerait ? Les juges du Présidial ? Ils ont fui (les huées redoublèrent). Baron, il faut te faire une raison : il n'y a plus ici d'officiers royaux, de bourgeois, de juges, ni de seigneurs ! C'est nous qui sommes les maîtres.

— Et c'est toi qui commandes ?

— C'est moi. Moi, Forcalquier. Je me suis nommé moi-même Baron de la Lendrevie, et en ces lieux seigneur haut-justicier. Tu mourras donc. Tes droles aussi. Ainsi en a décidé ma justice !

À cette braverie la liesse fut grande, mais si Forcalquier paraissait résolu, le populaire semblait davantage réjoui et revanché de ses insolentes menaces que déterminé à les exécuter. Mon père sentit cette humeur de la foule, et sans changer de ton, il poursuivit sa partie dans ce jeu hasardeux.

— Baron-boucher de la Lendrevie, dit-il avec ce même air de gaillarde gausserie, tu vas vite en besogne, et jamais juge n'aura jugé si vite ! Mais il te faut motiver tes arrêts : pour quels crimes sommes-nous punis ?

— Pour avoir approché de maison infecte, et tâché d'en retirer la garce qu'on y serrait. C'est crime capital, comme bien tu sais.

— Mais cette garce est saine, je m'en porte garant, je suis médecin ! Et elle n'est travaillée que de faim !

— Nous aussi, nous crevons la faim ! cria une voix stridente dans la foule, et ce cri fut aussitôt repris à tous les coins de la place en une psalmodie qui tenait de la plainte et du grondement.

— Allons, Baron ! Assez parlé ! dit Forcalquier. Tu entends mes sujets ! Il faut mourir !

Et ce disant, il tira de sa ceinture son grand couteau. Cet homme-là était brave ou fou, je ne sais, car le canon d'un des pistolets de mon père, à ce même instant, était pointé sur son cœur. Mais mon père ne tira point.

— Prends garde, Maître Forcalquier ! dit-il d'une voix grave. Après la peste, on vous demandera raison, à toi et tes sujets, de cette émotion que voilà !

— Après la peste ! s'écria Forcalquier. Mais il n'y aura pas d'après la peste ! (il dit ceci avec un grand geste de son couteau comme s'il coupait d'un coup toutes les têtes du faubourg). Je le sais d'autorité divine, poursuivit-il, fixant ses yeux noirs exorbités sur le visage de mon père. La Vierge Marie m'est apparue en songe et m'a assuré, sur la foi de son divin fils, qu'il n'y aura personne, homme ou garce, pour survivre de la contagion dans le faubourg de la Lendrevie. Baron, tu ne nous précéderas que de fort peu dans la mort. La maladie n'épargnera personne céans, le Ciel me l'a dit.

Il donna derechef dans l'air de son couteau.

— Nous mourrons tous ! cria-t-il en haussant la voix.

— Tous ! Tous ! reprit le populaire en un écho lugubre.

Et je vis à l'expression qui passa dans les yeux de mon père qu'il commençait à craindre le pire de ces manants désespérés.

Cependant, quand il parla de nouveau, ce fut sur un ton enjoué et comme amical.

— Bonnes gens, dit-il, si nous devons mourir, de quoi vous profitera ma mort ?

— Nous mangerons tes chevaux ! cria une voix.

— Ah, bonnes gens ! dit mon père avec une promptitude admirable. Je vous entends enfin, et vous me rassurez ! Ce n'est pas la méchanceté qui vous pousse, c'est la faim ! Mais s'il en est ainsi, je vous propose une rançon pour racheter nos vies et la liberté de cette pauvre garce : Une belle et bonne pièce de bœuf fraîchement tué d'hier. Je dis, poursuivit-il, dressé sur ses étriers, une belle et bonne pièce de bœuf ! Mon fils Pierre va l'aller quérir à la porte. Mes bons amis, de la chair ! Vous allez manger de la chair !

Je donnai de l'éperon et mon genet noir, glissant

sur les pavés, partit en flèche comme un vaillant. Les cousins Siorac se préparaient à vendre au guichet le dernier quartier de bœuf quand je fondis sur eux. Hurlant et gesticulant, je leur criai de n'en rien faire et de me suivre. Et à ma suite, en effet, le chariot déboucha à bruit d'enfer sur la placette où mon père discourait toujours, tenant le populaire en haleine, et empêchant Forcalquier de reprendre la parole.

La sueur lui dégouttant du front dans les yeux, mon père poussa un soupir en nous voyant surgir, d'autant que la vue des frères Siorac armés en guerre et l'arquebuse au poing fit refluer le populaire — mais non pas Forcalquier, qui resta ferme sur son pavé, bouche bée, mais le couteau au poing. Aussitôt, passant ses pistolets à sa ceinture et sautant, sans mettre pied à terre, de son cheval sur le chariot, mon père — je ne sais où il puisa cette surhumaine vigueur — souleva au-dessus de sa tête, des deux mains et à bout de bras, le lourd morceau de bœuf, et ainsi campé, les yeux fiévreux de la foule attachés sur lui, il cria :

— Holà, Baron-boucher de la Lendrevie ! Découpe-moi cette portion pour toi et tes sujets !

Et tout soudain, de haut en bas et avec une force extrême, il la lui jeta à la face. Ainsi heurté, Forcalquier branla, chuta à terre à la renverse et, sa tête portant sur le pavé, il y resta étendu, privé de sens. Aussitôt, grouillant comme vers autour de lui, sans le relever ni l'assister d'aucune sorte, les gueux, abandonnant leurs armes, se ruèrent comme des chiens dévorants sur la chair, et qui avec son couteau, qui avec ses mains, qui même avec ses dents, travaillèrent à la déchirer.

Mon père, les voyant ainsi occupés, appliqua l'échelle contre la maison infecte, et Franchou, à reculons, y engagea ses pieds, puis ses mollets, puis ses cuisses, mais hélas, étant trop forte par le méridien de son corps, elle resta coincée dans le fenestrou à mi-fesse.

— Ah, ma mie ! cria mon père d'en bas, tu as trop

d'une bonne chose ! Force, je te prie, force ! Il y va de notre vie !

Tortillant, trémoussant et forçant à l'extrême limite du forcement, la Franchou, avec des petits cris plaintifs et un chapelet de « doux Jésus ! », passa enfin, dégringola les barreaux de la chanlatte plutôt qu'elle ne les descendit, et tomba dans les bras de mon père qui, la brandissant comme il avait fait le quartier de bœuf, à la lettre la jeta sur le plateau de la charrette.

Il fut en selle en un clin d'œil. Et tous alors, donnant de l'éperon, du fouet et de la voix, et poussant, dans notre soulagement, des hurlements étranges, nos cinq chevaux bondirent comme fols, leurs fers arrachant des étincelles aux pavés maudits du faubourg.

CHAPITRE X

Le plus pénible pour Samson et moi dans cette expédition de Sarlat ne fut pas l'émotion de la Lendrevie, mais les vingt jours de quarantaine que nous dûmes subir à notre retour à Mespech, dans la tour nord-est. À Michel et Benoît Soriac ne plut pas davantage leur réclusion dans la salle au-dessous de nous. Par les fentes du plancher, et sans pouvoir discerner qui parlait, car ils avaient même voix, je les entendais gémir, l'un après l'autre, de la longueur du temps. Et certes, long, il l'était, les journées n'étant coupées que par les trois repas que nous apportait Escorgol, et ceux-ci, sur l'ordre de mon père, fort copieux, pour fortifier nos veines et nos artères contre l'entrée en nous de la vapeur fatale.

Mon père avait fait choix d'Escorgol comme messager parce qu'il avait survécu à la contagion, deux ans plus tôt, à Nismes. On pouvait donc penser que son corps, ayant triomphé une première fois du venin, le chasserait de nouveau s'il en était derechef attaqué.

Escorgol, ayant reçu cet emploi — et aussi celui d'entretenir les feux dans les chambres des enfermés —, ne pouvait plus pourvoir à la garde du châtelet d'entrée, et celle-ci fut assurée par mon père qui, par la même occasion, y fit sa quarantaine, occupant le premier étage, et Franchou le second. C'est mon père qui décida de ce cantonnement, et je vois, par une brève et amère allusion dans le *Livre de raison*, que Sauveterre, s'il avait été consulté, eût fait une répartition différente.

Dès le deuxième jour de notre captivité, l'oncle Sauveterre, craignant les effets sur nous de l'oisiveté, nous fit passer notre Tite-Live avec nos dictionnaires latins et l'Histoire de nos Rois (qu'il avait rédigée pour nous de sa main), avec commandement de traduire une page du premier et d'apprendre deux pages de la seconde chaque jour ; et enfin une Bible, dont les passages à lire à haute voix trois fois par jour étaient marqués par des signets.

Dans ses instructions écrites, Sauveterre exigea de moi la promesse de ne pas aider Samson en son latin, mais, par écrit aussi, je m'y refusai en termes respectueux, arguant que si Samson ne pouvait avoir, pour sa traduction, le secours de l'oncle Sauveterre, il devait au moins recevoir le mien, de peur d'être réduit au désespoir, prenant les choses tant à cœur. Et Sauveterre, à la réflexion, y consentit, à condition que je soulignasse les passages où j'avais aidé mon frère. Non que Samson fût médiocre en latin mais il était un peu faible en français, et c'était bel et bien en français que nous devions traduire le latin, et non en langue d'oc. Or je parlais déjà assez bien la langue du Nord, ma mère, de son vivant, ayant affecté, par souci d'élégance, de n'employer qu'elle en s'adressant à moi, et mon père, d'autre part, y recourant, dès qu'il me parlait médecine. Mais le pauvre Samson n'avait pas eu ces avantages, et il s'en désolait.

Toujours par écrit, je fis à Sauveterre plusieurs demandes qui eurent des sorts différents :

1. « Peux-je demander à Escorgol de m'apporter deux épées et deux plastrons ? »

— « Accordé. Mais prenez garde, dans votre fougue, de ne pas éborgner votre frère. »

2. « Peux-je envoyer Escorgol quérir mon bilboquet ? »

— « Refusé. Vous n'avez plus l'âge, monsieur mon neveu, de ce divertissement frivole. »

3. « Peux-je correspondre avec mon père au sujet de la peste ? »

— « Accordé. »

4. « Peux-je écrire à Catherine et à la petite Hélix ? »

— « Refusé. Vous n'avez rien à dire aux filles qui soit, pour elles et pour vous, de la moindre conséquence. »

Ce n'était point mon avis, ni celui de la petite Hélix, comme bien me le prouva le court billet qu'elle parvint à me glisser un matin sous ma porte verrouillée :

Mon Pier,

jé bayé un billé pour toi à se méchan portié, mé ycelui la bayé à Sovetere qui lalu et mi dedan le feu et fé comandeman à Alazaï de me fouété. Ha ! Mé povre faisse ! Mé se né rien. Mon Pier, jé tou le jour un gran pensemen de toi qui meu fé grand mal.

Hélix.

Et moi aussi, serré dans la tour nord-est, j'avais un grand « pensement » de la petite Hélix, surtout le soir, quand j'avais soufflé le calel, et me retrouvais seul en ma couche, sans personne contre qui m'ococouler. Ah, certes, le sommeil me venait mieux quand je pouvais, fatigué de nos petits jeux, poser la tête entre ses tétons si doux, mon bras gauche sous sa taille et ma jambe droite entre les siennes. Hélas, pauvre Hélix, où es-tu tandis que j'écris ceci ? Dans les Enfers ? Au Paradis ? Même à ce jour, je ne puis croire que c'était si grand péché de me trouver si bien, coi et quiet entre tes bras soyeux, ni que tu aies agi si mal à voleter autour de moi avec ton gai pépiement pour m'amener dans ton nid.

La salle où nous étions serrés, Samson et moi, était vaste, claire, aérée, et surtout odorante, car elle servait de cellier à nos pommes, bien rangées sur des claies, ridées, fripées et ratatinées comme peau de ménine, mais non point du tout pourries, bien qu'on fût en juillet. À leur odeur délicieuse s'ajoutait celle des aromates qui brûlaient sans fin dans la cheminée, où des résineux crachaient leurs flammes. Avec ce feu dedans et le feu, dehors, du soleil de juillet, on cuisait comme dans fournil, tous fenestrous ouverts. C'était bien pis quand on ferraillait l'un contre l'autre, le torse pris sous les lourds plastrons. L'assaut fini, les épées appuyées contre le mur et les plastrons enlevés, on se jetait nus sur nos lits, pantelants, haletants et le corps tout en eau.

« La sueur », m'écrivait justement mon père, en réponse à mes anxieuses questions sur la curation de la peste, « est le meilleur remède contre la contagion ». C'est pourquoi Gilbert Erouard, Docteur en médecine à Montpellier (Je souhaite, monsieur mon fils, qu'un jour vous étudiiez sous lui, car il est fort savant), recommande aux pesteux d'avaler matin et soir un grand verre de saumure d'anchois. Ce fort breuvage provoque une suée abondante qui peut amener la guérison et, dit Erouard, le sel — dont on se sert, comme bien vous savez, pour empêcher la chair de porc de se corrompre — consume l'indicible putréfaction que le venin a mis dans le malade.

« D'aucuns savants font grand cas de l'*huile de scorpion*. On fait mariner cent scorpions dans un litre d'huile de noix, et on administre le remède en le mélangeant à même proportion de vin blanc. La drogue provoque un violent vomissement, et ainsi, disent les médecins, attirant à soi le venin, réussit à l'évacuer.

« Je ne sais que penser, poursuivait mon père, de ce

moyen brutal, car de toute façon le pesteux a un grand appétit à vomir, et je ne vois pas qu'il soit nécessaire d'y ajouter.

« Je ne vois pas davantage ce qu'on gagne à le purger, étant donné qu'il souffre déjà d'un flux de ventre continuel. Et à mon sens, la saignée ne peut qu'affaiblir le malade, alors qu'il est déjà si faible. J'en dirai autant de la diète.

« J'ai vu des chirurgiens — cette ignorante engeance ! — cautériser les bubons des pesteux au fer rouge, et d'autres entreprendre même de les extirper au couteau. Mais ce sont là, à mon sentiment, pratiques aussi barbares qu'inutiles. On doit laisser suppurer le bubon sans y toucher, autrement que pour enlever le pus, car si le bubon suppure, c'est signe que le venin entend sortir du corps. Il faut donc le laisser partir.

« À Diane de Fontenac, j'ai administré de *l'eau de thériaque,* fabriquée par mes soins à partir d'un grand nombre d'herbes et d'aromates macérés dans du vin blanc : angélique, myrte, scabieuse, genièvre, safran et clou de girofle. Je me suis tenu à ce seul remède, lequel provoque une sueur abondante, prenant soin, par ailleurs, de nourrir la malade, de la faire boire, de la garder propre, de calmer sa fièvre, et de calmer aussi son angoisse à mourir par des paroles d'espoir. Tout le reste est prière. »

Cette lettre — que j'ai gardée, comme toutes celles de mon père — apporte bien la preuve, si celle-ci manquait, que mon père, comme disait M. de Lascaux (lequel, tout grand médecin qu'il fût, avait fui Sarlat dès la première alarme de la contagion), était « hérétique en médecine comme en religion ». Car à part *l'eau de thériaque,* il ne paraît avoir eu que peu de fiance en la plupart des remèdes fameux utilisés pour la curation de la peste, y compris la saumure d'anchois et l'huile de scorpion dont, quelques années plus tard, j'entendis pourtant dire le plus grand bien par les doctes à Montpellier.

Ah ! que le temps se traînait pour moi en cette quarantaine ! Chaque jour me parut un mois — un mois dont les jours étaient longs... Et quelles n'eussent pas été ma langueur et ma morne désoccupation — malgré Tite-Live, la Bible et nos Rois — si je n'avais eu Samson. Celui-là, quel ange de Dieu ! Vivre vingt jours, vivre vingt fois vingt-quatre heures, serré en un lieu clos avec son frère, et à la fin, sans jamais le plus petit nuage, sans le moindre soupçon de querelle ou de picanierie, et à la fin, dis-je, l'aimer — si c'est possible — davantage, cela montre bien de quel pur métal est ce frère, car pour moi, je ne me leurre point, je connais les imperfections de mon humeur.

Je l'ai dit sans doute, mais je désire le ramentevoir, puisque ceci est un portrait : Samson, en premier lieu, est beau, d'une beauté à éclairer les ténèbres ; ses cheveux, d'un blond de cuivre bouclant jusque sur sa robuste encolure ; ses yeux, d'un bleu azuréen ; son teint de lait ; ses traits harmonieux. Et je ne parle ici que de son visage, et non point de son corps, qui devait devenir, avec les ans, par sa virile symétrie, digne de la statuaire. Mais cette beauté encore n'est rien, ni sa grâce ni ses infinis agréments. Ils ne sont que les visibles symboles de l'âme qui habite cette enveloppe.

Cabusse prétend que Samson est gourd du cerveau pour ce qu'il est lent à parer une pointe et lent à pousser la sienne. Cabusse se trompe : ce n'est point là défaut d'esprit, mais vertu. Samson aime tant qui le confronte qu'il ne peut croire qu'il puisse recevoir de lui navrement, ni le navrer lui-même. La méchanceté, même apparente et par jeu, lui est chose inintelligible. J'en ai mille et mille preuves. Et la dernière fut cette image que j'aime revoir en mon esprit : Samson sur son cheval blanc, face à l'émotion populaire de la Lendrevie, ses grands yeux bleus étonnés fixés sur les furieux, et répétant de sa voix douce et zézayante : « Qu'est cela ? Qu'est cela ? »

Chez l'homme le plus généreux de la terre vient un moment où l'amour de soi montre le nez. Ce moment, chez Samson, n'arrive jamais. Sans même y penser, et sans songer à s'en faire gloire, il préfère l'autre à soi. Samson pleura quand ma mère mourut. Et pourtant, de son vivant, ma mère ne lui adressa mie la parole, et pas une fois ne jeta les yeux sur lui. Comment fit-il donc pour l'aimer, et que vit-il en elle — lui qui était pour elle invisible ? Je ne sais. Car il parle peu, inhabile à exprimer l'amour qu'il porte en lui. Mais cet amour incommensurable qui rayonne également sur tous comme le soleil, il m'en donna une preuve nouvelle, et des plus touchantes, à l'issue de cette quarantaine, comme je dirai plus loin.

Mon père mit à profit les loisirs de la quarantaine pour faire par lettre à M. de la Porte le récit de l'émotion de la Lendrevie. Il la lui fit tenir par Escorgol, qui reçut le commandement de tendre cette missive cachetée aux soldats de la Porte par un long bâton fendu du bout. Escorgol devait aussi percevoir les espèces qui étaient dues pour la moitié du jeune bœuf que nous avions vendue, mais là aussi, sa consigne était stricte. Les pièces d'argent soupçonnées d'être infectes pour avoir passé, à Sarlat, dans tant de mains, devaient lui être remises par les débiteurs dans un poilon rempli de vinaigre.

Guillaume de la Porte fit porter sa réponse deux jours plus tard à Mespech par chevaucheur, mais à celui-ci mon père, sans lui ouvrir, ne parla que le masque vinaigré posé sur le visage et du haut du fenestrou du châtelet d'entrée, n'acceptant qu'au bout d'une perche semblable à celle dont s'était servi Escorgol la lettre dont il était porteur. Cette lettre, mon père ayant jeté sur son feu des aromates, la désinfecta longuement à la saine vapeur qui s'en échappait. Puis il l'ouvrit. Encore enfila-t-il, pour ce faire, des gants, et la lut-il en la tenant le plus loin possible de son visage. Lui-même me conta plus tard ces précautions, les tenant pour exemplaires.

Le lieutenant-criminel n'ignorait pas, disait-il, les vilenies de Forcalquier. Mais comme l'avait si bien dit le Baron-boucher, le lieutenant-criminel avait tout juste assez de soldats pour garder les portes. Il lui en mourait un ou deux tous les jours, et bien qu'il offrît de les payer fort cher, il ne trouvait pas de remplaçants. Qui pis est, c'est à peine si les survivants obéissaient à ses ordres, assurés qu'ils étaient de mourir sous peu comme les gueux de Forcalquier. En vérité l'anarchie se mettait partout, et gâtait tout comme lèpre. Un des deux Consuls (je ne dirais lequel), ayant eu une chambrière emportée par la contagion, et menacé d'être lui-même cloué en sa demeure, s'était enfui le 9 juillet pendant la nuit, ayant acheté les soldats de garde à une des portes : laquelle, le lieutenant-criminel ne le savait pas. Et l'eût-il su, qu'il n'eût pu sévir contre les corrompus. Il n'en avait plus les moyens. Le bourreau et ses aides étaient morts, ainsi que les deux geôliers de la prison de la ville. Tant et si bien que, loin de pouvoir punir les criminels, il avait fallu élargir ceux qu'on tenait serrés, faute de pouvoir les garder, ni même les nourrir, l'argent faisant cruellement défaut. Car le trésor de la ville se vidait, ses recettes étaient taries, ses frais, énormes. Outre les corbeaux et les soldats, les uns recevant vingt, et les autres vingt-cinq livres par mois, il fallait payer les désinfecteurs, qui prenaient trente livres par maison pour y brûler de la fleur de soufre. Les quatre chirurgiens qui avaient consenti à rester à Sarlat recevaient chacun deux cents livres par mois. Et il fallait en outre rémunérer leurs aides, et aussi les guides qui les précédaient dans les maisons infectes, une torche de bonne cire flambant au poing pour chasser le venin.

Le Consul restant et M. de la Porte demandaient à la frérèche si elle ne pourrait pas consentir à la ville un prêt de deux mille livres au denier 15[1] pour une durée d'un an, le prêt étant gagé sur les terres achetées à Temniac par la ville lors de la vente à la criée des biens d'Église. M. de la Porte soulignait que la sûreté avait une valeur bien supérieure à l'emprunt mais que le consul et lui en avaient décidé ainsi,

1. À 15 %.

parce qu'ils n'étaient pas sûrs que la ville pût jamais payer sa dette, étant menacée de s'éteindre à jamais par la disparition de tous ses habitants. Déjà, lors de la funeste peste de 1521, Sarlat, sur cinq mille habitants, en avait perdu trois mille cinq cents. Mais si la contagion continuait son train quelques mois encore, la mort, hélas, raclerait tout.

Mon père me dit qu'en lisant cette lettre désespérée il avait versé des pleurs, et qu'aussitôt il avait envoyé un billet pressant à Sauveterre pour qu'il consentît au prêt. Ce que Sauveterre (lui aussi fort troublé) avait fait sur l'heure, non sans toutefois remarquer que la sûreté offerte intéressait peu Mespech, étant située bien trop loin du domaine pour être exploitée autrement qu'en l'affermant, ce qui mangeait tout le profit, comme son frère savait.

À Samson et moi, mon père écrivait tous les jours, ayant obtenu de Sauveterre, dans son désœuvrement, de corriger nos traductions latines, ce qu'il faisait à la perfection, son français étant plus racé et plus élégant que celui de son frère. À ces corrections, il ajoutait pour moi de très bonnes leçons sur le traitement et la curation des plaies faites par arquebuses, d'après le livre d'Ambroise Paré, et aussi d'après les connaissances qu'il avait lui-même acquises au cours des neuf ans passés dans la légion de Normandie. J'ai su plus tard qu'il avait pareillement exigé de corriger les devoirs que Catherine, la petite Hélix et la Gavachette remettaient à Alazaïs, laquelle la frérèche avait promue à cette tâche à la mort de ma mère.

On sera étonné des soins pris à l'éducation des garces à Mespech mais, maîtresses ou servantes, elles devaient savoir lire, afin d'avoir accès aux livres saints, pour elles-mêmes, et plus tard pour leurs fils et filles. La religion, pensait la frérèche, se doit transmettre d'abord comme la langue, qu'à juste titre on appelle maternelle, de la mère à l'enfantelet, et dès l'âge le plus tendre. Ainsi la Gavachette et la petite Hélix, grâce à notre zèle *ugonau*, en savaient plus, à leur âge, que bien des demoiselles de bonne noblesse catholique, qui savaient à peine signer leur nom. Il est vrai qu'Alazaïs, ayant une orthographe à elle, la transmettait par malheur à ses élèves, mais mon père ne faisait aucun cas de cette imperfection, répondant en riant à Sauveterre, qui lui en avait fait la remarque, que Catherine de Médicis n'écrivait pas mieux que la petite Hélix, et qu'elle était pourtant Reine de France.

Trois jours avant la fin de la quarantaine, je reçus un second billet de la petite Hélix, quant au style de même farine que le premier, et tout aussi tendre dans le fond, ma correspondante ayant toujours « un grand pensement » de moi. Mais, ce qui me fâcha fort, j'appris que les langues allaient bon train dans la cuisine entre la Maligou et Barberine au sujet de Franchou. Je balançai si je devais aviser mon père de ces clabauderies de souillarde, mais je ne l'aurais pu faire sans paraître me mêler de ses affaires, ni sans trahir Hélix. Et je me tus, sans rien dire même à Samson de ce second billet, que je jetai aussitôt au feu.

J'attendais merveilles de la fin de ma quarantaine, et j'aspirais de tout mon cœur au premier matin où je pourrais sortir enfin de cette chambre où Samson et moi, pendant trois interminables semaines, avions été serrés. Et pourtant, quand ce matin se leva pour moi, il ne m'apporta que chagrins et déchirements.

Il avait été convenu par lettre avec mon père que nous ne serions libres que lorsqu'il viendrait lui-même nous délivrer, et en attendant que la clef de notre lourde porte tournât dans sa serrure, Samson et moi avions décidé de nous livrer un dernier assaut, ce que nous fîmes jusqu'à étouffer de chaud sous nos plastrons. Ceux-ci enfin délacés et ôtés, et les épées dans les fourreaux, chacun de se jeter alors sur son lit, nu comme à sa naissance.

C'est alors que le grincement tant attendu de la serrure se fit entendre. Je me dressai sur mon séant, et je vis entrer mon père, l'œil allègre et le sourire aux lèvres. Je me levai, Samson aussi, et tous deux traversant la pièce, chacun venant de son coin, courions joyeux vers lui, sachant bien avec quel emportement il allait nous serrer tour à tour dans ses bras, quand soudain mon père me regarda, pâlit, et passant sans transition de la joie la plus vive à une colère glacée, s'écria d'une voix tonnante :

— Monsieur mon fils, êtes-vous devenu idolâtre ?

— Moi, idolâtre ? dis-je, vacillant sous le choc de cette incroyable accusation, et arrêté tout à plat dans mon élan vers lui, tandis que Samson, lui aussi, se figeait, son œil bleu agrandi fixé sur mon père et sur moi.

— N'est-ce pas une médaille de Marie que vous portez autour du col ? dit mon père, l'œil étincelant, en pointant vers elle un index tremblant.

— Vous la reconnaissez, dis-je d'une voix détimbrée. C'est la médaille de ma mère.

— Peu importe ! cria mon père avec la dernière violence en faisant un pas vers moi comme s'il allait me l'arracher. Peu importe d'où elle vient ! Et de qui vous la tenez ! Le damnable, c'est qu'elle soit là !

— Monsieur mon père, dis-je, me reprenant et parlant plus ferme, car j'étais fort blessé de ce « peu importe », ma mère me la donna le jour de sa mort en me faisant promettre de la porter toujours.

— Et vous avez promis !

— Elle se mourait. Que pouvais-je faire d'autre ?

— Me le dire ! cria mon père, les yeux exorbités. Me le dire sur l'heure ! Et je vous aurais délié, moi votre père, de cette monstrueuse promesse ! Au lieu de cela, vous avez préféré vous cacher de moi comme un larron, et porter cette idole en catimini, en trahison de votre foi !

— Je n'ai rien trahi, et je n'ai rien volé ! dis-je, la colère me gagnant à mon tour et, redressé comme un coq, je considérai mon père d'un air outragé.

— Si fait ! Vous avez volé ma tendresse, que ce jour vous ne méritez plus, m'ayant dissimulé, pendant tous ces mois passés, votre puante idolâtrie !

— Mais je ne suis pas idolâtre ! m'écriai-je, l'œil en feu, et presque le bravant, indigné que j'étais par si grande injustice. Je ne prie pas Marie! Je prie le Christ ou le Seigneur sans intercession aucune de Marie et des saints! Pour moi cette médaille n'est pas une idole! C'est un objet qui ne m'est sacré que parce qu'il me vient de ma mère.

— Aucun objet n'est sacré! dit mon père d'une voix véhémente, avec un mouvement violent de la main. Et croire le contraire, c'est cela, justement, l'idolâtre! Non, monsieur, reprit mon père d'une voix forte, vous aurez beau tordre et retordre, vous ne pourrez pas prétendre que vous portez innocemment cette médaille, ne serait-ce que parce que vous n'ignorez pas que le dessein de votre mère en vous la donnant n'était pas innocent. À votre naissance, elle vous a prénommé Pierre, vous savez bien pourquoi! Et pourquoi elle vous donna ceci, vous ne pouvez l'ignorer non plus!

— Je ne l'ignore pas, dis-je, toujours aussi redressé, et parlant avec autant de feu, mais je n'en suis pas pour autant corrompu. Mon prénom Pierre ne fait pas de moi un papiste. Et cette médaille ne changera pas ma foi.

— Vous le croyez, dit mon père, mais le démon a plus d'un tour pour insinuer son venin dans votre cœur, et il a plus d'un masque pour s'approcher de vous, y compris le masque de l'amour filial.

— Monsieur mon père, dis-je, je ne puis croire que le démon soit pour quoi que ce soit dans l'amour d'une mère pour son fils et d'un fils pour sa mère.

— Il faut bien qu'il le soit! dit mon père avec un ressentiment si farouche qu'il me glaça. Puis il répéta: Il faut bien qu'il le soit, puisqu'il vous a conseillé de me dissimuler que vous portiez ceci. Quand je vous ai réveillé le 7 pour aller à Sarlat, vous étiez nu comme à cet instant, et pourtant vous ne portiez pas cette idole. Où était-elle?

— Sous mon matelas. Je ne la porte pas la nuit. Elle est trop lourde.

— Elle est trop lourde, en effet, de dissimulation, de ruse et d'imposture! Détachez-la de votre col et remettez-la-moi!

Ici, Samson s'avança d'un pas et, joignant les deux mains, fixa son œil bleu sur le visage courroucé de mon père, et dit d'une voix douce et suppliante :

— Oh non ! Je vous en supplie, monsieur mon père !

Il était si peu dans le caractère de Samson, toujours si discret et modeste, d'intervenir dans une querelle dont il n'était pas l'objet, que mon père le regarda une pleine seconde, le sourcil levé, et s'interrogeant avec surprise sur le sens de ce « Oh non ! ». Puis son visage se rembrunit, et je crus un moment qu'il allait s'en prendre à Samson, mais il tourna de nouveau vers moi ses yeux irrités et dit d'une voix brève :

— Eh bien ! Je vous ai fait un commandement !

Je sus alors que ma vie entière ou, ce qui revient au même, l'idée que je me faisais de mon caractère allait se faire, ou se défaire, à cet instant. Je me raidis et, parlant avec froideur, je dis d'une voix assurée :

— Monsieur mon père, ce n'est pas possible. J'ai fait serment à ma mère. Je ne peux rompre ce serment.

— Je vous en délierai ! cria mon père, hors de lui.

— Mais vous n'avez pas ce pouvoir, dis-je. Seule ma mère l'aurait, si elle vivait.

— Quoi ? Vous me bravez ! dit mon père. Vous osez m'affronter !

Il me regarda comme s'il allait se jeter sur moi, puis se reprenant, il fit quelques tours et détours dans la pièce, allant, venant, l'œil étincelant, la joue et le front écarlates, et se mordant les lèvres.

— Monsieur, dit-il en revenant se camper devant moi, les mains aux hanches et le menton levé, ou bien vous me remettez cette médaille, comme je vous en ai fait le commandement, ou bien je vous retranche sur l'heure de ma famille comme un membre gangrené et je vous jette hors de nos murs.

Je me sentis pâlir, la sueur ruisselant dans mon dos, et mes jambes se mirent à trembler comme si un abîme s'entrouvrait devant moi. En même temps, ma voix étranglée me refusait tout usage.

— Eh bien ? dit mon père.

— Monsieur mon père, dis-je enfin, arrachant mes paroles une à une du nœud de ma gorge, mais avec une colère que je réprimais à peine, je suis au désespoir d'avoir à vous déplaire. Mais je ne puis faire sans déshonneur ce que vous me demandez, et plutôt que de le faire, je préférerais être chassé, fût-ce injustement.

— Eh bien, vous le serez, monsieur ! dit mon père d'une voix blanche.

Et il ajouta en hurlant :

— Avec le serment que je tiendrai *aussi* de ne plus jamais vous revoir !

Il y eut un long silence. Le monde disparut à mes yeux, il me sembla que je ne vivais plus. J'étais devant mon père, raidi comme bloc de pierre, privé de parole et presque de sentiment, et cependant bouillant encore d'une colère extrême.

C'est alors que Samson pour la deuxième fois intervint. Bien que je le visse dans une sorte de brume, il me sembla que les larmes ruisselaient sur ses joues, ce qui m'étonna, car mon père et moi, animés l'un et l'autre d'une colère semblable, avions à cet instant l'œil sec et furieux, quels que fussent les sentiments dont nous étions au-dedans de nous agités. Samson, lui, pleurait. Et en même temps, sans quitter son air d'extrême douceur, et sans vraiment prendre parti, il vola à mon secours. S'approchant de moi jusqu'à me toucher, il plaça son bras gauche sur mon épaule, et tournant vers moi son visage, qui me fit l'effet, dans mes ténèbres, d'apporter une resplendissante lumière, il dit de sa voix zézayante :

— Mon Pierre, je ne te délaisserai pas. Si tu pars, je viendrai avec toi.

La foudre du Sinaï tombant aux pieds de mon père n'aurait pas produit plus d'effet. Il regarda Samson comme s'il aspirait à tourner contre lui la fureur qui lui tordait le cœur, mais Samson pleurait, non pas sur lui-même, mais sur moi, sur mon père, sentant tout le ravage que cette grande querelle faisait en nous. Et mon père, qui avait réussi à me haïr parce que je l'avais bravé, ne parvint pas, quoi qu'il en eût, à se durcir contre Samson, ni même à le regarder avec colère, ni à articuler contre lui un seul mot. Il prit le parti, sentant son impuissance, et d'ailleurs tremblant de rage, et à demi-fou de douleur comme je l'étais moi-même, de pivoter sans un mot sur ses talons, et s'en allant à grands pas furieux, aveugle au point de se heurter au chambranle de la porte, il laissa celle-ci grande ouverte derrière lui.

Je tombai alors dans les bras de Samson et, joue contre joue, me dénouant soudain, je pleurai à chaudes et amères larmes, secoué de grands sanglots contre lesquels, semblait-il, je ne pouvais rien, bien que j'eusse grande vergogne, marchant sur mes treize ans, et à deux ans de ma majorité, à me livrer aux pleurs comme un enfantelet.

Au bout d'un moment, Samson s'écarta de moi et me dit avec une ferme douceur de m'habiller. Mon devoir, dit-il, avant de quitter Mespech à jamais, était d'aller demander pardon à mon père de ce que ma fidélité à mon serment m'avait contraint de lui faire cette braverie. Ce conseil me parut bon, car je n'étais pas sans repentir de m'être à ce point redressé devant mon père et contre lui, même si, sur le fond de la chose, je me donnais raison.

Je me vêtis, je ceignis même ma courte épée pour indiquer que j'allais, en effet, sortir des murs, et d'un pas assez ferme, bien que le cœur me battît contre les côtes, et la tête comme gonflée et confuse du choc que j'avais essayé, je gagnai la librairie. Cependant, comme je m'approchais de sa porte, je m'arrêtai soudain, des éclats de voix violents me surprenant, où mon nom revenait. Et tandis que je balançais pour savoir si j'allais ou non frapper, n'osant ni entrer au beau milieu de cette autre querelle ni m'en aller au risque de n'avoir point le courage de revenir, j'écoutai, étonné, muet, le souffle coupé, les paroles qui volaient à grand heurt et fracas entre mon père et Sauveterre.

— Il y a, criait Sauveterre, et sur un certain ton

violent et accusateur que je ne lui connaissais pas, il y a des péchés plus graves que de porter autour du cou une médaille de Marie !

— Que voulez-vous dire ? répliqua mon père d'une voix furieuse.

— Ce que je dis ! dit Sauveterre sans baisser le ton. Et vous m'entendez à merveille ! Vous marchez de folie en folie, mon frère, je vous le dis comme je le pense. Et la première de toutes fut de hasarder la vie de vos cadets et de vos cousins Siorac dans cette insensée expédition en lieux infects !

— Où il fallait bien, pourtant, dit mon père, porter cette moitié de bœuf.

— Et enlever Franchou ! Croyez-vous que ce soit par hasard si M. de la Porte, dans sa première lettre, vous a fait part du sort de la donzelle ? Il savait bien que c'était là le miroir par où attirer l'alouette. La chair pour lui ! Franchou pour vous !

— Mon frère, je vous prie de ravaler ces damnables paroles ! cria mon père. Il n'y a rien entre cette pauvre garce et moi ! Je n'ai fait envers elle que mon devoir de chrétien !

— Alors placez-la ! Et loin de vous ! À la Volperie, tenez, où, ayant perdu coup sur coup Sarrazine et Jacotte, ils ont grandement besoin de monde.

— Non point. Franchou sera la chambrière de Catherine. N'y revenez point. J'en ai décidé ainsi.

— C'est merveille ! Nous avons déjà la Maligou, Barberine, Alazaïs, la petite Hélix, et la Gavachette, en tout cinq servantes, et il nous en faut une sixième ! Attachée au service de Catherine, qui n'a pas dix ans ! Service bien léger, s'il est le seul !

— Mon frère, c'en est trop !

— Vous l'avez bien dit, c'en est trop ! cria Sauveterre d'une voix forte. Car dans le moment où Mespech s'enrichit d'une servante surérogatoire, il s'appauvrit de vos deux fils cadets, que vous pensez à jeter dehors sans merci par temps de famine et de peste, tant il est vrai que le mal sort toujours du mal ! Ah, monsieur ! Laissez-moi vous le dire, poursuivit-il d'une voix où il y avait cette fois plus de douleur que de colère, vous aimez là où il faut pas, et vous n'aimez pas où il faut !

Il y eut un long silence, puis mon père dit d'une voix sourde :

— Mais fallait-il que Pierre me fasse cette braverie, et qu'il préfère sa mère à moi ?

— Je crois rêver ! s'écria Sauveterre. Pierre, préférer sa mère à vous ! Mais il n'a pensé ici qu'à son point d'honneur de foi garder ! Ignorez-vous que vous êtes son héros, qu'il n'est personne au monde qu'il aime ou admire davantage ? Qu'il se modèle en tout sur vous — ce qui, je l'avoue, me fait peur, à vous voir agir comme vous faites !

— Allons, mon frère ! Allons, ne me jugez pas ! dit mon père avec rudesse, mais le ton extrêmement radouci. Je n'ai rien décidé encore. J'ai cette médaille en profonde horreur, comme bien vous savez. Elle a été la croix de ma vie.

— Et n'est-elle pas maintenant celle de Pierre ? Et croyez-vous qu'il la porte autour du col d'un cœur léger ?

À ouïr ceci, je me jugeai sauvé. Et, chose étrange, dès que j'eus ce sentiment, ma conscience, qui jusque-là s'était assoupie pour me laisser écouter derrière la porte de la librairie, se réveilla, et me fit tant de reproches, et si durs et si piquants que je me retirai à pas de velours et allai retrouver Samson en notre tour. Je lui contai tout par le menu.

— Quoi ? dit-il en ouvrant tout grand ses yeux azuréens. Vous avez écouté à la porte ?

— Eh oui ! dis-je en allant et venant dans la pièce et en secouant les épaules avec impatience. Il le fallait bien ! Il s'agissait de moi !

Mais Samson avait l'air encore très troublé, et en le regardant, et bien que, de toute évidence, il me blâmât, je m'avisai, non sans un plaisir secret, que Samson était mon Sauveterre. J'allai vers lui, et je le pris dans mes bras, je lui baisai les joues et je lui dis d'un ton rude et cordial :

— Allons, mon frère !

À cet instant, le vrai Sauveterre entra dans la pièce, vêtu de noir et portant haut la tête sur sa fraise huguenote. Il referma avec soin la porte derrière lui, et me considéra d'abord un instant en silence de ses yeux noirs enfoncés dans l'orbite, et auxquels cet enfoncement même donnait un air pénétrant.

— Mon neveu, dit-il enfin, ôtez cette épée de votre ceinture. Votre père serait mécontent de la voir à votre côté. Vous oubliez que vous ne devez la porter qu'hors des murs.

Je l'aurais embrassé, je crois, de me tendre avec tant d'élégance le rameau d'olivier. Mais il avait l'air si plein de pompe et de cérémonie, et parlant en français, non en périgordin, que je n'osai.

— Mon neveu, reprit-il comme si c'était la chose la plus naturelle du monde que l'affaire reçût cette conclusion, en punition de la braverie faite à votre père, vous allez composer vingt vers latins, dans lesquels vous présenterez au Baron de Mespech vos profondes et sincères excuses pour avoir dû, à votre cœur défendant, préférer le devoir dû à une morte au devoir dû à un père.

— Je le ferai, monsieur mon oncle, dis-je avec un soulagement immense, et dans les termes mêmes que vous avez choisis, et qui peignent si bien la vérité.

Ce disant, je m'inclinai, et bien que son visage bougeât à peine, Sauveterre eut l'air satisfait, et de mes paroles, et de mon salut.

— Dois-je aussi, dit alors Samson, l'œil effrayé et la voix piteuse, composer vingt vers latins ?

Sauveterre sourit.

— Pour vous, Samson, le Baron de Mespech se contentera d'un mot d'excuse.

Il leva un doigt.

— Pourvu qu'il soit écrit en français, en bon français.

— Je l'écrirai, dit Samson avec un soupir.

— Vous avez tout votre temps, messieurs mes neveux, dit Sauveterre en nous enveloppant de son œil pénétrant, où brillait une petite lueur, tout à la fois d'ironie et d'affection. Il reprit :

— Pour aider à votre composition, vous serez serrés tous deux céans jusqu'à après-demain midi, et pour ne pas alourdir votre réflexion, on ne vous servira que du pain et de l'eau.

Là-dessus, il nous fit un petit salut, auquel nous répondîmes l'un et l'autre par un salut profond. Et claudiquant, mais carrant ses puissantes épaules, le dos droit, et l'air assez heureux, il sortit et verrouilla derrière lui notre porte.

Ainsi fut notre quarantaine prolongée de quarante-huit heures, et quand enfin nous émergeâmes de la tour nord-est, nos excuses latines et françaises agréées, et notre père nous donnant, avec son pardon, le baiser de paix, ce fut pour constater un notable changement dans le ménage de Mespech : Catherine était installée depuis deux jours dans la chambre de ma mère, et Franchou, sa chambrière, couchait à côté, dans un petit cabinet, lequel cabinet était attenant aussi à la chambre de mon père. Si, comme mon père l'avait dit à Sauveterre — et je l'avais ouï de mes propres oreilles —, il n'y avait rien « entre cette pauvre garce et lui », c'était pourtant placer la tentation bien près de soi. D'autant que Franchou était déjà toute fondue de gratitude infinie pour qui l'avait tiré si bravement des griffes de la mort. Dès que le Baron de Mespech entrait dans la salle commune elle n'avait d'yeux que pour lui, attirée par sa présence comme la limaille par l'aimant, et courant se poster derrière lui, elle se précipitait pour lui servir à boire, son gobelet d'étain à peine vide, au grand déplaisir de Barberine, à laquelle cet office était jusque-là dévolu.

À Sarlat, je gage, chez Mme de la Valade, avant que la peste n'éclatât, Franchou devait attendre, le cœur battant, les petites visites de mon père, à en juger par son accueil frémissant. « — Ha ! Moussu lou Baron ! Moussu lou Baron ! Que j'ai d'aise à vous voir ! — Adieu ma mie ! Come va ? — Dois-je prévenir Madame ? — Rien ne presse, Franchou ! J'ai pour toi un petit présent, un dé en argent pour ne pas te piquer le doigt en cousant. — Doux Jésus ! Un dé ! Et en argent ! Que Moussu lou Baron est bon ! » Il était bon, certes, et familier aussi, puisque, pour la remercier de ses remerciements, il lui baisait à gueule bec ses joues fraîches en tapotant ses beaux bras ronds, tandis qu'elle rosissait, déjà toute chaude et escambillée.

Je ne donnais point tort à l'oncle Sauveterre. Il eût mieux valu placer Franchou à la Volperie qu'en cette commode proximité, séparée de l'ennemi par une petite porte qui n'avait même pas de verrou. Car c'était là, visiblement, une forteresse à laquelle il ne serait pas nécessaire, comme à Calais, de donner grand assaut, et qui tomberait d'elle-même à la première entreprise, la population courant de son propre mouvement au-devant des soldats pour se faire mettre à sac.

En attendant cette issue, les clabauderies volaient dru de la cuisine à la souillarde, et nos poules et poulettes, dans leur jalousie, caquetaient continûment, mais sans trop oser becqueter Franchou, si naïve, si bravette, et si bien protégée. Sauveterre, rembruni, ne desserrait pas les dents à table, n'ayant d'œil que pour son assiette, et sur le *Livre de raison*, comme au temps de Jéhanne et des nombreux prêts qu'on lui consentait, les « Je prie pour toi, Jean » réapparurent, bientôt suivis, de Jean à Jean, par un assaut de citations bibliques, les unes dénonçant la luxure et les autres prisant la fécondité. Sauveterre se rabattit même, en son extrémité, sur la poésie (écrite, il est vrai, par la sœur d'un roi), et cita, avec l'intention la plus claire, les beaux vers ascétiques de Marguerite d'Angoulême :

Que trop aimé j'ai mon malheureux corps
Pour qui j'ai tant chaque jour travaillé
Que j'en ai fait mon Dieu et mon Idole,

Trop plus aimant ma chair fragile et molle
Que mon salut.

À quoi mon père répliqua à côté de la question, mais d'une plume péremptoire : « Ma chair n'est pas molle; et je ne suis pas fragile. »

En désespoir de cause, Sauveterre joua enfin son va-tout : « Ton âge, Jean ! Et le sien ! » Mais mon père, fort peu troublé, répondit par le proverbe périgordin : « Peu importe que le bouc soit vieux, si la chèvre est prête. »

Franchou était fille de Jacques Pauvret — le bien-nommé —, tenancier infirme sur nos terres, laboureur vivant dans le plat pays en misérable masure. Franchou y avait connu le grain parcimonieux, le pain petit dans la huche, la flamme chiche dans l'âtre, des loques pour toute vêture, plus de soufflets que de baisers, la terreur des loups et des gueux armés, et à la moindre sécheresse, une famine à manger des glands. Voilà ce qu'eût signifié, pour Franchou, « rester sage en sa famille », comme le recommandait Pincettes aux filles de nos villages. Comment la blâmer si elle n'y songeait guère, tandis qu'elle cousait rêveusement à notre table, le majeur coiffé du dé d'argent de mon père ? La garce du Baron de Mespech ? Où était le mal ? Quelle était l'infamie ? Des petits bâtards qui mangeraient, eux, à leur faim et qui, comme Samson, recevraient le nom glorieux de Siorac ? Et elle-même, jusqu'à la fin de sa vie, assurée du pot, du feu et du logis, derrière des murailles qui la protégeraient des bandes armées, de la disette et même de la maladie, car, par les temps de grande contagion, Mespech se refermait sur ses immenses réserves, et la peste elle-même venait battre le pied de nos puissantes courtines sans pouvoir y pénétrer.

Tandis qu'en son petit royaume mon père, travaillé par sa conscience huguenote, hésitait encore à cueillir ce gros péché tant frais et velouté, Catherine de Médicis, en son Louvre, louchait vers un autre fruit.

Le Havre était en mains anglaises. Au cours de la guerre civile, nos chefs, Condé et Coligny, avaient livré la belle et bonne ville à Elizabeth d'Angleterre, moyennant subsides par le traité d'Hampton Court, avec promesse de l'échanger contre Calais, la paix revenue. Mais Condé, réconcilié avec Catherine après l'Édit d'Amboise, rougissait maintenant d'avoir signé ce méchant traité, qui eût amputé la France de ce Calais si chèrement reconquis. « Le petit Prince tant joli qui toujours chante et toujours rit » se parjurait joyeusement, tandis qu'Elizabeth tonnait contre ces perfides Français qui ne voulaient pas foi garder, qu'ils fussent huguenots ou papistes. Sur ce feu versant beaucoup d'huile, Catherine envoya à la Reine d'Angleterre le Sieur d'Alluye, qui fit maintes braveries et fut insolent à souhait, refusant Calais et en outre réclamant Le Havre. « Je garderai Le Havre, dit Elizabeth hautement, pour m'indemniser dudit Calais qui est mon droit. »

Il n'en fallut pas plus à Catherine de Médicis pour rallier sous sa bannière les catholiques et les protestants. On vit alors ce spectacle inouï : Condé se joindre avec ses hommes à l'armée du Connétable. On s'était coupé la gorge entre Français au nom de la Religion, on luttait aujourd'hui côte à côte, le bras armé et le cul sur selle, pour arracher une ville française à l'Anglais. La pauvre Elizabeth ne pouvait croire qu'on lui ôtât « son droit ». Mais elle le tenait mal, n'ayant pas eu le temps de le fortifier. Le 30 juillet 1563, Condé et le Connétable emportèrent Le Havre.

Hélas, si la réconciliation des chefs de guerre et des soudards était prompte et facile, il s'en fallait que la paix revînt si vite dans le reste du royaume après l'Édit d'Amboise. Les prêtres zélés et les seigneurs fanatiques armaient des compagnies de massacreurs qui tendaient des embuscades aux gentilshommes réformés qui revenaient chez eux, la guerre finie. Nos huguenots, là où ils étaient forts, ne respectaient pas l'Édit davantage. Des « capitaines » protestants, Clermont de Piles et La Rivière, s'emparèrent de Mussidan, et peu après, pratiquant, la nuit, une brèche dans les murailles de Bergerac, jetèrent dans les rues quelques hommes qui y firent retentir tambours et trompettes. La garnison, croyant la ville gagnée, se réfugia dans la citadelle : celle-ci fut investie, affamée et prise.

Même à Paris, la paix n'était pas vraiment revenue. D'Andelot, de nouveau colonel d'infanterie depuis l'Édit d'Amboise, voyait son autorité contestée par un de ses maîtres de camp, le catholique Charry, favori de Catherine de Médicis. On disait, en outre, que Charry préparait, pour venger le Duc de Guise, un massacre général des protestants, et cet on-dit gagnant quelque créance parmi les nôtres, un officier de Coligny, Chastelier-Portaut, assaillit Charry comme il passait sur le pont Saint-Michel, et, tout soudain, lui donna de son épée dans le corps, « l'y tortillant par deux fois pour faire la plaie plus grande ». Mais de cette plaie-là — dont mourut en effet Charry — Catherine de Médicis ne perdit pas le souvenir, comme on verra.

Ainsi, pendant plus de quatre ans après l'Édit d'Amboise, régna dans le royaume un état dangereux et violent qui n'était plus tout à fait la guerre sans être tout à fait la paix. Pour nous qui jouissions, dans le Sarladais, du bon renom que notre fidélité à la Couronne nous avait valu, nous n'avions rien à craindre des officiers du Roi. Mais la peste s'étendant sur Sarlat et le plat pays, le pouvoir royal s'était tant affaibli dans la Sénéchaussée qu'il ne pouvait guère protéger ses sujets loyaux contre les entreprises des méchants.

Fin août, une affligeante nouvelle nous parvint. Étienne de La Boétie, qui, en juillet, avait fait voyage dans le Périgord et l'Agenais — mais sans y pouvoir séjourner, étant partout repoussé par la peste —, s'en était retourné à Bordeaux avec toutes les apparences de la bonne santé. Et en effet, le 8 août, il jouait encore à la paume avec M. des Cars, lieutenant pour le Roi en Guyenne. Mais s'échauffant beaucoup, et suant d'abondance, il se plaignit, à son coucher, de s'être refroidi. Le lendemain, il reçut un billet de Michel de Montaigne le conviant à dîner. À quoi il répondit qu'il ne pouvait sortir, étant travaillé de la fièvre. Montaigne, aussitôt, vint le voir, et lui trouva le visage fort changé. Et comme le logis de La Boétie se trouvait à Bordeaux, entouré de maisons infectes, Montaigne lui conseilla de quitter la ville sur l'heure et de s'arrêter pour une première étape à Germinian, village entre Le Taillan et Saint-Aubin, à deux lieues seulement de la ville. La Boétie lui obéit, mais, parvenu à Germinian, il se trouva si mal qu'il ne put en repartir. Et c'est dans ce gîte de fortune, entouré de ses parents et de ses amis accourus, qu'il tira neuf jours à la mort.

La Boétie n'était pas, semble-t-il, atteint de la peste, n'en présentant pas tous les signes, mais il souffrait d'un flux de ventre perpétuel symptomé d'une extrême douleur de tête. Qui plus est, il n'arrivait plus à se nourrir, et dépérissait à vue d'œil, ses yeux se creusant et son teint devenant blême. Craignant que son mal fût contagieux, il engagea Montaigne à ne demeurer en sa présence que « par bouffées », mais Montaigne n'y consentit pas. Il ne devait plus quitter le chevet de son « immutable ami ».

La Boétie était très conscient, à chaque minute, de l'approche de la mort et, ayant conservé tous ses esprits, il entreprit de régler ses affaires avec un admirable sang-froid. Ayant vécu catholique, il délibéra de clore sa vie en cette religion, se confessa et communia. Puis il dicta son testament.

Montaigne a raconté le stoïcisme dont il fit preuve alors. D'aucuns trouvent cette longue agonie quelque peu philosophe et bavarde, même sous la plume de Michel de Montaigne. Mais c'est là, à mon sens, critique vétilleuse et sans cœur. La Boétie, de son vivant, était fort éloquent. Il est à porter au crédit d'une certaine grandeur romaine de son caractère qu'il ait pu l'être, presque dans les dents de la mort, et au milieu des indicibles souffrances dont il était travaillé. Il est d'ailleurs un passage de ce funèbre discours qui, lorsque je l'ai lu, à l'âge d'homme, m'a tiré des larmes, non point tant par ce qu'il dit que par ce qu'il implique. Quand il fut proche de passer au grand juge, La Boétie confia à Montaigne ce sentiment que voici : « Si Dieu me donnait à choisir, ou de retourner à vivre, ou d'achever mon voyage, je serais bien empêché au choix. » Paroles qui montrent bien quelle rude route il avait déjà parcourue pour arriver à la mort, puisqu'il envisageait avec appréhension de la parcourir une deuxième fois.

Il mourut le 19 août 1563. Il n'avait pas trente-trois ans. Mon père disait de lui que c'était « une espèce bien particulière de catholique ». Comme Michel de L'Hospital, La Boétie avait toujours blâmé comme inutiles et funestes les bûchers et les prisons contre les nôtres. Il voulait aussi qu'on « rhabillât » par de considérables réformes les « infinis abus » qu'il trouvait dans l'Église de Rome, et il pensait qu'à ce prix seul on pourrait la changer assez pour que les protestants consentissent à y reprendre place. Car, d'un autre côté, il ne concevait pas qu'il fût possible dans un royaume de maintenir deux religions côte à côte, ayant observé les crimes que, des deux bords, la religion autorisait. « Les passionnés des deux camps, disait-il, sont abreuvés de cette pernicieuse opinion que leur cause est si bonne... que pour l'avancer il n'y a pas de mauvais moyen. »

Hélas, il disait vrai, mais le Concile de Trente qui, dans le temps où La Boétie se mourait, vit le Pape refuser tout à plat les réformes que lui proposaient les Évêques français, n'allait guère dans le sens que, dans son ardent désir de conciliation, La Boétie avait souhaité. Mon père remarqua à ce sujet dans le *Livre de raison* que lorsque La Boétie, en présence de la frérèche, avait adressé à Geoffroy de Caumont sa pressante mise en garde contre l'esprit de parti, il avait peint un sombre tableau — toujours vrai à ce jour — de l'« extrême désolation » où le combat des deux religions ne manquerait pas de jeter le royaume. À quoi Sauveterre ajouta en note : « Gardons les yeux ouverts. La guerre entre Français couve sous la cendre. Nous y allons derechef. »

Depuis que Cabusse s'était installé au Breuil, et Coulondre Bras-de-fer au moulin de Gorenne, nos cousins de Siorac, ayant plus de licence à parler que nos domestiques, se plaignaient de ployer sous les tâches. Escorgol, sa merveilleuse ouïe tendue, gardait son châtelet d'entrée. Faujanet, tranquille en son atelier, façonnait à loisir ses tonneaux. Mais à qui revenaient l'élevage et le débourrage des chevaux, la traite des vaches, l'engraissement des porcs, la cuisson du pain, le tirage de l'eau, les façons du potager, le charroyage du grain au moulin, la cueillette du miel, la capture des essaims, le curage des fossés, et la récolte des noix, châtaignes, pommes et autres fruits, sinon à trois hommes en tout : Marsal le Bigle, Benoît et moi (c'était donc Michel le discoureur), quand cinq suffiraient à peine. Je ne parle point des labours, des foins, des moissons et des vendanges, où tous prêtent la main, mais de l'infini labeur quotidien du domaine. Trois hommes, ce n'est point assez, je le dis tout net, et si une bande armée attaquait Mespech comme jadis les Roumes, on n'aurait pas assez de monde non plus à mettre sur la courtine.

À ces plaintes, Sauveterre, ménager à l'excès de nos deniers, opposait une oreille sourde, mais mon père donnait raison à ses cousins, sans les pouvoir satisfaire, la peste rendant toute embauche impossible. Le hasard, pourtant, vint à son aide de peu oubliable manière.

J'étais accoutumé, je l'ai dit, à me lever fort tôt, n'aimant point mon lit quand j'étais éveillé, et descendant à la salle commune à la pique du jour, avant même que la Maligou apparût pour allumer le feu et bouillir le lait. À vrai dire, quant au feu, j'aimais le ranimer moi-même, découvrant sous les cendres les braises et soufflant dessus à m'époumoner pour les tourner au rouge franc avant que de jeter dessus des brindilles. Ainsi faisais-je, ce 29 août, dans Mespech endormi, goûtant le silence de l'heure et le premier chant des oiseaux, quand j'entendis un léger bruit dans le charnier, pièce fraîche à peine éclairée par un fenestrou au nord, dans laquelle nos salaisons de chair pendaient en grande quantité des poutres du plafond. Pensant que ce devait être notre matou qui y poursuivait dame souris, je m'avançai à pas de velours jusqu'à la porte pour être le témoin de cette chasse. Mais que vis-je en place de chat, de rat ou de souris ? Un drole d'une quinzaine d'années, loqueteux et dégouttant d'eau, assis sur notre escabeau, un de nos jambons entre ses genoux, et de son couteau long et effilé s'en découpant une tranche, tandis qu'une autre tranche, qu'il mâchait hardiment, dépassait des deux côtés de sa large bouche. Je restai béant et stupide sur le seuil, n'en croyant pas mes yeux, et me demandant comment avait fait le quidam pour traverser nos murs, quand le drole, levant la tête et m'apercevant, bondit sur pieds comme balle de paume et, lâchant le jambon, se rua sur moi, son couteau effilé à la main.

Cabusse m'avait appris à parer ce genre de traîtreuse attaque. Je donnai de ma botte dans l'estomac du drole, et comme il se pliait en deux, je lui en donnai un autre coup au visage. Le couteau échappant de ses mains, mais non point le jambon de ses dents, il tomba comme un sac, et cherchant autour de moi de quoi le lier, je vis, à côté de l'escabeau où il était assis, une corde et un grappin. Je lui en attachai les mains derrière le dos et, le traînant inanimé jusqu'à la salle commune, je l'adossai à un des pieds de la lourde table de chêne et l'y liai.

Ayant fait, je m'assis, reprenant souffle, stupide d'étonnement. Car, même avec corde et grappin, comment, ayant trompé l'ouïe d'Escorgol, sauter la muraille d'enceinte, franchir sans dommage les pièges à ses pieds, voler par-dessus trois ponts-levis, et malgré la porte du logis verrouillée et aspée de trois bandes de fer, se retrouver commodément dans notre charnier, notre chair de porc entre les mâchoires ?

Entra alors la Maligou qui, à la vue du larron, béa.

— Qu'est cela ? Qu'est cela ? dit-elle en bégayant.

— Je ne sais. Je l'ai trouvé dans le charnier.

La Maligou, branlant de tout son corps graisseux, jeta les bras au ciel et, caquetant comme poule stridente que le renard poursuit, s'écria :

— Seigneur Dieu ! Doux Jésus ! Bonne Mère ! Et vous, saint Joseph ! Protégez-moi ! C'est le Diable en notre logis ! Ou du moins un des septante-sept démons de l'Enfer !

Et tout aussitôt se signant, elle courut chercher notre salière en bois, et avec maintes simagrées et marmonnements, en jeta des pincées autour du larron.

— Sotte caillette ! dis-je, lui arrachant la boîte des mains. Jeter ainsi le sel ! Et invoquer Marie ! Dois-je le dire à mon père ?

— Mais c'est le Diable ! hurla-t-elle en se signant à tour de bras, et tant agitée et branlante que son bonnet lui tomba sur la nuque.

À cet instant, le larron ouvrit les yeux, encore quelque peu troubles, et avant que de reprendre tout à plein ses sens, il se remit à mâcher la tranche de jambon qui, même en sa syncope, lui était restée au travers de la bouche.

— C'est le Diable ! hurla la Maligou en se reculant comme si l'Enfer s'ouvrait devant elle, et tombant à genoux, les mains jointes et les yeux révulsés tournés vers le ciel, elle s'écria d'une voix aiguë :

— Ah, Bonne Mère ! De femme à femme, protégez-moi de ce démon !

— Assez, coquefredouille ! dis-je d'une voix forte. Ce n'est point le Diable ! Il mange !

— Mais le Diable mange, Moussu Pierre ! s'écria la Maligou et, oubliant presque ses terreurs dans le scandale où la jetait mon ignorance, elle se remit sur ses grosses pattes.

— Le Malin, poursuivit-elle, a mêmes besoins que l'homme, multipliés par sept. Il s'empiffre comme curé en sa cure, boit comme forgeron, pisse comme vache, rote comme roi, et fornique comme rat en paille.

— Il fornique ? dis-je en levant le sourcil.

— Oui-da ! dit la Maligou. Il a le vit sept fois gros comme celui d'un homme, et les nuits de sabbat, de minuit à la pique du jour, il besogne sept fois sept sorcières sans désemparer.

— Voilà qui t'arrangerait bien, paillarde ! dis-je en me gaussant. À toute flèche tu ouvres ton carquois !

— Me garde la Bonne Mère de ce vilain pensement ! dit la Maligou en baissant une sournoise paupière. Et que si ce vilain pensement me passe pourtant par le derrière de la tête, qu'au moins ce ne soit point ma faute, mais malgré moi.

— Va, grosse ribaude, dis-je, va prévenir mon père de ce visiteur étrange. Mais non, ajoutai-je, me ravisant, j'irai moi-même.

— Jésus ! hurla la Maligou, tremblotant comme gelée. Je ne resterai point seule céans avec cet affreux démon qui vole par-dessus les toits et passe à travers les murs !

— Alors, cours prévenir monsieur l'Écuyer. Et moi-même mon père. Ce Diable-là ne s'en sauvera point. Je l'ai lié.

Cependant, tout courant, je n'en étais pas si sûr, et parvenu, essoufflé, à la chambre de mon père, je frappai impatiemment à la porte, mais sans que sa voix me répondît. Étonné de ce silence, je pesai sur le loquet et, entrebâillant, passai l'œil. Je vis le lit défait et les draps rejetés, mais point de père. Diable ! pensai-je. L'un apparaît, l'autre disparaît ! Voilà qui est étrange ! Soupçonnant pourtant que cette diablerie-ci était tout humaine, je refermai à velours la porte, et cognant fortement du poing contre l'huis et criant : « Monsieur mon père, à l'aide ! », je m'en retournai au galop jusqu'à notre cuisine où, Dieu merci, mon drole était toujours là, assis contre le pied de notre table, les mains liées derrière le dos, et mâchant son jambon avec tant de délectation que la salive lui en coulait aux deux coins de la bouche. Il avait certes grand appétit à manger, pour quelqu'un qui, dans moins d'une heure, allait se balancer au bout d'une corde à notre gibet seigneurial. M'asseyant en face de lui, et le regardant en silence, je fus pris alors de quelque pitié, d'autant qu'il avait assez bonne tête, sans rien de brutal en ses traits, ni de sauvage en ses yeux, et qu'il avait mon âge, ou à peine plus.

Il ressentait quelques difficultés à avaler notre jambon, pour ce qu'il était fort sec, dur et salé, et quand il y fut enfin parvenu à grands coups répétés de glotte, j'allai remplir de lait un bol et, l'approchant de ses lèvres, le fis boire, ce qu'il fit avidement, me considérant de ses yeux vairons, l'un bleu, l'autre marron, étranges, à la vérité, mais aussi doux et affectueux que ceux d'un chien. Je remarquai que sa tête était couverte d'un poil ras, épais et dru, de couleur fauve.

Le lait avalé, il me fit, de sa large bouche et de ses dents blanches et pointues, un sourire tout à fait franc, naïf et amical, ayant, semble-t-il, déjà oublié qu'il s'était rué sur moi, le couteau à la main, et que je l'avais assommé à coups de botte.

Tandis que je le regardais, la salle s'était remplie de nos gens, tous fort silencieux, et collés au mur à bonne distance du visiteur, les yeux sortis des têtes, l'haleine courte. Faujanet, les frères Siorac et Marsal le Bigle faisaient encore assez bonne figure, mais le groupe des garces, grandes et petites, enfants compris, se tassait dans un coin de la pièce en tremblant, Jacquou dans les bras de Barberine, Annet accroché à sa jupe, et, honte à elle qui venait d'avoir dix-sept ans, la petite Hélix s'y cachant aussi, pour ne point parler de Catherine, blanche comme neige entre ses deux nattes, de la Gavachette gémissante, et de la Maligou marmonnant des oraisons étranges avec force signes, grimaces, simagrées et gestes de ses mains autour de son cotillon, comme si elle en défendait l'entrée aux forces infernales. Point de Franchou. Je le remarquai aussitôt.

Entra mon aîné François, à vrai dire pas plus pâle ni distant qu'à l'accoutumée (il était ainsi depuis le départ de Diane), mais son visage long et correct fort fermé, et affectant de ne pas me voir — preuve qu'il savait déjà que j'étais le héros de l'affaire.

Précédée de son pas lourd d'arquebusier, Alazaïs apparut presque aussitôt et, méprisant le coin des garces, alla se placer aux côtés des frères Siorac, qu'elle dominait d'une bonne demi-tête. Et là, les bras croisés sur sa poitrine robuste et plate, elle observa la scène sans battre un cil, n'ayant peur de personne en ce monde passager, son œil restant fixé sur l'Éternel.

Samson, lui, me chercha du regard dès l'abord, vit du premier coup que j'étais sain et, ses beaux cheveux éclatants faisant une auréole autour de sa tête, il vint à mes côtés, me prit la main, et regarda l'intrus. Son examen fini, incapable de peur comme de haine, il lui sourit.

Sauveterre claudiquant sur ses talons, mon père enfin entra, boutonnant son pourpoint, l'œil point du tout aussi angélique que Samson, la taille très redressée, et l'air à la fois fatigué et fringant.

— D'où vient ce quidam ? dit-il en désignant l'intrus avec un air d'allégresse qui ne paraissait pas appeler sa présence en nos murs.

Me levant, je lui fis aussitôt un récit à peu près sincère, mais non point complet car, ne voulant point charger le larron, j'omis de dire qu'il s'était rué sur moi, son couteau à la main. Omission dont je vis bien que le pauvre drole me sut gré, car ses yeux vairons, attachés aux miens, s'embuèrent de gratitude.

Tandis que je parlais, mon père se dégagea peu à peu de l'espèce de brume heureuse qui l'entourait, et quand j'eus terminé, il était de nouveau sur terre, sourcilleux et rembruni. Car enfin, si ce jeune drole pouvait, sautant nos murs, nos douves, et perçant nos défenses, parvenir jusqu'au cœur du logis, d'autres le pourraient aussi, qui seraient plus redoutables.

— Drole, dit mon père, restant, lui aussi, à bonne distance, mais pour toute autre raison que la Maligou, comment te nomme-t-on ?

— Miroul.

— Et d'où viens-tu, Miroul ?

— D'un hameau nommé la Malonie, près de Vergt.

— Ha ! dit mon père avec un soupir de soulagement. Du Périgord vert ! (car le nord de la province n'était pas touché par la peste). Es-tu passé par lieux infects ?

— Nenni. J'ai évité les bourgs et les villages. J'ai vécu et dormi dans les bois.

— Comment t'es-tu fait larron ?

— Le vingt-cinq du mois dernier, des gueux armés, la nuit, ont occis ma famille, dit Miroul, ses yeux vairons se remplissant de larmes, égorgeant mon père, ma mère, mes frères, mes sœurs — celles-ci en les forçant d'abord. Je me suis caché dans le foin de la grange, et dès que les méchants furent saouls, je ramassai le grappin que voilà, et ce couteau, et je m'enfuis.

— Et à ton tour tu t'es fait gueux ?

— Pas tout à plein, dit Miroul en redressant la tête. Je ne dérobe rien au pâtre ni au laboureur. Je dérobe aux châteaux. Et jamais deux nuits le même. Et seulement ma nourriture. Il y a trois nuits, Laussel. Avant-hier, Commarque. Hier, Fontenac. Et cette nuit, Mespech.

— Fontenac ? dit mon père en levant le sourcil. Tu as réussi à t'introduire dedans le château de Fontenac ?

— Ce fut jeu de pucelle, dit Miroul. Des quatre, c'est Mespech qui m'a donné le plus de mal.

— Comment fais-tu, Miroul ?

— Je me plie les pieds avec des chiffons, et mon grappin aussi, et j'escalade les murs un peu avant l'aube.

— Pourquoi si tard ?

— C'est l'heure où les veilleurs dorment, sentant la nuit proche de sa fin.

— Et les chiens ?

— Les chiens me reniflent, me lèchent et n'aboient pas.

— Ce serait merveille si je pouvais te croire !

— Moussu lou Baron, dit Miroul avec une sorte de dignité, je suis larron, hélas, mais point menteur. Si vous le désirez, je puis refaire devant vous tout mon chemin, du bas de votre muraille jusqu'à votre charnier.

Jean de Siorac le regarda, et dit avec quelque froideur, feinte ou non, je ne saurais dire :

— C'est te donner beaucoup de mal pour être pendu après.

Miroul secoua la tête avec plus de tristesse que de terreur.

— Je ne crains pas la corde, n'aimant point la vie que je mène. C'est solitude le jour, et vilenie la nuit. Seule la panse me pousse. Mais je suis fort travaillé de mes larcins en ma conscience, sachant que le Seigneur déteste toute abomination, et qu'il est grand en sa puissance et qu'il voit tout.

À cette citation de l'Ecclésiaste, Sauveterre dressa l'oreille.

— Miroul, es-tu de la Religion ?

— Oui-da, et ma défunte famille aussi.

Il y eut un silence, et mon père dit :

— Eh bien, Miroul, refais devant moi ton chemin, si tu le veux. Pierre, délie-le.

Et se tournant vers nos gens, il ajouta :

— Seuls M. de Sauveterre et mes droles m'accompagneront. Le reste restera ici à manger, mais sans mettre le nez dehors.

Le pauvre Escorgol, à qui mon père expliqua en mots brefs et coupants l'aventure, quand il parut au fenestrou, fut si ébahi et chagrin de cette nasarde qu'il en resta tout coi, si bon bec qu'il fût à l'accoutumée, se contentant de fourrer ses deux auriculaires dans le trou de ses oreilles et de les y faire tourner comme toupies.

— Escorgol, dit mon père, ferme ton fenestrou

étends-toi sur ta paillasse et tends l'ouïe. Ce drole va refaire son chemin.

— Oui, Moussu lou Baron, dit Escorgol, son visage rouge d'humiliation, et sa crête, d'ordinaire si dressée, lui retombant sur l'œil.

Sur le commandement de mon père, le groupe se divisa en deux. Sauveterre, François et Samson, tous trois armés et pistolet à la ceinture, accompagnèrent Miroul hors de nos murs. Je restai dans l'enclos avec mon père et les trois dogues, appelés, comme leurs prédécesseurs (ceux que les Roumes avaient égorgés), Eaque, Minos et Rhadamante, noms compliqués et mythologiques que nos gens avaient périgordinisés : Eaque devenant « Acha » (la hache), Minos : « Minhard » (la fine bouche), et Rhadamante : « Redamandard » (celui qui redemande de la pâtée).

C'est sans aucun bruit, plié comme il était dans des chiffons, que nous vîmes le grappin atterrir sur la courtine du rempart côté nord, c'est-à-dire du côté opposé au châtelet où Escorgol tendait l'ouïe. Miroul apparut bientôt, ramena sa corde, dégagea son grappin, et courant sans bruit aucun sur la courtine, gagna un point à l'est où, lovant sa corde et la tenant de la main gauche, il lança de sa dextre le grappin sur la grosse branche d'un noyer qui se trouvait à quelques toises de la courtine, puis, se cramponnant des deux mains à la corde, s'élança, survola la zone piégée et la clôture de pieux, et atterrit au pied de l'arbre. Il dégagea alors son grappin, et comme nos trois dogues accouraient en grondant, il se coucha de tout en long, leur offrant, immobile, sa gorge, qu'ils flairèrent, son visage aussi, et tout son corps de haut en bas, mais sans gronder plus avant, les poils hérissés se remettant à plat, et les queues se mettant à battre. Miroul éleva alors la main, et ce fut à qui se ferait frotter et caresser. Ce manège dura bien quelques minutes, Miroul d'abord couché, puis accroupi, puis à genoux, et enfin debout, tous ses mouvements lents et gracieux accompagnés de mignonneries à voix basse aux dogues. Les chiens tout accoisés et même le léchant, Miroul enroula corde et grappin en bandoulière autour de ses épaules et, se dirigeant vers l'étang, se coula dans l'eau, nagea sans bruit et reprit pied dans notre lavoir, dont il escalada un pilier avec une agilité merveilleuse, se glissant en un clin d'œil sur le toit dont il atteignit en courant le point le plus haut.

Le plus dur de l'affaire était là. Lovant à nouveau sa corde, Miroul lança son grappin. Il visait une des grosses bobèches de fer que Sauveterre, peu avant l'attaque des Roumes, avait fait sceller de place en place dans la muraille de Mespech pour recevoir des torches. La cible était petite, et Miroul dut faire plusieurs tentatives avant de réussir à y ancrer son grappin. Et l'escalade, ensuite, ne se fit pas non plus sans mal ni péril. La bobèche étant scellée à une demi-toise du créneau le plus proche, il lui fallut se suspendre d'une main à l'anneau de fer et, la pointe des pieds reposant sur le rebord d'une pierre, relancer son grappin sur la courtine, à grand danger de perdre l'équilibre et de tomber à l'eau. Il y parvint toutefois.

— Allons retrouver nos gens, dit mon père. Miroul est déjà dans la place. Et Escorgol, à part les chiens, n'a rien ouï, je gage.

— Monsieur mon père, dis-je en cheminant à ses côtés, la gorge serrée, allez-vous le pendre après cet admirable exploit ?

Le visage de mon père se ferma.

— Ce n'est pas que le cœur trop m'en dit, mais je le dois.

— Songez au service qu'il a rendu à Mespech en décelant les lacunes de nos défenses : le noyer, le lavoir, les bobèches des torches, et le fenestrou du charnier.

— Tout cela est fort vrai. Cependant, il me faut le pendre. C'est un larron.

— Un larron fort petit. Il vous en a coûté une tranche de jambon de connaître les faiblesses de Mespech.

— Il eût pu vous tuer.

— Il ne l'a pas tenté, dis-je, assez marri de répéter ce mensonge, même pour une cause que je croyais bonne. D'ailleurs, ajoutai-je, poussé par mon remords à une sorte de demi-vérité, l'eût-il tenté qu'on ne pouvait lui en vouloir : un rat mord, toute retraite coupée.

— Oui-da, je vous entends. Mais il mourra. C'est un larron.

— Si, à quinze ans, ma famille égorgée, j'étais devenu orphelin et sans un liard vaillant, ne serais-je pas devenu larron, moi aussi ?

— Vous peut-être, mais pas Samson.

Je notai, non sans un plaisir secret, que mon père ne pensait même pas à mentionner François. Je poursuivis :

— Samson, certes, est un ange. Mais le jour de mes six ans, il a dérobé un pot de miel pour me nourrir. Observez, monsieur mon père, l'énorme différence de la rétribution : le fouet pour un pot de miel, et la hart pour une tranche de jambon.

— Il est bien dommage, dit mon père avec froideur, que vous étudiiez la médecine. Vous feriez un bon avocat.

— Peux-je poursuivre, néanmoins ?

— Miroul sera pendu. Mais vous pouvez poursuivre.

— Mon père, allons-nous pendre un drole assez hardi et agile pour s'introduire sans coup férir la nuit dedans le château de Fontenac ? Qui peut dire si un jour nous n'aurons pas besoin de ses talents ?

Ici, je fis mouche, je crois. Mais mon père ne consentit pas à l'admettre. Il dit d'un air renfrogné, ou qui se voulait tel :

— Je ne sais de qui vous tenez votre obstination. De votre mère, peut-être.

— Non, monsieur, mais, avec votre respect, de vous-même. D'ailleurs, je vous ressemble fort. Tout un chacun le dit.

Cela mon père ne l'ignorait pas. Mais je savais aussi qu'il aimerait l'entendre, surtout de ma bouche.

— Voilà, dit-il, content mais non pipé, une excellente *captatio benevolentiae*[1]. Mais nous sommes presque rendus. Il est temps de conclure.

Et en effet, nous nous engagions, à cet instant, sur le troisième pont-levis.

— Monsieur mon père, dis-je de mon ton le plus pressant, c'est moi qui ai découvert le larron. C'est moi qui l'ai réduit. Et c'est moi qui l'ai capturé. Puis-je vous demander la grâce de me le donner pour qu'il soit à mon service, comme Franchou à celui de Catherine ?

Mon père leva le sourcil, s'arrêta net au milieu du pont et, tournant la tête, me jeta un coup d'œil vif auquel je répondis par mon plus innocent regard.

— *In cauda venenum*[2] ! s'écria-t-il en prenant le parti de rire. Ha, Pierre, tu es plus malicieux, à toi seul, que femme, chat et singe réunis !

Je lui fis face :

— Mais, mon père, Miroul ?

— Nous verrons.

Je me jetai dans ses bras et, me haussant sur la pointe des pieds, je le baisai sur les joues, les larmes coulant sur les miennes. Il me rendit avec vigueur mon étreinte puis, se dégageant, souriant, l'œil en fleur, ayant retrouvé d'un coup l'allégresse avec laquelle il s'était levé, il prit mon bras et m'entraîna, presque courant, vers la salle commune.

Nos gens y mangeaient autour de la grande table, mais cois, et la mine longue. Celle-ci s'allongea encore quand mon père et moi, passant dans le charnier, en revînmes, ô merveille, avec Miroul, que nos gens avaient vu sortir avec nous quelques minutes plus tôt. L'ébahissement fut prodigieux. La Maligou commença à se signer convulsivement, mais la bouche à peine ouverte pour ses éjaculations coutumières, mon père la lui verrouilla.

— Assez de clabauderies, Maligou ! Il n'y a pas là magie, mais grande adresse et agilité. Je l'ai vu

1. Discours tendant à capter la bienveillance de l'auditeur.
2. Dans le dernier mot le venin !

comme je te vois. Pierre, va serrer Miroul dans la tour nord-est. Monsieur l'Écuyer et moi, nous allons consulter sur son sort.

Ils consultèrent. Et Miroul, que mon père nous donna, en effet, à Samson et à moi, et qui aida d'abord au domaine, au grand soulagement des frères Siorac, est encore à ce jour à notre service, nous ayant suivis, mon frère et moi, à Montpellier, dans le cours des études que nous y fîmes, et plus tard à la Cour du Roi à Paris, et à travers maintes aventures, comme je dirai.

CHAPITRE XI

Du 29 août 1563 — date de la merveilleuse apparition de Miroul en notre charnier — au 28 mai 1566 — jour où Samson et moi, avec le même Miroul, comme valet, quittâmes Mespech pour gagner Montpellier —, trois années s'écoulèrent où, tournant le dos à mes maillots et enfances, je devins homme. Non pas que je ne crusse l'être déjà à douze ans, puisqu'à mes yeux j'en avais les privilèges, depuis la courte épée qui battait mon côté, jusqu'à l'usage que je faisais de mes nuits. Mais, à la vérité, l'âge d'homme a ceci de commun avec l'horizon qu'il recule au fur et à mesure que vers lui on s'avance. Aussi faut-il savoir gré aux Parlements d'avoir fixé la majorité à quinze ans, borne fictive mais rassurante pour qui n'entend pas voir plus loin. Tant est pourtant que d'aucuns, le temps des nourrices loin derrière eux, en retiennent éternellement les conduites. Plusieurs années après mon départ de Mespech, me trouvant dans la capitale et, par l'honneur le plus fortuit, jouant au jeu de Paume avec notre souverain Charles IX, on vint devant moi annoncer au Roi l'attentat contre l'Amiral de Coligny. À mon extrême étonnement, bouleversé que j'étais par cet odieux assassinat, je vis le Roi faire la moue, jeter avec pétulance sa raquette à terre, et s'écrier sur le ton le plus puéril : « Ne me laissera-t-on jamais en repos ? », non point tant effrayé par une nouvelle si menaçante pour la paix de son royaume que marri, comme un enfant, d'avoir à interrompre ses jeux. Charles IX avait alors vingt-deux ans, et le sang des nôtres, dans lequel, poussé par sa mère, il se vautra ensuite, le salit sans le mûrir.

Pour moi, je ne pouvais me permettre, même en mes douze ans, d'être jeune trop longtemps : J'étais cadet. Je savais que je ne posséderais jamais rien de Mespech, ni le château ni le moulin des Beunes, et pas davantage les combes et les pechs, les gras labours et les vertes prairies — rien, sinon, au jour de ma mort, de terre assez pour enfouir un chrétien, et Dieu sait le peu d'espace qu'il nous faut quand nous avons cessé d'être vifs. Je ne devrais donc qu'à moi mon état et ma fortune, je me le disais tous les jours en apprenant mon latin, mes Rois, ma Bible et la médecine, tâchant, dans le même temps, de comprendre le monde à partir de la place que j'y occupais.

Je le croyais alors et je le crois toujours : Il n'est point d'autre mûrissement que la franche appréhension par l'esprit de ce que nous faisons ou subissons. Parmi les événements, grands et petits, de ma vie en ces trois ans qui précédèrent mon départ, il y en eut deux qui m'inspirèrent un pensement si long, si étonné et — le dernier, surtout — si mélancolique, que je veux en dire ici l'occasion, afin que, peut-être, le lecteur, en une détresse semblable à la mienne, ne s'y sente pas si solitaire. Car si la joie se vit cœur à cœur, la souffrance vous serre avec vous seul, amoindri et comme mutilé de la compagnie des hommes.

Ce n'est qu'au mois de mai 1564 que, la contagion s'étant éteinte aussi soudain qu'elle avait éclaté, revinrent à Sarlat le Sénéchal, Monseigneur l'Évêque, celui des deux Consuls qui avait foi, les juges du Présidial, les bourgeois étoffés et les médecins.

Des quatre chirurgiens qui étaient demeurés en la

ville pour soigner les infects, un seul avait survécu, qui se nommait Lasbitz, et auquel la ville devait encore six cents livres, sans apparence de les payer jamais, étant ruinée et ayant perdu, par la maladie, les deux tiers des taxables.

En outre, la rébellion portait haut la crête dans les faubourgs. Forcalquier n'était pas mort, comme il l'avait lui-même prophétisé. De ses gueux — autre prédiction démentie —, la contagion avait épargné une moitié, et cette moitié, bien armée, faisait au Baron-boucher une assez forte bande, sur laquelle, homme sanguinaire et de marotte, il s'appuyait pour commettre des excès infinis. Ainsi s'était installée aux portes de la ville une jacquerie continue, que les officiers royaux ne pouvaient réprimer, pas un soldat à Sarlat n'étant resté en vie, et la ville n'ayant pas cent sols vaillants pour lever des mercenaires.

En ces extrémités, les Consuls envoyèrent des messages à la noblesse du Sarladais pour qu'à la tête de ses propres hommes d'armes elle consentît à venir purger la ville de ces manants désespérés. Sur la pression de Monseigneur l'Évêque, les Consuls inclinaient à n'adresser cet appel qu'aux seigneurs catholiques, mais le Sénéchal et M. de la Porte représentèrent qu'il n'était pas convenable d'exclure de cette pressante supplique les huguenots loyalistes, d'autant que d'aucuns avaient déjà aidé la ville en ses malheurs, par des prêts et des livraisons de chair. Leur avis prévalut, et l'appel fut adressé, côté catholique, à Fontanille, Puymartin, Périgord, Claude des Martres et La Raymondie, et côté Calvin, à Armand de Gontaut Saint-Geniès, Foucaud de Saint-Astier, Geoffroy de Baynac, Jean de Foucauld, et le Baron de Mespech.

Tous ne répondirent pas, tant s'en faut, mais je ne veux point dire ici qui resta quiet en son château, et qui paya de sa personne. La vie refleurissant après la grande peur de la peste, bien crânes, ou bien fermes en leur conscience furent ceux qui acceptèrent de hasarder leur peau dans un combat de rues contre des gueux retranchés, sans rien à gagner à l'affaire que des navrements, et la gloire de servir la cité.

Mespech y mit une condition : que mon père assumât seul le commandement des volontaires — condition qui fut accordée sans baragouiner, tant était grande et reconnue l'expérience de Jean de Siorac dans la conduite des opérations de guerre.

Je l'eusse juré : Mon père insista fort sur le secret et la surprise et, pour couvrir son dessein, engagea M. de la Porte à amuser Forcalquier par des négociations qui tendaient à lui reconnaître, ô merveille, un droit de péage sur la porte de la Lendrevie. Mais Forcalquier voulait plus. Il portait maintenant fraise et pourpoint, plume en sa toque, tenait une sorte de cour de gueux et de ribaudes, et tranchait du seigneur. En sa folie, il exigea que la ville demandât au Roi qu'il l'anoblît, et M. de la Porte, qui se gaussait prodigieusement de cette insensée marotte, y entra cependant, menant notre homme dans d'infinies chicanes, soulevant des points difficiles : le Roi pouvait-il anoblir Forcalquier sans lui bailler un fief ? Quel fief lui bailler sans déposséder un seigneur de sa châtellenie ? Et quel seigneur déposséder ? — Quelque puant hérétique, répondait noblement Forcalquier, qui peut-être se souvenait avoir reçu en plein visage, des mains de mon père, quatre-vingt-dix livres de chair de bœuf.

Tandis que M. de la Porte endormait le Baron-boucher en lui promettant prou sans idée de lui donner rien, mon père, dans le plus grand secret, fixait le jour, l'heure et les détails de l'entreprise. À Mespech, on ramassa tout : Pour une nuit et un jour, Coulondre Bras-de-fer quitta le moulin des Beunes, Jonas, la carrière, Cabusse, le Breuil. Et dans le château même, mon père enrôla ses trois droles, Miroul, les deux frères Siorac, Marsal le Bigle et Escorgol, tant est que ne restèrent enfin pour garder le château que Sauveterre et Faujanet, auxquels fut adjointe Alazaïs, dont mon père disait en riant, mais hors de l'ouïe de son frère, que « des trois hommes elle était la plus agile ».

Ce n'est que la veille du jour qu'il avait fixé, et dont personne ne savait rien encore, que mon père, me prenant à part après le repas, me glissa à l'oreille de me coucher tôt, car il me réveillerait le lendemain à trois heures. J'allai aussitôt me coucher et, le calel éteint, je rejoignis la petite Hélix en son lit. Abrégeant alors nos petits jeux pour en venir vite à quoi les concluait, je fis mine de la quitter quand, me serrant très fort dans ses bras, elle me dit à voix basse :

— Ha, mon Pierre ! C'est donc pour demain !

Je réfléchis que le secret n'en serait pas un pour elle à trois heures, quand mon père nous viendrait réveiller, Samson et moi. Cependant, je restai coi.

— Ne va point te faire tuer, mon Pierre, poursuivit la petite Hélix dans un souffle, mais sans relâcher son étreinte. Tout le temps que tu étais en quarantaine dans la tour nord-est, j'ai eu un grand pensamor de toi...

— Un pensamor ou un pensement ? dis-je pour la picanier.

— Les deux, dit-elle, mais sans me punir d'un pinçon, comme à l'accoutumée. Les deux, Pierre, reprit-elle, la voix tremblante et grave, et si un de ces méchants devait t'occire, je mourrais dans le mois qui suit.

— Et belle perte ce serait pour Mespech qu'une servante aussi musarde ! dis-je, car la pensée de ma mort me déplaisait, et je ne voulais point m'atendrézir à ces discours de femme.

— Mon Pierre, ne ris pas, dit-elle, ses larmes me mouillant la joue. Je t'aime de grande amour, comme il est écrit dans les livres. Quand je prie le Seigneur Jésus, c'est toi que je vois en mes songes.

— C'est donc une image que tu adores, et non pas Dieu.

— Je ne sais, mais c'est de grande et belle amour que je t'aime, plus grande qu'aucune femme ne connut jamais sur la terre des chrétiens.

Ce disant, de ses bras ronds passés autour de ma taille, elle me serra très fort.

Je le sentais bien, la petite Hélix disait alors le tout de son cœur. J'en fus ému et, quittant le badinage, je dis avec le même ton de gravité qu'elle avait eu :

— Et moi, Hélix, je t'aime de bonne et fidèle amitié, et ma vie durant, je garderai que tu ne sois de personne méprisée, ni souffrant la faim, ni subissant le froid, ni vêtue de haillons. Et moi, cadet que je suis, je pourvoirai de mon mieux à tes besoins et commodités jusqu'à la fin de tes jours et les miens. Je l'atteste et le jure ici devant le Seigneur Dieu. Amen.

— Ha, Pierre ! dit-elle. Tu es bon comme le Seigneur Jésus, mais c'est d'amitié que tu m'aimes.

— Oui-da ! dis-je, le verbe abrupt et faisant l'homme. Et n'est-ce pas déjà beaucoup ?

La petite Hélix poussa un grand soupir et, sans plus piper, pleura sur ma joue jusqu'à ce qu'elle fût si chaude, si amère et si mouillée que, l'écartant quelque peu, je lui dis à l'oreille :

— Laisse-moi partir maintenant, gentille Hélix : Il me faut dormir pour demain.

Elle me dénoua, je lui piquai un prompt baiser et j'allai me glisser en ma couche, où Samson dormait déjà de son profond et innocent sommeil. À dire vrai, je me sentais le cœur quelque peu serré, la petite Hélix me donnant tant et moi si peu. Et combien de fois, depuis, j'ai connu plus fort et plus poignant, ce même serrement de cœur, et souhaité que j'eusse pu mentir alors un peu à la pauvrette sur le pensamor, comme elle disait, qu'elle attendait de moi. Mais hélas, qui peut dire l'avenir ? L'homme est fol et croit que la bulle qui danse devant lui, irisée et diaprée, il la gardera toujours.

Depuis l'émotion du faubourg de la Lendrevie, mon père, sans regarder à la dépense, avait fait faire à ses droles des corselets à leur taille, et c'est armés en guerre, et le morion en tête, que mes frères et moi prîmes place autour de la grande table, la nuit étant noire encore, et les onze combattants de Mespech — douze avec mon père —, assis autour d'une solide soupe au lard, mais cependant graves, cois et un peu pâles, au rebours de ce qui se passait le jour des moissons et vendanges où, levés avant l'aube, nos gens avaient grand appétit à rire et clabauder, une fois la panse emplie de soupe, de chabrol, de chair de porc et de pain de froment, et le cœur content du labeur à venir, qui était fête aussi. Mais ce jour d'hui, c'était à moisson de têtes humaines et vendanges de sang qu'ils étaient conviés, à grand danger d'y laisser eux-mêmes membre ou vie, car on disait les gueux de Forcalquier fort résolus et se battant comme d'aucuns assurés de survivre à fer ou feu depuis que la contagion elle-même les avait épargnés.

Mon père, sentant autour de la table cette morose humeur, se leva à la fin du repas, et après que Sauveterre eut récité une courte prière, commanda à ses gens de se rasseoir et dit :

— Mes gens, je vois le souci ronger vos têtes de ce qui va vous échoir dans le faubourg de la Lendrevie. Mais ayez fiance d'abord au Seigneur Dieu : Lui seul décide si un moineau tombe ou non de sa branche. C'est pourquoi, si rien n'est plus certain que notre mort, rien n'est plus incertain que la date d'ycelle. La sagesse est donc de remettre son sort une fois pour toutes dans les mains du grand Juge, et de garder son esprit en repos.

Il fit une pause, et reprit d'un ton plus vif :

— Pour moi, j'augure bien de l'entreprise. Par notre nombre, d'abord. Nous sommes douze. Au château de Compagnac, où nous devons nous rassembler, ils seront dix. Puymartin amènera neuf soldats. Faites le compte : trente et un hommes en tout. C'est plus qu'il n'en faut pour détruire une vingtaine de gueux, qui ne sont forts que de la faiblesse des bourgeois désarmés de Sarlat, mais qui se mettront à trembler comme feuilles à vous voir, car ce sont gens mécaniques, tisserands et forgerons, peu habiles à la guerre. En outre, des trois troupes rassemblées à Compagnac — je le dirai ici parce que c'est vrai — celle de Mespech est la plus redoutable. Cabusse, Marsal le Bigle, Coulondre Bras-de-fer, reprit mon père, ces noms résonnant et vibrant dans sa bouche comme s'il les faisait passer dans les trompettes de la renommée, ont combattu des années durant dans la légion de Normandie, et hier encore, avec moi, sous Calais. Mes beaux cousins Siorac m'ont aidé à défaire les brigands de Fontenac à Taniès. Jonas a tué trois Roumes de son arc infaillible lors de l'attaque des méchants contre Mespech. Mes droles, que vous voyez ici, ont soutenu sans battre un cil l'émotion de la Lendrevie. Escorgol, c'est vrai, n'a point encore combattu, mais il est fort à tuer un bœuf d'un coup de poing, habile à l'arquebuse, et vaillant comme tout Provençal. Quant à notre Miroul — car il est nôtre maintenant —, je compte user de son audace et de sa merveilleuse agilité d'une façon que je ne dirai pas encore (cela dit en plissant le front d'un air fort entendu), mais qui sera pour beaucoup dans le succès de l'entreprise.

Faisant alors de ses yeux le tour de la table — où l'on avait, en cette grande occasion, posé les deux chandeliers, toutes chandelles allumées —, mon père regarda tout un chacun l'un après l'autre de façon fort délibérée, et dit enfin d'une voix forte et sonore :

— Mes braves, j'ai commandé à la Maligou de tirer notre vin le meilleur et de rôtir une demi-douzaine de beaux poulets, et de préparer d'autres viandes en abondance, afin que nous réparions nos forces, à midi, le combat terminé, chacun contant à l'autre ses exploits, dont le bruit, soyez-en assurés, retentira longtemps dans nos villages à la veillée.

Il haussa encore la voix :

— Et maintenant, Maligou, Barberine, Franchou ! Reversez de la soupe à chacun ! Faisons chabrol !

D'avoir parlé ainsi, c'était guerre à demi gagnée, tant les cœurs s'étaient fortifiés par l'appréhension de leur gloire future. Courut alors autour de la table un murmure viril. Les femmes, qui s'étaient tenues jusque-là, apeurées et tremblantes, sur le seuil de la cuisine, accoururent pour servir nos guerriers, et de ceux-ci les trognes rougirent et les yeux brillèrent sous les feux du chabrol et de cet habile discours, les dos tout redressés et les épaules haussées dans les corselets dont l'acier luisait fièrement aux chandelles.

Pour moi qui, avec Samson, avais eu ma part dans le palmarès de mon père, ayant « soutenu sans battre un cil l'émotion de la Lendrevie », je pensais malicieusement que « les droles » dont il avait parlé n'incluaient pas mon aîné François, puisque c'était la première fois, ce jour d'hui, qu'il allait voir le feu. Et de penser cela me fit courir le sang plus vif dans les veines, d'autant que la petite Hélix m'ayant versé, avec de tendres regards, une bonne rasade de vin dans mon reste de soupe, mon chabrol me montait quelque peu à la tête. La poitrine gonflée dans mon corselet tout neuf, jetant autour de moi des yeux assurés, je me sentais fort impatient d'en découdre. Hélas, j'imaginais peu, participant, moi aussi, à la griserie guerrière où les paroles de mon père nous avaient tous jetés, quelle serait mon humeur quelques heures plus tard, « à midi, le combat terminé ».

On gagna Campagnac par les sentiers qui nous étaient si familiers, à nos chevaux et à nous, qu'on eût pu s'y rendre, eux et nous, les yeux fermés, mais par bonheur la nuit n'était pas si noire, la lune apparaissant par brefs moments hors des nuages. Le seigneur de Campagnac était au lit, travaillé d'une fièvre ardente, mais ses hommes, néanmoins, étaient prêts. Presque triplée en nombre, notre troupe repartit aussitôt vers Sarlat, mon père chevauchant en tête avec Puymartin, beau seigneur catholique qui avait pris part à la défense de Sarlat contre Duras, non point tant par zèle religieux que pour empêcher la ville d'être pillée. Il admirait fort mon père et, chevauchant derrière lui, je l'entendis qui regrettait que Mespech menât une vie si austère et recluse, au lieu de participer aux fêtes brillantes que la noblesse catholique du Sarladais se donnait continûment en ses châteaux.

Redoutant le bruit que faisaient notre charrette et les sabots des chevaux, on démonta à un quart de lieue de Sarlat, confiant nos montures et nos bagues à trois hommes, auxquels fut recommandée la plus grande vigilance. On fit à pied le reste du chemin, la troupe divisée en petits groupes cheminant à une vingtaine de toises l'un de l'autre. En éclaireurs, et très détachés, marchaient à pas de velours Cabusse, Marsal le Bigle et Coulondre Bras-de-fer, le brillant de leurs corselets dissimulé par des casaques noires, et des chiffons autour des pieds. Ils pénétrèrent dans la Lendrevie et en firent le tour sans rencontrer de sentinelle, signe que le Baron-boucher, assoupi par les négociations de M. de la Porte, se gardait mal. Cabusse revint sur ses pas le dire à mon père qui, se félicitant à voix chuchotée avec Puymartin du succès de la surprise, posta des hommes à tous les passages obligés du faubourg pour couper la retraite aux gueux quand on les aurait levés au gîte.

Ce gîte était, dans le faubourg, une fort grande maison qui avait appartenu à des religieux qui, au contraire des prêtres de l'Évêché, étaient demeurés à Sarlat tout le temps de la contagion pour apporter aux infects le secours de la religion. La mort avait payé leur merveilleux dévouement, à l'exception de deux d'entre eux, que Forcalquier avait, sans vergogne, chassés pour s'emparer de leur logis, dont les commodités lui plaisaient. Avec tous ses gueux autour de lui et, mêlées à eux, les faciles ribaudes dont le corbeau avait parlé à mon père, il y vivait dans la boisson, la ripaille et la paillardise, et un étrange culte à Marie, dont il prétendait qu'elle lui parlait en songe, comme on a vu.

On était à la pique du jour quand, le faubourg cerné par les petits postes — je tenais l'un d'eux avec Samson et François dans une étroite ruelle, mais avec de bonnes vues sur le logis des religieux —, le gros de la troupe s'installa en silence dans une maison abandonnée qui faisait face au repaire du Baron-boucher. Miroul s'avança alors, son grappin et sa corde autour du cou, et portant en bandoulière sur le dos des paquets d'étoupe, dont je sus plus tard qu'ils contenaient des fleurs de soufre. À mon grand ébahissement, après avoir examiné la façade de la maison, il commença d'y grimper des mains et des pieds, sans aide aucune de son grappin, avec l'aisance d'une mouche qui monte le long d'un mur. Parvenu aux lauzes, il se mit à zigzaguer en courant sur le toit, pourtant très apiqué, et atteignant les souches des cheminées, s'y accota, et déballant ses paquets, il battit le briquet, et allumant l'étoupe qui entourait l'un d'eux, il l'aviva de son souffle avant de le jeter par un des conduits de fumée. Il agit de même pour les paquets suivants, dont le nombre — preuve que mon père avait, au préalable, envoyé un espion sur les lieux — répondait à celui des conduits. Ayant fait, Miroul redescendit du toit avec une rapidité qui nous laissa pantois, et dès qu'il eut atterri sur les pavés, il nous rejoignit en courant, mes frères et moi. Mon père l'avait en effet assigné à ce poste, sa mission accomplie, comptant ainsi, vu son jeune âge, le mettre à l'abri, comme ses droles, du plus aigre du combat.

Si mon père avait voulu, par ces paquets de soufre, enfumer le renard afin de le forcer hors de son terrier, le résultat ne répondit pas à son attente. Car après un assez long moment, toutes les fenêtres du repaire s'ouvrirent d'un seul coup, et les paquets d'étoupe et de fleurs de soufre, tout fumants d'une vapeur suffocante, furent rejetés dans la rue, et les fenêtres closes à nouveau, sans que les nôtres eussent fait feu, le commandement de mon père étant, en effet, de ne pas tirer sur les ouvertures, mais sur les gueux quand ils sortiraient du logis, chassés par la fumée.

C'est ainsi qu'en quelques secondes le plan de mon père fut anéanti, l'effet de surprise perdu, et le vent, rabattant la vapeur du soufre du côté où le gros de notre troupe était posté, commença à l'incommoder fort, la maison vide où il s'embusquait n'ayant ni fenêtre ni contrevent. Fort heureusement, elle avait des issues sur le derrière, et c'est par là que mon père ordonna de se retirer. Retraite qui se fit en bon ordre, mais dont Forcalquier, qui l'observait d'un fenestrou, décida tout soudain de profiter pour faire une sortie avant que mon père eût le temps de déployer à nouveau sa troupe.

Celle de Forcalquier divisée en trois groupes, ceux-ci jaillirent du repaire, dérobés à la vue par la fumée du soufre et tâchant, dans leur course, de gagner le large, ils se heurtèrent aux petits postes que mon père avait installés aux passages obligés du faubourg. Les gueux étant en ces points supérieurs en nombre et tout aussi bien armés que ceux qui lui barraient la route, il s'ensuivit une série de confus et sauvages combats de rue, ceux mêmes que justement mon père avait voulu éviter.

Les arquebusades, les froissements de fer, les hurlements de rage ou de douleur, éclatèrent alors à tous les coins du faubourg. Pour François, Miroul, Samson et moi, qui gardions une ruelle si étroite que trois hommes n'y eussent pas passé de front, la situation devint tout d'un coup fort menaçante quand sept hommes armés de piques déboulèrent sur nous au galop.

— Cachons-nous dans les encoignures des portes, souffla François, et laissons-les passer.

De Samson ou de Miroul, cet avis m'eût paru raisonnable, mais de mon aîné, je ne pus l'accepter.

— Non point! dis-je. Ce serait par trop couard!

Et me plaçant au milieu de la rue, je pris les deux pistolets que j'avais à la ceinture, coup sur coup fis feu et abattis deux hommes. Miroul, qui n'avait qu'un pistolet, tira lui aussi, et navra son homme. Mais François, étonné de mon acte, resta cloué sur place, et Samson ne bougea pas davantage, non certes pas lâcheté, mais du fait de son habituelle lenteur. Quant aux quatre gueux valides, ils poussèrent des cris féroces à voir leurs camarades tomber, et nous paraissant immenses dans l'étroite ruelle et brandissant leurs piques, ils fondirent sur nous. Je vis François tirer son épée, je tirai la mienne, mais comme Samson, toujours immobile, ne songeait pas à la sienne, je bondis à ses côtés et lui criai à l'oreille :

— Ton épée, Samson, ton épée !

Il la tira enfin, mais dans l'inattention que sa lenteur m'avait donnée, je ne vis pas le terrible coup de pique que me lançait un assaillant. La pointe fut arrêtée par mon corselet, mais le choc fut si rude que je roulai à terre, sans toutefois lâcher mon arme. L'homme, qui me parut alors gigantesque, se mit tout soudain au-dessus de moi et, brandissant à nouveau sa pique, il hurla :

— Je vais t'occire, mon joli drole !

Je roulai sur moi-même, tandis que la pique se plantait dans la terre, car cette ruelle-là n'était point pavée, mais fangeuse. Ce fut là mon salut, car du temps que l'homme mit à la déplanter, je me remis sur pied et lui portai une botte si vigoureuse que, traversant son corps, la pointe de mon épée pénétra dans le torchis pisseux du mur. Il me sembla alors que la poignée de mon arme s'arrachait à ma main, et je restai, sans plus bouger, à considérer le gueux qui, le poumon traversé, et comme cloué à la maison, me regardait fixement, respirant avec un bruit rauque, et le sang lui coulant aux coins des lèvres.

Je ramassai sa pique, mais personne ne requérait plus mon secours. Je ne le vis pas alors, mais je le sus plus tard : François, à force de rompre devant son ennemi, avait pensé au pistolet qu'il portait à sa ceinture, et l'en retirant de la main gauche, l'avait armé et fait feu. Miroul, qui avait l'avantage d'être armé d'une pique, s'en était servi avec une telle dextérité qu'il avait navré son assaillant, lequel gisait à terre, geignant piteusement. Seul Samson combattait toujours, saignant d'un bras. Il avait pourtant l'avantage, mais sa bonté l'empêchait de conclure. Ce que voyant son adversaire, et observant qu'il restait seul contre nous quatre, il rompit, tourna casaque et, à toutes jambes, il enfila la ruelle.

— Tire, Samson, tire ! hurlai-je alors.

Mais Samson, me regardant de son œil bleu étonné, me dit sans même faire un geste pour saisir son pistolet :

— Pourquoi, puisqu'il s'enfuit ?

Je ne répondis point. La pensée venait de me traverser la tête que je devais arracher mon épée du corps de mon assaillant, et cette pensée me donnait une profonde horreur. Quelque peu chancelant, mon corselet cabossé et tout sali par la fange de la ruelle où je m'étais roulé, je revins vers l'homme cloué à son mur. Il avait l'œil clos, mais se tenait debout, le visage grimaçant, les deux filets de sang coulant continûment aux coins de sa bouche, mais sans émettre la moindre plainte. Cependant, dès qu'il me vit, ou plutôt dès qu'il sentit que je saisissais la poignée de mon arme, il ouvrit les yeux, les fixa sur moi, et dit, la voix rauque et la respiration haletante :

— Plaise à vous, Moussu, d'essuyer la pointe de votre épée avant que de me l'arracher. Je n'aimerais point que la saleté du mur me rentre dedans le corps.

Bien que l'homme eût voulu m'occire, cette supplique me remplit, je ne sais pourquoi, de chagrin. Appelant Samson, je lui dis de retenir le gueux par les deux épaules, je passai derrière lui, je l'écartai du mur pour dégager ma pointe, et saisissant le foulard blanc que je portais autour du cou, je la nettoyai avec soin, fort étonné de la délicatesse de ce gueux qui, même s'il ne mourait pas de sa blessure, ne manquerait pas d'être pendu.

Me plaçant ensuite sur le devant, je dis à Samson de le maintenir debout, et saisissant la poignée de mon arme, la tirai vivement à moi. L'homme poussa un cri déchirant, et comme, malgré le secours de Samson, il s'affaissait, j'essayai de le maintenir du plat de ma main, mais il vomit sur ma main et mon bras un tel flot de sang, qu'à sentir le liquide chaud et visqueux couler sur moi, je ne pus y tenir, je reculai, et malgré Samson, l'homme chut à terre, étant grand et pesant. Et à terre, il resta sans piper, mais l'œil fixé sur moi.

On n'entendait plus que, de loin en loin, venant du faubourg, quelques arquebusades, et mon père surgit dans notre ruelle en courant, l'épée toute sanglante à la main, suivi de Cabusse et Coulondre.

— Eh bien, mes droles ! nous cria-t-il de loin. Êtes-vous sains et gaillards ?

Comme nous tardions à répondre, trop hébétés, tous quatre, de ce grand carnage, il aperçut mon corselet bosselé, mon bras et mon foulard sanglants, et s'écria avec un accent d'angoisse qui m'alla au cœur :

— Mon drole, es-tu blessé ?

— Non, mon père, c'est là le sang de mon adversaire. Je suis sain. Mais Samson est blessé, je crois.

— Ce n'est rien, dit Samson en zézayant.

Mon père, sans plus parler, saisissant sa dague, lui fendit la manche et regarda la plaie.

— Une estafilade, dit-il, fort peu profonde, et qui sera guérie dans deux semaines. Néanmoins, quand nous reviendrons à notre chariot, je la laverai et panserai. Eh bien, poursuivit-il, mais sans son entrain habituel, vous avez fait du bel ouvrage, mes droles.

Il n'y eut d'autre réponse qu'un morne silence, et mon père dit d'une voix altérée :

— Hélas, nous les avons défaits, mais en payant plus cher que je n'aurais voulu. Campagnac a perdu un homme, Puymartin, deux, et quelques blessés au surplus.

À ce moment, Jonas apparut en courant au bout de la ruelle.

— Moussu lou Baron ! cria-t-il. Un des nôtres est durement navré d'une arquebusade !

Mon père pâlit et, l'épée encore à la main, partit en courant, ses droles sur ses talons. En face de ce qui avait été le repaire du Baron-boucher, le chariot de Mespech avait été ramené, et sur son plateau gisait, livide, les yeux clos, le corselet éclaté et sanglant, Marsal le Bigle. Mon père se pencha vers lui et, comme il tâchait de le retourner pour défaire les courroies de son corselet, Marsal le Bigle ouvrit les yeux et prononça d'une voix faible, mais pour la première et la dernière fois de sa vie, sans bégaiement aucun, une assez longue phrase que, bien des années plus tard, nos gens se ramentevaient, non sans nœud dans la gorge et larmes dans les paupières :

— Plaise à Moussu lou Baron de ne me point toucher. C'est inutile. Je m'en vais mourir.

Ayant dit, Marsal le Bigle ouvrit trois fois la bouche dans une grande convulsion, et expira.

— Je vais panser les éclopés, dit mon père, les pleurs roulant sur ses joues.

Notre troupe comptait en tout une dizaine de blessés, dont trois des nôtres : Samson au bras, du tranchant d'une pique ; Cabusse, d'une balle qui, ayant percé son morion et rasé son cuir chevelu, le faisait saigner comme bœuf ; et un des Siorac, d'un coup d'épée dans le gras de la joue.

À tous ayant fait boire quelques gouttes d'esprit-de-vin, mon père nettoya la plaie du même, et les pansant, il tâchait en même temps, bien qu'il eût le cœur lourd, de les réconforter par quelque gausserie.

— Et qui es-tu, toi ? dit-il à Siorac.

— Je suis le frère de l'autre, dit Siorac.

— J'entends bien. Michel ou Benoît ?

— Michel.

— Eh bien, Michel, tu auras à la joue senestre une belle balafre, comme feu le Duc de Guise et moi-même. Désormais, grâce à elle, on te distinguera de ton frère.

— Mais je ne veux point être distingué de mon frère ! dit Michel en versant de vraies larmes, tandis que Benoît le prenait par l'épaule pour le consoler.

Le beau Puymartin, la mine et le maintien fort tristes, vint demander à mon père de charger sur son chariot ses deux morts. On y mit aussi celui de Campagnac, et tandis que mon père achevait de panser les blessés, Puymartin se tint debout à côté de lui, à le regarder pensivement.

— Baron, n'est-il pas étrange que vous vous entendiez aussi bien à soigner les gens qu'à leur bailler des coups d'épée ?

— Il y a un temps pour tout sous les cieux, dit mon père. *Un temps pour tuer et un temps pour guérir.*

— Je ne connaissais point ce proverbe.

— Ecclésiaste, chapitre 3, verset 3.

— *Ugonau,* dit Puymartin en souriant, avez-vous une citation de la Bible toute prête pour tous les actes de la vie ?

— Certes. N'est-ce pas la parole de Dieu ?

— Eh bien, trouvez-m'en une pour mon présent embarras : j'ai perdu deux hommes alors que les foins et les moissons approchent.

— *Il y a un temps pour déchirer et un temps pour coudre.*

— Mais comment coudre quand manquent le fil et l'étoffe ? Et comment recruter deux laboureurs pour remplacer ces pauvrets, quand la famine et la peste ont raflé tant d'hommes jeunes qu'on ne trouve plus en la province un seul désoccupé ?

— Moi aussi, j'ai là-dessus un souci à mes ongles ronger, dit mon père, d'autant que déjà nous étions fort peu à Mespech. (Je remarquai néanmoins qu'il n'offrait pas à Puymartin de l'aider en ses foins et moissons, comme peut-être il l'eût fait pour un seigneur huguenot).

Cabusse s'approcha de la charrette, où mon père achevait de soigner le dernier blessé, et, l'air fort héroïque avec le pansement taché de sang qui lui entourait la tête, l'œil fier et la moustache hirsute, il dit à mon père du ton mi-familier, mi-respectueux qu'il avait adopté avec lui :

— Moussu lou Baron, Forcalquier, qui n'est que blessé, demande à vous parler en particulier.

— Que me veut ce méchant ?

— Je ne sais, mais il insiste prou.

— J'y vais.

— Prenez garde, Mespech, dit Puymartin. Le maraud a peut-être une arme cachée sur lui.

— Mes droles le fouilleront.

Je le suivis donc, fort intrigué, ainsi que Samson, mais je notai en me retournant que François, l'air ennuyé et comme perdu de rêveries, avait feint de ne pas ouïr les paroles de mon père et s'approchait de

Puymartin. Celui-ci étant cousin de Diane de Fontenac, j'augurai qu'il avait quelques questions à lui poser sur elle.

Forcalquier était accoté, tout sanglant, contre le mur du logis de Mme de la Valade, étant blessé dans toutes les parties du corps, hors les vitales. Je me penchai et, le pistolet contre sa tempe, j'ouvris son pourpoint (car il ne portait pas de corselet), et le fouillai sans trouver le moindre couteau. D'ailleurs, ses deux bras pendaient inertes de chaque côté de son corps. Quand j'eus fini, il fixa sur mon père son œil noir exorbité et dit d'une voix assez ferme, et respirant fort bien.

— Moussu lou Baron, j'ai trois requêtes à vous adresser.

— Parle, traître, dit mon père, debout à une toise de lui, et le considérant avec la dernière froideur.

— Dans cette maison contre laquelle je suis assis, vivent cachés les deux capucins que j'ai chassés de leur logis. Ma prière est de quérir l'un d'eux pour qu'il m'entende en confession.

— Tu n'es point déjà à l'article de la mort. Tant s'en faut.

— Si fait, mais ce sera l'objet de ma troisième supplique. Ma deuxième est de ne pas permettre à vos soldats de piller ma boutique, ma maison et l'argent qu'ils y pourraient trouver. Cet argent fut honnêtement gagné du temps que j'étais honnête. Qu'ils le laissent à ma femme et à mes enfants.

— Accordé, dit mon père. Voyons ton troisième point.

— Moussu lou Baron, qu'allez-vous faire de moi maintenant, sinon me livrer à M. de la Porte, qui va me serrer prisonnier, me panser, me livrer à la question, me faire juger par le Présidial et condamner à mort. Je serai alors éventré tout vivant, le vit et les bourses coupés, puis tiré à quatre chevaux, pendu, dépendu, et mes quatre membres coupés, ainsi que ma tête. Tout ceci, ajouta-t-il avec ironie, non sans un soupçon de cruauté.

— Il te sied bien de parler de cruauté, méchant ! dit mon père avec indignation.

— Pardon, Moussu lou Baron, je tuai mais ne torturai point. La Vierge Marie me l'avait défendu.

— Que ne t'a-t-elle défendu aussi de prendre la vie de ton semblable ?

— Elle ne l'a point fait, dit le Baron-boucher avec un tranquille aplomb. Je le dirai au capucin, en atténuation de mes crimes.

— À quoi riment ces clabauderies ? s'écria mon père avec impatience. Et que veux-tu de moi, sanglant coquin ?

Forcalquier baissa la voix :

— Qu'après ma confession, vous m'acheviez d'un coup de dague au cœur.

— Non point ! dit mon père.

— Si fait ! dit Forcalquier.

Il regarda mon père de son œil noir où brillait une flamme de ruse, et dit :

— Moussu lou Baron, la ville n'a pas cent sols vaillants, et vous doit déjà mille écus. Elle ne pourra jamais vous compenser la dépense, le risque et les pertes de votre expédition. Moi, je le peux.

— Toi !

— J'ai une picorée de trois mille écus, cachée et bien cachée par moi et moi seul dans le logis des capucins, et dussiez-vous la chercher cent ans, vous ne la trouverez mie sans mon aide.

— J'y vais penser, dit mon père d'un ton abrupt en lui tournant le dos.

Samson et moi courant presque derrière lui, il retourna à grands pas vers la charrette et, prenant Puymartin à part, il lui parla à l'oreille.

— Que pensez-vous de cet étrange marché ? dit-il à voix chuchotée. Certes, je n'aime guère les supplices barbares que nos lois autorisent. Je suis d'avis, cependant, de refuser.

— Je suis d'avis d'accepter, dit Puymartin. Que me chaut le supplice de ce coquin en place publique de Sarlat ? Il amusera le populaire et chatouillera les demoiselles, mais ne mettra pas un seul sol vaillant dans mes coffres, lesquels la sécheresse a merveilleusement mis à sec. Je ne suis point tant riche que vous, *ugonau*.

— Ce n'est pas tant que nous soyons plus riches, dit mon père avec un sourire. C'est que nous dépensons moins. Cependant, je répugne à ce marché. Si le bruit venait à s'en répandre...

— Qui le saurait, le marchand étant mort? Divisons cette picorée en trois parts inégales. Douze cents pour vous, douze cents pour moi, et six cents pour Campagnac, puisqu'il n'était point là, et n'a point les mêmes risques courus. Mespech, est-ce que jamais un coup de dague vous aura autant rapporté?

Mon père résista encore quelque peu, mais comme quelqu'un qui voulait être à la fin convaincu, sa conscience huguenote, au contraire d'une conscience catholique, ne pouvant céder, en matière si délicate, que par degrés.

— Mes droles, dit-il en s'éloignant, et en nous passant, à Samson et à moi, un bras par-dessus l'épaule, vous serez là-dessus muets comme des tombes. Il y va de l'honneur.

— Certes, dis-je, assez troublé que mon père employât, en l'occurrence, le mot « honneur ».

— Pour moi, dit Samson avec un grand soupir, je suis content que ce pauvre gueux ne soit pas supplicié de la façon qu'il a dite.

La cachette révélée, la picorée mise en lieu sûr, mon père appela les deux capucins et leur demanda leur office. Tandis qu'ils confessaient Forcalquier, il se mit hors de portée d'ouïe, mais observant de loin le visage du Baron-boucher, il s'approcha des capucins quand ils eurent terminé, et dit au plus âgé :

— Mon frère, cet homme a l'air heureux, comme si, à la minute de sa mort, il allait être porté par les anges droit au Paradis, et assis au plus près de Jésus-Christ.

— Et de la Sainte Vierge Marie, dit le capucin non sans malice, à laquelle il a voué, de son vivant, un culte fervent.

— Je le sais. Mais d'où lui vient cette assurance ? Si c'est par les œuvres que l'homme fait son salut, comme l'enseigne votre Église, de quelles œuvres peut se prévaloir Forcalquier, sinon de ses assassinats ?

Le capucin, qui avait le cheveu blanc, mais l'œil très noir et fort vif, regarda mon père.

— Il est vrai : Forcalquier est pauvre en œuvres, mais il est riche en foi. Et comme vous savez, monsieur le Baron, la grâce opère par des voies qui ne nous sont pas pénétrables.

— Je le crois aussi, dit mon père.

Et comme il restait silencieux, le capucin reprit :

— Va-t-il mourir ? Il m'a eu l'air assez gaillard, malgré ses navrements.

Mon père haussa les épaules.

— N'est-ce pas plus charitable d'expédier ces gueux à la chaude que de les garder pour la question, la hart et les supplices ?

— Oui-da, dit le capucin en jetant un regard fort vif à mon père, si la charité est bien votre raison.

— La charité est une de mes raisons, dit mon père avec une véracité littérale dont je ne sus pas si je l'admirais ou non.

Le deuxième capucin qui, jusque-là, les yeux baissés et les deux mains dans ses manches, s'était tenu quelque peu à l'écart dans une attitude fort modeste, leva alors la tête et dit d'une voix douce :

— Et quelles sont vos autres raisons, monsieur le Baron ?

Mon père mit les deux poings sur les hanches et rit.

— Holà, mes frères ! Les huguenots n'admettent pas la confession auriculaire, ne le savez-vous pas ? Si grand pourtant est votre talent qu'à vous deux vous alliez tout de gob m'arracher les péchés de la bouche, quoi que j'en eusse...

Il reprit d'un ton vif et militaire :

— Mes frères, le temps me presse. Continuez, je vous prie, aux blessés les secours de votre religion. J'admire fort, peux-je vous le dire au moment que je vous quitte, le dévouement qui vous a fait demeurer à Sarlat tout le temps de la contagion. Voici qui vous dira pour moi mon estime, poursuivit-il en plaçant quelques écus dans la main du plus âgé, si du moins vous voulez bien accepter l'obole d'un hérétique.

— Sans doute, dit le capucin en faisant disparaître les écus dans sa bure, êtes-vous tenu par notre Sainte Église pour hérétique, mais quant à moi, qui vous juge céans à vos *œuvres* (il sourit), je préfère penser — *charitablement* — (il sourit derechef) que vous êtes un chrétien égaré dans une autre voie que la mienne, mais que je retrouverai à l'extrémité du chemin.

— J'en accepte l'augure, dit mon père avec gravité.

Et, les ayant l'un après l'autre salués, il s'en fut, un bras sur mon épaule. Quand nous fûmes éloignés de quelques toises, je lui dis à voix basse :

— Ces capucins étaient dans la maison de Mme de la Valade, et Forcalquier, adossé au mur de ladite maison, quand il vous fit sa supplique. Peut-être l'ont-ils ouïe ? Est-ce là votre raison pour leur graisser la paume ?

— C'est *une de mes raisons*, dit mon père avec un sourire. L'autre, c'est qu'ils sont vraiment pauvres, vraiment charitables et vraiment dévoués, et fort peu en honneur auprès de l'Évêché.

Sitôt parvenu sur la place où se tenait notre chariot (portant sur son plateau les quatre morts de notre expédition), mon père appela Cabusse.

— Dès qu'on nous aura amené nos chevaux, Puymartin, moi-même, mes droles, et Coulondre Bras-de-fer, nous allons entrer dedans la ville pour y rencontrer les Consuls qui, à cette heure, tu l'as noté, Cabusse, n'ont pas encore osé saillir des portes. En notre absence, Cabusse, tu commanderas céans. Avant toute chose, dépêche les gueux blessés, à commencer par Forcalquier. Cela fait, si ceux de Campagnac et de Puymartin veulent, en notre absence, faire leurs volontés des ribaudes du Baron-boucher, cligne des yeux sur ces paillards. Mais garde bien que ceux de Mespech les imitent. Je te le dis en huguenot, mais aussi en médecin. D'aucunes de ces garces lubriques sont pourries du mal de Naples, je l'ai vu du premier coup d'œil. Je sais bien que lorsqu'un homme a ôté la vie, il lui vient grande envie de la donner, ce qui est cause de tous ces forcements après la prise des villes. Mais toi, Cabusse, qui as femme belle et accorte, ne va point te mettre là où, comme disait ma défunte épouse, je ne voudrais point mettre le bout de ma canne.

— Amen, dit Cabusse tirant sur sa moustache. Il sera fait, et point fait, de chaque chose, selon que vous l'avez dit.

Les Consuls, qui se tenaient en la maison de Ville, avec le Sénéchal et M. de la Porte, firent de grands compliments à mon père et Puymartin d'une si belle et si courageuse entreprise, ne manquant pas d'ajouter, toutefois, que la ville, étant durement ruinée, ne pourrait jamais la récompenser selon son éclatant mérite. Puymartin dit alors que la gloire lui suffisait, et mon père, sans dire un mot, fit un profond salut. M. de la Porte voulut savoir s'il y avait des prisonniers.

— Il n'y en a point, dit mon père. Nos soldats les ont tous dépêchés.

— C'est pitié, dit M. de la Porte. Si nous avions eu un prisonnier, fût-ce un seul, nous aurions pu lui donner la question et lui faire dire où se trouvait cachée la grande picorée que le Baron-boucher a fait sur le dos des Sarladais par les péages qu'il levait de force à la porte de la Lendrevie.

Assez troublé de ce que je venais d'entendre, je jetai un coup d'œil à mon père, mais il ne sourcilla pas.

— D'où vient, reprit M. de la Porte, qu'il n'y a point de cette méchante troupe un seul survivant ?

Mon père continua de se taire et Puymartin dit, le front plissé :

— En raison des pertes subies, nos soldats étaient fort aigris de colère contre ces gueux.

— J'entends bien, dit M. de la Porte, mais l'air encore peu satisfait.

Cependant, il nous fit, lui aussi, de grands compliments, mais point si grands que le Sénéchal qui, étant le plus haut en la ville, parla le dernier, et avec le plus d'éloquence, nous assurant qu'il en écrirait au Gouvernement du Périgord, et celui-ci, au Roi. Après quoi, il embrassa et mon père, et Puymartin, et François, et Samson, mais en ses embrassades m'oublia, sans doute parce que j'étais si fangeux et sanglant. C'était un gentilhomme de bonne taille, entièrement vêtu de satin bleu pâle, la fraise large et d'une éclatante blancheur, la barbe taillée à ravir, le cheveu propret et frisé, et si pulvérisé de parfum en sa vêture que dès qu'il faisait un geste — et il en faisait beaucoup — il embaumait à la ronde.

Les deux Consuls s'étaient exprimés en périgordin, orné, çà et là, de quelques mots français ; M. de la Porte, comme il convenait à un officier du Roi, en français quelque peu mâtiné d'expressions de notre province. Mais le Sénéchal, comme Monsieur de L., parlait le pur français de Paris, la voix haut perchée, l'articulation brève et pointue, et la bouche à peine plus ouverte que la fente d'un tronc d'église.

Comme Puymartin et mon père sortaient de la maison de Ville, le populaire, qui les attendait, se pressa autour d'eux en les acclamant. Mon père, tout souriant, monta prestement en selle, imité de ses droles, de Puymartin et de Coulondre Bras-de-fer qui, de son bras unique, avait, pendant notre réception, attaché nos chevaux aux anneaux de fer du pavé, sans répondre un traître mot aux manants qui lui réclamaient des récits sur le combat. La liesse et le soulagement étaient grands à Sarlat à ne plus sentir la tyrannie du Baron-boucher peser aux portes de la ville, d'autant que de jeunes drolasses, dans le bourg même, parlaient d'aller le rejoindre, et chaque jour, faisaient aux bourgeois farces et insolences comme pages et laquais en foire de Saint-Germain.

Ayant fendu la presse, notre troupe gagna la porte de la Lendrevie, mais avant que de l'atteindre, mon père avisa en passant un homme qui pleurait à larmes amères sur un petit chariot tiré par un âne rouge. Disant à Puymartin de continuer sans lui, mon père revint sur ses pas, suivi de Coulondre et de ses droles. L'âne rouge s'arrêta dès qu'il vit son chemin barré par nos chevaux, et mon père dit :

— Adieu, l'ami ! Come va ? Mal, si j'en juge à tes pleurs. Comment te nomme-t-on ?

— Petremol.

— J'ai connu à Marcuays un Petremol qui a tâché de guérir ses rhumatismes en se trempant l'hiver dans la fontaine glacée de saint Avit.

— C'est mon cousin.

— Et j'ai connu à Sireil un autre Petremol que j'ai failli pendre pour avoir dérobé, l'an dernier, un plein sac d'herbes dans mes combes.

— C'est mon cousin.

— Eh bien, Petremol, je te connais, puisque je connais tes cousins. Où vas-tu donc, avec ton chariot rempli de peaux, conduit par ton âne rouge ? Ne sais-tu pas qu'on dit en Normandie : traître comme un âne rouge ?

— Le traître, dit Petremol, les larmes coulant sur ses joues, c'est le sort qui m'écrase, et non cette bravette bête, qui ne me veut que du bien. Eussiez-vous pendu, l'an dernier, mon cousin de Sireil, que je l'envierais, Moussu lou Baron. Car je vous connais, vous aussi.

— Tu as donc grande désespérance au cœur, Petremol, et pourtant tu n'es pas pauvre, à ce que je vois : tu possèdes un âne, un chariot, de nombreuses peaux, et de ton métier, tu es tanneur, ou bourrelier, à ce que je suppose.

— Je suis l'un et l'autre, dit Petremol, et depuis un an, je travaille de mon art pour votre cousin Geoffroy de Caumont dans son château des Milandes. Hélas, la contagion finie, je m'en suis revenu à mon logis de Montignac, pour trouver femme et enfants emportés par la maladie, et ma maison brûlée par la désinfection que les Consuls y ont fait faire.

— Ils te doivent un dédommagement.

— Que je n'aurai mie, la ville étant ruinée. Mais peu importe le logis, puisque je n'ai plus de quoi y mettre ni une femme ni aucun de mes quatre beaux enfants de cinq à dix ans d'âge, de la beauté de celui-ci, dit-il en désignant Samson qui, à ce récit, pleurait lui aussi.

Et à le mieux considérer, en effet, Petremol avait le poil presque aussi rouge que son âne, et assez bel homme lui-même, malgré son affaissement, sa barbe mal taillée et la souffrance qui lui rongeait la face.

— Et où vas-tu présentement ? dit mon père.

— Me pendre, si je n'avais mon âne qui m'aime et me mène où il veut. C'est lui qui m'a conduit ici, car il y avait une amie, autrefois. Mais à Sarlat, comme à Montignac, on n'a plus besoin de bourrelier, pour ce qu'on a mangé tous les chevaux durant la contagion. Et mon âne n'a pas retrouvé son amie : on a dû la manger, elle aussi.

— Eh bien, Petremol, dis à ton âne tant bravet de te conduire à Mespech. Nous y avons des chevaux bien vifs, abondance de peaux à tanner, des selles à faire et des harnais à revoir, et pour toi, s'il te convient, le feu, le pot, le logis, nombreuse compagnie, et même une ânesse pour ton âne.

Et sans attendre acquiescement ni merci, mon père tourna bride et piqua si soudain que je me retrouvai à la queue de la petite troupe, chevauchant au botte à botte avec Coulondre Bras-de-fer qui, me regardant, se racla la gorge comme s'il allait parler. J'en fus tout saisi et, trottant à sa hauteur, je le considérai, non sans appréhension, car bien savais-je qu'il n'ouvrait la bouche que pour vous tordre le cœur.

— Ainsi, dit-il enfin d'une voix basse et funèbre, et en serrant quelque peu les dents, c'est tout gagné, une fois de plus. L'un s'en va. L'autre arrive. Et celui-là, qui vaut son pesant d'or, n'est ni bigle ni bègue, Dieu soit loué.

Nos garces firent de grands cris et lamentations quand notre troupe passa les trois ponts-levis de Mespech avec un mort sur la charrette. À Maligou et Alazaïs, la frérèche confia le soin de lui ôter son corselet, sa vêture, ses bottes, de laver son corps sanglant, et de le plier en un linceul devant que de l'exposer sur un lit au premier étage de la tour nord-est, en cette même pièce où les frères Siorac avaient dormi pendant leur quarantaine.

Selon l'us, les contrevents furent clos et un calel allumé. Maligou, qui avait déjà mangé, prit le premier tour de garde. Mais le mort fut bientôt visité par Faujanet, qui vint lui prendre ses mesures pour un cercueil. Ayant une oreille dans laquelle verser ses clabauderies, la Maligou se plaignit à voix basse que le culte des Messieurs lui interdit de placer un crucifix entre les doigts du mort.

— Et belle jambe ça lui ferait! dit Faujanet entre ses dents, la remarque de la Maligou dérangeant ses angoisses.

Car c'était le deuxième cercueil, depuis son arrivée à Mespech, qu'il façonnait (le premier pour ma mère). Et fort troublé en son for intérieur, il se demandait si, en vertu du pouvoir des nombres, il n'aurait pas, sous peu, à en faire un troisième.

— C'est que ça ne laisse pas d'être la coutume, dit la Maligou, qui ne voyait pas comment Marsal le Bigle allait pouvoir monter au Ciel sans crucifix dans les mains.

— Le certain de la chose, poursuivit tout haut Faujanet, en reprenant une deuxième fois ses mesures, c'est que si je suis le troisième à mourir, ce n'est pas moi qui ferai mon cercueil.

Faujanet fut pris de contentement de s'être avisé

de cela, et poussant la logique plus avant, il y trouva une idée rassurante pour son propre avenir, et, tournant alors son attention vers le mort, il commença à le plaindre.

— Ce pauvre Marsal, qui ce matin était si vif, et avait si grand appétit à manger sa soupe.

Il disait « ce pauvre Marsal » et non Marsal le Bigle par révérence pour le mort, dont les yeux clos ne montreraient plus jamais leur travers.

— Ce pauvre Marsal, reprit en écho la Maligou, quand je me pense, il était bien bravet, bien vaillant au travail, sobre comme Jésus, peu porté sur le cotillon (défaut chez un vif, vertu chez un mort), et si ça se trouve, les Messieurs vont l'enterrer comme ils ont fait Madame : fort sèchement, selon la nouvelle opinion.

— Quand je pense, dit Faujanet, que ce pauvre Marsal, il n'y a point si longtemps, il a refusé tout à plat, comme moi, d'être le meunier des Beunes, en raison du grand danger d'être occis par les gueux des chemins. Et le voilà tout raide et froid, et Coulondre Bras-de-fer, travaillant en son moulin, faisant chabrol, et chaque nuit, mettant sa Jacotte au montoir. Non que je l'envie là : aux femmes j'ai fort peu fiance, comme tu sais, Maligou.

— Hélas, point d'eau bénite non plus, dit la Maligou, que les Messieurs tiennent pour idolâtre, et qui est bien utile pourtant, pour écarter du défunt les septante-sept démons de l'Enfer.

— Si je n'avais point eu ma patte folle, dit Faujanet, au lieu de garder le château avec monsieur l'Écuyer et Alazaïs, les Messieurs m'auraient choisi pour l'expédition de Sarlat, et c'est moi peut-être qui serais là, et non ici à faire ton cercueil, mon pauvre Marsal. Preuve, ajouta-t-il, mais à voix basse, qu'il vaut mieux loucher d'une jambe que d'être bigle.

Pendant ce temps, dans la pièce de la tour sud-ouest, Barberine me décrassait de ma fange et de mon sang dans une cuve d'eau fumante, bien que je lui eusse assuré que j'étais homme à me laver tout seul. « Nenni, mon bec jaune, dit-elle. Et qui te lavera le dos ? » J'étais trop triste pour résister plus avant, et me laissai aller aux caresses et frictions de ses grandes mains, qui me passaient sur le corps le bon savon de Mespech. « Doux Jésus », disait Barberine, « voilà ces droles qui poussent à côté de moi sans même que je me trouve de m'en apercevoir. Ce Pierre, que j'avais dix-huit ans lorsque je l'ai nourri, le voilà déjà, à treize ans, presque un homme, les épaules larges, le poitrail éclaté, la fesse dure, le poil lui poussant de partout et piaffant comme un étalon. »

— Hélas, dis-je, je n'ai guère envie de piaffer.

— On dit pourtant, dit Barberine, que tu t'es bien déporté au combat, ayant occis trois de ces méchants, deux par balle, et le troisième d'un coup d'épée.

— Oui, mais celui-là, dis-je en baissant la tête, j'ai dû lui arracher mon épée du corps, et il a vomi son sang sur moi.

À cela, Barberine soupira, mais ne répondit point, et m'ayant répandu sur la tête et les épaules un poilon d'eau chaude pour me rincer, elle me dit de sortir de la cave et, m'ayant fait coucher sur son grand lit, elle commença de me frotter avec les chatteries et les gentillesses dont elle accompagnait ce rite en mes enfances, me humant, me mignotant, me baisotant, et de sa voix basse et chantante, déversant sur moi une litanie infinie de petits mots tendres : « Mon mignon, mon petit coq tant joli, ma perle du Bon Dieu, mon petit cœur tout neuf. »

Tout neuf qu'il fût, ce cœur, il était gros aussi, d'un pensement lugubre, et dans le flot de douceur où il baignait, il ne put se serrer en lui-même davantage. Je me jetai contre Barberine, et cachant ma tête entre ses beaux tétons, j'éclatai en sanglots. « Là, là, mon mignon ! » dit Barberine, accotée contre la tenture du mur, et me berçant de ses bras généreux.

Mais plus elle me berçait, et de ses bras et de ses cajoleries, me baisant en même temps le front, plus je me fondais en larmes et tristesse infinie, et j'eusse longtemps encore sangloté si, par l'escalier à vis — que ma mère, une seule fois, avait gravi en l'absence de Barberine, pour me souhaiter le bonsoir —, la tête de la petite Hélix n'était apparue, les yeux noircis par la colère.

— Moussu Pierre, dit-elle d'une voix rude, Moussu lou Baron vous attend pour manger.

Je me levai, séchai mes pleurs, mis l'habillement propre que Barberine pour moi avait sorti du coffre, et suivis la petite Hélix dans l'escalier à vis. Sur la dernière marche, hors de l'ouïe de sa mère, elle se retourna et, me regardant avec des yeux étincelants, elle me dit d'une voix basse et furieuse :

— Grand niquedouille, n'as-tu pas honte de pleurer comme un enfantelet dans les tétons d'une ménine ?

— Une ménine ! dis-je, indigné. Est-ce bien parler de ta mère ? À peine a-t-elle passé trente ans ! Et qui t'a permis de m'appeler niquedouille ?

— Je t'appellerai comme je veux ! Niquedouille, si je veux ! Couard, si je veux ! Ploros, si je veux !

— Eh bien, dis-je, tout redressé, voilà pour tes belles volontés !

Et je lui baillai sur chaque joue un fort soufflet.

— Mon Pierre ! s'écria-t-elle, moins effrayée par les coups que par la froideur de mes yeux.

— Ton Pierre n'est plus tien, dis-je avec hauteur, et je ne viendrai pas cette nuit où tu sais. Ni cette nuit ni les suivantes.

Là-dessus, je lui tournai un dos glacial, et je m'en fus à grands pas sans me retourner jusqu'à la salle commune, distrait pour un temps de mon humeur sombre par ma grande querelle avec elle.

Tous les combattants étaient là attablés, mais rien, hélas, ne ressemblait moins au repas chaleureux que le matin même, avant la pique du jour, mon père avait par avance décrit : « Chacun contant à l'autre ses exploits, dont le bruit retentira longtemps dans nos villages à la veillée. » Car tous mangeaient, et nul ne pipait mot, sans même que les poulets rôtis en broche au feu de sarment, et les viandes nombreuses et succulentes, et le vin de la meilleure année de Mespech arrivassent à délier les langues et alléger le souci. Car le mort était là parmi nous comme ce matin, mais dans la tour nord-est, et un grand trou par le milieu du corps. Cabusse et Coulondre Bras-de-fer, qui avaient connu Marsal le Bigle vingt-quatre ans plus tôt, en 1540, l'année même où, à la légion de Normandie, il était entré au service des Capitaines, n'avaient point vergogne à verser continûment des larmes, tandis qu'ils mangeaient, le nez dans leur écuelle. D'ailleurs, ils se hâtaient, avalant tout sans rien goûter, et avant la fin du repas, ils demandèrent à la frérèche permission de se retirer, qui au Breuil, qui au moulin des Beunes, pour rassurer leurs femmes. La permission à peine donnée, il fallut la donner aussi à Jonas, « Sarrazine, dit-il, étant grosse et se rongeant de son absence ».

Ces trois-là partis, ce fut pis encore. Mon père essaya de faire parler chacun de ce qu'il avait fait dans le faubourg de la Lendrevie face aux gueux. Il fut obéi, mais ce furent de mornes récits, le cœur n'y était point, et la fierté non plus. Dans le bruit qui suivit la requête de mon père, la petite Hélix, qui servait à table, mais que je n'avais pas regardée une seule fois, se glissant à côté de moi pour me remplir mon gobelet, me chuchota à l'oreille :

— Mon Pierre, si tu ne me souris point, je m'en vais incontinent jeter dedans le puits.

À quoi je lui répliquai à l'oreille :

— Sotte caillette, tu gâterais l'eau que nous buvons.

Cependant, je lui souris, mais d'un seul côté du visage, pour qu'elle sût bien que je ne lui avais pardonné encore qu'à demi.

Mon père, voyant cette morosité de notre domestique, était trop fin pour insister davantage, et lui aussi pressa vers sa fin le dîner, qui avait été conçu comme un glorieux festin de fête, mais ressemblait davantage à un repas mortuaire, encore que si Marsal le Bigle était décédé de maladie, les convives eussent été, le vin aidant, plus échauffés et plus à l'aise. Mais à leur gêne, à leurs regards détournés, à leur persistante tristesse, on voyait bien que le sentiment les poignait que cette mort eût pu être évitée, et que mon père avait conquis bon renom public et picorée secrète (mais à qui de nos gens avait-elle échappé ?) sur le dos de ses serviteurs.

À la Lendrevie, mon père, expliquant les forcements après la prise des villes, avait dit à Cabusse que lorsqu'un homme a ôté la vie, il lui vient grande envie de la donner. Outre que la petite Hélix, pour les avoir appris de la Maligou en cachette de sa mère, connaissait les herbes et « où les mettre », je ne me sentais point l'humeur, cette nuit-là, à lui donner quoi que ce fût, mais bien plutôt à demander tendresse et réconfort à la douceur de ses bras. Mais elle ne l'entendait pas ainsi, et à force de tortillements et de baisotements, elle eut ce qu'elle voulait, mais une fois seulement, et comme bientôt après, elle se tortillait derechef, je lui dis rudement de se tenir quiète et sans mouvoir, et si faire se pouvait, non plus sans parler, car je n'avais guère le cœur à ces jeux.

— Mon Pierre, dit-elle (car il ne lui était pas possible, en effet, de langue longtemps tenir), qui te rend donc si triste ?

— Le tout de cette expédition, dis-je, du commencement jusqu'à la fin.

— La mort de Marsal le Bigle ?

— Aussi.

— D'avoir tué trois hommes ?

— Aussi. Le troisième surtout, de qui j'ai dû tirer mon épée du corps.

Elle voulut poursuivre, mais je lui dis de cesser ses questions, et aussi ses sournois remuements, et de me laisser à moi seul. Ce qu'elle fit, mais n'étant point accoutumée à tant de silence et d'immobilité, elle s'endormit.

Elle était fort douce et chaude dans mes bras, et toute à moi jusque dans son sommeil. Mais comment aurais-je pu lui dire que ce qui me serrait le nœud de la gorge, ce n'était point tant Marsal le Bigle ni mon gueux encloué, qu'entre Forcalquier et mon père cet « étrange marché », par lequel mon héros me paraissait moins grand ?

CHAPITRE XII

Deux mois avant notre expédition contre le Baron-boucher dans le faubourg de la Lendrevie, avait commencé, la paix revenue, ou semblant l'être, et ne l'étant, à la vérité, qu'à demi, une extraordinaire chevauchée de Catherine de Médicis et de Charles IX à travers le royaume entier. Chevauchée de plus de deux années durant lesquelles la Régente et le jeune souverain, suivis et précédés d'hommes d'armes et accompagnés des ministres, des principaux officiers royaux et de la Cour, paraissaient vouloir transporter le Louvre de province en province, au grand ébahissement de leurs sujets qui, certes, n'avaient jamais vu tant de soie ni tant d'or sur tant de créatures de Dieu, mais aussi à leur grand chagrin, car partout où cette troupe magnifique était apparue, on ne trouvait plus ni chair, ni œuf, ni grain, le plat pays, derrière elle, étant aussi dévasté qu'une forêt après le passage des hannetons.

Au milieu de cette Cour en transhumance, et colorées comme des fleurs en leur brillante vêture, quatre-vingts demoiselles d'honneur, choisies pour leur beauté, faisaient à Catherine de Médicis un radieux cortège. Bizarrement, on les appelait « l'escadron volant ». Pourtant, quel que soit ici le sens du mot voler, elles ne volaient rien, sinon les cœurs. Et bien loin non plus de planer dans les airs comme des anges, elles descendaient, quand il le fallait, aux dernières faveurs, pour servir, auprès des hommes, les desseins de leur maîtresse ; découvrir une intention, surprendre un complot, infléchir une volonté. Agents secrets, espions d'État, Machiavels en cotillon, elles avaient la cuisse non pas légère, mais politique, et payaient les confidences de leurs ravissantes personnes, consentant à être les moyens somptueux d'une fin que seule la Reine mère décidait. C'est l'une d'elles, Isabelle de Limeuil, qui, visitant le Prince de Condé en la prison où on l'avait serré après la bataille de Dreux, lui avait à ce point bouché les yeux de ses deux beaux tétons qu'il avait signé sans rien voir ce fâcheux Édit d'Amboise, que Calvin et les huguenots de conscience lui avaient amèrement reproché.

Les nôtres qui, après tant de bûchers et d'assassinats, attendaient toujours le pire et suspectaient les apparences, se demandaient quels étaient le but ultime et le dessein secret de cette brillante cavalcade sur les poudreuses routes de France, par les chaleurs écrasantes de l'été 1564, le royaume se relevant à peine, malgré le dit charmant de Ronsard, pour qui :

Le Français semble au saule verdissant,
Plus on le coupe et plus il est naissant,
Et rejetonne en branches davantage
Prenant vigueur de son propre dommage.

Beaux vers, quelque peu menteurs et flatteurs, la France étant encore fort travaillée des mutilations de la guerre civile, de la famine et de la peste. En dépit de ces ruines et de ces morts qu'on avait à peine le temps d'enlever sur son passage, la Reine désirait-elle montrer la France à Charles IX, en même temps qu'elle voulait montrer aux Français le jeune Roi qui régnait sur eux ? Ou, prêtant, de ville en ville, une oreille aux huguenots et une autre aux catholiques, entendait-elle, après avoir ouï tant de réciproques griefs, pacifier ses sujets en maintenant entre eux une balance égale ?

On pouvait en douter. Non que les petites concessions à notre cause manquassent. Charles IX tançait parfois les Parlements et les gouverneurs qui excluaient les religionnaires des dignités publiques. Aux réformés de Bordeaux, il permit de ne pas parer leurs maisons au passage des processions, et les dispensa, en justice, de jurer par saint Antoine. Pourtant, au fur et à mesure que la chevauchée royale progressait, les restrictions à l'Édit d'Amboise, lui-même fort restrictif, ne faisaient que s'accuser. En juin, le Roi interdit aux marchands réformés d'ouvrir boutique les jours de fête de l'Église romaine. En juin encore, il fit défense aux huguenots de célébrer la Cène partout où se trouvait le Roi. En août, il défendit aux seigneurs haut-justiciers d'admettre en leurs châteaux au culte réformé d'autres personnes que leurs vassaux et serviteurs.

La frérèche cherchait en vain dans cette attitude ondoyante, dictée, semble-t-il, par les circonstances, ou la pression des personnes, un principe ferme. Le Roi, qui avait quatorze ans, mais demeurait plus enfantin que son âge, n'avait d'autre volonté que celle de la Régente. Et Catherine, petite nièce du Pape Léon X, avait hérité de lui ses yeux à fleur de tête, son front bombé, et son scepticisme. Étrangère aux passions religieuses et presque à la foi, elle ne haïssait ni n'aimait la Réforme — simple pion sur l'échiquier de France, qu'elle pourrait selon l'heure, le moment, le besoin — garder ou sacrifier.

À mi-juin, la frérèche eut d'autres raisons de s'affliger. Elle apprit par courrier que le 27 mai à Genève, Calvin, usé par ses immenses travaux, était mort. Le Réformateur avait changé la face du monde. Par ses lumineux écrits, sa parole souvent improvisée, mais claire et méditée, la fermeté de sa doctrine, la droiture de son caractère, l'ardent prosélytisme qui inspirait les innombrables lettres qu'il écrivait et que personne ne recevait sans en être profondément touché, l'organisation démocratique qu'il avait donnée aux églises, les pasteurs inspirés qu'au milieu de toutes ses tâches il avait pris le temps de former, il avait répandu la Réforme à Genève, à Lausanne, en France, en Angleterre, en Écosse, dans les Pays-Bas, en Hongrie, et dans le Palatinat.

« Calvin est mort, écrivait Sauveterre dans le *Livre de raison*, mais son œuvre vivra après lui. » « Je le crois aussi, disait mon père, cependant nos épreuves ne sont pas derrière, mais devant nous. Dans cette étrange chevauchée de la Régente et du Roi à travers le royaume, je crois discerner un amoncellement de nuages qui, un jour, s'en viendra crever sur nos têtes. »

Fin juin, l'herbe de nos prés étant mûre, et la chaleur menaçant de la sécher trop, mon père m'envoya au Breuil et à la carrière quérir l'aide de Cabusse et de Jonas pour les foins le lendemain. J'y allai seul sur ma jument noire, Samson s'étant froissé la jambe en tombant, la veille, de cheval. Ne trouvant pas Jonas en sa carrière, je me rabattis sur Cabusse, que j'aperçus, le poil repoussant en regain sur la blessure de son crâne, en train de dresser une clôture dans un pré pour non pas être contraint de toujours garder ses brebis.

— Tu fais des frais, Cabusse, dis-je en riant.

Et je démontai, laissant libre ma belle Accla.

— C'est peu de frais, dit Cabusse en arrêtant volontiers sa tâche et en tirant sur sa moustache. Le bois de mes piquets me vient de mes taillis. En outre, je suis de nouveau fort à l'aise. Moussu lou Baron m'a baillé trente écus pour l'expédition de Sarlat.

— Trente écus ! Fus-tu le seul admis à ces largesses ?

— Nenni. Moussu le Baron a baillé vingt écus à Jonas. Vingt à Coulondre Bras-de-fer, vingt à Escorgol, vingt à Benoît Siorac, vingt-cinq à Michel, pour ce qu'il avait été blessé, mais Michel n'a point voulu plus que son frère, et il a rendu les cinq écus.

— Et toi-même, tu en as reçu trente ?

— Cinq en plus que les autres pour mon navrement, et cinq pour mon commandement.

Je dis après un moment de silence :

— Cette picorée m'a travaillé en ma conscience.

Car d'où venait-elle, sinon des bourses des Sarladais, contraints de payer péage au Baron-boucher ?

— Et qui a délivré les Sarladais des griffes de ce coquin ? dit Cabusse en levant les sourcils. La picorée est droit de guerre. Et la délivrance de Sarlat valait bien cette petite taille sur les bourgeois qui sont restés au lit bien quiets durant que nous combattions.

— C'est donc ainsi que tu vois les choses, Cabusse ? dis-je, étonné. Et le dépêchement des blessés ?

— Grande miséricorde, quand il s'agit de ce gibier. Eussé-je été l'un de ces vaunéants promis aux derniers supplices, j'aurais payé pour être occis.

Et c'est bien, pensai-je, ce qu'a fait Forcalquier. Mais je me tus. Cathau venait d'apparaître dans le soleil au bout de la prairie, fort fraîche dans un cotillon rouge bandé de bleu, le bonnet bien propret sur la tête, les pieds nus dans l'herbe tendre, et portant dans ses bras nus un enfantelet tout mignon.

— Adieu Cathau ! dis-je avec un enjouement imité de mon père, mais non sans que le cœur me serrât, car elle avait été si longtemps la chambrière d'Isabelle de Siorac que je ne pouvais la voir sans penser à ma mère et à la médaille que je portais au col.

— Adieu, Moussu Pierre ! dit-elle.

Elle ajouta, la bouche pleine de son sujet et les yeux brillants de malice :

— Mais quelles nouvelles de Mespech ? On dit que Franchou est durement enceinte.

— Qui empêchera jamais langue de femme de branler ? dit Cabusse d'un air mécontent.

— Il m'a semblé, dis-je, que Franchou prenait, de fait, de l'embonpoint. Mais quelle en est la cause, je ne sais. Il te faudra le demander à mon père, qui est médecin.

— Bien répondu, Moussu Pierre ! dit Cabusse en riant, tandis que Cathau, confuse de ma gausserie, se détournait.

Mais elle se détournait aussi pour allaiter son pitchoune, car, au contraire de Barberine, elle ne montrait pas son téton en public, Cabusse étant jaloux.

— N'empêche, dis-je, notre plan a échoué, et nous avons eu un mort.

— Ha ! Moussu Pierre ! dit Cabusse en se redressant, une main sur la hanche, et de l'autre tirant sur sa moustache. Il en est des plans de guerre comme des bottes en escrime. Les mieux cogitées d'ycelles (il affectionnait depuis peu ce mot « cogiter », le tenant de mon père), les mieux préparées et les mieux exécutées, se trouvent parfois que d'échouer.

— Mais Marsal le Bigle est mort.

— En plein combat. La meilleure mort, et la plus prompte. Chagrin pour nous, mais bonheur pour lui, de ne jamais connaître les longues sueurs et les souffrances dans un lit tout puant.

— Ha ! Ne parle point de cela, Jehan Cabusse ! dit Cathau en se retournant à moitié, ce qui me laissa voir, en un éclair, le demi de sa gorge. C'est là, ajouta-t-elle, paroles fâcheuses et tristes et qui me donnent des frissons.

— Si Moussu Pierre n'était là, je te changerais incontinent tes frissons en frissons ! dit Cabusse avec un rire. Mais la tristesse n'est point mon propos. Et Moussu lou Baron a agi fort dignement en commandant à Faujanet un cercueil de châtaignier pour y mettre son vieux soldat. C'est forte dépense, quand on y songe, pour un simple serviteur. Je connais dans le Sarladais plus d'un gentilhomme qui enfouit ses mercenaires à même la terre, cousus dans une serpillière.

— Dieu merci, dis-je avec modestie, la frérèche est riche.

— Mais le cœur bien placé aussi, dit Cabusse. Et ramentevez-vous ce que disait Calvin : « Or et argent sont bonnes créatures quand on les met à bon usage. »

Je ne fus pas étonné de cette citation, Cabusse, de tiède catholique étant devenu fervent huguenot, j'entends, dans la profondeur du grain, et non à la surface, étant toujours là le même Gascon, paillard, gaillard et se gaussant.

— Je suis pour m'en aller, dis-je. Sinon Accla va te dévorer ton bien comme la sauterelle le blé.

— L'herbe ne manque pas dans mon domaine du Breuil, dit Cabusse noblement.

— Ici, Accla, dis-je.

Mais Accla qui, à quelques pas de nous, les rênes par mes soins nouées sur son garrot, se livrait à grande bombance, faisant un choix délicat des plus goûteuses et savoureuses tiges, et laissant les grossières et communes aux brebis qui paîtraient après elle, fit semblant de ne pas m'entendre, sa paupière battant hypocritement sur ses beaux yeux obliques.

— Ici, Accla ! dis-je plus fort en battant ma botte de ma baguette.

Arrachant avec un soupir sa dernière touffe, Accla se souvint alors de ses manières, et trottant vers nous de son trot aérien et gracieux, tête haute et crinière rebroussée, elle vint poliment quémander une caresse à chacun, faisant d'aimables « pfffut », et donnant même un léger coup de langue à l'enfantelet.

— Elle a fort bonne alloure, dit Cabusse. Vit-on jamais si beau cheval sortir de si méchant lieu ?

— Moussu Pierre, dit Cathau, il vous faudrait la mettre au montoir. Il serait temps.

— Eh oui ! dis-je, sautant en selle. Mais le difficile est de trouver un étalon de sa race et de sa couleur ! À te revoir Cathau ! À demain, Cabusse !

— À demain ! À la pique du jour !

À la différence de l'épouvantable sécheresse de 1563, où Mespech faillit pendre le cousin de Petremol pour un vol d'herbe dans les combes, l'année 1564 fut abondante en foin, surtout pour ceux qui, comme la frérèche, furent assez avisés pour le couper et rentrer dès sa maturité, car il y eut de grandes pluies, dans le début de juillet, qui gâtèrent de beaux prés, et aussitôt après, une chaleur accablante qui sécha à point les récoltes, mais dut beaucoup incommoder — nous en parlions souvent en nous gaussant — tous ces beaux courtisans vêtus de soie chevauchant sur les routes et les chemins de France.

Pendant nos foins, notre Petremol, quittant ses selles et harnais, montra qu'il était aux champs bon ouvrier, prenant l'herbe assez dans sa lame mais point trop, ramenant son andain en alignement régulier, ne rompant point l'allure de ses voisins par excès de vitesse ou de lenteur, et quand il y avait pause pour aiguiser, mettant de côté sa tristesse, il montait bien à la gausserie, saisissant le demi-mot et y répondant du sien, sans se rebrousser d'une petite picanierie sur la couleur de son cheveu, mais, au contraire, le rire facile et déployé — ce rire qui vous détend bien la bête et lui redonne du cœur pour non pas bouder à l'ouvrage. Car hommes sont bien comme femmes en leurs travaux : habiles à se donner plaisir avec la langue pour compenser la peine de leurs bras.

À la veillée, le dernier jour des foins, la frérèche, tôt retirée en raison de ces longues journées passées le cul sur selle à protéger les faucheurs, Samson et moi étions assis avec le domestique et les tenanciers, non certes devant le feu, mais toutes fenêtres ouvertes, autour de la table, devant deux doigts de notre eau-de-vie de prune. Et la Maligou, prenant place enfin parmi nous avec de gros soupirs et une série de « Aïma ! Aïma ! » qui indiquaient que, pour n'avoir point fauché aux champs (comme Alazaïs), elle avait néanmoins trimé comme damnée à cuire le pot pour tous, considéra un temps Petremol et lui dit avec le dernier sérieux :

— Mon pauvre Petremol, plus rouge que ton poil je n'ai jamais vu.

Petremol, croyant à un renouveau des picanieries, dit avec un sourire :

— Certes, rouge je suis, et mon âne aussi, et pourtant bête plus bravette que lui ou moi, je n'ai non plus jamais vu.

Nous sourîmes à cela, mais non la Maligou.

— Je ne le prends pas à la gausserie, dit-elle avec gravité. C'est grande rareté qu'un homme qui a le cheveu rouge.

— Holà, Maligou ! dit Cabusse, à côté de qui Cathau était assise la tête contre son épaule, et son enfantelet endormi dans ses bras. Ne va pas t'y tromper, le Petremol n'est point un capitaine des Roumes !

— Et il n'a point de bâton magique ! dit Escorgol, jamais en retard d'une coquinerie.

On rit, et Alazaïs, rebutée par une conversation si basse, se leva et sortit de la salle, la nuque raide et le dos droit, sans saluer personne. Dès que la porte se fut refermée sur elle, Escorgol reprit :

— Compagnons, maintenant que nous sommes seuls, une devinette à votre convenance ! Cathau ! Jacotte ! Sarrazine ! Une devinette !

Il fit une pause.

— Qu'est-ce qui grossit quand doigts de femme le touchent ?

— Vilain paillard ! dit la Maligou.

— La paillarde, c'est toi qui mal y penses ! dit Escorgol. Voyons ! Ce qui grossit quand doigts de femme le touchent, c'est le..., c'est le...

Et comme tous riaient sans piper mot, Escorgol dit triomphalement :

— C'est le fuseau !

On rit à gueule bec de cette attrape, et Cabusse dit avec une courtoise amabilité :

— C'est bonne gausserie que ce Provençal nous rapporte de sa Provence. Cependant, compagnons, reprit-il, ne riez pas si haut, vous allez réveiller nos Messieurs.

— Vous réveillerez l'un, mais non pas l'autre, je gage, dit Cathau à mi-voix.

— Paix, femme ! Tiens ta langue ! dit Cabusse.

Et tous baissèrent ici les yeux, sans se permettre le moindre souris, sinon peut-être à l'intérieur.

— Le fuseau ! Le fuseau ! dit la Maligou en se donnant des airs de dame. On ne peut point parler sérieux avec ces hommes que voilà ! Toujours le rut aux reins et la braguette pleine !

— Et tu t'en plains, peut-être ? dit Jonas, qui gardait à la Maligou une petite dent de ses clabauderies sur sa femme. Sarrazine, poursuivit-il, puisque tu fus louve, à ce qu'il paraît, va me mordre un peu cette grosse ribaude à la fesse pour lui tirer du corps le sang qu'elle a en trop.

— Aïma ! Aïma ! dit la Maligou, pas du tout rassurée, en tassant sa grosse charnure sur son tabouret et en roulant des yeux.

À sa frayeur on rit tous à se dilater la panse, les doigts de pied à l'aise sous la table, et les cuisses épanouies, mais nul ne rit plus que Petremol, à qui les larmes vinrent aux yeux, mais de gratitude aussi, travaillant à nouveau à son beau métier, et entouré de si bons et joyeux compagnons, qui déjà l'aimaient comme l'un d'eux. Pauvre Petremol, qui faisait tant d'efforts pour non pas penser à sa femme, ni à ses quatre droles, sauf qu'à table il tâchait de s'asseoir toujours à côté de Samson, nul n'ignorait pourquoi, et Samson moins qu'un autre, qui lui parlait souvent et dans la journée encore, l'allait trouver en sa bourrellerie, s'intéressant à son art, ange de Dieu qu'il était.

Cabusse qui, en l'absence de la frérèche, jouait quelque peu au maître, ayant terre et maison, et celle-ci depuis peu, flanquée d'une tour d'escalier qui lui donnait fière allure, leva la main et dit :

— Compagnons ! Laissons parler la Maligou ! Elle a des choses à nous dire sur la rareté des roux.

— Mais les roux ne sont point si rares, dit Michel Siorac, qu'on distinguait maintenant de son frère à sa balafre, du moins quand il tournait vers vous sa joue gauche.

— Samson, lui aussi, est roux ! dit Benoît Siorac en écho.

— Nenni ! Nenni ! s'écria aussitôt la Maligou. Ce n'est point du tout la même chose ! Moussu Samson est cuivre. Petremol est rouge comme rouille. Pour la commodité que j'en veux tirer, Moussu Samson ne m'est d'aucun service.

— Heureux il est ! dit Escorgol.

On rit encore, mais Cabusse, tirant sur sa moustache, dit d'une voix sans réplique :

— Allons, compagnons ! Laissez-la dire !

— Comme vous voyez, reprit la Maligou, j'ai, me démangeant très fort, des rougeurs aux deux paupières, en raison des fumées de mon feu, étant tout le jour à cuire mon pot. Moussu lou Baron m'a bien dit de les laver chaque soir à l'eau bouillie, mais avec son respect, l'eau n'y a rien fait du tout, et vu que je connais une autre curation, je voudrais l'essayer, si Petremol veut bien m'accommoder, vu qu'il est roux.

Il y eut ici grand ébahissement et aussi quelques débuts de rire, que Cabusse, d'un geste de la main, étouffa.

— Si cela, dit Petremol avec prudence, ne me doit rien coûter, ni de ma personne, ni de mon peu d'argent, ni de mon salut, je le veux bien.

— Il ne t'en coûtera pas un liard, dit la Maligou, seulement un peu de ta fiente, recueillie le matin, fraîchement tombée.

— Doux Jésus ! dit Barberine. Est-il bien possible que tu irais te mettre cette fiente dans l'œil ?

— Qui, peut-être, choirait, à midi et le soir, dans le pot que tu cuis, dit Escorgol.

Là-dessus, un grand rire nous secoua les tripes, que même Cabusse ne put du tout réprimer, et d'autant moins qu'il y mêla le sien. Quand enfin, par degrés, la gaieté se calma, la Maligou reprit avec hauteur :

— Barbares que vous êtes, ignorez-vous que la fiente d'homme roux est souveraine contre les rougeurs et obscurités d'yeux, et aussi contre les taies qui, avec l'âge, les recouvrent ?

— Mais, dit Petremol avec modestie, c'est que ma fiente pue.

— Comme toute fiente, dit la Maligou. Mais crois-tu, rufe que tu es, qu'on l'applique comme elle a chu de ton corps ? Non point. On la distille, et l'essence ainsi recueillie ayant encore quelque odeur, on y mêle un peu de musc et de camphre.

— Ma foi, dit Petremol, si ma fiente doit être distillée, musquée et camphrée, je te la baille toute, Maligou, tous les matins que Dieu fait !

On rit encore, et plus haut, et plus fort, et plus longtemps.

— Oh ! Je m'en vais mourir de mon rire ! dit la Sarrazine, tant la panse me secoue ! Maligou, je ne t'enfoncerai point mes crocs de louve au fessier. Tu m'as trop ébaudie. Je te pardonne.

Là-dessus, Coulondre, qui n'avait point, de toute la veillée, fait le moindre souris, se leva, prenant appui de son bras de fer sur la table, et comme il se raclait la gorge pour parler, on craignit une de ses remarques lugubres et glaçantes, mais il se contenta de déclarer qu'il se faisait tard, et qu'il n'aimait point laisser son moulin si longtemps, gardé par les seuls chiens. Jonas et Cabusse se levèrent alors, disant que longuet était le chemin jusqu'à la carrière et le Breuil, et ce fut la fin de cette veillée des foins, dont on devait longtemps parler à Mespech et dans nos villages, tant on y avait ri.

La nuit qui suivit cette veillée, la petite Hélix, dans le noir de notre tour, le calel de Barberine éteint, et celle-ci soufflant comme forge en son sommeil, ne voulut point se livrer à nos petits jeux, mais, dolente dans mes bras, me dit d'une voix étranglée, comme si le nœud de sa gorge la serrait :

— Mon Pierre, j'ai une extrême douleur de tête, et un grand tournement aussi, et je crois que je vais mourir.

— Mal de tête n'est point mortel, dis-je. C'est là simple abus de viandes et de vin, dont les vapeurs, emplissant et embarrassant l'estomac, remontent par veines et artères jusqu'au cerveau.

— Oh, mon Pierre ! dit-elle. Je sais que tu es fort savant, mais ce mal de tête-ci est mille fois pire que tout ce que j'ai connu, et j'ai une très grande peur de mourir, étant si jeune et si chargée de mes péchés.

Je la rassurai encore, et la pris dans mes bras, où elle se blottit, mais sans s'assoupir du tout, avec des petits soubresauts et des gémissements à me fendre le cœur, tant on sentait que le mal la poignait. J'ai grande vergogne à dire que, si tourmenté que je fusse à son sujet, c'est pourtant moi qui m'endormis, étant fatigué de ces deux jours passés en selle, de la pique du jour au crépuscule.

Le lendemain, cependant, la petite Hélix allait mieux, quoique défaite et pâle, le mal de tête s'étant comme engourdi, mais se plaignant toutefois qu'un voile lui tombait, par instants, devant les yeux de sorte qu'elle voyait toutes choses vagues et difformes, comme à travers une brume.

Le 12 juillet, Franchou accoucha, sans aide et sans cri, d'un fils qu'on prénomma David, et à qui mon père, convoquant, le 25 juillet, le notaire Ricou, s'engagea à donner, à sa majorité, une somme de deux mille écus pour son établissement. Dans ce codicille au testament que mon père avait fait rédiger avant son départ pour Calais, David était appelé David de Siorac.

Je ne sais pourquoi l'été et l'automne me parurent passer fort vite cette année, peut-être à force de supputer entre nous des raisons de cette grande chevauchée royale par le royaume, tous à Mespech s'y passionnant, Miroul, plus qu'aucun autre, ayant l'esprit aussi agile que le corps. D'ailleurs il apprenait fort bien sous la férule d'Alazaïs — j'entends férule au sens littéral, car elle donnait ses leçons armée d'une baguette dont elle tapait, à la moindre erreur, sur les doigts de ses élèves.

— Mon pauvre Miroul, dis-je comme il entrait dans l'écurie, ne me dis pas d'où tu viens : je le vois à tes doigts.

— Oh, ce n'est pas là le plus mauvais, dit Miroul

en prenant une brosse et frottant Accla à dextre tandis que je l'étrillais à senestre. Le plus mauvais, poursuivit-il en me fixant par-dessus le garrot de la jument de son doux et étrange regard vairon, c'est qu'elle ne veut point répondre à mes questions.

— Alors dis-les moi.

— Peux-je, Moussu Pierre ?

— Certes, dis-je, car je tâchais de l'instruire, pensant que c'était là mon devoir de huguenot.

— Je voudrais savoir, dit Miroul, pourquoi le Prince Henri de Navarre vit à la Cour du Roi et non en son royaume, avec sa mère.

— Il est de la Religion comme sa mère Jeanne d'Albret, et la Navarre étant si proche de l'Espagne, Jeanne d'Albret craint qu'il ne soit enlevé par le Roi catholique.

— Mais pourrait-il se retirer à sa guise de la Cour du Roi de France ?

— Que non pas. Il est l'hôte de Charles IX, mais aussi quelque peu son otage.

— Mais pourquoi son otage ?

— C'est un Bourbon. Si Charles IX et ses frères mouraient sans enfants, Henri de Navarre pourrait accéder au trône.

— Un huguenot, Roi de France !

Les yeux vairons de Miroul brillèrent d'une joie si profonde que je voulus la tempérer.

— Mais Henri de Navarre n'a que onze ans, mon pauvre Miroul, et c'est bien le diable si ces trois Valois meurent tous trois sans enfants.

— N'empêche, dit Miroul.

Fin novembre, Geoffroy de Caumont, que nous n'avions vu de longtemps, nous vint voir de ses Milandes, tout plein de récits sur la rencontre des deux Reines, Jeanne d'Albret ayant été invitée par Catherine de Médicis à rejoindre la cavalcade royale sur son parcours, afin d'embrasser son fils et s'entretenir avec le Roi des plaintes qu'elle lui voulait faire sur Montluc.

— Je fus, dit Caumont, non sans fierté, des trois

cents cavaliers qui escortèrent Jeanne d'Albret à son départ de Pau le deuxième jour du mois d'avril. L'extraordinaire piquant de la chose, c'est que la Reine de Navarre remontait du sud au nord en soutenant nos Églises de sa ferveur et de ses deniers, tandis que la Reine mère et le Roi descendaient du nord au sud en légiférant contre nous... Savez-vous qu'à Limoges, dont elle est Vicomtesse, Jeanne d'Albret força les Chanoines de Saint-Martial à porter leur chaire en haut d'une tribune sur la grand-place, et là, les cheveux au vent, le geste large et le verbe haut, elle prêcha pendant plus de deux heures la Religion réformée au populaire. Le croiriez-vous ? Après son départ, les Chanoines se revanchèrent par un mesquin pasquil répandu partout par leurs soins :

Mal sont les gens endoctrinés,
Quand sont par femme sermonnés.

— Que voilà une basse parole, et bassement pensée ! dit mon père.

— Certes ! dit Caumont. À son venin on connaît la bête !

— Les Consuls de Bergerac lui ont-ils parlé du collège qu'Antoine de Poynet y désire fonder pour les nôtres ? dit Sauveterre, à qui ce projet tenait fort à cœur.

— Oui-da ! Et elle en parlera au Roi ! Mon cousin, reprit Geoffroy de Caumont, ses yeux noirs brillant sous ses épais sourcils, le plus beau de l'affaire fut la rencontre des deux cortèges à Macon ! Monsieur l'Écuyer, poursuivit-il en se tournant courtoisement vers Sauveterre, et vous, mon cousin, imaginez, je vous prie, l'ébahissement de ces courtisans musqués et des quatre-vingts putains brodées d'or de la Florentine, quand parut la Reine de Navarre, sans un bijou, sans une perle, tout de noir vêtue, entourée de huit ministres de notre religion, et suivie de trois cents cavaliers gascons, vêtus non de soie mais de buffle, tout bottés et crottés, et sentant non point le musc, mais l'ail et la sueur. Ha, mon cousin ! Il n'y a pas une France, mais deux ! Celle du Nord, riche, fière, puissante, et toute gâtée de ses vices, et celle du Midi, qui vaut deux fois celle du Nord.

Mon père rit à cette saillie, mais Sauveterre, après un bref sourire, dit avec gravité :

— Il n'y a pas deux Frances, monsieur de Caumont, il n'y en a qu'une, et qui un jour sera, je l'espère, huguenote.

— Amen, dit Caumont.

— Avez-vous vu Henri de Navarre ? demanda mon père.

— Certes ! Et plus d'une fois ! Et je l'ai observé à loisir. C'est un fort joli Prince qui, à onze ans, montre toutes les qualités qu'on attendrait d'un homme mûr. Il sait fort bien qui il est, et quand il entre dans la conversation des courtisans, il ne dit jamais rien que ce qu'il faut dire.

— Ha ! dit Sauveterre. Si la Cour n'était point un lieu si corrompu, je dirais que les dangers et les intrigues qui l'environnent ne peuvent qu'aiguiser son esprit...

— ... qu'il a fort vif, monsieur l'Écuyer ! Et aussi le parler aisé, beaucoup de courage mêlé à beaucoup de prudence, et un œil fin qui sait déjà jauger les hommes.

Écoutant ces éloges, j'osai concevoir quelque jalousie pour ce Prince qui, de deux ans mon cadet, m'était supérieur par tant de côtés. En même temps, je prenais note soigneuse du portrait qu'avait fait M. de Caumont, afin de le répéter mot pour mot à Miroul.

— Fasse, dit mon père d'un air grave, que Dieu — comme le Christ autrefois fit de l'ingrat figuier — frappe les Valois de sécheresse et de stérilité, et que la Couronne de France descende sur Henri de Navarre !

— Le croiriez-vous ? dit Caumont, si soulevé d'enthousiasme qu'il se leva de son siège et fit plusieurs pas dans la librairie. Mais le grand Nostradamus l'a prophétisé !

— Ha ! dit mon père en sourcillant. Un médecin qui fait des prophéties !

— Et pourquoi non, si elles sont justes ? s'écria Caumont. Oubliez-vous, mon cousin, que Nostradamus avait prédit dans les derniers détails le fatal navrement d'Henri II en son tournoi contre Montgomery ?

Et Caumont incontinent commença à réciter les vers que la France entière avait alors répétés :

Le lion jeune le vieux surmontera,
En champ bellique par singulier duel...

Il ne put aller plus avant : Sauveterre l'interrompit :

— Nous connaissons ces vers, dit-il, non sans impatience, et ne mettons pas en doute la merveilleuse clairvoyance de leur auteur. De grâce, monsieur de Caumont, poursuivez.

— Voici, dit Caumont.

Et il reprit, la voix forte et les yeux brillants :

— Le dix-septième jour du mois d'octobre 1564, le cortège royal séjournant à Salon, Michel de Nostre-Dame insista fort auprès de Catherine de Médicis pour qu'elle lui permît d'observer seul, et à loisir, Henri de Navarre. Sur l'ordre de la Reine, on le conduisit alors dans la chambre du Prince. Il s'y trouvait nu, attendant qu'on lui passât une chemise, et Nostradamus commanda à voix basse qu'on le laissât ainsi, désirant le voir dans sa nudité. Et à dire vrai, il le considéra si longtemps qu'Henri, ne sachant pas qui il était, se demandait si on ne le laissait nu que parce qu'on comptait le fouetter pour quelque peccadille.

Le sévère Caumont sourit ici d'un air attendri et fit une pause.

— Nostradamus, reprit-il, se retira enfin sans piper, et avant de prendre congé, s'arrêtant et regardant ceux qui servaient le Prince, il leur dit d'une voix grave : *Celui-là aura tout l'héritage.*

Caumont se rassit. Mon père et Sauveterre paraissaient changés en bronze, et dans la minute qui suivit, une gravité si recueillie envahit la pièce que c'est à peine si j'osais souffler, craignant le bruit que je pourrais faire. Je vis du coin de l'œil — car je n'osais non plus me mouvoir — que Samson et François se trouvaient, eux aussi, pétrifiés. Je ne sais combien de temps durèrent ce silence, cette immobilité, et dans ma poitrine, les battements de mon cœur, mais bien je me rappelle que, dans l'espérance inouïe que nous donnait la pensée d'un Roi huguenot, ce fut Sauveterre qui parla le premier. Il dit d'une voix si rauque qu'il paraissait la tirer avec grand effort de ses entrailles :

— Prions, mes frères.

Et tout boiteux qu'il fût, se retenant de sa puissante main au bras de son fauteuil, il s'agenouilla.

Les foins de 1565 furent tout aussi beaux que ceux de l'année précédente, mais je ne voulus point assister à la grande veillée le soir, n'ayant guère le cœur aux gausseries, la petite Hélix me donnant des inquiétudes. Depuis un an que le mal l'avait saisie, elle ne s'était point rebiscoulée, loin de là, ayant acquis peu à peu une fort mauvaise couleur, la peau du visage blanchâtre et malsaine, et quand et quand assaillie d'extrêmes douleurs et tournoiements de tête où elle perdait presque la vue, la parole lui défaillant alors, et presque le jugement.

Mon père l'examina à plusieurs reprises et, hésitant à conclure, il fit appel à M. de Lascaux, malgré les sourcillements de Sauveterre, qui trouvait mauvais qu'on fît tant de frais pour une servante. Mais mon père passa outre, ayant compassion de la petite Hélix, et plus encore de Barberine, qui se rongeait à voir sa fille de mois en mois plus dépérie.

M. de Lascaux vint un jeudi en carrosse, accompagné de ses deux aides, dont je ne compris guère à quoi ils lui servaient, sinon à lui donner de l'importance. Apprenant que la malade était sans fièvre, il la fit mettre nue, et le masque sur le visage, lui palpant les membres et l'abdomen de ses mains gantées, demanda à Barberine si Hélix avait eu en son enfance petite vérole, rougeole et oreillons.

— Non, répondit Barberine, dont les larmes coulaient sur les joues grosses comme des pois, elle n'a rien eu de tout cela.

— Je le pensais, dit M. de Lascaux.

Retiré ensuite en la librairie avec mon père, ses aides, toujours aussi muets et moi-même, il marcha d'abord avec gravité de long en large, le front penché sous le poids de ses grandes pensées. Cependant, mon père lui demandant courtoisement de se remettre, il voulut bien prendre place sur un fauteuil.

— Eh bien, monsieur de Lascaux, qu'en pensez-vous ? dit enfin mon père, impatienté de ce long silence.

— Le cas, dit M. de Lascaux, est parfaitement clair. La source de cette maladie est dans la masse du sang corrompue qui n'a jamais été purifiée chez cette pauvre garce par petite vérole, rougeole, oreillons et autres exutoires que la Nature a destinés à cette fin. Or, cette grande masse — de sang, se corrompant davantage avec les ans pour n'avoir point été purgée, s'introduisit à la longue dans les entrailles, le foie, la rate, les viscères et toutes les parties du corps circonvoisines. Par quoi, tout étant perverti, le cerveau lui aussi se débilita, et vint à se remplir de fumées, vapeurs et exhalaisons de grande acrimonie et acidité venimeuse. Il en résulte ces extrêmes douleurs de tête et tournoiements que vous avez observés, car les fumées malignes dont j'ai parlé obscurcissent, étreignent et oppriment les plus sensibles nerfs et méninges, au point que, l'esprit animal n'y pouvant plus circuler, la vue et la parole défaillent. En bref, il s'agit d'une épilepsie sympathique et non point idiopathique, à raison qu'elle ne procède point du cerveau même, qui de soi n'a aucune corruption...

— C'est pourtant là où siège la douleur, dit mon père.

— La douleur, dit M. de Lascaux montrant de

l'humeur d'être interrompu, vient des vapeurs et exhalaisons vitriolées qui montent au cerveau de toutes les parties du corps.

Il y eut un silence et mon père dit :

— Vous opinez donc, monsieur de Lascaux, qu'il s'agit d'une épilepsie. Cependant, la malade ne tombe point.

— Elle tombera, dit M. de Lascaux.

— Elle n'a point de raidissement, de convulsions, ni de difficulté d'haleine.

— Elle en aura, dit M. de Lascaux.

Il y eut là-dessus un long silence.

— Et quelle curation recommandez-vous ? dit Jean de Siorac.

— La saignée fréquente, dit M. de Lascaux en se levant et en faisant un profond salut à mon père, car bien savait-il combien mon père était hostile à ce souverain remède.

Mais à cela mon père ne répondit pas un mot, et se levant à son tour, il raccompagna courtoisement M. de Lascaux jusqu'à son carrosse, les deux aides nous suivant à bonne distance, les bras ballants et la tête vide, aussi muets que des peintures.

— Eh bien, dit Sauveterre, claudiquant dans la cour à la rencontre de mon père et parlant à voix basse pour non pas être entendu du domestique, qu'est-il sorti de cette consultation ?

— Beaucoup de paille et peu de grain. Un beau discours. Une diagnostique erronée. Et une curation imbécile.

— De bons écus jetés à l'eau...

— Eh oui ! Mais il le fallait ! dit mon père avec irritation, et quittant Sauveterre avec brusquerie, il gagna la librairie, où sur ses talons je le suivis.

— Monsieur mon père, dis-je, la gorge serrée, que pensez-vous vous-même de cette maladie ?

Mon père me regarda, assez étonné de me voir tant ému, mais sans faire là-dessus la moindre remarque — quoi qu'il en pensât.

— Mon Pierre, dit-il, le seul remède à l'ignorance,

c'est le savoir — non le discours. Il n'y a si petit pédant qui, comme le corbeau sur notre tour, n'aime croasser de ce qu'il ignore. Mais que nous chaut ce vain croassement? C'est de vérité que nous avons appétit. Si je pouvais, sans que la pauvrette en meure, scier son crâne et inspecter son intérieur, je saurais ce qu'il en est de ses souffrances. Ce que je sais, c'est que le mal est dans sa tête, et dans sa tête seule, car le reste du corps est sain et les fonctions vitales préservées.

— Monsieur mon père, serait-il possible que ce soit le nerf seul qui se dérange?

Je posai la question d'une voix si étranglée que mon père me regarda, puis après un moment passé à me considérer, il dit enfin, non sans répugnance:

— À la vérité, je crains quelque grand navrement des méninges. Peut-être un apostume.

— Un apostume! dis-je. Mais par où le pus pourrait-il s'écouler, le crâne le recouvrant?

— C'est là le point, dit mon père. Vous l'avez touché du doigt.

— Il n'y a donc pas de curation? dis-je, la voix tremblante.

Mon père secoua la tête.

— Si ce que je crois est vrai, il n'y en a point. Tout ce que je pourrai faire, quand les souffrances de la pauvrette deviendront indicibles, c'est de lui bailler un peu d'opium.

Je prétextai alors que Cabusse m'attendait dans la salle d'escrime, et avec un bref salut, le quittai brusquement, de peur qu'il ne vît mes larmes.

Dans le couloir qui menait à la salle d'escrime, je rencontrai François, qui s'en revenait de son assaut, et qui, au moment où il me croisa, leva le front avec hauteur, et sans me regarder ni s'adresser à moi, dit à mi-voix entre ses dents:

— Que de remuements pour cette petite souillon!

Il m'avait déjà dépassé, je courus après lui et, le saisissant avec force par le bras, je le forçai à se retourner, et les yeux encore tout remplis de larmes, mais cependant furieux, je lui jetai au visage :

— Que dis-tu, méchant ?

— Mais rien, dit-il en pâlissant et jetant autour de lui des regards inquiets, car nous étions seuls et tout à fait hors d'ouïe dans un long passage voûté, fort humide et assez obscur, n'étant éclairé que par les fenestrous aspés de fer donnant sur l'étang.

Je répétai ma question, le secouant des deux mains, grinçant des dents, et saisi d'une excessive envie de le frapper comme fer sur l'enclume.

— Je me parlais à moi-même, dit-il, fort décomposé, s'étant sans doute avisé que, là où nous nous trouvions, il ne pouvait attendre aucun secours.

À ce moment, je fus très étonné qu'ayant même taille que moi, et n'étant point faible de corps, montant fort bien à cheval et jouant habilement de l'épée, il n'avait pourtant jamais pu surmonter cette grande peur qu'il avait de moi depuis que je l'avais battu en mes six ans : Peur et haine en même temps, l'une produisant l'autre, et toutes deux bien recuites en un long ressentiment. Ah, certes, je n'aurais pas souvent à montrer le nez à Mespech, quand il en serait le Baron !

— Monsieur mon frère, dis-je avec une politesse des plus menaçantes, vous n'avez donc pas prononcé le mot « souillon » ?

— Non point, dit-il, la lèvre tremblante.

— Eh bien, gardez-vous de le prononcer, vous me fâcheriez. Et attendant, allez votre chemin, monsieur.

Et comme, sans demander son reste, il s'en allait, faisant quelques pas en silence derrière lui, je lui donnai tout soudain du pied de par le cul. Il se retourna.

— Mais vous m'avez frappé ! dit-il avec indignation.

— Nenni, dis-je. Vous n'avez pas prononcé le mot « souillon », et je ne vous ai pas frappé. Nous en resterons là de cette double erreur.

Campé devant lui, le menton haut et les poings sur les hanches, je le considérais.

Il me lança un assez mauvais regard, et je crus un moment qu'il allait monter à l'assaut, mais son excessive prudence (vertu qu'il ne tenait ni de mon père ni d'Isabelle) là aussi le brida. Il préféra thésauriser son grief et le serrer méticuleusement dans sa longue rancune plutôt que de s'en purger, comme j'avais fait, dans une explosion de rage. Sans un mot, blanc de fureur rentrée, il tourna les talons, me laissant dans les mains les lambeaux de son honneur.

Je m'avisai alors que fort sage était mon père, qui défendait que nous portions dague et épée dans nos murs, car la vile attaque de François m'avait jeté si fort hors de mes gonds qu'à coup sûr, si j'avais eu une arme, je l'aurais dégainée. François parti, je ne laissais pas d'y penser. Resté maître du terrain, l'ayant battu et humilié, j'étais encore comme emporté par ma propre fureur, et ne rêvais que sang et navrement pour nettoyer l'injure dont il avait sali ma pauvre Hélix.

Je m'accotai contre le mur voûté du passage, et quand ma folle ire enfin me quitta, je me sentis faible et désolé, le nœud de la gorge me poignant, et avec une telle difficulté d'haleine que le souffle me manquait. Cependant, je ne pleurais pas, je regardais ma propre solitude s'étendre devant moi, tant longue et triste que ce passage voûté et ces murs suintants. Car j'en étais maintenant tout à fait assuré : la petite Hélix se mourait à mes côtés par petits morceaux dans une lenteur de temps infinie.

Comme pour me démentir en cette affreuse désolation, et comme pour donner tort à mon père de sa diagnostique sans espoir, le lendemain du jour où Lascaux nous visita, la petite Hélix reprit tout soudain force et gaieté, sans toutefois retrouver ses couleurs, restant blanchâtre et malsaine de teint. Cependant, son extrême douleur de tête se trouva apaisée, ainsi que les tournoiements, les vertiges et les troubles des yeux. Barberine, fort joyeuse de ce mieux, publia à tous les échos de Mespech quel grand savant et merveilleux médecin était M. de Lascaux, puisque sans remède aucun, rien qu'en touchant la petite Hélix de ses mains gantées de noir en diverses parties du corps, il l'avait guérie.

Voyant ce mieux, je pardonnai à mon aîné François, et le rencontrant seul derechef dans le passage voûté qui menait à la salle d'escrime, je m'arrêtai et lui présentai quelque manière de regrets pour l'avoir frappé. Il m'écouta d'un air froid et, avec tout autant de froideur, il me dit qu'il regrettait le langage dont il avait usé, mais que je devais l'en excuser pour le souci qu'il avait de moi, pensant que je descendais trop bas dans mes attachements. L'excuse était, en fait, presque pire que l'insulte, mais je l'acceptai sans sourciller, saluai mon aîné et m'en fus. J'avais compris que François à la fois me regardait de haut, et en même temps m'enviait d'avoir préféré une affection proche et populaire à ses nobles et inaccessibles amours.

Le 14 juin, le jour même où M. de Lascaux, suivi de ses muets, avait donné à Mespech sa grande consultation, Catherine de Médicis et le Roi, poursuivant leur périple, rencontrèrent à Bayonne, selon un arrangement de longue date fixé, leur fille et sœur Elisabeth de Valois, Reine d'Espagne, accompagnée du conseiller le plus écouté de Philippe II, le Duc d'Albe.

Grande, profonde et tumultueuse par le royaume entier fut l'émotion des nôtres, quand ils apprirent une nouvelle si chargée de menaces pour les réformés français, et d'autant que les entretiens de Bayonne se déroulèrent dans le secret, et qu'y assistaient, du côté français, à l'exclusion de tout seigneur huguenot, le Connétable, Henri de Guise (le fils du Duc assassiné), le Cardinal de Bourbon, Montpensier et Bourdillon, tous catholiques zélés, fort peu enclins à la conciliation.

Tel était donc, révélé enfin à tous, sinon la raison,

du moins le but ultime de cette grande cavalcade par les chemins de France : une rencontre à la frontière espagnole entre le Roi français et le représentant de l'ennemi juré de notre foi.

L'entretien avait été demandé, ou plutôt mendié, à Philippe II par Catherine de Médicis avec la dernière insistance. Femme de beaucoup d'énergie mais de petites vues, parvenue très attachée à ses intérêts de famille — et les faisant passer, s'il le fallait, devant ceux du royaume —, la « marchande », comme l'appelaient ceux qui ne l'aimaient point, était dominée par un grand appétit à établir ses enfants en mariages princiers. À la sœur de Philippe II, Doña Juana, qui venait d'accéder au veuvage, elle aurait volontiers uni son fils chéri, Henri d'Orléans[1], pour peu que Philippe II, dont l'empire s'étendait fort loin, donnât en dot à sa sœur quelque principauté. Quant à sa fille, Marguerite de Valois, âgée alors de treize ans, reprenant des propositions faites quatre ans plus tôt, elle demandait pour elle Don Carlos, le fils de Philippe II, bien qu'il fût tenu en Espagne même comme « un demi-homme », n'ayant pu faire encore « la preuve de sa virilité ».

Le 2 août, l'entrevue de Bayonne étant terminée depuis un mois, mais l'alarme toujours aussi forte parmi les nôtres, se réunirent en conciliabule à Mespech les principaux seigneurs protestants du Sarladais : Armand de Gontaut Saint-Geniès, Foucaud de Saint-Astier, Geoffroy de Baynac, Jean de Foucauld, Geoffroy de Caumont. Ils arrivèrent à la nuit, séparément et dans le plus grand secret, tout notre domestique étant couché, Escorgol, sous un prétexte, ayant été envoyé au Breuil pour y coucher, et remplacé au châtelet d'entrée par Alazaïs, jugée plus sûre.

J'assistai, ainsi que François et Samson, à l'entretien qui eut lieu en la librairie, et fus fort frappé des mines sombres de ces seigneurs, d'habitude si assurés d'eux-mêmes et de la fortune de leur maison, mais

1. Le futur Henri III.

pour l'heure fort inquiets, se demandant si ceux de la Religion n'allaient pas faire les frais des transactions secrètes entre Philippe II et la Florentine, car bien l'on savait que celle-ci était sans cœur et sans conscience, et que celui-là, qui avait, en son royaume, noyé la Réforme dans le sang, n'aspirait, en son zèle cruel, qu'à l'exterminer dans le royaume voisin.

Des cinq seigneurs protestants qui étaient là (sans compter la frérèche), Caumont et Saint-Geniès paraissaient les mieux informés, peut-être parce qu'étant restés le plus longtemps au sein de la Cour itinérante ils s'y étaient ménagé quelques intelligences. Je remarquai aussi qu'ils s'exprimaient avec une infinie circonspection, comme si nos murs eux-mêmes avaient eu des oreilles, et usant d'un code de noms bibliques, que je fus quelque temps à percer : Catherine de Médicis devenant, dans ce langage, *Jézabel* ; le Duc d'Albe, *Holopherne* ; Henri de Navarre, *David* ; l'Amiral de Coligny, *Elie*.

— Je tiens, dit Caumont, de source certaine, que David, se trouvant un jour dans la salle de conférence de Bayonne, entendit Holopherne dire aux seigneurs français qui se trouvaient là qu'il faudrait « se débarrasser de cinq ou six chefs » de notre parti.

— Les nomma-t-il ? demanda mon père.

— Oui. Il s'agissait d'Elie, de ses deux frères[1], et du Prince[2]. Un Français fit alors observer à Holopherne que la masse des réformés devait être, elle aussi, châtiée. À quoi Holopherne répondit, désignant clairement Elie : *Un bon saumon vaut mieux que cent grenouilles.*

— Savez-vous, dit mon père, ce qu'Holopherne a exigé par ailleurs de Jézabel ?

— Je crois le savoir, dit alors Saint-Geniès. En premier lieu, l'acceptation par la France du Concile de Trente.

— Voilà qui ne dépend pas uniquement de Jézabel

1. D'Andelot et Odet de Châtillon.
2. Le Prince de Condé.

ni même de son fils, fit remarquer Geoffroy de Baynac, mais du Parlement et aussi de l'Église gallicane, qui y est fort hostile, comme l'on sait, ce concile donnant au Pape sur elle et sur le Roi de France des pouvoirs qu'il n'a jamais eus.

— En deuxième lieu, poursuivit Saint-Geniès, la révocation de l'Édit d'Amboise.

— Ou du peu qu'il en reste, dit Sauveterre amèrement, Jézabel l'ayant fort grignoté.

— En troisième lieu, dit Saint-Geniès, ce que Caumont vient de dire : la mise à mort du saumon et des poissons de même taille. Après ces assassinats, les grenouilles auraient le choix, si elles ne se convertissaient, entre l'exil et le bûcher, l'un et l'autre entraînant la perte de tous leurs biens.

Il y eut un silence lugubre, chacun pouvant s'imaginer, si les choses allaient au pire, contraint de laisser à jamais derrière lui son beau château, son domaine, ses gens, ses tenanciers et ses villages.

— Et à cela, dit enfin mon père, quelle fut la réponse de Jézabel ?

— La marchande, dit Saint-Geniès avec mépris, a voulu marchander. En bref : donnez votre sœur et votre fils à mes enfants, et nous livrerons nos protestants au couteau.

— Elle nous vendrait ! dit mon père. Et qu'a dit Holopherne ?

— « Ce marché, madame, n'est pas honorable. »

— Et en effet, il ne l'est pas, dit Sauveterre.

— « Le Roi catholique, poursuivit Holopherne avec une morgue tout espagnole, tient à savoir si vous voulez, oui ou non, madame, porter remède aux choses de la religion. »

— J'admire cette manière de dire, dit mon père. Exterminer la moitié d'un peuple, cela s'appelle, en cette diplomatie de sang, « porter remède aux choses de la religion ». Et qu'a fait Jézabel, confrontée à cette rebuffade et à cette mise en demeure ?

— Des promesses, mais vagues et incertaines, mêlées à des protestations, des caresses et des affections infinies pour le maître d'Holopherne, qu'elle appelle « monsieur mon fils », et qui ne s'est pourtant pas dérangé pour la venir voir à Bayonne.

— Ce serpent rampe dans la poussière au pied du maître espagnol, dit Caumont, et pourtant du mariage de son mignon tant chéri avec Doña Juana, et de Margot avec Don Carlos, il n'en est pas question. Je tiens pour certain qu'Holopherne a transmis à Jézabel un refus tout à plat.

Ces paroles furent suivies d'un assez long silence, au cours duquel les gentilshommes présents, quoique toujours inquiets et courroucés, se détendirent quelque peu. Cette nouvelle humeur n'échappa pas à mon père, et il dit, me sembla-t-il, avec une certaine hâte :

— Il faudrait y prendre garde, et ne pas se rassurer trop tôt. Si le refus du maître d'Holopherne à ces projets de mariage nous accorde un répit, ce répit n'a pas décroché l'épée suspendue au-dessus de nos têtes. Elle est là à osciller au moindre vent qui souffle dans cette cervelle de femme, et elle sera là le jour comme la nuit, l'hiver comme l'été, et selon l'intérêt qu'y trouve ou n'y trouve point Jézabel, le fil qui la tient au plafond sera ou non coupé.

Il fit une pause.

— Messieurs, reprit-il d'une voix grave, il est temps de tenir une main ferme et roide à ce que les nôtres, dans la province, s'arment, se fortifient et forment entre eux une union si solide qu'on ne puisse attaquer l'un sans que les autres volent à son secours.

Je fus fort troublé de ces paroles de mon père car, pour la première fois depuis que j'avais quelque intelligence de ces choses, je l'entendais, lui le huguenot loyaliste qui avait refusé, pendant la guerre civile, de rejoindre le camp de Condé, proposer à ses pairs de « s'armer et se fortifier » contre le pouvoir royal. En y rêvant plus tard dans mon lit, Samson dormant déjà à mes côtés, j'en conclus, non sans quelque tremblement, que le danger qui pesait sur les nôtres devait être immense et pressant pour que mon père ait changé à ce point de langage.

Le quinzième jour du mois de mars 1566, à quelques jours de mes quinze ans, les souffrances de la petite Hélix devenant, comme il l'avait prédit, indicibles, mon père commença à lui bailler de petites doses d'opium. Néanmoins, ses gémissements et ses cris au moment de ses douleurs croissant en fréquence, on l'installa dans une petite pièce au rez-de-chaussée. On y mit un lit aussi pour Barberine, mais j'obtins en fait de l'occuper, arguant de l'état auquel je me destinais, et aussi de ce que le sommeil de Barberine étant si lourd qu'un coup de couleuvrine ne la pouvait réveiller, sa présence la nuit aux côtés de la malade ne serait d'aucun secours.

Ma pauvre Hélix avait excessivement maigri, et tombée dans le degré extrême de la cachexie, elle ne pesait pas plus qu'une ombre. Je le sentais surtout quand je la prenais dans mes bras pour l'amener dans la salle commune quand son mal lui donnait du répit. On eût dit que tout partait à la fois : la charnure, le muscle, le nerf, et l'élément vital qui circulait en eux. Car elle s'affaiblissait à proportion de ces pertes et se détachait à mesure de la vie, me requérant de moins en moins souvent de la porter au milieu de nos gens. J'en étais soulagé, car ne pouvant manquer d'observer combien elle pesait chaque fois moins lourd dans mes bras, son décharnement m'accablait et j'avais peine à réprimer mon chagrin, même devant elle. Pis encore, quand elle était installée sur un fauteuil, couverte jusqu'au cou (sa maigreur et sa fièvre lente l'ayant rendue fort frileuse), je remarquai, en contraste avec les trognes colorées de nos gens, leurs voix hautes et la vigueur de leurs gestes, son petit visage amaigri et blanchâtre, sa voix exténuée, et la langueur de ses bras squelettiques.

Je passais avec elle autant de temps que je pouvais. Jusqu'au jour bien certain où la mort me prendra à mon tour, je n'oublierai jamais la merveilleuse amour qui illuminait tout soudain son œil terne quand, poussant sa porte, j'apparaissais. Ce n'était qu'un éclair, car trop grande était sa faiblesse pour maintenir cet éclat.

Elle trouvait de la commodité à cette petite chambre, surtout dans les débuts où l'on l'y logea, quand elle parlait encore de se guérir et gardait le souci de son corps.

— Mon Pierre, quand je serai à nouveau sur pied, plus ne voudras de moi. Je suis trop laide. Le cou comme un petit poulet, l'épaule creuse et du téton comme sur ma main.

— Tu grossiras, Hélix. Dès que cesseront les douleurs, la charnure te poussera sous la peau, plus belle et plus ferme, comme Franchou que tu envies.

— Mais quand et quand et quand? dit-elle d'une voix si plaintive que le cœur m'en serra. Je suis fatiguée de cette patience tant longue et douloureuse. Il y a bientôt deux ans que je n'ai pas couru dans la cour de Mespech. Je me pense aussi que si jamais je me rebiscoule, ce sera trop tard, tu seras parti en Montpellier pour devenir savant.

J'ai cru que les larmes allaient lui venir, mais déjà elle n'en avait plus la force. Sa main si petite et si maigre fit un infime remuement dans le creux de la mienne, et sous l'effet de l'opium que mon père venait de lui administrer, elle glissa dans le sommeil.

Un matin d'avril, elle me demanda :

— Sont-ce les oiseaux que j'ois ?

— Oui-da ! Et ils sont des centaines !

— Ah, mon Pierre ! Les arbres de l'enclos autour de l'étang poussent dehors leurs feuilles. Tendre est la nouvelle herbe, le blé est sorti déjà. Et moi, l'an prochain, je serai dans le froid et le noir de la terre.

— Sotte caillette, dis-je, l'an prochain tu seras à Mespech, et dans mes bras, comme ce jour d'hui.

Elle fit non des yeux, mais sans plus de force assez pour me contredire, elle s'endormit, sa pauvre tête sur mon épaule ne pesant pas plus qu'un oiseau mort. Je tombai alors dans un long pensement qui me faisait grand mal tandis que je m'y enfonçais, et dont, cependant, je n'arrivais pas à sortir.

Le soir de ce même jour, me trouvant seul avec mon père dans la librairie, je lui dis :

— Monsieur mon père, voudriez-vous m'éclairer, je vous prie ? Quand Christ se trouve devant le tombeau de Lazare, il est écrit dans l'Évangile selon saint Jean : « Et Jésus pleura. »

— Est-ce là votre difficulté ?

— Oui. Je suis fort étonné de ces larmes. Pourquoi le Christ pleure-t-il sur la mort de Lazare puisqu'il est venu devant sa tombe tout justement pour le ressusciter ?

Cette question, mon fils, dit Jean de Siorac non sans émotion, témoigne de la scrupuleuse attention que vous portez aux Livres saints. Mais sachez qu'on y a déjà répondu : Jésus ne pleure pas sur Lazare, comme le croient les juifs qui l'observent. Il pleure à l'idée de l'inéluctable séparation entre les vivants et les morts.

Cette belle et pathétique réponse entra en moi comme une flèche, et la rapportant aussitôt à Hélix et à moi, sans que je pusse les retenir à ma grande confusion et vergogne, les larmes me jaillirent des yeux. Ce que voyant mon père, il se leva, et me pressant très fort sur sa poitrine, il me dit à l'oreille avec une grande douceur :

— Vous avez été élevé avec la petite Hélix, elle est votre sœur de lait, vous l'aimez de grande amitié. Ce n'est donc pas merveille que vous pleuriez son sort. N'ayez point honte de votre chagrin, ni peur non plus de sa durée : souffrir est un très long moment.

Je fus comme submergé par une bonté qui s'exprimait en termes si délicats, mais en même temps fortifié par elle, j'osai poser à mon père une question qui me tourmentait grandement depuis que je savais que la fin de la petite Hélix approchait.

— Monsieur mon père, sera-t-elle sauvée ?

— Ha, mon Pierre ! dit-il. Qui peut répondre à votre question, sinon le maître de toutes choses ?

Cependant, reprit-il après un silence, s'il y a dans mon infirme jugement humain une once de valeur, je dirais que je l'espère et que je le crois. Elle est rappelée si jeune.

Pour peu qu'il me sût là, Samson s'en venait visiter la petite Hélix et, modestement assis, éclairant la pièce de ses cheveux de cuivre, il restait à sourire à la malade, sans se mouvoir ni parler. Miroul venait aussi la visiter, avec sa viole.

C'était celle de ma mère. Sauveterre avait obtenu de mon père qu'il la confiât à notre valet, ayant observé sa jolie voix. Comme bien y comptait l'oncle Sauveterre, Miroul s'était appris tout seul, ayant reçu du Ciel le don de mélodie. Le dimanche, quand on célébrait la Cène à Mespech, il chantait les Psaumes de David, tenant sur ses genoux sa viole, dont il pinçait suavement les cordes.

Que Sauveterre eût ceci arrangé m'étonna d'abord. Je tenais la musique, même grave, pour très voluptueuse. Mais je vis que Calvin pensait autrement, quand je lus plus tard sous sa plume qu'« elle a grande force et vigueur pour enflammer le cœur des hommes à louer Dieu d'un zèle plus véhément ».

Le pauvre petit visage d'Hélix s'éclairait à voir Miroul, et chaque fois qu'il apparaissait, elle chantait d'une voix douce et basse :

Miroul les yeux vairons,
Un œil bleu, un œil marron...

Si sa tête ne la poignait pas trop, elle lui demandait un psaume, toujours le même, celui qui commence par « Confie à Dieu ta route ». Miroul le chantait d'une voix très prenante, sa viole sur les genoux. Ce psaume devait plaire à Hélix parce qu'il chantait l'espérance et parce qu'elle se sentait elle-même au bout de son voyage, et s'en remettant au Seigneur de sa fin — mais elle l'aimait aussi parce qu'il y était question de «routes» et de «chemins», et qu'elle était depuis longtemps enclouée sur son lit par son extrême faiblesse.

— Mon Pierre, dit-elle un jour, de sa voix maintenant si ténue, il ne m'est que d'ouïr chanter ce psaume pour me ramentevoir ma chevauchée en croupe avec toi sur le sentier du Breuil, il y a trois ans passés de cela.

Au début qu'on l'avait installée dans la petite chambre du bas, Barberine venait fort souvent, mais elle ne savait rien faire que pleurer à grosses et amères larmes des heures durant, ce qui troublait si fort la petite Hélix que mon père conseilla à la nourrice de faire des visites plus brèves et moins fréquentes. Le reste de nos gens avait consigne de donner un bonjour à la porte sans entrer plus avant, en particulier la Maligou, qui ne pleurait pas autant, mais en revanche, fatiguait la malade par ses clabauderies infinies.

Ma petite sœur Catherine, ses nattes blondes pendant tristement sur son fin visage, vint un jour la visiter, une poupée dans les bras, et la petite Hélix, qui était dans un de ses répits, lui demandant la poupée, la serra et la berça dans ses bras, malgré son âge, comme si ce fût là un enfantelet véritable, avec un air de visage tout à fait riant et heureux. Voyant quoi, Catherine lui dit :

— Hélix, je te la donne. Elle est à toi !

Ayant dit, elle s'en sauva, ses nattes volant derrière elle, pleurer tout son saoul dans sa chambre la perte de sa poupée, à qui elle avait voué une ardente tendresse. J'y fus la retrouver dès que je pus, me doutant bien de son grand chagrin. Elle logeait maintenant dans la chambre majestueuse de ma mère, la plus grande et la plus belle de Mespech, ayant des rideaux de pourpre et d'or devant ses belles fenêtres à meneaux, et un lit à baldaquin fort richement orné. C'est dans ce lit, tous rideaux tirés, et qui paraissait si grand pour son petit corps, que je la trouvai sanglotante, et que je réussis à la consoler.

De ce jour, la poupée ne quitta plus les bras de la petite Hélix qui, en effet, paraissait maintenant fort petite, étant si maigre et si fragile. Me rappelant qu'une nuit, quand elle était saine et gaillarde, elle m'avait réveillé pour me confier sa terreur de l'Enfer en raison de «son gros péché», je craignais qu'elle ressentît cette terreur à nouveau, en même temps que l'appréhension de sa fin. Mais bien au contraire, dans les rémissions de ses douleurs, la poupée serrée dans ses bras, elle paraissait sereine et presque gaie.

Au fil des jours, tantôt l'un, tantôt l'autre, passait la tête par la porte entrebâillée et disait: «Adieu, Hélix! Come va?» À quoi elle ne disait mot quand elle était dans ses souffrances. Sinon, elle faisait un doux petit sourire et répondait en chantonnant et en berçant sa poupée: «Mieux! Mieux! Beaucoup mieux!»

J'ai souvent pensé depuis que cette poupée, c'était ce que j'avais été pour elle en mes plus jeunes années, objet d'une tendresse immense de cette Ève enfant — péché de corps ensuite, et non pas d'âme.

La Gavachette venait voir aussi la petite Hélix en sa chambre, mais elle en fut bannie, et bien je me souviens comment. Encore qu'elle eût à peine onze ans comme ma petite sœur Catherine, elle en était à se chercher d'autres jeux que sa poupée, la charnure bien poussée déjà, faisant des mines, se tortillant, et l'œil, qu'elle avait noir, fendu et liquide, très effronté en ses regards.

Malgré son excessive faiblesse, ces manèges n'échappèrent point à la petite Hélix, qui me souffla à l'oreille:

— Mon Pierre, renvoie-moi ce petit corbeau. Il tournoie trop autour de toi.

Ce que je fis incontinent, mais la fille de Roume, rusée comme dix serpents, se rebella tout soudain, fronçant le nez, crachant feu et flammes, et quand la colère aussi me vint, me saisissant des deux bras à la taille, elle se colla contre moi pour non pas être poussée dehors. J'y parvins cependant, mais la porte refermée, me retournant, je vis la petite Hélix en pleurs, ses yeux désespérés fixés sur moi.

Ce furent ses dernières larmes. Le lendemain, qui était un 25 avril, elle était calme à nouveau et fort sereine.

À midi, Faujanet ayant passé à sa tête par la porte et lui ayant souhaité le bonjour comme à l'accoutumée, elle lui dit :

— Mon pauvre Faujanet, tu es pour faire bientôt mon cercueil.

Oyant quoi, Faujanet rougit, et resta la bouche ouverte, son sourire figé sur les lèvres, très sot et très chagrin, ne sachant que dire, et n'osant même pas s'en aller.

Ce jour-là, je ne sais comment, malgré son extrême maigreur, elle était redevenue fort belle, mais d'une étrange beauté qui n'était point de ce monde. Dans la soirée, elle me demanda de la laver et de la pulvériser de parfum, de lui mettre un peu de rouge à ses joues et de lui changer de chemise. Je lui demandai alors si elle ne voulait point que j'appelle Barberine ou Franchou.

— Non, dit-elle, toi ! Toi seul !

Quand j'eus fini, elle me fit signe de m'asseoir sur son lit, et posant sa tête si légère contre mon épaule, serrant sa poupée dans sa main droite, sa main gauche se glissant par mon pourpoint ouvert (car il faisait déjà fort chaud) se referma sur la médaille de Marie que je portais au col, ses pauvres yeux hagards me suppliant en même temps de la laisser faire. Je me défendis tout mouvoir pendant un long moment, mais l'immobilité où je me contraignais finissant par m'incommoder, je me levai tout doucement, la croyant endormie. Sa tête glissa, et son corps. Mais me sentant néanmoins comme attaché à elle, je vis que c'était par la chaîne de ma médaille, laquelle elle tenait toujours dans sa main serrée. J'eus quelque peine à décrisper ses doigts pour me libérer, et à ce moment, regardant son visage et observant ses yeux ouverts et révulsés, je m'agenouillai en tremblant à son chevet et j'écoutai son cœur — ce que j'avais fait bien souvent par jeu et par picanierie, quand, me disant qu'elle avait eu de moi un grand pensamor, je lui répliquais que j'allais incontinent le vérifier, et malheur à elle s'il y avait menterie — mais ce jour d'hui, c'était la vie qui me mentait, puisque son pauvre cœur ne cognait plus contre ses côtes.

Une heure ne s'était point écoulée depuis la mort de la petite Hélix que mon père m'envoya avec Samson aider au marquage des agneaux du printemps. À la vérité, ils auraient pu, au Breuil, se passer de nous, et à mon retour à Mespech le lendemain, je compris que c'était là prétexte pour m'éloigner, tandis que mon père, dans la chambre du bas, à double tour verrouillée, sciait le crâne de la morte pour vérifier sa diagnostique. Quand je revins, la petite Hélix était pliée dans un linceul et déposée en sa couchette de bois de châtaignier, la poupée de Catherine dans les bras, et autour de la tête un pansement dont je saisis aussitôt la raison.

Faujanet attendait que je jetasse à la petite Hélix un dernier regard pour clouer le couvercle qui allait la séparer du monde des vivants. Je fis une brève prière et, m'éloignant à longues jambes pour non pas entendre les coups de marteau du tonnelier, je montai jusqu'à la chambre de Catherine, qui pleurait sur son grand lit, comme je l'avais pensé, et cette mort, et la perte de sa poupée. L'ayant prise dans mes bras, la douceur et la chaleur de son petit corps potelé me firent un bien immense après ce que je venais de voir, et larmes et baisers mêlés, je lui jurai qu'à mon retour de Montpellier, je lui rapporterais poupée plus belle et plus grande que fille possédât jamais en Sarladais.

Avant que d'aller trouver mon père pour lui rendre compte du marquage des agneaux, je pris le temps de sécher mes larmes, ne voulant point l'indisposer par ma faiblesse. Je le trouvai dans sa librairie, marchant de long en large, les traits du visage tirés. Il me dit avec une froideur dont je voyais bien qu'elle était feinte :

— C'était bien un apostume, comme je l'avais pensé, et de la grande dimension, et qui devait fort opprimer les méninges et les nerfs avant de les inonder de son pus.

Ceci me fit grand mal, et ne voulant point rester sur l'image affreuse que ces mots peignaient en mon esprit, je dis :

— L'allez-vous faire savoir à M. de Lascaux ?

— Non point. Il n'est pas mauvais homme, certes, mais gonflé qu'il est de sa vanité comme un dindon, je m'en ferais un ennemi.

Il baissa les yeux.

— Escorgol a fini de creuser la tombe à côté de celle de Marsal le Bigle dans le nord de l'enclos. Nous l'enterrerons à midi, selon notre sobre rite. C'est moi qui ferai le prêche, et il sera fort court. Désirez-vous être là ?

Je compris aussitôt que mon père me demandait non point de m'abstenir de paraître, mais de contenir mon émotion en présence du domestique.

— Je serai là, dis-je aussi roidement que je pus.

Bien qu'elle fût implicite, je réussis à promesse garder, et je restai les yeux secs tandis qu'on descendait ce cercueil qui pesait si peu « dans le froid et le noir de la terre », comme la petite Hélix avait dit.

Tous nos gens étaient là, la mine fort longue et fort triste. Mon père parla. Je crus percer, en l'écoutant, pourquoi il avait voulu déposséder Sauveterre de son prêche : car il y glissa une citation de Calvin, choisie tout justement, me sembla-t-il, pour faire écho à l'entretien que nous avions eu quelques jours avant sur la petite Hélix : « Ceux, disait la citation, que Dieu appelle à salut, il les reçoit de sa miséricorde gratuite sans avoir égard aucun à leur propre dignité. »

J'observai que mon père, dans les semaines qui suivirent, se donna peine pour m'occuper et me tenir en perpétuel mouvoir, me dépêchant souvent hors de Mespech, au Breuil, ou au moulin de Beunes, ou à

Sarlat. Mais bien qu'accomplissant ces missions avec conscience, je n'y portais pas intérêt, j'avais perdu l'élan par lequel je m'avançais dans la vie. Je mettais maintenant à tout ce que je faisais une application morne, et même avec Samson, pour qui, Dieu sait pourquoi, je ressentais moins d'amour, je m'enfonçais dans une taciturnité qui le jetait dans un grand trouble, mais contre laquelle il me semblait que je ne pouvais rien, chaque mot me coûtant.

Le printemps neuf, dont les tendres feuilles se tendaient vers moi dans mes chevauchées sur Accla pour faire les courses de mon père, n'obtenait de moi ni regard, ni inspiration délicieuse d'haleine, ni gonflement heureux de poitrine, tant j'étais languissant et comme tiré vers la terre. Même Accla ne me donnait plus de plaisir, et je la sentais qui s'étonnait sous mes jambes que son maître l'aimât si peu. Occupé ou non, je ne faisais rien, pour tout dire, que me ramentevoir le passé, et le remâcher comme un chien triste à l'attache, dans un pensement qui ne finissait jamais, même pas au lit, où je me tournais et retournais, brûlé et comme racorni par les feux de mes regrets.

Cette mélancolie durait déjà depuis un mois quand je fus appelé avec Samson dans la librairie. Je m'aperçus au premier regard que mon père et Sauveterre portaient plus haut la crête qu'en aucun temps depuis le conciliabule des seigneurs protestants à Mespech. Mon père, en particulier, se retrouvait lui-même, rajeuni, le menton levé, les mains aux hanches, le verbe sonore.

— Mes droles, dit-il avec son ancien enjouement, les affaires de la Réforme prennent, dans l'instant que je parle, bien meilleure tournure qu'au moment de l'entrevue de Bayonne, où il s'en fallut de peu, comme bien vous savez, que Jézabel ne vendît notre sang à l'Espagne. Mais voici qui a tout changé : Sachez, mes droles, qu'il y a quatre ans déjà, quelques centaines de nos Bretons se sont établis dans les Amériques sur la côte de Floride. Ici même, dit-il en mettant un doigt sur un point de sa mappemonde, sur lequel nous nous penchâmes tous deux avec respect, étonnés qu'il fût si distant de notre Sarladais. Ces Bretons, poursuivit-il, sont bons marins, bons soldats et quelque peu flibustiers aussi dans la mer de Antilles. Et Philippe II d'Espagne, fort inquiet « que les Français nichent si près de ses conquêtes », vient de débarquer en Floride une forte troupe, qui a surpris nos Bretons, et par traîtrise les a égorgés tous, après leur avoir promis la vie sauve s'ils se rendaient.

— Il n'est pas de limite, dit Sauveterre, la voix vibrante, au sang que le Roi très catholique a fait couler dans son empire. Si la vérité se savait des massacres qu'il a perpétrés aux Amériques, il n'y a pas un chrétien qui ne l'aurait en abomination.

— Mais ce massacre-ci s'est su à la Cour de France, mes droles, dit mon père, et la Florentine en a grincé des dents, et demandé à son beau-fils, en termes hauts et furieux, justice et réparation. Elle ne les aura pas, et elle est trop pleutre, certes, pour aller jusqu'à la guerre, mais pour un temps, en tout cas, sa ligue prétendue sainte avec Philippe II n'est plus. Nous sommes donc saufs — je le dis encore : pour le moment, du moins —, et déjà les assassinats de huguenots isolés se font moins fréquents dans le royaume, comme si les plus acharnés papistes perdaient cœur à voir l'Espagnol mal estimé chez nous.

Il y eut un silence. Mon père, regardant ses fils alternativement, dit non sans un certain ton d'autorité et de pompe :

— Messieurs mes fils, votre oncle Sauveterre et moi-même, nous avons estimé que le moment était favorable pour devancer quelque peu nos plans, et vous dépêcher tous deux à Montpellier pour y faire vos études. Vous partirez dans deux jours. Miroul, votre valet, vous accompagnera.

Je ne fus ni heureux ni marri de cette décision. Je l'acceptai avec l'inappétence que je portais à tout.

Cependant je m'apprêtai, comme me l'avait commandé mon père, à rassembler tous mes biens périssables, vêture et livres, ce qui ne faisait pas encore un bien grand volume. Nous partions à trois, mais nos chevaux étaient quatre, car il en fallait un de plus pour porter le bât de trois personnes, et trois arquebuses, au surplus, avec leurs munitions. Dans les fontes des selles de nos chevaux, nous avions chacun deux pistolets, et à notre côté, dague et épée, que nous ne devions jamais quitter, même pour dormir. Selon l'ordre de mon père, nous devions porter, par les chemins, corselet et morion, et ne les défaire qu'au bivouac : dure consigne par ces chaleurs, mais, si bien armés que nous fussions, notre troupe était bien petite pour un si grand voyage.

Je partais sur Accla et Samson sur Albière, sa jument blanche. Mais pour Miroul et le cheval de bât qu'il devait guider, bien loin de nous donner des rosses, mon père choisit deux petits arabes rapides et résistants, arguant que, si nous étions attaqués par une forte bande de gueux, notre seul salut étant alors dans la fuite, il ne fallait point hasarder de perdre notre précieux valet, ni nos bagues.

Nous devions, de Sarlat, gagner Cahors, puis Montauban. Mais de là, mon père ne voulut pas que nous prenions le chemin de Castres, qui eût été le plus court, mais passait par des chemins en lacis en des lieux fort sauvages. Il préféra que nous tirions au plus long par Thoulouse, Carcassonne et Béziers, route de plaine, plus sûre, où le passage était fréquent.

La veille du départ, mon père et Sauveterre, se souvenant qu'ils avaient été capitaines à la légion de Normandie, vérifièrent notre équipage avec la dernière minutie : les armes, les harnais, les bridons, les fers des chevaux, les courroies, les alènes et le fil pour réparer nos bridons, tout y passa.

Enfin, à l'aube même de notre grand voyage, mon père, fort ému, et l'oncle Sauveterre aussi, bien qu'il le parût moins, nous reçurent dans la librairie alors que nous étions déjà armés en guerre, le morion en tête.

Sauveterre prit le premier la parole pour nous ramentevoir de prier Dieu non par lèvre et parole, mais par le cœur, de lire les Livres saints et de nous en pénétrer, de chanter les Psaumes (Miroul emportant sa viole) matin et soir, et de garder en mémoire la parole de Dieu comme un perpétuel conseil dans toutes les circonstances de notre vie, grandes et petites.

Quand il acheva, mon père nous donna des avis qui regardaient davantage notre conduite dans ce monde que notre avenir dans l'autre.

— Mes droles, dit-il d'une voix tout ensemble grave et chaleureuse, à vous deux vous avez à peine trente ans, et si jeunes, vous allez partir par les grands chemins et affronter le vaste monde. Les pièges sur votre route seront innombrables. Il faudra les déjouer de vos ressources et de vos armes, et sachez que, parmi celles-ci, la courtoisie est la plus sûre. Avec le riche et le pauvre, le gentilhomme et le manant, gardez constante votre périgordine amabilité. Ni en paroles ni en attitudes ne portez ombrage à quiconque. Cependant, qu'on sache bien, en vous voyant, que vous n'êtes pas hommes non plus à vous laisser morguer. N'entrez pas facilement en querelle, vous surtout, Pierre, qui avez l'humeur si prompte, mais une fois dedans, ne lâchez pas pied, poussez donc hardiment. Ceci, je le dis à vous Samson, qui êtes si long à dégainer et si long à conclure. Sachez que votre retardement peut coûter la vie à votre frère bien-aimé, comme il a bien failli arriver dans le faubourg de la Lendrevie. Évitez, comme diables en Enfer sur le chemin, beuveries, jeux d'argent, ripailles de gueule, qui sont ruine de bourse, d'âme et de santé. En Montpellier, choisissez vos amis pour les qualités qui durent et non celles qui brillent, et choisissez-les de préférence parmi les nôtres, qui sont légion, Dieu merci, en cette ville. Avec les étrangers, soyez avares de paroles, mais non d'observation. En compagnie douteuse, ne brandissez pas votre drapeau de réformé, mais ne le cachez pas non plus, si faire se peut sans péril. Enfin, en Montpellier, étudiez fort diligemment sous vos maîtres, puisque c'est là le but de ce voyage si onéreux pour la Baronnie de Mespech. Et tenez-vous bien en mémoire, ce faisant, que le labeur que vous ferez en vos jeunes ans sera comme un principal dont vous tirerez toute votre vie intérêts.

Mon père fit une pause.

— Samson aura le ménage de la bourse, et Pierre le gouvernement de la petite troupe. Miroul sera votre sujet. Qu'il sache bien qui de vous ou de lui est le maître. Mais traitez-le selon ses mérites, qui ne sont pas petits, et oyez ses conseils. Par la misère qui fut son lot en son enfance, il connaît le monde mieux que vous.

Je crus que mon père avait fini ou qu'il était embarrassé de conclure. Il l'était bien, mais non de conclure, ayant encore à dire des choses dont il trouvait la matière délicate, ayant Sauveterre à ses côtés, et sa propre vie dressée devant lui. Il s'y décida enfin, l'innocent Samson ouvrant de grands yeux et Sauveterre sourcillant et grommelant, bien que mon père s'exprimât, au début surtout, sur le mode d'une demi-contrition.

— Le conseil qui suit, mon Pierre, sera pour vous en particulier, mais je le dis aussi devant Samson, afin que plus tard, peut-être, il en puisse faire aussi son profit.

Il fit une pause encore et poursuivit d'un ton qui n'était pas tout à fait aussi humble qu'il aurait pu l'être :

— Pierre, vous avez, hélas, hérité de moi un goût extrême pour ce gentil sexe qui n'est pas le nôtre. Il est donc à craindre que vous ne soyez, votre vie durant, « une fournaise ardente qui sans cesse jette flammes et étincelles ». Cette phrase est de Calvin. Méditez-la. Elle peint au vif l'infirmité de notre nature. Et, certes, ne pas pécher vaut mieux que pécher, mais si, poussés par l'ardeur du sang, nous succombons (ici Sauveterre sourcilla davantage), du moins faut-il, en ces sortes de choses, se montrer fort prudent, de peur d'y perdre beaucoup. Je vous en prie, mon Pierre, ne vous jetez point en aveugle dans les filets qui, dans une grande et belle ville comme Montpellier, vous seront tendus de partout. N'allez pas vous fourrer non plus au débotté dans les jambes de la première venue, pour ce qu'elle aura ployé le col de votre côté en battant du cil. Gardez-vous aussi des corrompues de corps, des méchantes, des rusées, des avaricieuses. En fait, poursuivit-il avec un sourire, gardez-vous de toutes. Mais si, par chance, vous tombez sur une bonne garce, soyez bon avec elle, comme d'ailleurs vous y êtes enclin par nature, car le cœur ne vous fault, ni la générosité.

Ce discours étonna Samson et ne plut guère à Sauveterre, mais je ne fus pas long à comprendre, le jour même, pourquoi mon père, qui ne pensait qu'à me guérir l'âme, le prononça.

L'oncle Sauveterre fut le premier à nous étreindre, puis mon père, si chaudement et si fort qu'il ne fallait pas être grand clerc pour comprendre que le sacrifice, en nous envoyant à Montpellier, n'était pas que d'argent. Entra enfin François qui, son long visage bien en ordre, nous embrassa l'un après l'autre fort correctement.

Mon père, ne voulant point traîner les choses au point de s'atendrézir davantage, pressa les adieux dans la cour où tout notre domestique était rassemblé, y compris ceux du Breuil, de la carrière et du moulin des Beunes, les femmes en pleurs, la Maligou dans ses simagrées et ses clabauderies, Barberine disant avec des sanglots qu'elle perdait tout puisqu'elle perdait « ses deux soleils », les hommes silencieux et la face fort triste. J'essuyai la dernière larme sur la joue ronde de Catherine, souris à la Gavachette et, Samson et Miroul déjà en selle, y sautai à mon tour. Les quatre chevaux passèrent au pas les trois ponts-levis, suivis de tous courant à leurs côtés et derrière.

J'agitai la dernière main, aperçus, en me retournant encore, le visage fort pâle de mon père, et mis au trot, laissant mes enfances derrière moi.

Malgré les sentiers, il nous fallut près de deux heures pour atteindre Sarlat, car j'imposais un petit train, ne voulant pas fatiguer les chevaux, la route étant fort longue. Je n'avais point envie de trop parler, mais c'était un silence vif et attentif, la pensée agile, et ne retombant point, je l'observais avec soulagement, dans ces marais du passé où ma pensée s'enlisait si morosement depuis la mort de la petite Hélix. Abordant la route de Cahors, je trouvai devant nous un chemin fort montant et fort long entre deux bois très feuillus et très beaux de châtaigniers. Je mis au pas ma jument noire et, me retournant, une main sur ma selle, je demandai à Miroul de nous chanter un psaume pour bercer cette lente, longue et monotone montée. Je le vis, étant toujours tourné vers lui, pencher en souriant la tête pour faire passer sur le devant la viole qu'il portait en bandoulière, et abandonnant ses rênes sur le garrot de son petit arabe qui piochait des sabots dans le sol montueux, il tendit, avec une prière des yeux, la longe du cheval de bât à Samson. Mettant alors sa viole au travers de l'arçon, il en pinça les cordes et commença, soit hasard, soit parce qu'il l'aimait aussi, soit parce qu'il le trouvait approprié à notre long voyage, le psaume que si souvent la petite Hélix avait réclamé de lui en ses dernières semaines : « Confie à Dieu ta route. »

J'eus peur pour moi, en ma nouvelle humeur, des effets de ce choix, mais ce fut le contraire. Tandis que Miroul et Samson chantaient, je me mis à chantonner à voix basse aussi, et cette fois sans serrement du nœud du cou, sans larmes et sans chagrin.

La côte était fort longue, et Miroul chanta tous les couplets, que bien il savait pour les avoir si souvent répétés dans la chambre de la petite Hélix. Il arriva enfin au dernier, et quand il l'eut fini je lui demandai de le répéter, ce qu'il fit, et dès qu'il l'entama, je le chantai avec lui à pleine gorge, penché en avant, dressé sur mes étriers, mon gentil frère Samson me regardant en souriant.

Bénis, Ô Dieu, nos routes,
Nous les suivrons heureux,
Car toi qui nous écoutes,
Tu les sais, tu les veux,
Chemins riants ou sombres,
J'y marche par la foi.
Même au travers des ombres,
Ils conduisent à toi.

La montée déboucha sur du plat tandis que nous chantions ce couplet, et je dis à Miroul de remettre sa viole en son dos et de reprendre à Samson la longe du cheval de bât. Dès qu'il eut fait, je me tournai vers Samson :

— Sens-tu, Samson, cette bonne odeur de feuille et de pré tendre ?

— Je la sens, dit Samson, joyeux de me voir sortir de mes silences. C'est le soleil du tôt du matin qui sèche la petite pluie tombée cette nuit.

— Samson, est-ce que Montpellier est ville plus grande que Sarlat ?

— Bien plus grande, et bien plus belle.

— Belle, il faut qu'elle le soit, pour que les garces y ploient si joliment le col en battant du cil !

— Qu'est cela ? dit Samson avec un zézaiement qui me le fit infiniment aimer de nouveau.

— Samson, dis-je pour le picanier, te souviendras-tu de dégainer promptement si nous sommes attaqués ?

— Je m'en souviendrai.

— Samson, museras-tu quand il faudra saisir tes pistolets dans les fontes ?

— Je ne muserai point, dit Samson, radieux et riant.

— Samson, voici du plat devant nous, et un sol sablonneux. Si nous mettions au petit galop ?

— Pardi ! Si tu le veux !

Je me tournai vers Miroul :

— Galop, Miroul ? Es-tu prêt ?

— Mes arabes, Monsieur mon maître, vous suivront jusqu'au bout de la terre !

Je galopais, et Samson galopait, et derrière nous, tenant haut la longe d'une main et ses rênes de l'autre, Miroul galopait avec ses deux arabes. À dextre et à senestre, comme flèches échappées de la corde d'un arc, filaient les branches d'arbre, et mon Accla chaude et mouvante entre mes jambes, l'espérance, neuve et luisante comme les feuilles, me gonfla tout soudain.

ANNEXES

NOTES DE L'AUTEUR

1. Au lecteur désireux de se documenter plus avant sur Sarlat nous renvoyons aux magistrales études de Jean Maubourguet, et notamment aux trois tomes de *Sarlat et le Périgord méridional* (édités par la Société Historique du Périgord).

2. Nostradamus (1503-1566), qui ne dut qu'à la protection royale d'échapper à un procès de sorcellerie que l'Église lui eût fait volontiers, était médecin, et médecin dévoué, en même temps que prophète en ses *Centuries astrologiques*. Le quatrain où il paraissait prédire, avec d'étonnantes précisions, l'accident mortel d'Henri II, lui valut une immense renommée. Il n'est pas sûr que sa prédiction sur Henri de Navarre (« Celui-là aura tout l'héritage ») ne fût pas faite à Salon au bénéfice des seuls huguenots. Comment expliquer sans cela les faveurs et les écus dont Catherine de Médicis, à cette même date, le combla ? Il est vrai que Nostradamus avait prédit à son fils chéri, le futur Henri III, qu'il serait « heureux dans sa vie et heureux dans son règne » : prédiction cruellement démentie par l'Histoire.

3. Les Mémoires de Vieilleville, gouverneur de l'Île-de-France, dont il est question au chapitre V, ne furent pas écrits par Vieilleville, mais par un clerc de son entourage très désireux de magnifier le rôle joué par son maître. Ils contiennent néanmoins nombre de détails exacts. S'il n'est pas sûr que Vieilleville ait osé adresser à Henri II les âpres remarques sur le

traité de Cambrésis dont j'ai fait état, ces reproches étaient alors dans nombre de cœurs, sinon sur beaucoup de lèvres.

4. Catherine de Médicis eut d'Henri II dix enfants dont trois moururent en bas âge.

Trois de ses fils régnèrent : François II, qui succéda à Henri II (1544-1560) ; Charles IX, qui succéda à François II (1550-1574) ; Henri III, qui succéda à Charles IX (1551-1589). Aucun n'eut d'enfant légitime, et Henri III fut le dernier Valois à régner sur la France.

L'aînée des filles, Elisabeth (1545-1568), épousa Philippe II d'Espagne ; Claude (1547-1575) épousa le Duc de Lorraine ; et Marguerite (la Reine Margot) (1522-1615) épousa Henri de Navarre, le futur Henri IV. Des huit enfants survivants, Margot fut la seule à hériter de la relative longévité de sa mère qui, dans les déplorables conditions sanitaires de l'époque, réussit à avoir, en douze ans, dix enfants sans mourir en couches et sans que son énergie fût en rien diminuée par des grossesses aussi rapprochées.

5. Le rôle subalterne joué par Catherine de Médicis sous le règne d'Henri II, règne sous lequel, pour me citer, « même dans son lit elle n'était pas la première », a amené les historiens à penser que son influence politique à cette époque était nulle. Mais quand on sait que la passion dominante de Catherine fut toute sa vie d'établir ses enfants en mariages princiers, on peut se demander si cette vue est tout à fait juste et si Catherine n'a pas pesé sur Henri II pour amener le mariage de sa fille Elisabeth avec Philipp II d'Espagne, quel que fût le prix dont il fallut payer cette alliance (le Bugey, la Bresse, la Savoie).

6. L'attitude de Michel de L'Hospital, de M. de Burie (lieutenant du roi en Guyenne) et d'Étienne de La Boétie est celle des catholiques modérés de l'époque. Modérés, ils le sont à deux égards : parce qu'ils pensent que Rome doit « rhabiller » ses « infinis abus », et parce qu'ils estiment que, face aux huguenots, ni le couteau ni le bûcher n'apportent de solu-

tion. Ces modérés, sous Henri III, seront appelés les *politiques*, et détestés presque autant que les réformés par les fanatiques de la « Ligue ».

7. Le fanatisme des réformés ne se manifestait pas seulement par le sac et le pillage des églises, voire même leur destruction, mais aussi par la violation des sépultures (Craon, Le Mans, Cléry, Orléans, Bourges). Ces actes de vandalisme scandalisaient davantage le peuple que le meurtre des moines et des prêtres.

8. Les grands seigneurs constituant une sorte de club fermé où l'on se mariait entre soi, il n'y a pas lieu de s'étonner des liens de parenté entre les chefs huguenots et les chefs catholiques. Louis de Bourbon, Prince de Condé (1530-1569), chef des réformés après le retour au catholicisme de son aîné Anthoine de Bourbon, Roi de Navarre (tué au siège de Rouen), était apparenté par sa mère au Duc de Guise, qui le vainquit et le fit prisonnier à la bataille de Dreux. En cette même bataille de Dreux, l'Amiral de Coligny, avant de battre en retraite, captura son oncle, le Connétable de Montmorency.

9. Gaspard de Coligny (1519-1572), troisième fils du Maréchal de Châtillon, nommé Amiral de France en 1552, inspira à ce titre des tentatives de colonisation au Brésil et en Floride (voir notre chapitre XII). Mais il se fit surtout connaître pour son héroïque défense de Saint-Quentin contre les Espagnols. Converti au calvinisme pendant sa captivité aux mains des Espagnols, il devint, après l'assassinat du Prince de Condé (1569), le chef respecté et incontesté des réformés. Son frère, d'Andelot (1521-1569), colonel général de l'Infanterie, participa, sous le Duc de Guise, à la prise de Calais. Il fut le premier des Châtillon à se convertir au calvinisme. Son autre frère, Odet de Coligny, dit le Cardinal de Châtillon, converti lui aussi, se réfugia en Angleterre en 1568.

Les trois frères périrent de mort violente. D'Andelot et Odet, empoisonnés à l'instigation, dit-on, de Catherine de Médicis. L'Amiral de Coligny, arquebusé en plein Paris par le tueur du Roi, fut, deux jours plus tard, la première victime de la Saint-Barthélemy.

10. Jeanne d'Albret rejoignit la cavalcade royale le 1er juin 1564 et la quitta le 14 août, n'ayant rien obtenu contre Montluc et se voyant, au contraire, sommée par Catherine et le Roi d'avoir à vivre dans « la religion qu'avaient observée ses prédécesseurs ». Cependant, par une contradiction qui est bien dans le caractère de la Reine-mère, et témoigne en même temps de son scepticisme, elle accorda à Jeanne d'Albret, en lui donnant son congé, des lettres patentes pour la création d'un collège protestant à Bergerac...

11. Le Duc d'Albe, dans une lettre à l'ambassadeur de France (citée par Lavisse, tome VI, p. 92), se défendit d'avoir, à Bayonne, donné à Charles IX et à Catherine de Médicis des conseils de rigueur à l'égard des protestants français. Mais ce démenti diplomatique est lui-même démenti par une dépêche du Duc d'Albe à son maître Philippe II (tome IX, p. 298, des *Papiers d'État* du Cardinal Granvelle), où il est dit « qu'il fallait se débarrasser de cinq ou six chefs ».

Conseil qui était bien dans les habitudes de l'époque et qui porta ses fruits : outre les trois frères Coligny, le Prince de Condé, fait prisonnier et désarmé après la bataille de Jarnac (1569), fut froidement tué d'un coup de pistolet par Montesquiou, qui n'agit sûrement pas sans ordre. Quant à La Rochefoucauld, autre grand chef protestant, il fut assassiné à son domicile par des gentilshommes envoyés par le Roi aux premières heures de la Saint-Barthélemy.

12. Bien que le terme « *protestant* » apparaisse dès 1529, quand les princes luthériens d'Allemagne « *protestèrent* » contre la décision de Charles Quint de restreindre la liberté religieuse, il apparaît rarement dans les textes français du XVIe siècle pour désigner les calvinistes français.

« *Huguenot* » (*ugonau* en oc) fort employé en revanche dans la deuxième moitié du XVIe siècle pour désigner les calvinistes français vient du mot allemand «*eidgenossen*» (les confédérés) simplifié en *eignot* et francisé (via Genève) en «*huguenot*».

Mais on disait aussi les «Religionnaires» ou «Ceux de la Religion» ou encore «ceux de la Religion réformée».

Se méfiant du prestige déjà grand du mot «réforme» en ces temps, les prêtres romains les plus zélés dénonçaient «*la religion prétendue réformée*», et sous leur plume apparaît alors un sigle qui nous étonne par sa modernité: la r.p.r.

À l'égard des réformés qu'il assiégeait dans La Rochelle, Henri III utilise, à l'exclusion de toute autre, l'expression «*ceux de la nouvelle opinion*», expression qui paraît fort douce, comparée au vocabulaire qu'employaient son père Henri II et son frère Charles IX (cette peste, cette lèpre, etc.).

13. D'après M. Paul Vergnaud, qui a fait des recherches sur ce sujet, les formes «*périgordin*» et «*périgourdin*» se partagent à peu près les faveurs des écrivains du XVIe siècle. Mon usage de «périgordin» dans *Fortune de France* est donc licite sans être aussi normatif que je le pensais.

GLOSSAIRE DES MOTS ANCIENS OU OCCITANS UTILISÉS DANS CE ROMAN

A

acagnarder (s'): paresser.
acaprissat (oc): têtu (chèvre).
accoiser (s'): se taire (voir *coi*).
accommoder: mal traiter, ou bien traiter, selon le contexte.
accommoder à (s'): s'entendre avec.
affiquet: parure.
affronter: tenir tête, braver.
agrader (oc): faire plaisir.
aigremoine: plante de la famille des rosacées, que l'on rencontre à l'orée des bois, et qui était utilisée pour guérir l'ulcère de la cornée.
alberguière: aubergiste.
alloure (oc): allure.
algarde: attaque, mauvais tour.
alpargate (oc): espadrille.
amalir (s') (oc): faire le méchant.
amour (une): amour. Féminin au XVIe siècle.
anusim (les) (hébr.): les convertis de force.
apaqueter: mettre en paquet.
apazimer (oc): apaiser.
apostume: abcès.
apparesser (s'): paresser.
appéter: désirer.
appétit (à): désir, besoin de (ex. appétit à vomir).
arder: brûler de ses rayons (le soleil).
assouager: calmer.

aspé (e) : renforcé (en parlant d'une porte).
à'steure, à s'teure : tantôt... tantôt.
atendrézi (oc) : attendri.
attentement (de meurtrerie) : tentative (de meurtre).
aucuns (d') : certains.
avette : abeille.
aviat (oc) : vite.

B

bachelette : jeune fille.
bagasse (oc) : putain.
bagues : bagages (vies et bagues sauves).
se bander : s'unir (en parlant des ouvriers) contre les patrons. Voir *tric*.
banque rompue : banqueroute.
baragouiner : parler d'une façon barbare et incorrecte. Selon Littré et Hatzfeld, le mot daterait de la Révolution française, les prisonniers bretons de la chouannerie réclamant sans cesse du pain, *bara*, et du vin, *gwin*. Je suis bien confus d'avoir à apporter le démenti à d'aussi savants linguistes, mais le mot baragouin est antérieur à la Révolution, et se rencontre dans de nombreux textes du XVIe siècle (Montaigne : « *Ce livre est bâti d'un espagnol baragouiné* »).
barguigner : trafiquer, marchander (qui a survécu dans l'anglais *bargain*). *Barguin* ou *bargouin* : marché.
bas de poil : couard.
bastidou (oc) : petit manoir.
batellerie : imposture, charlatanerie.
bec jaune : jeunet (par comparaison avec un jeune oiseau, dont le bec est encore jaune). Plus tard : béjaune. *Bec* : bouche (voir gueule). *Prendre par le bec* : moucher quelqu'un qui a proféré une sottise ou une parole imprudente.
bénignité : bonté.
bestiole : peut désigner un chien aussi bien qu'un insecte.
billes vezées : billevesées.
biscotter : peloter.
blèze : bégayant.
de blic et de bloc : de bric et de broc.
bonnetade : salut.
bordailla (oc) : désordre.
bordeau : bordel.

bougre : homosexuel.
bourguignotte : casque de guerre.
branler : ce mot, qui s'est depuis spécialisé, désignait alors toute espèce de mouvement.
brassée : accolade.
braverie (faire une) : défier, provoquer.
braveté (oc) : bonté.
brides (à brides avalées) : nous dirions : à bride abattue. Le cavalier « abat » la bride (les rênes) pour laisser galoper à fond le cheval.
buffe : coup, soufflet (français moderne : baffe).

C

caillette : voir *sotte*.
caïman : de « *quémant* » : mendiant devenu voleur de grand chemin.
calel (oc) : petit récipient de cuivre contenant de l'huile et une mèche.
caque : petit baril.
caquetade : bavardage.
carreau : coussin.
cas : sexe féminin.
casse-gueule : amuse-gueule.
catarrhe : rhume.
céans : ici.
chabrol : rasade de vin versée dans le reste de la soupe et bue à même l'écuelle.
chacun en sa chacunière : chacun en sa maison.
chaffourrer : barbouiller.
chair, charnier, charnure : chair, au XVIe siècle, désigne la viande. Les « *viandes* » désignent les mets. *Charnier* : pièce d'une maison où l'on gardait la « chair salée ». *Charnure* : les contours d'un corps de femme.
chamaillis : combat, le plus souvent avec les armes.
chanlatte : échelle grossièrement faite.
chattemite : hypocrite.
chatterie, chatonie : friponnerie.
chaude (à la) : dans le feu de l'action.
chiche-face : avare (voir *pleure-pain*).
chicheté : avarice.
chié chanté (c'est) : c'est réussi ou c'est bien dit.
circonder : entourer.

clabauder: bavarder. *Clabauderie*: bavardage.
de clic et de clac: complètement.
clicailles: argent.
coi: silencieux (*s'accoiser*: se taire).
col: cou.
colloquer: conférer, donner (colloquer en mariage).
colombin (e): blanc, pur, innocent.
combe: vallée étroite entre deux collines. «*Par pechs et combes*»: par monts et vaux.
combien que: bien que.
commodité: agrément. Faujanet (sur le mariage): «La commodité est bien courte et le souci bien long».
compain: camarade (celui avec qui on partage le pain).
conséquence (de grande ou de petite): importance (de grande ou de petite importance).
constant: vrai.
coquardeau: sot, vaniteux.
coquarts: coquins.
coquefredouille: voir *sotte.*
coqueliquer: faire l'amour.
corps de ville: la municipalité.
en correr (oc): en courant.
cotel (oc): couteau.
côtel: côté (d'un autre *côtel*).
courtaud: petit cheval de chétive apparence.
courre: courir.
cramer: brûler (ex: putain cramante).
cuider: croire.

D

dam, dol: dommage.
déconforter: désoler.
déconnu: inconnu.
déduit: jeu amoureux.
dégonder: déboîter.
délayer: retarder.
demoiselle: une demoiselle est une femme noble, et ce titre se donne aussi bien aux femmes mariées qu'à celles qui ne le sont pas.
dépêcher: tuer.
dépit (substantif pris adjectivement): courroucé.
déporter (se), *déportement*: se comporter, comportement.

dépriser, déprisement, dépris : mépriser, mépris.
dérober : enlever sa robe à.
désoccupé : sans travail.
dévergogné : sans pudeur.
diagnostique : l'usage, au XVIe siècle, était de l'employer au féminin.
domestique (le) : l'ensemble des domestiques, hommes et femmes. S'agissant d'un prince, le « domestique » peut inclure les gentilshommes.
doutance : doute.
driller : briller.
drola ou *drolette* (oc) : fille.
drolasse : mauvaise fille (oc).
drole (oc) (sans accent circonflexe, comme Jean-Charles a bien voulu me le rappeler) : garçon.
drolissou (oc) : gamin.

E

embéguinée : voir *sotte.*
embufer (oc) : contrarier, braver.
emburlucoquer : embrouiller (emburlucoquer une embûche).
émerveillable : admirable.
émeuvement : agitation, émoi.
emmistoyer (s') (marrane) : faire l'amour avec.
émotion (une émotion populaire) : émeute. On dit aussi un « tumulte ».
esbouffer (s') à rire : éclater de rire.
escalabrous (oc) : emporté.
escambiller (s') (oc) : ouvrir voluptueusement les jambes.
escopeterie : coups d'arquebuse tirés en même temps.
escouillé (oc) : châtré.
escumer (s') (oc) : transpirer.
espincher (oc) : lorgner.
estéquit (oc) : malingre.
esteuf : balle ou jeu de paume.
estranciner : s'éloigner de.
estrapade : supplice qui se donnait pour fin la dislocation des épaules.
étoffé (des bourgeois étoffés) : riche.
évangiles : le mot s'emploie au féminin. Ex. : « leurs belles évangiles » (François de Guise).
évicter : faire sortir.

F

fallace : tromperie.
fault (ne vous) : ne vous fait défaut.
fendant (l'air assez) : fier.
fétot (oc) : espiègle.
fiance : confiance.
fils : « Il n'y avait fils de bonne mère qui n'en voulû tâter » : Il n'y avait personne qui... (la connotation favorable s'étant perdue).
folieuse : prostituée.
for (en son) : en lui-même.
forcer : violer, *forcement* : viol.
fortune (la fortune de France) : le sort ou le destin de la France.
friandise (par) : par avidité. Ce mot est aujourd'hui passé du mangeur au mangé, le mangeur gardant « friand ».
frisquette : vive.
front (à... de) : en face de.

G

galapian (oc) : gamin.
galimafrée : ragoût.
gambette : jambe.
garce : fille (sans connotation défavorable).
gargamel (le ou la) : gorge.
gausser (se) : plaisanter, avec une nuance de moquerie (d'où gausserie).
un gautier, un guillaume : un homme.
geler le bec : clouer le bec.
gens mécaniques : ouvriers.
godrons : gros plis ronds empesés d'une fraise. Il y avait fraise et fraise, et celles des huguenots étaient austèrement et chichement plissées à petits plis.
goguelu (e) : plaisant, gaillard.
gouge : prostituée.
gripperie : avarice.
grouette : terrain caillouteux.
gueule : rire à gueule bec : rire à gorge déployée. *Baiser à*

gueule bec: embrasser à bouche que veux-tu. *Être bien fendu de la gueule*: avoir la langue bien pendue.
guilleri: verge.

H

haquenée: monture particulièrement facile qu'on peut monter en amazone.
harenguier: marchand de poissons.
hart: la corde du gibet.
haut à la main: impétueux.
heur (l'): le bonheur.
hucher: hurler (Colette emploie plusieurs fois le mot dans ses «*Claudine*»).
hurlade: hurlement.

I

immutable: fidèle, immuable.
incontinent: immédiatement.
intempérie: maladie.
ire: colère.
irréfragable: qu'on ne peut pas briser.

J

jaser: parler, bavarder.

L

labour, labourer: travail, travailler.
lachère: qui donne beaucoup de lait.
lancegaye: lance petite et fine.
langue (bien jouer du plat de la): avoir le verbe facile.
lauze: pierre taillée plate dont on fait des toitures en Périgord et dans les provinces voisines.
lécher le morveau (péjoratif): baiser les lèvres.
lecture: le cours d'un professeur.
léthal: mortel.
loche: branlant.

louba (oc) : louve.
loudière : putain (de *loud* : matelas).

M

maloneste (oc) : mal élevé.
marmiteux : triste.
maroufle, maraud : personne mal apprise.
mazelier, mazelerie : boucher, boucherie.
membrature : membres et muscles.
ménage : la direction et gestion (d'une maison, d'un domaine). L'anglais use encore de ce mot dans son sens français ancien *management*.
ménine (oc) : vieille femme.
mentulle : verge.
mérangeoises : méninges (?).
merveilleux, merveilleusement : extraordinaire. La connotation n'est pas nécessairement favorable. Ex. : « L'Église romaine est merveilleusement corrompue d'infinis abus » (La Boétie).
meshui : aujourd'hui.
mie : pas du tout.
mignarder : voir *mignonner*.
mignonner : caresser.
mignote : jeune fille (ou mignotte).
milliase : millier (dans un sens péjoratif : un milliasse d'injures).
miserere : appendicite.
mitouard : hypocrite.
montoir (mettre au) : saillir ou faire saillir.
morguer : le prendre de haut avec.
morion : casque de guerre.
moussu (oc) : monsieur.
muguet : galant, jeune homme à la mode.
mugueter : faire la cour.
musarde : flâneuse, rêveuse.

N

navrer : blesser.
navrement, navrure : blessure.
nephliseth (hébr.) : verge.
niquedouille : voir *sotte*.

O

occire : tuer.
ococouler (s') (oc) : se blottir.
oncques : jamais.
orde : sale.
oreilles étourdies (à) : à tue-tête.
osculation : baiser.
oublieux : marchand de gaufres.
outrecuidé : qui s'en croit trop.

P

paillarder: faire l'amour (probablement de « paille », par allusion aux amours rustiques).
paillardise : lubricité.
paonner (se) : se pavaner.
Paris : le nom est féminin au XVIe siècle.
parladure (oc) : jargon.
parpal (oc) : sein.
pasquil : épigramme, pamphlet.
pastisser (oc) : peloter.
pastourelle : bergère.
pâtiment : souffrance.
patota (oc) : poupée (Espoumel dit : *peteta*).
paume : jeu de balle qui se jouait d'abord à mains nues mais qui, au XVIe siècle, incluait déjà l'usage du filet et de la raquette (ronde ou carrée).
pauvre (mon) : emprunte à *paure* (oc) son sens affectueux.
pech (oc) : colline, le plus souvent colline pierreuse.
pécune : argent.
pécunieux : riche (cf. français moderne : *impécunieux* : pauvre).
pensamor (oc) : pensée amoureuse.
pensement (oc) : pensée (dans le sens de : penser à quelqu'un).
périgordin : employé dans cette chronique de préférence à périgourdin.
peux-je ? : n'avait pas encore été vaincu par *puis-je ?*
piaffe (la) : étalage vaniteux. *Piaffard:* faiseur d'embarras.

picanier (oc): taquiner, quereller. *Picanierie:* querelle, taquinerie.
picorée: butin.
pile et croix (à): pile ou face.
pimplader (se) (oc): se farder.
pimplocher (se): même sens.
piperie: tromperie.
pique (la pique du jour): l'aube.
pisser (n'en pas pisser plus roide): n'y avoir aucun avantage.
pitchoune (oc): enfant.
pitre (oc): poitrine.
platissade: coup de plat d'une épée.
plat pays: campagne.
pleure-pain: avare.
plier (oc): envelopper (la tête pliée: la tête enveloppée).
ploros (oc): pleurnicheur.
ployable: souple, flexible.
poilon: poêlon.
pointille: affaire de peu d'importance.
pouitrer (oc): pétrir.
poutoune (oc): baiser.
prédicament: situation.
prendre sans vert: prendre au dépourvu.
proditoirement: traîtreusement.
prou: beaucoup (peu ou prou).
provende: provision.

Q

quand (quand et quand): souvent.
quenouillante: qui file la quenouille.
quia (mettre à, réduire à): détruire, anéantir.
quiet: tranquille (quiétude).
quinaud: penaud.

R

ramentevoir (se): se rappeler.
raquer (oc): vomir.
rassotté: sot, gâteux.
ratelée (dire sa): donner son opinion ou raconter une histoire.

rebelute : à contrecœur.
rebiquer, rebéquer (se) : se rebeller.
rebiscoulé (oc) : rétabli (après une maladie).
rebours : hérissé, revêche.
réganier : repousser.
religionnaires (les) : les réformés.
remochiner (se) (oc) : bouder.
remuements : manœuvres, intrigues.
remparer : fortifier.
reyot ou *reyet* (oc) : (de *rey*, roi). Petit roi, dans un sens péjoratif. Charles IX, après la Saint-Barthélemy, devint pour les réformés du Midi : « ce petit reyet de merde ».
rhabiller (un abus) : porter remède à un abus.
ribaude : putain.
rober : voler.
robeur : voleur.
rompre : briser (les images et statues catholiques).
rompre les friches : labourer les friches.
rufe (oc) : rude, mal dégrossi.

S

saillie : plaisanterie.
saillir : sortir.
sanguienne : juron (sang de Dieu).
sarre (impératif) : fermez. Ex. : Sarre boutiques !
serrer : garder prisonnier.
sotte : les insultes courantes à l'époque, surtout lorsqu'elles s'adressaient aux femmes, mettaient l'accent sur la niaiserie et l'ignorance plus encore que sur la sottise. Ex. : sotte caillette, sotte embéguinée, niquedouille, coquefredouille, etc.
soulas : contentement.
strident : aiguisé, vorace (*l'appétit le plus strident*).
sueux : suant.

T

tabuster : chahuter.
tant (tant et tant) : tellement.
tantaliser : faire subir le supplice de Tantale.
tas (à) : en grande quantité.

testonner : peigner.
téton : le mot « sein » est rare dans la langue du XVIe siècle du moins au sens féminin du mot. On dit aussi *tétin*.
tire-laine : larron spécialisé dans le vol des manteaux.
tirer (vers, en) : aller dans la direction de.
tortognoner : biaiser, hésiter.
touchant : en ce qui concerne.
toussir : tousser.
tout à plat (refuser) : refuser catégoriquement.
tout à plein : complètement.
tout à trac : tout à fait.
tout de gob : tout de go.
trait (de risée) : plaisanterie.
trantoler (se) (oc) : flâner.
travaillé (de) : subir ou souffrir (la guerre dont la France était durement travaillée).
trestous : tous.
tric : l'arrêt de travail concerté (puni alors des plus lourdes peines).
truchement : interprète.
tympaniser : assourdir de ses cris, et aussi mettre en tutelle (au son du tambour : *tympane*).
de tric et de trac : complètement.

U

ugonau (oc) : huguenot.
usance : usage.

V

vanterie : vantardise.
vaudéroute (mettre à) : mettre en déroute.
vaunéant : vaurien.
ventrouiller (se) : se vautrer.
viandes (les) : voir *chair*.
vif : vivant.
vilité : mode de vie bas et vil (ribaude vivant en vilité).
vit : verge.
volerie : chasse fauconnière.

TABLE

ANNEXES

Le Livre de Poche s'engage pour l'environnement en réduisant l'empreinte carbone de ses livres. Celle de cet exemplaire est de :
650 g éq. CO_2
Rendez-vous sur www.livredepoche-durable.fr

Achevé d'imprimer en mars 2013 en France sur Presse Offset par
Maury-Imprimeur - 45330 Malesherbes
N° d'imprimeur : 179500
Dépôt légal 1re publication : juin 1994
Édition 20 - mars 2013
Librairie Générale Française - 31, rue de Fleurus - 75278 Paris Cedex 06

31/3535/7